DEAN KOONTZ

LE VISAGE DE L'ANGE

roman

JC Lattès

DEAN KOONTZ

LE VISAGE DE L'ANGE

Channing Manheim, grande star de cinéma au physique d'Apollon, déchaîne l'adoration des foules mais suscite aussi la haine d'une âme machiavélique. L'existence dorée et parfaitement ordonnée de l'acteur se trouve soudain menacée à mesure que des messages aussi terrifiants qu'énigmatiques franchissent les remparts surprotégés de sa légendaire propriété de Bel Air.

L'ex-flic Ethan Truman, engagé pour assurer la sécurité de l'icône hollywoodienne et de son fils de dix ans, Fric, va devoir tenter de trouver un sens à ces mystérieux rébus. Mais, au fil de son enquête, Ethan va se retrouver confronté au paranormal et à l'étrange et devra affronter les fantômes de son propre passé.

Parviendra-t-il à déjouer les terribles desseins de celui qui se définit comme un « agent du chaos » ?

Aussi populaire que Stephen King aux Etats-Unis, Dean Koontz joue avec nos angoisses et aime nous entraîner à la frontière de l'étrange dans ses thrillers intelligents et pleins d'humour.

La Dernière Porte, *publié aux éditions Lattès, a connu un grand succès.*

Maquette : Atelier Didier Thimonier
Photo © Tom Hallman

LE VISAGE DE L'ANGE

Du même auteur :

La Dernière Porte, 2003.
Au clair de lune, 2004.

www.editions-jclattes.fr

Dean Koontz

LE VISAGE DE L'ANGE

Roman

Traduit de l'anglais (États-Unis)
par Dominique Defert

JC Lattès
17, rue Jacob 75006 Paris

Titre de l'édition originale
THE FACE
publiée par Bantam Dell, un département de Random House, Inc.

Ce livre est dédié à trois hommes d'exception... et à leurs épouses, qui ont su, à force d'opiniâtreté, malaxer l'argile brute qui les constituait pour en faire ces petites merveilles d'humains :

À Leason et Marlene Pomeroy, donc, à Mike et Edie Martin, et à Jose et Rachel Perez.

Désormais, il ne se passera plus une minute de mon existence sans que je pense à vous. Voilà la malédiction qui m'attend !

« L'esprit de l'homme civilisé... ne peut se débarrasser du surnaturel. »

Docteur Faust, Thomas Mann.

1.

Une fois la pomme coupée en deux, les deux moitiés avaient été recousues avec du fil noir grossier. Dix points de suture, uniformément répartis. Chaque nœud formé avec la précision impatiente d'un chirurgien.

La variété de la pomme, une rouge juteuse à souhait, pouvait avoir son importance. Sachant que les messages étaient toujours délivrés sous forme d'images – jamais au moyen de mots –, ce genre de détail visuel pouvait servir à affiner la pensée de l'expéditeur, tout comme adjectifs et ponctuation affinaient la prose des littérateurs.

Mais il était sans doute plus vraisemblable que cette pomme avait été choisie pour la fermeté de sa texture. Trop mûre, la chair molle se serait déchirée, même si l'aiguille avait été maniée avec précaution et les points noués avec douceur.

Dans l'attente d'un examen approfondi, la pomme trônait sur le bureau d'Ethan Truman. La boîte noire dans laquelle le fruit était emballé se trouvait également sur le bureau, avec son nid de bandelettes de papier sombre. Hormis le fruit couturé, la boîte était vide. Aucun indice de ce côté-là.

L'appartement d'Ethan, au rez-de-chaussée de l'aile Ouest de la grande maison, comprenait ce bureau, une chambre, une salle de bain et une cuisine. De grandes portes-fenêtres offraient une vue sur un parc que la pluie rendait irréel.

Le précédent occupant avait fait de ce bureau son salon et l'avait meublé en conséquence. Mais Ethan n'avait que trop peu de temps libre pour consacrer une pièce entière à l'oisiveté.

À l'aide d'un appareil numérique, il avait photographié la boîte avant de l'ouvrir. Il avait également pris des clichés de la pomme sous trois angles différents.

Sans doute le fruit avait-il été ouvert en deux afin de pouvoir loger un objet en son centre. Ethan hésitait à trancher les points pour jeter un coup d'œil à l'intérieur.

Des années passées à la brigade criminelle l'avaient endurci en bien des manières. Mais, dans le même temps, trop de faces-à-faces avec la violence extrême l'avaient rendu précautionneux.

Il n'avait que trente-sept ans, mais sa carrière de policier était terminée. Son sixième sens était toujours aussi vif, et son regard sur le monde toujours aussi noir.

Le vent bruissait derrière les carreaux. La pluie tapotait sur les vitres.

Il se dirigea vers la fenêtre la plus proche, les nuées sinistres lui donnant une excuse pour retarder l'ouverture de la pomme.

Le cadre, les vantaux, l'assise – tous les éléments des fenêtres de la maison étaient en bronze. À l'extérieur une teinte verte et pommelée formait une patine du plus bel effet. À l'intérieur, un entretien régulier préservait le glacis sombre de l'alliage.

Tous les carreaux des fenêtres étaient biseautés à l'ancienne, même ceux des vulgaires pièces de service, telles que l'office ou la buanderie.

La demeure, édifiée pourtant à la fin de la Grande Dépression par un magnat du cinéma, avait été construite avec un soin et une finition irréprochables. De l'entrée monumentale, en forme de rotonde, au dernier recoin de la maison, luxe et matériaux de qualité étaient de rigueur.

Quand les aciéries fermaient, quand les vêtements, sur les cintres des merceries, faisaient le festin des mites, quand les automobiles rouillaient dans les salons d'exposition, faute d'acheteurs, le cinéma, lui, connaissait un âge d'or. Durant les périodes fastes comme durant les vaches maigres, demeuraient deux nécessités absolues : la nourriture et les illusions.

Derrière les fenêtres, le paysage ressemblait à ces décors peints de studio – ces œuvres bidimensionnelles qui, grâce à l'œil trompeur de la caméra, devenaient une vallée sur une planète lointaine ou un lieu connu de notre monde, plus vrai que nature.

Plus vertes que les prairies de l'Éden, les pelouses s'étiraient en douces ondulations au pied de la demeure, sans la moindre mauvaise herbe. Les couronnes majestueuses des grands chênes de Californie, et les rameaux mélancoliques des cèdres d'Himalaya scintillaient sous le crachin de décembre.

Sous les traits de pluie, aussi fin que des cheveux d'ange, Ethan apercevait, au loin, le dernier virage de l'allée. Les pavés gris-vert de quartzite, polis par la pluie comme une piste de sterling, menaient à l'entrée de la propriété.

Au cours de la nuit, le visiteur importun avait rejoint le

portail à pied. Craignant que les portes soient équipées d'un système de sécurité et que son poids, s'il tentait de l'escalader, ne suffise à déclencher une alarme dans quelque salle de contrôle, il avait jeté le paquet par-dessus le faîte ouvragé du portail de bronze.

La boîte, contenant la pomme, était enveloppée de papier bulle et emmaillotée dans un sac en plastique blanc pour la protéger des intempéries. Une fleur rouge en ruban, agrafée sur le sac, indiquait qu'il s'agissait d'un cadeau et non d'un vulgaire détritus bon à jeter aux ordures.

Dave Ladman, l'un des deux gardes de nuit, avait récupéré le colis à 3 h 56 du matin. Portant le sac avec précaution, il l'avait rapporté au PC de la sécurité qui se trouvait dans la maison du jardinier, au fond de la propriété.

Dave et son collègue, Tom Mack, avaient passé le paquet aux rayons x. Ils cherchaient à repérer des fils électriques et autres composants métalliques, typiques d'une bombe ou d'un colis piégé.

De nos jours, on peut construire une bombe sans aucune pièce de métal. Aussi, après l'examen radiographique, Dave et Tom avaient pratiqué une analyse olfactive, avec un appareil capable de reconnaître trente-deux signatures chimiques de produits explosifs, et ce, à des concentrations aussi faibles que trois molécules par centimètre cube d'air.

Une fois assurés que le colis ne recelait aucune machine infernale, les gardes avaient ouvert le sac. En découvrant le colis noir, ils avaient laissé un message sur la boîte vocale d'Ethan et avaient mis le paquet de côté à son intention.

À 8 h 35, l'un des deux gardes des roulements du matin, Benny N'guyen, avait apporté la boîte à l'appartement d'Ethan, dans la maison principale. N'guyen était venu, également, avec une cassette vidéo, contenant un florilège d'images provenant des caméras de surveillance qui avaient filmé la scène de la « livraison ».

Et aussi avec un saladier plein du *com tay cam* maternel, un plat de riz et de poulet au gingembre dont Ethan était fort friand.

— Ma mère a encore lu l'avenir dans les coulures de suif, annonça N'guyen. Elle a allumé une bougie pour vous, et examiné le tracé des gouttes… Elle a dit que vous aviez besoin d'un fortifiant.

— Pour quoi faire ? Ces derniers temps, ma seule activité, c'est de sortir de mon lit, le matin.

— Elle n'a pas dit pourquoi. Mais, c'est sûr, ce n'est pas

simplement à cause des courses de Noël. Elle avait son regard de dragon lorsqu'elle m'a demandé de vous porter ça.

— Celui qui fait se coucher les pit-bulls, ventre à l'air ?

— Tout juste. Elle a dit que vous deviez bien vous nourrir, bien dire vos prières, chaque matin et chaque soir, et éviter les alcools forts.

— Ce n'est pas gagné. Boire de l'alcool, c'est ma façon de prier.

— Je lui dirai que vous avez vidé votre whisky dans l'évier, et que lorsque je vous ai quitté, vous étiez à genoux, en train de remercier Dieu pour avoir créé les poulets et permettre ainsi à ma mère de vous préparer des *com tay cam*.

— Votre mère n'est pas du genre à accepter un « non ».

N'guyen esquissa un sourire.

— Ni même un « oui ». Elle n'attend aucune réponse particulière. Juste de l'obéissance.

À présent, une heure plus tard, Ethan se tenait à la fenêtre, à contempler la bruine qui déposait un glacis perlé sur les collines de Bel Air.

Regarder la pluie clarifiait l'esprit.

Parfois, seule la nature paraissait réelle, tandis que toutes les œuvres humaines, monuments comme idées, semblaient être le berceau des rêves.

Depuis son retour à la vie civile, ses ex-collègues de la police lui reprochaient de trop « cogiter ». Certains d'entre eux étaient morts depuis.

C'était la sixième boîte noire qu'il recevait en dix jours. Le contenu des cinq précédentes avait été des plus inquiétants.

Après une formation en psychopathologie criminelle, associée à ses années d'expérience sur le terrain, Ethan était rarement surpris par le génie inventif humain dans sa quête à faire le mal. Et pourtant, ces étranges cadeaux le troublaient profondément.

Ces dernières années, inspiré par les exploits flamboyants des méchants au cinéma, le moindre malfrat ou tueur en série en herbe ne pouvait plus se contenter d'accomplir sa sale besogne et passer à autre chose. Cela manquait de panache sur l'écran de son cinéma personnel. La plupart cherchait à se créer un personnage haut en couleurs, à signer leur acte de façon spectaculaire, et ourdissait des mises en scène machiavéliques, soit pour tourmenter leurs victimes avant l'acte, soit pour narguer les autorités après coup.

Leurs sources d'inspiration, toutefois, étaient toutes éculées. Tel ou tel acte de cruauté, destiné à impressionner leur public, était si stéréotypé qu'il distillait autant d'ennui que les bouffonneries d'un clown sénile et radoteur.

L'expéditeur de ces boîtes noires, toutefois, réussissait là où les autres se cassaient les dents. Il y avait, reconnaissait Ethan, un certain caractère inventif dans ces menaces en forme de rébus.

Lorsque ses véritables intentions seront connues et que ses menaces cryptées se trouveront éclairées par ses actes, l'auteur risquait de se révéler plus intelligent que la moyenne des malfrats actuels. Et plus diabolique, aussi.

En outre, l'auteur ne se donnait pas de surnoms grotesques pour faire les choux gras des journaux à sensation lorsque, enfin, ils auraient vent de son petit jeu. Il ne se donnait aucun nom d'ailleurs ; ce qui laissait présager une belle assurance chez cet individu, et nul attrait démesuré pour la célébrité.

Sa cible était la plus grande star de cinéma du moment, l'homme sans doute le mieux gardé du pays après le président des États-Unis. Et pourtant, au lieu d'opérer dans l'ombre, il révélait ses intentions sous forme d'énigmes sinistres, afin de s'assurer que sa proie serait encore plus difficile à attraper que d'habitude.

Après avoir, en pensée, retourné la pomme en tous sens, vu et revu les détails de l'emballage et de la présentation du colis, Ethan délaissa enfin son poste d'observation à la fenêtre, alla chercher une paire de ciseaux dans la salle de bains et revint à son bureau.

Il tira la chaise, s'assit, écarta la boîte noire et plaça la pomme suturée sur son sous-main.

Les cinq premiers colis, chacun de taille différente, ainsi que leur contenu, avaient été scrutés à la loupe, à la recherche d'éventuelles empreintes digitales. Il en avait examiné trois lui-même. Mais en vain.

Les boîtes arrivant sans un mot d'explication, les autorités se refusaient à les considérer comme des menaces de mort patentes. Tant que les intentions de l'expéditeur restaient sujettes à interprétation, la police ne pouvait intervenir.

Les colis numéros 4 et 5 avaient été confiés à un vieil ami de la police scientifique de Los Angeles, de façon officieuse. Ils avaient été placés dans un caisson étanche et soumis à un bain de vapeur de cyanoacrylate, qui avait la faculté de se condenser en résine sur les huiles laissées par l'épiderme.

Sous un éclairage fluorescent, aucune trace de résine blanche. De même, dans la chambre noire, sous le faisceau fin et rasant d'une lampe halogène, les boîtes et leurs contenus restaient exempts de tout stigmate.

La poudre magnétique, non plus, n'avait donné aucun résultat. Même plongés dans une solution au méthanol de rhodamine 6G, et scannés ensuite au rayon d'un laser à argon, les objets n'avaient révélé aucune des circonvolutions espérées.

Le passeur inconnu était trop précautionneux pour laisser de tels indices.

Néanmoins, Ethan manipulait ce sixième colis avec le même soin que pour les cinq précédents. Sans doute n'y avait-il aucune empreinte susceptible d'être effacée, mais il n'en avait pas encore la preuve formelle.

À l'aide de la paire de ciseaux à ongles, il trancha sept sutures, laissant intactes les trois dernières pour faire office de charnières.

L'expéditeur avait utilisé du jus de citron ou tout autre conservateur culinaire pour préserver l'aspect du fruit. La chair était quasiment blanche, avec juste un ombrage brun à la périphérie, sous la peau.

Le centre était immaculé. Le trognon avait été débarrassé de ses pépins, et creusé pour pouvoir y loger l'objet.

Ethan s'attendait à trouver un ver : ver de terre, asticot, sangsue, chenille, trématode et consorts.

Mais au lieu de ça, niché dans la chair de la pomme, il trouva un œil.

L'espace d'un instant glacé, il crut que l'œil était réel. Puis il s'aperçut qu'il était en plastique, mais réalisé avec un souci maniaque du détail.

Ce n'était pas un globe complet, mais un hémisphère. L'arrière de l'œil était plat, pourvu d'un anneau métallique.

Quelque part sur Terre, une poupée borgne continuait à sourire.

Peut-être l'inconnu voyait-il, en regardant la poupée, l'objet de son obsession pareillement mutilé ?

Ethan fut aussi troublé par cette découverte que s'il s'était agi d'un œil réel.

Sous l'œil postiche, dans son nid de chair, se trouvait un morceau de papier soigneusement plié, rendu légèrement humide par le jus de la pomme. Lorsqu'il le déplia, il découvrit un texte dactylographié – le premier message écrit en six envois.

L'ŒIL DANS LA POMME ? LE VER DANS LE FRUIT ? LE PÉCHÉ ORIGINEL ? LES MOTS ONT-ILS D'AUTRE BUT QUE DE SEMER LA CONFUSION ?

Ethan ne savait que penser, certes. Quel que fut le sens de ces mots, cette menace – l'œil dans la pomme – lui parut particulièrement inquiétante. Voilà que le mystérieux expéditeur proposait, avec des termes sombres sinon obscurs, une énigme – une énigme qu'il fallait décrypter correctement, et dans les plus brefs délais.

2.

Au-delà des petits carreaux des fenêtres, les nuages noirs qui, jusqu'à présent, occultaient le ciel, disparaissaient désormais derrière le voile grisâtre de bruine. Le vent s'en était allé, emportant ailleurs ses lamentations tandis que les arbres détrempés se dressaient immobiles et solennels, tels des témoins d'un cortège funéraire.

Le jour flottait, en suspens, dans l'œil de l'orage. Par les trois fenêtres de son bureau, Ethan contemplait la grisaille tout en méditant sur le sens de cette pomme, au regard des cinq envois qui l'avaient précédée. La nature l'observait derrière ses cataractes laiteuses et, comme en écho à ses interrogations silencieuses, lui renvoyait un camaïeu de brumes.

Sans doute la pomme représentait-elle la gloire et l'opulence, la vie dorée de l'employeur d'Ethan. Auquel cas, l'œil de poupée était une sorte de ver gâtant le fruit, le symbole d'une pourriture interne, et par suite, une accusation et une condamnation implicites à l'encontre de The Face.

Depuis douze ans, l'acteur était la plus grande star mondiale au box-office. Depuis son premier succès, tous les médias l'avaient surnommé The Face, le Visage, sous entendu le visage du siècle.

Ce sobriquet flatteur était soi-disant apparu, simultanément, sous la plume de plusieurs critiques de cinéma, frappés par le charme irrésistible de son joli minois. En vérité, c'étaient les spécialistes du marketing, toujours sur la brèche, qui avaient, à grands renforts de dollars, monté de toutes pièces ce cri du cœur unanime et spontané, et qui l'entretenaient depuis une décennie.

Du temps reculé des films noir et blanc (une époque dont le fan actuel de cinéma ne garde pas plus de souvenir que la guerre d'indépendance contre le Mexique), Greta Garbo, une actrice sublime, avait, elle aussi, été surnommée The Face. La flatterie était également une idée des studios, mais le talent de Garbo se révéla bien plus grand que ce simple coup de pub.

Depuis dix mois, Ethan était le chef de la sécurité de Channing Manheim, la nouvelle gueule d'amour du troisième millénaire. Et il n'avait vu, chez son patron, pas l'ombre, même des plus ténues, du talent de Garbo. The Face, deuxième du nom, n'avait que son visage.

Ethan ne méprisait pas l'acteur. Manheim était affable, aussi détendu qu'un demi-dieu certain de rester éternellement jeune et beau.

L'indifférence de la star pour tout autre sujet que sa personne n'émanait ni d'un égocentrisme démesuré, ni d'une incapacité clinique à la compassion. Son intellect limité l'empêchait de prendre conscience que les gens étaient plus complexes que des personnages de scénario et que leur histoire était bien trop compliquée pour être brossée en une heure et demie.

La cruauté, donc, que Channing Manheim pouvait montrer à autrui n'était jamais volontaire.

Si Manheim n'avait pas été The Face, s'il n'avait pas eu cette plastique saisissante, rien de ce qu'il aurait pu dire ou faire n'aurait eu d'importance. Dans les bars d'Hollywood, si l'on donnait aux sandwiches des noms de stars, un Clark Gable serait un rosbif au raifort sur du pain de seigle ; un Cary Grant serait du poulet épicé avec du gruyère sur du pain complet nappé de moutarde ; et le Channing Manheim une tartine de cresson légèrement beurrée.

Ethan n'éprouvait pas d'inimitié particulière envers son patron. Il n'avait nul besoin d'apprécier humainement son employeur pour assurer sa protection.

Si l'œil dans la pomme était le symbole du ver dans le fruit, alors il pouvait s'agir de l'ego de la star, dans son trop bel écrin.

Peut-être l'œil de poupée ne représentait-il pas l'élément corrupteur, mais le côté obscur de la gloire. Une célébrité planétaire telle que Manheim ne connaissait guère l'intimité ; il était une bête curieuse pour les médias. L'œil symbolisait peut-être le regard des paparazzi – qui traquaient, scrutaient sans cesse leur proie...

Foutaises ! Psychologie de comptoir ! Avec ce temps qui incitait à la contemplation mélancolique et aux sinistres spéculations, toutes les cogitations d'Ethan lui semblaient vaines et triviales.

Les mots du message tournaient en boucle dans sa tête : L'ŒIL DANS LA POMME ? LE VER DANS LE FRUIT ? LE PÉCHÉ ORIGINEL ? LES MOTS ONT-ILS D'AUTRE BUT QUE DE SEMER LA CONFUSION ?

Se sachant dans une impasse, Ethan fut heureux d'entendre le téléphone sonner, ce qui le força à s'éloigner des fenêtres et à retourner à son bureau.

Laura Moonves, une vieille amie de la police de Los Angeles, avait fait, pour lui, une recherche sur un numéro d'immatriculation. Elle travaillait au service de documentation. Une fois seulement, l'an passé, il avait usé de ce lien d'amitié pour s'assurer de sa coopération.

— J'ai ton pervers, déclara Laura.

— Pervers supposé, rectifia Ethan.

— La Honda de trois ans appartient à un certain Rolf Herman Reynerd, à West Hollywood.

Elle épela chaque nom et lui donna l'adresse.

— Comment peut-on appeler son gosse *Rolf*? lâcha Ethan.

Laura était incollable sur les noms :

— Bah, il y a pire. C'est plutôt viril, en fait. En vieil allemand, cela signifie « le loup célèbre ». Et Ethan signifie « solide, rassurant ».

Deux ans plus tôt, ils avaient eu une liaison. Pour Laura, Ethan avait été loin d'être un roc. Elle aurait aimé être rassurée, protégée, mais Ethan était alors trop blessé pour lui offrir ce qu'elle réclamait – ou trop stupide.

— J'ai jeté un coup d'œil sur son casier, expliqua Laura. Il est vierge. Le fichier des permis de conduire dit « cheveux bruns, yeux bleus. Sexe masculin ». Sexe masculin, ça, j'aime. C'est ce qui manque dans ma vie. Taille : un mètre quatre-vingt-deux, quatre-vingt-dix kilos. Né le 6 juin 1972, ce qui lui fait trente et un ans.

Ethan consigna tous ces renseignements dans un carnet.

— Merci, Laura. Je te revaudrai ça.

— Raconte un peu... comment est son machin ?

— Ce n'est pas sur sa fiche ?

— Je ne parle pas du machin de ton Rolf. Mais de celui de Manheim. Il descend jusqu'aux chevilles ou s'arrête-t-il seulement aux genoux ?

— Je n'ai jamais vu son « machin », mais je n'ai pas l'impression qu'il lui pose des problèmes pour marcher.

— Tu pourrais nous présenter un de ces jours, Cookie.

Ethan n'avait jamais su pourquoi elle l'appelait Cookie.

— Tu t'emmerderais avec lui au bout de deux minutes, je t'assure.

— Mignon comme il est, je me fiche de sa conversation.

Je lui fourre une chaussette dans la bouche, et en route vers le septième ciel !

— Mon boulot, c'est justement de tenir au large des gens comme toi.

— Truman provient de deux mots de vieil anglais, annonça-t-elle. Il signifie celui qui est loyal, digne de confiance, fidèle au poste et toujours là quand on en a besoin.

— Ce n'est pas en tentant de me culpabiliser que tu auras un rencard avec Gueule d'Amour. En outre, je ne vois pas quand j'ai été déloyal et indigne de confiance ?

— Reste fidèle au poste et toujours présent, Cookie... Deux sur quatre, c'est tout juste la moyenne ; il n'y a pas de quoi pavoiser ! Tu es loin d'être digne de ton nom, tiens-toi-le pour dit.

— Tu étais trop bien pour moi, Laura. Tu mérites mieux qu'un pauvre type comme moi.

— J'aimerais voir ton dossier à la Crime. Je suis sûre que tu étais un lèche-cul de première !

— Ne sois pas déplaisante... Rolf. Le loup célèbre. Qu'est-ce que cela signifie ? Comment un loup devient-il célèbre ?

— En tuant des brebis, je suppose ?

*
* *

Lorsque Ethan coupa la communication avec Laura, une fine pluie tombait de nouveau. Sans la vigueur du vent, les gouttes effleuraient à peine les vitres.

Avec la télécommande, il alluma la télévision et le magnétoscope. La cassette était déjà engagée. Il l'avait déjà regardée à six reprises.

Il y avait quatre-vingt-six caméras de surveillance disséminées dans la propriété. Chaque porte, chaque fenêtre de la maison et toutes les allées étaient couvertes.

Seul le mur nord jouxtait le domaine public. Ce long rempart, où s'ouvrait le portail, était sous la surveillance de caméras dissimulées dans les arbres, de l'autre côté de la route, une parcelle également propriété de Manheim.

Quiconque faisait une reconnaissance du mur de façade, du système d'ouverture du portail et d'identification des visiteurs ne repérait aucune caméra aux abords de l'entrée. L'espion en déduisait alors que la surveillance vidéo n'entrait en action qu'à l'intérieur de la propriété.

Mais en vérité, l'intrus était filmé par les caméras de l'autre côté de la rue qui desservait ce coin de Bel Air, une petite deux voies dépourvue de trottoirs et de réverbères. Un coup de zoom et le suspect était identifié et condamné au besoin si celui-ci s'aventurait à délaisser la simple reconnaissance de terrain pour passer à des actes plus répréhensibles.

Les caméras tournaient en continu. Depuis le QG dans la maison du jardinier, comme depuis d'autres postes de commande disséminés dans la maison, on pouvait piloter toutes les caméras de surveillance du domaine, pour peu que l'on connaisse les codes d'accès.

Des moniteurs dans la demeure ainsi qu'un rack de six postes au PC de sécurité recevaient les signaux de n'importe quelle caméra. Un écran de contrôle offrait la possibilité de partitionner l'écran en quatre vues simultanées. Les gardes, donc, etaient capables de surveiller vingt-quatre caméras en même temps.

La plupart du temps, les gardiens tuaient le temps en buvant des cafés et en se faisant des plaisanteries. Mais si une alarme se déclenchait, ils pouvaient avoir une vue de chaque recoin de la propriété. Caméra par caméra, ils suivaient la progression de l'intrus à mesure que celui-ci traversait le champ des objectifs.

Grâce à un pupitre, un garde pouvait diverger le signal vidéo des quatre-vingt-six sources vers un magnétoscope. Le système comprenait douze enregistreurs capables de sauvegarder, simultanément, en écran splitté, les images de quarante-huit caméras.

Même si le gardien de veille était distrait, des détecteurs de mouvements, associés à chaque caméra, déclenchaient un enregistrement automatique sitôt qu'un objet plus gros qu'un chien pénétrait dans son champ de surveillance.

À 3 h 32, ce matin, les radars volumétriques de la caméra 1, qui balayait l'extrémité gauche du secteur nord, repérèrent une Honda vieille de trois ans. Plutôt que de poursuivre son chemin, comme les rares voitures qui empruntaient cette voie, l'auto se gara à une centaine de mètres du portail d'entrée.

Les cinq boîtes précédentes avaient été livrées par Federal Express, avec de fausses adresses expéditeur. C'était la première fois qu'Ethan avait la possibilité d'identifier l'auteur de ces colis.

Le même jour, moins de sept heures plus tard, il se trouvait dans son bureau et contemplait la Honda en gros plan.

Le bas-côté était étroit et la voiture empiétait sur le côté droit de la chaussée.

La journée, les rues chics de Bel Air n'étaient guère fréquentées. À cette heure indue, elles étaient quasiment désertes.

Soucieux toutefois de la sécurité, le conducteur de la Honda n'éteignit pas ses phares pour se garer. Il laissa le moteur tourner et alluma ses feux de détresse.

La caméra, dotée d'un système de vision nocturne, avait fourni une image de très bonne résolution, malgré l'obscurité et le mauvais temps.

Pendant un moment, la caméra 1 poursuivit son panoramique habituel, puis le programme s'interrompit et la caméra revint sur la Honda. Dave Ladman faisait une ronde dans la propriété à cette heure-là. Tom Mack, de vigie au PC, avait repéré le véhicule suspect et pris les commandes manuelles de la caméra 1.

Il tombait des cordes. Un déluge de gouttes martelait le macadam, soulevant tant de gerbes d'eau que l'on avait l'impression que la rue était une marmite en ébullition.

La porte côté conducteur s'ouvrit ; la caméra 1 zooma et filma en gros plan un homme de grande taille solidement charpenté qui sortit de l'habitacle. Il portait un coupe-vent noir. Son visage était dissimulé dans l'ombre de sa capuche.

Si Rolf Reynerd n'avait pas prêté sa voiture à un ami, il s'agissait du fameux loup. La silhouette correspondait aux données signalétiques inscrites sur le permis de conduire de Reynerd.

Il alla ouvrir la portière arrière et prit sur la banquette une chose blanche – le sac-poubelle qui contenait le colis avec la pomme couturée.

Reynerd referma la portière et commença à marcher en direction du portail ; soudain il se figea, et regarda autour de lui, sous les trombes d'eau, prêt à s'enfuir.

Peut-être avait-il entendu un bruit de moteur derrière le tintement de la pluie ? La caméra n'enregistrait pas le son.

À cette heure indue, les rares véhicules croisant dans le secteur étaient les voitures de la Patrouille de Bel Air, le service de sécurité qui assistait la police dans ce quartier huppé de Los Angeles.

Voyant qu'aucun véhicule, civil ou de surveillance, ne se montrait, l'homme à la capuche, rassuré, reprit, d'un pas rapide, sa marche vers le portail.

L'individu entra dans le champ de la caméra 2 sitôt sorti de celui de la caméra 1. Aux abords du portail, la caméra 3 le filma depuis l'autre côté de la rue, zoomant pour faire un gros plan.

Sans perdre une seconde, Reynerd lança le sac blanc vers le sommet du portail de bronze. Le sac heurta le faîte des grilles et retomba au pied de son propriétaire.

La deuxième tentative fut la bonne. Au moment où l'homme se retournait pour regagner sa voiture, la capuche glissa un peu et la caméra 3 put capturer son visage à la lueur des feux du portail.

Il avait le visage anguleux et le menton volontaire d'un serveur de restaurant branché de L.A., ces lieux où personnel et clients aimaient croire qu'un gars ou une fille, transportant une assiette d'espadon sur-tarifée des cuisines jusqu'aux tables le mardi soir, pouvait se voir offrir, pour le mercredi matin, un rôle dans la prochaine superproduction de Tom Cruise.

Maintenant qu'il avait livré sa pomme, Rolf Reynerd souriait, dévoilant ses dents pointues.

Si Ethan n'avait pas connu la signification du prénom de cet individu, sans doute ce sourire carnassier ne lui aurait-il pas évoqué celui d'un loup. Mais plutôt celui d'un crocodile ou d'une hyène.

En tout cas, ce sourire-là n'était pas celui d'un joyeux drille. Sur l'écran, la ligne torve des lèvres, l'éclat des dents, laissaient suggérer une folie latente, attendant la pleine lune pour se libérer de ses chaînes.

Marchant dans les flaques d'eau qui étincelaient dans le faisceau des phares, Reynerd retourna à sa voiture.

Au moment où la Honda s'élançait dans la rue, la caméra 1 zooma, ainsi que la caméra 2. Les deux appareils prirent ainsi le numéro de la plaque minéralogique arrière.

La voiture disparut dans la nuit, laissant derrière elle un nuage de fumée fantomatique.

Puis la rue fut de nouveau déserte, baignée dans la lueur glauque de la pluie, à l'exception de la tache de lumière formée par l'éclairage du portail de la propriété de Manheim. Une pluie noire, comme des parcelles de nuit, tombant à gros bouillons, un déluge déversant les ténèbres de l'Univers sur ce petit coin de paradis aux yeux du commun des mortels.

*
* *

Avant de quitter son appartement de l'aile Ouest, Ethan appela Mrs. McBee, la gouvernante, pour la prévenir qu'il serait absent la majeure partie de la journée.

Plus efficace qu'une machine, plus fiable que toutes les lois de la physique, plus loyale que le meilleur archange, Mrs. McBee enverrait chez Ethan l'une des six femmes de chambre dont elle avait la charge. Tous les jours, une servante vidait les poubelles et apportait des serviettes propres. Deux fois par semaine, le ménage était fait dans l'appartement – poussières, aspirateur – qui lui était rendu d'une propreté virginale. Les carreaux étaient lavés tous les quinze jours.

Il y avait bien des avantages à vivre dans une maison entretenue par vingt-cinq gens de maison.

Ethan, qui supervisait la protection personnelle de Manheim et tout le système de sécurité de la propriété, jouissait d'autres avantages encore, comme les repas gratuits, préparés par Mr. Hachette, le chef français, ou par Mr. Baptiste, son cuisinier. Mr. Baptiste n'avait pas fait les écoles de cuisine prestigieuses de son chef, mais jamais personne, ayant quelques papilles sur la langue, n'avait eu à se plaindre des plats qu'il préparait.

Les repas pouvaient être pris dans le grand foyer, confortablement meublé, où le personnel non seulement dînait mais faisait ses pauses, et organisait le travail pour les nombreuses réceptions que donnait la star. Le chef ou le cuisinier pouvait lui concocter également une assiette de sandwiches ou tout autre plateau-repas si Ethan préférait rester dans son appartement.

Certes, Ethan pouvait préparer, si l'envie lui prenait, ses propres repas dans sa cuisine personnelle. Mrs. McBee garnissait son réfrigérateur et son garde-manger grâce à la liste de courses qu'il lui donnait, et ce, sans aucun frais.

Hormis le lundi et le jeudi – jours où les femmes de chambre venaient changer les draps –, Ethan devait faire son lit le matin, à l'inverse du maître de maison qui, quand il était en résidence, voyait sa literie changée tous les jours

Une vie de forçat !

Ethan enfila sa veste de cuir souple, sortit de son appartement et rejoignit le couloir desservant l'aile Ouest de la demeure. Il ne ferma pas sa porte à clé, comme s'il n'avait nul besoin de protéger son intimité et que toute la maison lui appartenait.

Il avait avec lui le dossier qu'il avait compilé sur le mystérieux expéditeur des boîtes noires, un parapluie et un livre de Joseph Conrad, *Lord Jim*, en reliure cuir. Il avait terminé le roman la veille au soir et comptait remettre l'ouvrage dans la bibliothèque.

Avec ses trois mètres cinquante de large, ses dalles blanches qui couvraient la quasi-totalité des sols de la maison, le couloir était majestueux et décoré de tapis persans contemporains, accrochés aux murs, qui apportaient des touches de couleurs harmonieuses. Des meubles français anciens – pour la plupart datant de l'Empire et de la Restauration – égayaient la perspective d'une litanie de chaises, fauteuils, bureaux et dessertes.

Malgré le mobilier de part et d'autre, Ethan aurait pu, dans ce couloir, rouler en voiture sans risquer d'érafler la moindre dorure.

D'ailleurs Ethan s'y serait bien essayé s'il n'avait craint de devoir s'expliquer auprès de Mrs. McBee.

Durant la petite marche revigorante jusqu'à la bibliothèque, il croisa deux femmes de chambre et un portier qu'il salua au passage. Parce qu'il était, suivant l'expression consacrée de Mrs. McBee, un « cadre de l'équipe de maison », il devait s'adresser aux autres membres du personnel par leur prénom, mais eux devaient l'appeler Mr. Truman.

À l'arrivée de chaque nouvel employé, Mrs. McBee offrait au novice un livret intitulé *Us et coutumes en usage au Palazzo Rospo*, qu'elle avait elle-même composé. Malheur à celui ou celle qui oubliait les commandements de cette bible ou dérogeait à ses préceptes !

Le sol de la bibliothèque était en parquet de noyer, teint d'un rouge sombre. Les tapisseries, ici, étaient de réelles pièces de musée, dont la valeur augmentait plus rapidement que les actions des sociétés les plus prospères du pays.

Des fauteuils clubs dans un agencement douillet étaient disposés parmi le labyrinthe de rayonnages d'acajou, renfermant plus de trente-six mille ouvrages. Certains livres se trouvaient sur un second niveau, desservi par une passerelle à laquelle on accédait par un joli escalier en spirale en fer forgé.

Il fallait lever les yeux vers le plafond pour distinguer les dimensions réelles de cette énorme pièce, sinon on pouvait facilement la croire infinie. Peut-être l'était-elle, au fond. Tout semblait possible ici.

Le milieu du plafond s'ouvrait sur un dôme de verre de

dix mètres de diamètre. Les couleurs des vitraux – pourpre, émeraude, jaune, saphir – filtraient si bien la lumière naturelle, même les jours de grand soleil, que les livres ne risquaient aucun dommage.

L'oncle Joe, qui servait de père de substitution lorsque le véritable père d'Ethan était trop saoul pour assurer cette fonction, était chauffeur-livreur pour une fabrique de boulangerie. Il livrait du pain et des pâtisseries aux restaurants et supermarchés de la région, six soirs par semaine, huit heures par jour. La majeure partie de sa vie, Joe avait eu un deuxième emploi ; il travaillait comme gardien de nuit, trois soirs par semaine.

Même si l'on additionnait ses revenus de ses cinq meilleures années, jamais il n'aurait pu se payer ce dôme de vitrail.

Quand il avait commencé à toucher sa paye de policier, Ethan s'était senti riche. Comparé à Joe, il nageait dans l'opulence.

Mais tout ce qu'il avait gagné en seize ans de service n'aurait suffi à payer cette seule pièce.

— J'aurais dû être acteur, marmonna-t-il en entrant dans la bibliothèque pour remettre *Lord Jim* à sa place.

Les ouvrages étaient classés par auteur. Un tiers des livres était relié de cuir, le reste dans des éditions normales. De nombreux volumes étaient des pièces de collection très rares et d'une grande valeur.

Manheim n'en avait lu aucun.

Plus des deux tiers des ouvrages étaient déjà dans la maison lorsque l'acteur en avait fait l'acquisition. Suivant les instructions de son employeur, Mrs. McBee achetait, chaque mois, tous les romans et autres ouvrages acclamés par la critique qui étaient aussitôt répertoriés et ajoutés au fonds.

Ces nouveaux livres étaient acquis dans l'unique but d'impressionner les invités et les visiteurs, donner l'illusion que Channing Manheim avait une grande culture éclectique.

Lorsqu'on lui demandait son opinion sur tel ou tel livre, The Face demandait d'abord celle de son interlocuteur, puis abondait dans son sens, avec une telle grâce qu'il paraissait à la fois érudit et avoir les mêmes goûts que celui-ci.

Alors qu'Ethan remisait *Lord Jim* sur l'étagère, entre deux autres titres de Joseph Conrad, une petite voix résonna derrière lui.

— Il y a de la magie là-dedans ?

En se retournant, il découvrit le petit Aelfric Manheim, installé dans un fauteuil ; le garçon de dix ans disparaissait presque tout entier dans le siège imposant.

Selon Laura Moonves, Aelfric (prononcez *elf-rick*) provient du vieil anglais et signifie « inspiré par les elfes », un qualificatif servant autrefois à décrire des actions sages ou éclairées, avant de devenir, par association d'idées, un patronyme désignant la personne sage et éclairée accomplissant de telles actions.

Aelfric.

La mère du garçon – Fredericka « Freddie » Nielander –, un top-model dont Manheim s'était entiché un temps (mariage et divorce dans la même année !) avait lu trois livres dans sa vie : la trilogie du *Seigneur des Anneaux*. Une bible qu'elle relisait en boucle.

Elle comptait appeler son fils Frodon. Heureusement, ou non, allez savoir, un mois avant l'accouchement, une amie actrice avait déniché le prénom Aelfric dans le scénario d'un film d'heroic-fantasy, un navet où elle devait interpréter une alchimiste amazone, pourvue de trois seins.

Si l'amie de Freddie avait joué à cette époque un second rôle dans *Le Silence des agneaux*, il était fort à parier que le garçon aujourd'hui s'appellerait Hannibal Manheim.

Le petit préférait qu'on l'appelle Fric, et personne, excepté sa mère, n'exigeait l'usage du prénom complet. Par chance, la mère de l'enfant était rarement là pour lui imposer ce supplice.

On disait que Freddie n'avait pas vu Fric depuis près d'un an et demi. La carrière d'un mannequin, même vieillissant, restait très prenante.

— S'il y a de la magie ? répéta Ethan. Où ça ?

— Dans le bouquin que vous venez de ranger.

— Oui, il y en a. Mais sans doute pas celle à laquelle tu fais allusion.

— Putain, dans celui-là, il n'y a que ça ! répliqua Fric en montrant un livre où, sur la couverture cartonnée, figurait une palette de dragons et de magiciens.

— Je doute que ce genre de langage siée à une personne sage et éclairée...

— Tous les amis de mon vieux disent « putain » à toutes les sauces ! Et mon père le premier.

— Mais jamais en ta présence.

Fric inclina la tête.

— Insinueriez-vous que mon père me joue la comédie, qu'il est hypocrite avec moi ?

— Jamais de la vie. Qu'on me coupe la langue si j'ai dit ça !

— Le méchant magicien dans ce bouquin pourrait l'utiliser pour ses potions. L'un des ingrédients les plus difficiles à trouver, à ce qu'il dit, c'est la langue d'un honnête homme !

— Qu'est-ce qui te fait penser que je suis un honnête homme ?

— Ça se voit comme le nez au milieu de la figure, putain !

— Si Mrs. McBee te surprend à parler ainsi, ça va chauffer pour ton matricule !

— Elle n'est pas dans le coin.

— Ah oui ? répliqua Ethan, en laissant sous-entendre qu'il pourrait en être autrement et que le garçon risquait de regretter ses écarts de langage.

Fric, par réflexe, se redressa et jeta un regard inquiet dans la bibliothèque.

Le garçon était petit pour son âge, et chétif. Parfois, lorsqu'on le voyait, de loin, marcher dans un couloir ou traverser une pièce taillée pour un roi et sa suite, il ressemblait à un petit lutin.

— Je crois qu'elle utilise des passages secrets, murmura Fric. Vous savez, des portes dérobées dans les murs et tout ça...

— Mrs. McBee ?

Le garçon hocha la tête.

— Nous vivons ici depuis six ans, mais, elle, elle est là depuis *toujours* !

Mrs et Mr. McBee – âgés tous deux d'une cinquantaine d'années – étaient au service du propriétaire précédent et Manheim leur avait demandé de rester.

— J'ai du mal à imaginer Mrs. McBee en train de jouer les passe-muraille. Elle n'est pas du genre à faire ses coups en douce.

— Mais si c'était le cas, on s'amuserait beaucoup plus ici.

À l'inverse des mèches blondes de son père qui, d'un petit mouvement de tête, revenaient sagement prendre leur place, la tignasse brune du gamin était constamment hérissée. Des cheveux filasse sur lesquels les peignes se cassaient les dents.

Fric pouvait se bonifier avec le temps et faire honneur à

la perfection plastique de ses géniteurs mais, pour l'heure, il était un garçon de dix ans des plus quelconques.

— Pourquoi n'es-tu pas en cours ? demanda Ethan.

— Vous êtes athée, hein ? Nous sommes une semaine avant Noël. Même les précepteurs lâchent la grappe aux fils de bonne famille !

Une équipe d'enseignants venait à la maison cinq jours par semaine. L'école privée qu'avait fréquentée Fric pendant un temps ne lui avait pas convenu.

Avoir le célèbre Channing Manheim pour père, et la sulfureuse Freddie Nielander pour mère, était difficile à porter. Fric était rapidement devenu un sujet de jalousie et de rebuffades, même dans une cour d'école emplie de bambins ayant des parents célèbres. Être le rejeton chétif d'une star adulée dans ses rôles de héros costaud faisait de Fric le souffre-douleur tout désigné pour les jeux cruels de ses camarades. En outre, son asthme aigu plaidait en faveur d'un enseignement à la maison, dans un environnement plus sain et moins allergène.

— Tu sais ce que tu vas avoir comme cadeau pour Noël ? s'enquit Ethan.

— Ouais. On m'a demandé de remettre ma liste à Mrs. McBee le 5 décembre. Je lui ai dit qu'il était inutile qu'elle emballe les trucs, mais elle le fera quand même. Elle le fait toujours. Elle dit que Noël ne serait pas Noël sans un peu de mystère, sans cadeau à ouvrir.

— Je suis bien d'accord avec elle.

Le garçon haussa les épaules puis se laissa aller au fond du fauteuil.

Manheim père tournait un film en Floride, mais il reviendrait à la maison pour les fêtes.

— Tu vas être content d'avoir ton papa pour les vacances. Vous savez déjà ce que vous allez faire tous les deux ?

Le garçon haussa de nouveau les épaules, feignant l'indifférence, mais Ethan sentit s'ouvrir un gouffre béant chez Fric. Devant le chagrin, Ethan se sentait totalement impuissant - une situation à laquelle il n'était guère habitué.

Fric avait les yeux verts de sa mère. Dans les abîmes cristallins de ses prunelles, on distinguait toute la solitude du gamin.

— Eh bien, reprit Ethan, peut-être ce Noël-ci te réservera-t-il une bonne surprise ?

Le garçon se redressa, sensible immédiatement à cette touche de mystère qu'il venait pourtant de renier.

— Quoi ? Vous avez eu vent de quelque chose ?

— Supposons, je dis bien *supposons*, que j'aie eu vent de quelque chose, je ne pourrais rien te dire, même si je le voulais, parce que ce ne serait plus une surprise - si tant est qu'il doive y avoir surprise.

Le garçon resta un moment silencieux, le regard fixe.

— Maintenant vous ne ressemblez plus à un flic honnête, mais à un dirigeant d'une major.

— Parce que tu en fréquentes beaucoup ?

— Ils viennent ici de temps en temps, répondit le garçon avec un air de vieux sage. Ils parlent tous comme ça.

*
* *

Ethan se gara devant le petit immeuble de West Hollywood, de l'autre côté de la rue. Il coupa les essuie-glaces, mais laissa le moteur tourner, pour avoir encore du chauffage. Il resta à bord de la Ford Expedition, à observer l'endroit, réfléchissant à la meilleure façon d'approcher Rolf Reynerd.

La Ford était l'un des véhicules à disposition pour les huit membres du personnel qui vivaient à demeure chez Manheim. Il y avait également un 4 × 4 Mercedes ML500, disponible au deuxième sous-sol, mais l'engin aurait trop attiré l'attention.

La bâtisse de trois étages semblait en bon état, mais sans plus. Le crépi crème n'était pas craquelé, mais les peintures avaient besoin d'être rafraîchies. L'un des chiffres du numéro de la maison pendait de guingois.

Des camélias, parsemés de gros boutons rouges, des fougères, des palmiers avec de larges coiffes étaient agencés en une luxuriance savante, mais arbres comme arbustes manquaient d'une bonne taille. La pelouse n'avait pas été tondue depuis des semaines.

Le propriétaire regardait à la dépense, mais l'endroit restait agréable à vivre.

Les locataires ici ne vivaient pas de l'assistance. Reynerd devait avoir un travail ; toutefois, puisqu'il pouvait délivrer des menaces de mort à trois heures et demie du matin, il n'avait sans doute pas besoin de se lever tôt pour aller au bureau. Selon toute probabilité, Reynerd devait donc être chez lui à cette heure.

Si Ethan se mettait à enquêter auprès des collègues et

voisins de Reynerd, celui-ci en aurait sans doute vent. Il deviendrait alors méfiant et très difficile à approcher.

Ethan préférait donc la confrontation directe, quitte ensuite à élargir son champ d'investigation.

Il ferma les yeux, laissa aller sa nuque contre l'appuie-tête, et réfléchit de nouveau à la meilleure façon de procéder.

Le rugissement d'un moteur lui fit rouvrir les paupières, s'attendant à entendre une sirène et voir une voiture de patrouille lancée dans une course-poursuite. Roulant bien trop vite dans ce quartier résidentiel, une Ferrari Testarossa passa dans un souffle cramoisi. Visiblement, le conducteur espérait faucher un enfant courant derrière son ballon ou une vieille dame traversant la rue d'un pas claudiquant, gênée par ses chaussures orthopédiques et sa canne.

Une gerbe d'eau, soulevée par le bolide, fouetta la Ford Expedition. La vitre, côté conducteur, fut occultée par un flot d'eau sale.

Sur le trottoir d'en face, l'immeuble sembla soudain environné d'une aura surnaturelle, comme s'il sortait d'un rêve. Cette image raviva en Ethan le souvenir effacé d'un vieux cauchemar, et ses cheveux se dressèrent sur sa tête, sans qu'il puisse savoir pourquoi.

Enfin les dernières gouttes finirent de ruisseler sur le carreau. La pluie qui tombait acheva rapidement de nettoyer les derniers résidus. L'immeuble redevint ce qu'il n'avait cessé d'être. Un simple endroit agréable à vivre.

Jugeant qu'un parapluie serait plus encombrant qu'utile sur une si courte distance, Ethan sortit de la voiture sous la pluie battante et traversa la rue au petit trot.

En Californie du Sud, à la fin de l'automne et au début de l'hiver, Dame Nature se montrait très versatile. D'une année à l'autre, la semaine avant Noël pouvait être radieuse comme glaciale. L'air aujourd'hui était frais, la pluie plus froide encore, le ciel d'un gris digne de la nordique Seattle.

La porte n'avait pas d'interphone. Le quartier était jugé suffisamment sûr pour que les assurances n'imposent pas ce genre de dispositif de sécurité.

Trempé de la tête aux pieds, Ethan pénétra dans la minuscule entrée – davantage un vestibule qu'un hall d'immeuble. Un ascenseur et un escalier desservaient les étages.

Il flottait dans l'air une odeur de bacon, cuisiné plusieurs heures auparavant, et de vagues relents de marijuana. L'herbe avait une odeur si particulière... Quelqu'un s'était arrêté ici, ce matin, pour finir son joint, avant de sortir affronter la grisaille.

Ethan compta les boîtes aux lettres. Quatre appartements au rez-de-chaussée, six au second niveau, et six au troisième. Reynerd habitait au 2B, à mi-hauteur.

Seuls les noms de famille des locataires étaient indiqués sur les boîtes aux lettres. Ethan avait besoin de davantage d'informations.

Une boîte commune, encastrée dans le mur, servait à accueillir les magazines et autres colis volumineux.

Deux revues se trouvaient dans le réceptacle. Les deux à l'intention de George Keesner, au 2E.

Ethan tapota les portes d'aluminium de diverses boîtes aux lettres. Le son creux lui apprit qu'elles étaient vides. Le facteur n'était pas encore passé.

Lorsqu'il tapota la boîte de Keesner, elle parut pleine à craquer. À l'évidence, le type n'était pas chez lui depuis plusieurs jours.

Ethan monta au second niveau par l'escalier. Un long couloir, trois portes de chaque côté. Il sonna au 2E et attendit.

Le 2B, l'appartement de Reynerd, se trouvait juste en face du 2E.

N'obtenant aucune réponse, Ethan sonna de nouveau, puis se mit à tambouriner à la porte.

Les portes du palier étaient toutes équipées de judas. Peut-être, de l'autre côté, Reynerd l'observait-il ?

Toujours aucune réponse chez Keesner. Ethan se retourna, avec une mimique ostensible de frustration. Il essuya son visage ruisselant de pluie du revers de la main. Et se passa les doigts dans ses cheveux humides, d'un air perplexe. Il secoua la tête de dépit et regarda de long en large le couloir.

Lorsque Ethan sonna au 2B, le livreur de pomme répondit presque aussitôt, sans prendre le temps de passer la chaînette de sécurité.

Bien qu'il ressemblât indiscutablement au cliché pris par la caméra de surveillance, Reynerd se révéla beaucoup plus séduisant que la veille, sous la pluie diluvienne. Il ressemblait à Ben Affleck.

Malgré sa ressemblance avec le beau Ben, il avait un petit air illuminé à la Anthony Perkins que tout fan de *Psychose* aurait reconnu dans l'instant. La raideur de la commissure des lèvres, le pouls rapide faisant battre la tempe droite, et cette lueur d'acier dans les yeux laissaient deviner que le quidam était sous amphétamines - pas totalement défoncé, mais planant cependant à une certaine altitude.

— Pardonnez-moi de vous déranger, commença Ethan alors que la porte n'avait pas achevé de s'ouvrir, mais je dois absolument contacter George Keesher, qui habite ici, au 2E. Vous connaissez George ?

Reynerd secoua la tête. Il avait un cou de taureau ! Preuve de nombreuses heures passées sur les bancs de musculation.

— Juste « bonjour bonsoir » quand je le croise dans le couloir, répondit Reynerd. Le temps qu'il fait. C'est tout.

Si c'était la vérité, Ethan pouvait se risquer à aller plus loin :

— Je suis son frère. Je m'appelle Ricky Keesner.

Ce mensonge pouvait être crédible tant que Keesner avait entre vingt et cinquante ans.

— Notre oncle Harry est mourant à l'hôpital, poursuivit Ethan. Il n'en a plus pour longtemps. Depuis hier matin, je n'arrête pas d'appeler George à tous les numéros qu'il m'a donnés. Mais je n'arrive à le joindre nulle part. Et il ne répond à aucun de mes messages. Il n'est pas chez lui non plus.

— Je crois qu'il est parti en voyage.

— En voyage ? Mais il ne m'en a rien dit. Vous savez où il est parti ?

Reynerd secoua de nouveau la tête.

— Hier soir, je l'ai croisé, en rentrant. Il avait une petite valise à la main.

— Il ne vous a pas dit quand il comptait revenir ?

— On s'est juste dit qu'il allait bientôt pleuvoir et il est sorti, répondit Reynerd.

— Bon sang, il est si proche de l'oncle Harry. Nous le sommes tous les deux. Il va être bouleversé s'il n'a pas pu lui dire au revoir. Je pourrais peut-être lui laisser un mot sur sa porte - pour qu'il l'ait dès son retour ?

Reynerd observait Ethan. Une artère se mit à battre dans son cou. Son cerveau, gonflé aux amphétamines, tournait à cent à l'heure, mais aucune pensée claire ne se dégageait de ce tourbillon.

— L'ennui, reprit Ethan, c'est que je n'ai pas de papier. Ni de stylo, d'ailleurs.

— Heu, oui. Bien sûr. Je vais vous donner ça.

— Je suis vraiment désolé du dérangement que je vous cause.

— Pas de problème, le rassura Reynerd en partant chercher de quoi écrire.

Sur le seuil, Ethan s'approcha pour avoir un meilleur point de vue sur la tanière du loup.

Au moment où Ethan s'apprêtait à se montrer impoli et à entrer sans y avoir été invité, Reynerd se retourna et lança :

— Entrez. Venez vous asseoir.

Maintenant qu'on lui offrait l'hospitalité, Ethan pouvait faire montre d'une certaine réserve :

— Je vous remercie, mais je suis tout dégoulinant de pluie.

— L'appartement en a vu d'autres...

Laissant la porte ouverte derrière lui, Ethan entra.

Le salon et la salle à manger se partageaient le même espace. La cuisine ouverte donnait dans cette grande pièce, protégée par un comptoir et deux tabourets hauts.

Reynerd se dirigea vers une desserte sous le téléphone mural, tandis qu'Ethan s'asseyait sur le bord d'un fauteuil.

L'appartement était chichement meublé - un canapé, un fauteuil, une table basse, une télévision. Le séjour offrait une table et deux chaises.

Sur l'écran du téléviseur, le lion de la MGM montrait ses crocs. Le son était au minimum, le rugissement du fauve à peine audible.

Sur les murs, plusieurs photos sous cadres, des tirages grand format en noir et blanc. Un sujet unique : les oiseaux.

Reynerd revint avec un carnet et un crayon.

— Ça ira ?

— Parfait, répondit Ethan en prenant les objets.

Reynerd avait pris également un rouleau de Scotch.

— Pour coller le mot sur la porte de George, précisa-t-il en déposant le rouleau sur la table basse.

— Merci bien. J'aime bien ces photos, ajouta Ethan en désignant les cadres.

— Les oiseaux sont des symboles de liberté, précisa Reynerd.

— Sans doute. Liberté de voler. C'est vous qui avez pris ces clichés ?

— Non. Je les collectionne simplement.

Sur l'une des épreuves, un groupe de pigeons s'envolait d'une place pavée dans un tourbillon de plumes. La scène se passait en Europe, devant de vieux bâtiments. Sur une autre photo, des oies volaient en formation dans un ciel de plomb.

En montrant le film noir et blanc diffusé à la télé, Reynerd annonça :

— J'étais en train de me préparer un petit encas pour regarder le film. Cela ne vous dérange pas si...

— Oh non, non. Je vous en prie. J'écris mon mot et je file.

Dans l'un des cadres, des oiseaux fonçaient droit sur l'objectif du photographe. L'image montrait en gros plan un méli-mélo d'ailes, de becs et d'yeux ronds et noirs.

— Un jour, les chips auront ma peau, déclara Reynerd en retournant à la cuisine.

— Moi, ce sont les glaces. J'en ai plus dans les artères que de sang !

Ethan écrivit CHER GEORGE en haut de la feuille, puis marqua une pause, comme pour réfléchir, tout en jetant un regard circulaire dans la pièce.

— Personne ne se contente de manger une seule chips, c'est vrai, poursuivit Reynerd, mais moi, c'est par sacs entiers que je les avale !

Deux corbeaux perchés sur une clôture métallique l'observaient, un rayon de soleil faisant luire le fil de leur bec.

La moquette était blanche, immaculée comme une première neige d'hiver ; le fauteuil et le canapé étaient recouverts de tissu noir. De loin, même le formica de la table paraissait d'un noir d'ébène.

L'appartement entier était en noir et blanc.

Ethan écrivit ONCLE HARRY EST MOURANT et marqua une nouvelle pause, comme si cette simple note lui demandait des efforts surhumains de littérateur.

La musique du film, quoique pianissimo, avait des consonances mélodramatiques. Un film noir des années quarante.

Reynerd continuait de farfouiller dans les placards de la cuisine.

Ici, deux colombes surprises en plein vol ; là, un hibou les yeux écarquillés, comme choqué par quelque vision d'horreur.

Au-dehors, le vent s'était levé. Le tapotis de la pluie sur les carreaux attira l'attention d'Ethan.

De la cuisine monta le crissement caractéristique d'un paquet de chips.

APPELLE-MOI, STP, écrivit encore Ethan.

— Ces chips-là sont les pires ! déclara Reynerd en revenant dans le salon. Elles baignent dans l'huile !

Ethan releva les yeux et vit un sachet de chips hawaïennes. La main droite de Reynerd était plongée dans le paquet.

Mais la position de ladite main était *fausse*. Le gars pouvait piocher une poignée de chips, bien sûr ; mais il y avait quelque chose de bizarre dans son attitude, une tension curieuse et révélatrice.

Reynerd s'arrêta à côté du canapé, sans s'y asseoir.

— Vous travaillez pour The Face, n'est-ce pas ?

Se sachant en position d'infériorité, enfoncé dans son fauteuil, Ethan joua la confusion.

— Qui ça ?

Lorsque la main sortit du sachet de chips, elle tenait un pistolet.

En tant que détective privé et garde du corps, Ethan avait un permis de port d'arme. Mais il sortait son pistolet du coffre uniquement lorsqu'il accompagnait Manheim dans ses déplacements.

L'arme de Reynerd était un .9 mm.

Ce matin, troublé par l'œil dans la pomme et par la vision de ce sourire de prédateur sur la bande de vidéosurveillance, Ethan avait enfilé son étui d'épaule. Il ne pensait pas avoir besoin d'une arme, pas vraiment, et il s'était senti un peu ridicule en la prenant ; mais à présent, il se félicitait de cette précaution.

— Je ne comprends pas, articula Ethan, en tentant de se montrer à la fois ahuri et effrayé.

— J'ai vu votre photo, répondit Reynerd.

Ethan tourna la tête vers la porte ouverte, vers le couloir au-delà.

— Je me fiche des voisins, précisa Reynerd. C'est trop tard de toute façon.

— Écoutez, si mon frère George vous a causé des tracas, j'en suis désolé, commença Ethan pour gagner du temps.

Reynerd ne mordit pas à l'hameçon. Au moment où Ethan lâcha son calepin pour sortir son Glock, le livreur de pomme lui tira à bout portant dans le ventre.

Pendant un moment, Ethan ne sentit rien, mais l'instant fut de courte durée. Il tomba à la renverse dans le fauteuil et hoqueta sous le flot de l'hémorragie interne. Puis la douleur vint. Fulgurante.

Il entendit le premier coup de feu, mais pas le second. La balle le frappa en pleine poitrine.

L'appartement noir et blanc vira au noir.

Les oiseaux sur les murs se rassemblaient pour le

regarder mourir. Il percevait la tension de leurs ailes, figées en plein vol.

Il entendit à nouveau un cliquetis ; mais ce n'était pas la pluie sur les carreaux. C'était son souffle clapotant dans sa gorge noyée de sang.

Il n'y aurait pas de Noël.

3.

Ethan ouvrit les yeux.

Roulant bien trop vite dans ce quartier résidentiel, une Ferrari Testarossa passa dans un souffle cramoisi, projetant une gerbe d'eau sale.

Derrière les vitres de la Ford Expedition, l'immeuble se brouilla et se para d'une géométrie étrange, comme une construction sortie tout droit d'un cauchemar.

Comme s'il venait de recevoir une décharge électrique, Ethan fit un bond et inspira une goulée d'air avec le désespoir d'un noyé. L'air était doux, sucré, pur. Il poussa un long soupir.

Pas de blessure au ventre. Rien à la poitrine non plus. Et ses cheveux n'étaient pas détrempés par la pluie.

Son cœur battait la chamade, comme le poing d'un aliéné sur le capiton d'une cellule d'asile psychiatrique.

Jamais de sa vie Ethan Truman n'avait vécu un rêve aussi troublant, avec une telle intensité, ni un cauchemar aussi réaliste et détaillé.

Il consulta sa montre. S'il s'était endormi, cela n'avait pas duré plus d'une minute.

Il n'avait pu explorer les circonvolutions d'un rêve aussi élaboré en une seule minute ! Impossible.

La pluie acheva de laver les résidus boueux sur la vitre. Derrière les feuilles des palmiers, l'immeuble attendait, ayant retrouvé ses lignes normales mais conservant à jamais une aura d'étrangeté.

Lorsqu'il avait posé sa nuque sur l'appuie-tête et fermé les yeux pour réfléchir à la meilleure façon d'approcher Rolf Reynerd, Ethan n'avait pas envie de dormir. Il ne ressentait alors aucune fatigue, aucune lassitude…

Il était certain de n'avoir pas piqué du nez, ni pendant une minute, ni pendant cinq secondes.

Si la première Ferrari était un élément d'un rêve, la seconde laissait supposer que la réalité suivait de très près le sillage du cauchemar.

Même si sa respiration était revenue à la normale, son cœur continuait de battre à toute vitesse, comme s'il cherchait à rattraper une rationalité sans cesse hors de sa portée.

Un pressentiment lui conseillait de s'en aller, de trouver un *Starbucks* et de boire un bon café. Un mélange bien fort et bien serré, à en dissoudre la petite cuillère !

En se donnant du temps et du champ, face à cet événement, il pourrait découvrir la clé de l'énigme, lever le mystère et comprendre ce qui lui était arrivé. Aucun casse-tête n'était sans solution, si tant est qu'on daigne l'examiner avec logique et rigueur.

Même si ses années de policier lui avaient appris à se fier à ses pressentiments, comme un bébé se fie à sa mère, Ethan arrêta le moteur et sortit de la Ford Expedition.

D'accord, les pressentiments étaient des instruments précieux dans la boîte à outils de la survie. Mais l'honnêteté envers lui-même prévalait sur toute autre considération. En vérité, il ne voulait pas s'en aller pour prendre le temps de la réflexion, pas même pour s'abîmer dans des cogitations à la Sherlock Holmes, mais pour s'enfuir, parce que la peur lui vrillait les entrailles !

Il ne fallait jamais laisser la peur prendre le dessus. Rendez les armes une fois devant elle, et vous serez un flic fini.

Certes, il n'était plus dans la police, à présent. Il avait démissionné voilà plus d'un an. Ce travail qui avait donné un sens à son existence lorsque Hannah était en vie avait peu à peu perdu tout intérêt après la mort de la jeune femme. Ethan avait cessé de croire qu'il pouvait changer le monde. Il avait voulu trouver un refuge, tourner le dos à la laideur humaine qu'il devait côtoyer, en tant qu'inspecteur de police, chaque jour que Dieu faisait. Le monde de Channing Manheim était le plus éloigné de la réalité qui soit.

Même s'il n'avait plus sa plaque, ni la moindre accréditation officielle, il restait un flic dans l'âme. Chassez le naturel, il revient au galop !

Les mains enfouies dans les poches de sa veste de cuir, les épaules voûtées sous la pluie, il traversa la rue en courant vers l'immeuble de Reynerd.

Dégoulinant, il poussa la porte d'entrée. Carreaux mexicains. Un ascenseur. Un escalier. Comme la première fois.

Des relents de bacon et de marijuana flottaient dans l'air immobile, en faisaient une pâte collante dans sa gorge.

Deux revues se trouvaient dans le réceptacle. Les deux au nom de George Keesner.

Ethan grimpa les escaliers. Ses jambes étaient en coton, ses mains tremblaient. Arrivé sur le palier, il fit une halte pour prendre quelques inspirations dans l'espoir de dénouer ses nerfs en pelote.

L'immeuble était silencieux. Pas de voix étouffées derrière les portes, pas de musique pour un lundi pluvieux.

Il crut entendre le crissement de pattes de corbeaux sur une clôture métallique, le bruissement de pigeons prenant leur envol, le *tic-tic-tic* de becs acérés. En vérité, il savait que c'étaient là les voix multiples de la pluie.

Même s'il sentait le poids de son pistolet contre son flanc, il glissa la main sous sa veste et posa les doigts sur l'arme pour s'assurer de sa présence. De l'extrémité de l'index, il effleura le revêtement texturé de la crosse.

Il retira la main, laissant le pistolet dans son étui.

Se frayant un chemin à travers ses cheveux, la pluie formait un filet d'eau froide dans sa nuque. Un long frisson lui traversa la colonne vertébrale.

Lorsque Ethan s'aventura dans le couloir, il jeta à peine un coup d'œil à l'appartement 2E, là où George Keesner ne répondrait ni à ses coups de sonnette ni à ses toc-toc, et se dirigea vers la porte 2B. Une bouffée de panique le prit, mais il la réprima vite.

Le livreur de pomme répondit au premier *dring*. Grand, costaud, sûr de lui, il n'avait pas même engagé la chaînette de sécurité.

Il ne parut nullement surpris de voir Ethan une deuxième fois, et vivant de surcroît ; tout se passait comme si les deux hommes ne s'étaient jamais rencontrés.

— Jim est là ? demanda Ethan.

— Vous vous trompez de porte, répondit Reynerd.

— Jim Briscoe ? Vraiment ? Je suis pourtant sûr que c'est chez lui.

— Cela fait six mois que j'habite ici.

Derrière Reynerd, une pièce monochrome.

— Six mois ? Cela fait donc si longtemps ?

La voix d'Ethan sonnait faux à ses oreilles, mais il poursuivit :

— C'est possible, au fond. Cela fait peut-être bien six ou sept mois.

Sur le mur opposé à la porte, un hibou le regardait avec ses yeux immenses, écarquillés dans l'attente du coup de feu.

— Jim n'a pas laissé d'adresse ? demanda Ethan.

— Je n'ai jamais rencontré le précédent locataire.

L'éclat dans l'œil de Reynerd, la pulsation de la tempe, la tension au coin de sa bouche, cette fois, mit en garde Ethan...

— Désolé de vous avoir dérangé, déclara-t-il.

Lorsqu'il entendit le rugissement étouffé du lion de la MGM à la télévision, il n'hésita plus et battit en retraite vers l'escalier. Il marchait trop vite, se rendit-il compte tout en luttant pour ne pas se mettre à courir. Cela allait paraître suspect.

À mi-descente, Ethan, suivant son instinct, se retourna et aperçut Rolf Reynerd en haut des escaliers, en train de l'observer en silence. Le livreur de pomme n'avait à la main ni pistolet, ni sachet de chips.

Sans un mot, Ethan descendit la dernière volée de marches. Au moment de pousser la porte de la rue, il se retourna encore, mais Reynerd ne l'avait pas suivi dans l'escalier.

La pluie avait redoublé et un vent froid agitait le faîte des palmiers.

Une fois derrière le volant de la Ford Expedition, Ethan démarra le moteur, verrouilla les portes et alluma le chauffage.

Un double arabica au *Starbucks* ne semblait plus le remède miracle. Il ne savait où aller.

Prémonition. Prescience. Vision psychique. Clairvoyance. Le dictionnaire du paranormal tournait ses pages dans la bibliothèque de son esprit, mais aucun de ces concepts ne permettait d'expliquer ce qu'il venait de vivre.

Selon le calendrier, l'hiver n'arrivait que demain, mais il était déjà glacé jusqu'aux os. Il y avait en lui un froid inconnu en Californie du Sud.

Il leva les mains pour les observer ; il ne les avait jamais vues trembler ainsi. Ses doigts étaient pâles, chaque ongle blanc de la racine à la pointe.

Ni cette pâleur, ni ces tremblements ne pouvaient, cependant, troubler autant Ethan que ce qu'il vit sous les ongles de sa main droite : une substance sombre, tirant vers le rouge.

Il regarda cette matière pendant un long moment, n'osant décider si elle était réelle ou un produit de son imagination.

Finalement, du pouce de sa main gauche, il gratta une petite portion de cette substance coincée sous l'ongle de son pouce droit. La chose était légèrement humide, poisseuse.

Avec hésitation, il la porta près de son nez. Il renifla une fois, deux fois... Bien que l'odeur fût très faible, il n'eut pas besoin de la humer une troisième fois.

Ethan avait du sang sous les cinq ongles de sa main droite. Et il sut, avec une certitude surprenante pour un homme prenant conscience que le monde recelait plein de mystères, qu'il s'agissait de son propre sang.

4.

Les laboratoires Palomar, à North Hollywood, occupaient un long bâtiment de béton de plain-pied. Avec ses rares fenêtres, petites et espacées comme des meurtrières, son toit de tôles ondulées quasi plan, la construction ressemblait, sous le déluge, à un bunker.

L'établissement, dans son service d'analyses médicales, pratiquait les tests classiques : sang, sécrétions mammaires, biopsies et autres prélèvements organiques. Mais dans son département industriel, des dépistages chimiques plus pointus étaient réalisés, à la fois pour des clients du secteur privé et public.

Chaque année, les fans de Channing Manheim envoyaient à leur idole un demi-million de lettres, pour la plupart par l'intermédiaire du studio qui, chaque semaine, transférait des corbeilles débordantes de courrier à la société de relations publiques qui se chargeait de répondre au nom de la star. Joints à cette littérature, il y avait souvent des cadeaux, parfois même de la nourriture – des cookies ou des tartes maison. Parmi ces brownies et autres douceurs, sans doute moins d'un sur mille risquait d'être empoisonné par un fan désillusionné, mais Ethan appliquait un principe de précaution d'airain : toute nourriture devait être jetée dès arrivage.

De temps en temps, lorsqu'une denrée était accompagnée d'une lettre particulièrement suspecte, le produit n'était pas détruit, mais confié à Ethan pour un examen approfondi. S'il soupçonnait un acte de malveillance, la nourriture était envoyée à Palomar pour analyses.

Si quelqu'un était suffisamment haineux et dérangé, pour tenter d'empoisonner l'acteur, Ethan préférait savoir le quidam sous les barreaux. Il veillait donc à apporter aux autorités chargées de l'enquête des preuves recevables par un tribunal.

Aujourd'hui, il signait une autorisation pour un prélèvement de son propre sang. N'ayant pas d'ordonnance d'un médecin, il paya d'avance les frais d'analyse.

Il voulait un profil ADN de base.

— Et je veux savoir s'il y a des traces de drogue dans mon corps.

— Quelles substances prenez-vous? s'enquit la secrétaire.

— Uniquement de l'aspirine. Mais je veux que l'on fasse une recherche étendue, au cas où l'on m'ait drogué à mon insu.

Sans doute, à North Hollywood, les paranoïaques devaient-ils être légion car la jeune femme resta de marbre. Pas même un frémissement de sourcil à l'annonce qu'Ethan se croyait victime d'un complot.

La laborantine qui préleva l'échantillon sanguin était une ravissante Vietnamienne, avec des doigts de fée. Il ne sentit pas même l'aiguille percer sa veine.

Dans une seconde salle où l'on pratiquait d'autres tests, hors du champ médical classique, Ethan remplit un deuxième formulaire et paya de nouveau d'avance. Cette fois, la secrétaire lui jeta un regard bizarre lorsqu'il expliqua ce qu'il voulait faire analyser.

Sur une table d'opération, sous de puissants tubes fluorescents, une autre laborantine – le clone de Britney Spears – préleva, à l'aide d'une fine lamelle, le sang coagulé sous les ongles de sa main droite. Ethan ne s'était pas coupé les ongles depuis une semaine. La jeune femme retira donc de beaux échantillons, dont certains étaient encore collants.

Ses mains ne cessèrent de trembler durant la manipulation. Sans doute, Britney Spears bis le crut-elle sensible à son charme.

Les échantillons devaient d'abord être analysés pour confirmer qu'il s'agissait de sang. Ensuite, il serait envoyé au département d'analyse médicale afin de comparer son profil ADN avec celui de l'échantillon sanguin prélevé par la petite Vietnamienne. Les résultats complets ne seraient pas prêts avant mercredi après-midi.

Ethan ne comprenait pas comment son sang pouvait se trouver sous ses ongles, alors qu'il n'avait pas été blessé, ni au ventre, ni à la poitrine. Et pourtant, aussi sûrement qu'une oie sait où est le nord sans l'aide d'une boussole, Ethan savait qu'il s'agissait de son propre sang.

5.

Sur le parking du laboratoire, alors que la pluie et le vent dessinaient des formes fantomatiques sur le pare-brise, Ethan appela Hazard Yancy sur son portable.

Le véritable prénom de Yancy était Lester, mais il le détestait. Et Les, son diminutif, davantage encore. La version courte sonnait à ses oreilles comme une insulte[1].

— *Moins* que quoi ? En tout, je te dépasse ! avait-il lancé à Ethan, sans agressivité toutefois.

En effet, avec son mètre quatre-vingt-dix et ses cent vingt kilos, son crâne rasé, gros comme un ballon de basket et son cou de taureau, Hazard Yancy ne connaissait pas le minimalisme.

— La vérité, c'est que je suis Monsieur *Plus*, pas Monsieur *Moins !* Je suis *plus* volontaire que la plupart des gens, *plus* drôle, *plus* picaresque, le *plus* idiot en amour et sans doute le *plus* maladroit aussi de mes mains. Mes vieux auraient dû m'appeler More[2] Yancy. Ça, j'aurais pu assumer !

Adolescent et jeune homme, ses amis le surnommaient Brick, une allusion au fait qu'il était bâti comme un mur de brique.

En vingt ans, personne au département de la section criminelle ne l'avait jamais appelé Brick. À la police, on l'appelait Hazard parce que travailler avec lui pouvait être aussi hasardeux que de conduire un camion rempli de dynamite.

Être inspecteur à la Crime était, sur le papier, plus dangereux qu'être épicier, mais les enquêteurs mouraient moins souvent sur leur lieu de travail que les gérants de boutique. Si vous vouliez vivre dangereusement, connaître le grand frisson, il valait mieux s'engager dans les sections antigang ou la brigade des stups plutôt que de courir après les meurtriers.

Se tenir immobile, au milieu du trottoir, vêtu d'un uni-

---

1. Homophonie entre *les* de Lester et *less* plus petit, moindre. *(N.d.T.)*
2. *More :* « plus » en anglais. *(N.d.T.)*

forme de policier, vous exposait à de plus grands périls que de courir les bas-fonds de la ville en complet veston.

Mais Hazard Yancy était une exception à la règle. Les gens lui tiraient dessus avec une régularité confondante.

Ce qui le surprenait, avouait-il, ce n'était pas la fréquence avec laquelle les balles fusaient vers lui, mais le fait que les tireurs étaient des gens qui ne le connaissaient ni d'Ève ni d'Adam.

— Toi qui es un ami, avait-il dit une fois à Ethan, tu ne trouves pas que ce sont plutôt ceux qui me connaissent qui devraient vouloir me faire la peau ?

Cette attraction mystérieuse qu'il exerçait sur les ogives de plomb n'était due ni à l'imprudence ni à l'incompétence. Au contraire, Yancy était précautionneux et un très bon inspecteur.

L'Univers n'était pas ce mécanisme d'horlogerie égrenant les principes de causalité avec une logique d'airain comme s'employaient à le prétendre les scientifiques. Les anomalies étaient légion – exceptions à la règle, conditions extraordinaires, singularités.

On perdait son latin, voire sa raison tout entière, si on s'obstinait à croire que la vie suivait toujours une suite logique de cause à effet. De temps en temps, il vous fallait accepter l'inexplicable.

Yancy ne choisissait pas ses affaires. Comme les autres enquêteurs, c'est le destin qui tirait les cartes pour lui. Pour des raisons connues seulement du maître de l'Univers, Yancy écopait plus souvent d'enquêtes portant sur des excités de la gâchette que sur de braves vieilles dames versant de l'arsenic dans le thé de leur compagnon.

Par bonheur, la plupart des balles manquaient leur cible. Il n'avait été touché que deux fois : deux blessures sans gravité. Deux de ses partenaires avaient été grièvement blessés, mais aucun des deux n'était mort ou n'était resté estropié.

Ethan avait travaillé avec Yancy durant quatre années. Cette période avait été la plus agréable de sa carrière.

Lorsque Yancy décrocha à la troisième sonnerie, Ethan lança :

— Alors ? Tu t'es encore endormi sur ta poupée gonflable ?

— Tu n'es qu'un envieux.

— Dis-moi, tu es occupé en ce moment ?

— Je serre un gros bonnet !

— Pour de vrai ?

— C'est une image. Si c'était le cas, je serais en train de lui écraser la glotte avec joie et tu serais tombé sur ma boîte vocale.

— Si tu as quelque chose sur le feu, je rappellerai plus tard...

— Ça va, j'attends des résultats du labo. Je ne les aurai pas avant demain matin.

— Si on déjeunait tous les deux ? C'est Manheim qui régale !

— Tant que je ne suis pas obligé de me taper ses films merdiques...

— On ne peut pas plaire à tout le monde, répliqua Ethan avant de donner le nom d'un restaurant où The Face avait sa table réservée à l'année.

— Ils font de la vraie bouffe ou c'est juste de la déco d'assiette ? s'enquit Hazard.

— Il y aura des courgettes sculptées et farcies à la mousseline de légumes, des pointes d'asperges avec des arabesques de sauce verte, reconnut Ethan. Tu préfères peut-être que l'on mange chez l'Arménien ?

— Faut pas me le dire deux fois... Chez l'Arménien, à 13 heures !

— Entendu. Tant pis, je passerai pour l'ex-flic qui se la pète...

Lorsqu'il coupa la communication, Ethan s'aperçut avec surprise qu'il était parvenu à ne rien laisser paraître.

Ses mains ne tremblaient plus, mais l'étau glacé de la peur enserrait encore ses entrailles. Dans le rétroviseur, ses yeux lui paraissaient vaguement étranges, comme si ce n'étaient plus les siens.

Ethan alluma les essuie-glaces et quitta le parking du laboratoire Palomar.

Dans le chaudron du ciel, la lumière du matin s'était épaissie en une mixture jaunâtre digne d'un crépuscule d'hiver.

La plupart des conducteurs avaient allumé leurs phares. Des fantômes lumineux serpentaient sur le macadam noir et luisant.

Il restait une heure à tuer avant le déjeuner. Ethan décida d'aller rendre visite au mort-vivant.

6.

L'hôpital Notre-Dame-des-Anges était une haute bâtisse, aux airs de ziggourat, coiffée d'une série de gradins concentriques se terminant par une colonne sommitale. Luisant sous la pluie, un dôme lumineux coiffait le faîte de la colonne, hérissé d'un mât où clignotait une balise rouge aérienne.

L'hôpital ressemblait à un phare lançant ses feux salvateurs à toutes les âmes en perdition à travers les collines de Los Angeles. Sa silhouette élancée rappelait celle d'une fusée, prête à décoller vers le Paradis, pour emporter en son sein les vies que ni la médecine ni la prière ne pouvaient sauver.

Ethan fit une halte dans les toilettes pour hommes du hall d'accueil; il se lava les mains avec vigueur à l'un des lavabos; la laborantine n'avait pas retiré toutes les traces de sang coagulé sous ses ongles.

Le savon liquide était parfumé à l'orange. En un instant, Ethan se retrouva dans une orangeraie.

Eau chaude et friction énergique laissèrent ses mains cramoisies. Plus aucuns agrégats rouges sous ses ongles. Pourtant, Ethan se sentait toujours aussi sale.

S'il subsistait ne serait-ce qu'une molécule de ce résidu funeste, il craignait que la Grande Faucheuse le retrouve à l'odeur et achève le travail.

En regardant son reflet dans la glace, il s'attendait presque à voir à travers son corps, comme s'il n'était déjà plus qu'un ectoplasme; mais non, il était bien solide.

Sentant que rien ne soulagerait ses angoisses et qu'il pouvait se récurer ainsi jusqu'aux os sans que cela dissipe son malaise, il s'essuya rapidement les mains et sortit des toilettes.

Il prit l'ascenseur avec un couple à l'air solennel qui se tenait les mains pour se donner courage.

— Elle va s'en sortir, murmura l'homme.

La femme acquiesça, contenant ses larmes.

Lorsque Ethan atteignit le sixième étage, le couple poursuivit sa montée vers la douleur.

Duncan Whistler, dit Dunny, était hospitalisé depuis trois mois. Au hasard de ses séjours en unité de soins intensifs qui se trouvait au même étage, Dunny avait occupé plusieurs chambres à ce niveau. Ces cinq dernières semaines, depuis son dernier arrêt cardiaque, son lit se trouvait dans la 642.

Une nonne, avec un léger accent irlandais, lança un petit sourire à Ethan en l'apercevant, et poursuivit son chemin dans le frou-frou de ses robes.

La mère supérieure dirigeant le Notre-Dame-des-Anges rejetait les tenues modernes des nonnes qui les faisaient ressembler à des hôtesses de l'air. Elle prônait l'habit traditionnel qui descendait jusqu'au sol, avec les larges manches, les ganses et les guimpes à ailes.

Les robes des sœurs étaient d'un blanc immaculé, et non noir et blanc. Lorsque Ethan les vit, pour la première fois, glisser comme des fantômes dans les couloirs, il eut l'impression que l'hôpital était une passerelle entre ce monde et l'Au-Delà.

Dunny vivait dans des limbes, à la lisière entre les mondes, depuis que quatre hommes en colère lui avaient plongé la tête, une fois de trop et trop longtemps, dans une cuvette de toilettes. On avait vidé l'eau de ses poumons, mais personne n'avait pu le sortir du coma.

Lorsque Ethan entra dans la chambre 642, la pénombre régnait. Un vieil homme était allongé dans le lit près de la porte, branché à un respirateur qui pulsait de l'air avec un sifflement asthmatique.

Le lit près de la fenêtre, où Dunny avait passé les cinq dernières semaines, était vide. Les draps étaient neufs, une tache blanche et lisse dans le clair-obscur.

Le jour de pluie qui filtrait par la fenêtre projetait des motifs amibiens et mouvants sur le lit. Un instant, Ethan crut que des araignées translucides grouillaient sur la couverture.

Lorsqu'il vit que la feuille du patient avait disparu au pied de lit, Ethan pensa que Dunny avait été transféré dans une autre chambre ou envoyé de nouveau en réanimation.

Quand il voulut s'informer au bureau des infirmières, la jeune stagiaire le pria de patienter le temps qu'elle appelle sa supérieure, qu'elle bipa aussitôt.

Ethan connaissait l'infirmière en chef : sœur Jordan, une Noire à la carrure de sergent instructeur et à la voix voilée de chanteuse tabagique. Sitôt arrivée, elle lui apprit que Dunny était décédé ce matin.

— Je suis désolée, monsieur Truman, mais j'ai appelé aux deux numéros que vous m'avez donnés et j'ai laissé des messages.

— Quand est-ce arrivé ?

— À 10 h 20. Je vous ai appelé quinze ou vingt minutes plus tard.

Vers 10 h 40, Ethan se tenait devant la porte de Rolf Reynerd, encore tremblant du souvenir de son passage à trépas, et feignait de chercher un certain Jim Briscoe. Il avait laissé son portable dans la voiture.

— Je sais que vous n'étiez pas un proche de Mr. Whistler, ajouta sœur Jordan, mais cela doit être un choc. Je regrette que vous l'ayez appris comme ça – en voyant son lit vide.

— Le corps est encore au frigo ?

L'infirmière le regarda avec un nouveau respect.

— J'ignorais que vous étiez policier.

Le « frigo »... du jargon de flic pour désigner la morgue de l'hôpital.

— Section criminelle, répondit-il sans préciser qu'il avait démissionné.

— Mon mari raccroche son uniforme en mars. C'est le boulot qui m'empêche de devenir dingue.

Ethan comprenait. Les flics pouvaient passer vingt ans dans la police sans songer à la mort, mais quand approchait la retraite, c'est par kilos qu'ils avalaient du Metamucil pour retrouver l'usage de leurs intestins noués par l'angoisse. L'inquiétude était parfois plus forte encore pour les épouses.

— Le médecin a signé le certificat de décès, précisa la femme. Et Mr. Whistler est en chambre froide en attendant l'enterrement. Mais il n'y aura peut-être pas de permis d'inhumer, maintenant que j'y pense.

— Il s'agit d'un meurtre à présent, confirma Ethan. Le médecin légiste voudra pratiquer une autopsie.

— Alors ils ont déjà été prévenus du décès. Le système est bien rôdé. (Elle consulta sa montre.) Mais ils n'ont pas dû encore emporter le corps, si c'est ce que vous voulez savoir.

*
* *

Ethan prit l'ascenseur pour retrouver le mort. Le frigo se trouvait au troisième sous-sol, à côté du parking des ambulances.

Ethan et Dunny, tous deux âgés de trente-sept ans aujourd'hui, avaient été les meilleurs amis du monde entre cinq et vingt ans. Élevés dans le même quartier de bungalows décrépis, tous deux fils uniques, ils étaient comme des frères.

Les privations les avaient soudés, tout comme la souffrance morale et physique de vivre, l'un comme l'autre, sous le joug d'un père alcoolique. Et aussi la volonté farouche de montrer au reste du monde que des fils d'ivrognes miséreux pouvaient s'en sortir et devenir quelqu'un.

Dix-sept ans de séparation, au cours desquels ils n'avaient eu que peu d'échanges, atténuaient le chagrin d'Ethan. Toutefois, malgré les événements étranges qui accaparaient son esprit, la mélancolie le gagnait à l'idée de ces années perdues.

Dunny Whistler avait coupé les ponts avec lui et décidé de vivre en marge des lois au moment où Ethan s'engageait à les faire respecter. La pauvreté et le chaos d'une existence sous la houlette d'un despote alcoolique égocentrique avaient donné à Ethan le goût de l'autodiscipline, de l'ordre, de la dévotion envers les autres. Les mêmes conditions avaient donné à Dunny celui de l'argent facile et du pouvoir, afin que plus personne ne puisse lui dire ce qu'il devait faire ni jamais lui imposer sa loi.

Avec le recul, Ethan s'apercevait que leurs chemins respectifs étaient déjà tout tracés dès la préadolescence. L'amitié avait peut-être rendu Ethan aveugle. L'un avait choisi l'honneur de celui qui accomplit son devoir, l'autre de celui qui se fait craindre.

Pour ne rien arranger, ils étaient tombés amoureux de la même femme, un schisme qui aurait séparé même des frères de sang. Hannah avait surgi dans leurs vies alors qu'ils avaient dix-sept ans. Elle avait d'abord été une copine, la seule tierce personne qu'ils eurent jamais acceptée dans leur duo. Ces trois-là étaient inséparables. Puis Hannah, d'amie, devint peu à peu une sœur de substitution, et les garçons jurèrent de la protéger. Ethan ne sut jamais quand exactement elle cessa d'être l'amie, la sœur, pour devenir, pour lui comme pour Dunny... la bien-aimée.

Dunny désirait Hannah de tout son être, mais perdit la partie. Ethan ne désirait pas seulement Hannah, il la chérissait. Il gagna son cœur et l'épousa.

Pendant douze ans, Ethan et Dunny ne s'étaient plus

parlé, jusqu'au jour où Hannah était morte dans ce même hôpital.

Une double porte avec des hublots rectangulaires donnait dans le hall d'accueil du frigo.

Derrière un comptoir délabré, un type d'une quarantaine d'années, le visage vérolé par l'acné, patientait dans sa blouse verte. Un petit écriteau donnait son nom : VIN TOLEDANO. L'homme releva les yeux de son bouquin où l'on apercevait un cadavre en couverture, gisant dans une position grotesque.

— Bonjour, je suis désolé de vous déranger, mais j'aurais besoin d'un renseignement..., commença Ethan.

Sur ce, l'homme répondit qu'il n'y avait pas de dérangement, qu'il s'ennuyait au contraire à cent sous de l'heure en compagnie des morts et que la vue de quelqu'un de vivant lui était toujours agréable.

— Il y a environ une heure, poursuivit Ethan, on vous a envoyé un certain Duncan Whistler, du sixième étage.

— Il est sur la glace, confirma Toledano. Je ne peux vous donner le corps. La police veut d'abord l'examiner parce qu'il s'agit d'un homicide.

Il n'y avait qu'une seule chaise pour les visiteurs. Les transactions au sujet de cadavres périssables étaient toujours rapides ; nul besoin d'une salle d'attente cosy garnie de vieilles revues pour tromper le temps.

— Je ne fais pas partie des pompes funèbres, répondit Ethan. J'étais un ami du défunt. Il est mort pendant mon absence.

— Je suis désolé, mais je ne peux vous laisser voir le corps pour le moment.

— Oui, je sais, répondit Ethan, en s'installant sur la chaise visiteur.

Pour que la défense, au tribunal, ne puisse réfuter les rapports d'autopsie, un protocole de sécurité d'airain devait être respecté, empêchant à toute personne non autorisée d'approcher le cadavre.

— Il n'a pas de famille pour identifier le corps, et je suis son exécuteur testamentaire, expliqua Ethan. S'ils ont besoin de moi pour l'identification, autant que je le fasse ici plutôt qu'à la médico-légale.

Toledano reposa son roman.

— L'année dernière, mon pote d'enfance s'est fait balancer d'une voiture à cent cinquante kilomètres/heure. C'est dur de perdre un ami si jeune.

Ethan n'avait pas réellement de chagrin, mais il était heureux que cette conversation lui fasse momentanément oublier le cas Rolf Reynerd.

— Cela fait longtemps qu'on ne se voyait plus. On ne s'est pas parlé pendant douze ans. Et ensuite, seulement trois fois ces cinq dernières années.

— Et il a fait de vous son exécuteur testamentaire ?

— Allez comprendre. Je l'ignorais encore jusqu'à ce que Dunny arrive en réa. C'est son avocat qui m'a appelé ; il m'a dit que non seulement j'étais son exécuteur si Dunny mourait, mais qu'en plus j'avais autorité pour prendre toutes les décisions médicales le concernant et pour gérer ses affaires.

— Il devait y avoir quelque chose de très spécial entre vous.

Ethan secoua la tête.

— Non, rien de particulier.

— Il y avait forcément quelque chose, insista Toledano. Les amitiés d'enfance, c'est toujours plus profond qu'on ne le croit. On se perd de vue pendant des années, et sitôt que l'on se retrouve, c'est comme si c'était hier.

— Ce n'était pas comme ça entre nous.

Mais Ethan savait que le « quelque chose » entre Dunny et lui, c'était Hannah et leur amour pour elle. Il préféra changer de sujet :

— Votre ami a donc été balancé d'une voiture à cent cinquante ?

— C'était un chic type, mais bien trop naïf.

— Il n'est pas le seul.

— Il était dans un bar ; il repère trois bombes et pas maquées, alors il tente sa chance. Les trois filles lui sautent littéralement dessus ; elles veulent aller chez lui. Il se dit qu'il est irrésistible, qu'il est beau comme Brad Pitt, que c'est pour ça que les donzelles craquent...

— Mais c'est une arnaque pour le dépouiller..., devina Ethan.

— Pire que ça. Il laisse sa voiture et monte dans la bagnole des filles. Deux nanas s'installent à l'arrière avec lui et commencent à le chauffer ; elles le désapent à moitié et le balancent dehors, juste pour rire.

— Elles étaient défoncées ?

— Peut-être, mais c'est pas certain. Il se trouve qu'elles avaient déjà fait le coup deux fois avant. Mais là, elles se sont fait choper.

— Je suis tombé, l'autre soir, sur un vieux *Beach Movie* avec Frankie Avalon et Annette Funicello... Surf, bikinis et pique-nique sur la plage... Les femmes étaient bien différentes alors.

— *Tout* était différent. Les gens n'ont fait que régresser depuis les années soixante. Je suis né trente ans trop tard. Et votre ami, comment il est mort ?

— Quatre types pensaient qu'il les avait arnaqués alors ils l'ont tabassé un peu, lui ont attaché les mains dans le dos et lui ont plongé la tête dans les toilettes suffisamment longtemps pour que son cerveau ne s'en remette pas.

— C'est moche.

— Cela n'a pas l'élégance d'Agatha Christie, reconnut Ethan.

— Mais c'est vous qui vous occupez de tout ça... Cela prouve bien qu'il y avait quelque chose de fort entre vous. Personne n'est forcé de s'occuper des intérêts d'un mort. Aucune loi ne vous y oblige.

Deux transporteurs de cadavres du service médico-légal firent leur entrée.

Le premier était un grand gars, d'une cinquantaine d'années, visiblement très fier d'avoir encore tous ses cheveux. Il les portait relevés sur la tête, en une sorte de crinière blanche qui ne pouvait tenir qu'avec des épingles.

Ethan connaissait le partenaire du vieux beau. José Ramirez, un Mexicain trapu, myope comme une taupe, avec un sourire de nounours indéfectible qui lui retroussait les lèvres.

Ramirez vivait avec sa femme et ses quatre gosses. Pendant que Crin Blanc s'occupait de la paperasse avec Toledano, Ethan demanda à Ramirez les dernières photos de Maria et des petits.

Une fois les formalités administratives achevées, Toledano les conduisit au frigo. Au lieu des dalles de linoléum du hall, le sol de la morgue était carrelé avec des joints très fins afin de faciliter le nettoyage en cas de souillures par des fluides corporels.

L'air, bien que perpétuellement renouvelé et savamment filtré, conservait une odeur déplaisante. La plupart des gens ne mouraient pas en sentant le shampooing, le savon et l'eau de Cologne.

Les quatre tiroirs d'acier renfermaient peut-être des cadavres, mais c'étaient les deux corps, couverts de draps et gisant sur des brancards, qui donnaient véritablement le ton.

Un troisième chariot était vide, le suaire chiffonné, jeté au bas des roues. Toledano se figea de surprise.

— Il était là. Juste ici.

Éberlué, Toledano souleva les draps couvrant les deux autres cadavres. Aucun des deux n'était Dunny Whistler.

Un à un, il ouvrit les tiroirs d'acier. Tous vides.

L'hôpital renvoyait la plupart des patients décédés dans leur foyer; la morgue était donc minuscule comparée à celle de la médico-légale. Il n'y avait pas d'autres cachettes possibles.

7.

Dans cette pièce aveugle, au troisième sous-sol de l'hôpital Notre-Dame-des-Anges, occupée par quatre vivants et deux morts, le silence fut si total pendant un moment qu'Ethan crut entendre la pluie tintinnabuler dans les rues, dix mètres de terre au-dessus de sa tête.

— Vous vous êtes trompé de macchabée et avez donné Whistler aux mauvaises personnes, déclara finalement Crin Blanc.

Toledano secoua la tête avec vigueur.

— Sûrement pas. Je n'ai jamais commis d'erreur en quatorze ans. Et ce n'est pas aujourd'hui que je vais commencer.

Une large porte permettait de faire rouler les chariots jusqu'aux ambulances. Deux verrous sur le battant. Les deux ouverts.

— Je les avais fermés, insista Toledano. Ils sont toujours fermés. Toujours. Sauf quand il y a un transfert. Et je suis toujours là, pour surveiller.

— Qui irait voler un macchabée ? railla Crin Blanc.

— Même si un dingue voulait en voler un, il ne le pourrait pas, affirma Vin Toledano en ouvrant la porte pour montrer que les verrous ne pouvaient être ouverts de l'extérieur. Il n'y a pas de serrure de l'autre côté. Pas de clé. On ne peut ouvrir ces verrous que de l'intérieur, en tournant les boutons.

La voix de Toledano se chargeait d'angoisse. Il se voyait déjà à la rue, jeté dans le caniveau aussi sûrement que les humeurs de ses cadavres après une autopsie.

— Peut-être n'était-il pas mort votre gugusse ? avança Ramirez. Il est peut-être parti tout seul.

— Il était mort de chez mort ! s'entêta Toledano.

Avec un timide haussement d'épaules et son sourire de koala, Ramirez insista :

— Une erreur est toujours possible.

— Pas dans cet hosto. Pas une fois depuis quinze ans,

depuis le cas de cette petite vieille qui est restée une heure sur la glace et qui s'est réveillée en hurlant.

— Hé, je me souviens de cette histoire ! lança Crin Blanc. Une nonne avait même eu une crise cardiaque !

— Celui qui a eu une crise cardiaque, c'est mon prédécesseur ! Lorsque la nonne est venue l'engueuler !

Ethan se baissa pour récupérer un sac plastique blanc sous le chariot de Dunny. L'étiquette indiquait DUNCAN EUGÈNE WHISTLER, sa date de naissance et son numéro de sécurité sociale.

Avec une vibration de panique, Toledano précisa :

— C'est là qu'étaient rangés les vêtements qu'il portait à son arrivée à l'hôpital.

Le sac était vide. Ethan le posa sur le chariot.

— Depuis l'histoire de cette vieille qui s'est réveillée, vous faites des doubles contrôles médicaux.

— Triples et même quadruples ! déclara Toledano. Dès qu'un mort arrive ici, je l'ausculte au stéthoscope, j'écoute son cœur et les poumons. J'utilise tour à tour les deux faces pour entendre les hautes et les basses fréquences.

Il ne cessait de dodeliner de la tête, comme s'il refaisait en pensée toutes les vérifications qu'il avait pratiquées sur Dunny.

— Je fais le test du miroir aussi, pour déceler la moindre trace de respiration. Puis je prends la température interne une ou deux fois, à intervalles réguliers, pour m'assurer qu'elle descend bien.

Crin Blanc trouvait ça irrésistible.

— La température ? Vous passez votre temps à fourrer un thermomètre dans le cul des macchabées ?

— Un peu de respect pour les morts ! répliqua Ramirez en faisant un signe de croix.

Ethan avait les mains moites. Il les essuya sur sa chemise.

— Si personne n'a pu entrer ici pour emporter le corps, et si Dunny était bel et bien mort – où est-il passé ?

— Une bonne sœur est venue vous faire une farce, lança Crin Blanc. Faut bien que ces bigotes s'amusent de temps en temps.

L'air froid, les carreaux blancs de faïence, les façades des tiroirs d'acier luisants comme de la glace… Rien n'égalait son froid intérieur.

Ethan avait l'impression que l'odeur de la mort imprégnait chaque fibre de ses vêtements.

Ce genre de lieu ne l'avait pourtant jamais mis mal à l'aise autrefois...

Dans le dossier, à la ligne PERSONNE À PRÉVENIR figuraient le nom d'Ethan et ses numéros de téléphone; néanmoins, il laissa sa carte à Toledano, toujours totalement interdit.

Dans l'ascenseur, Ethan entendit à peine l'une des meilleures chansons des Barenaked Ladies massacrée, elle aussi, par une orchestration soporifique.

Il monta jusqu'au sixième étage, où se trouvait la chambre de Dunny. Lorsque les portes de la cabine s'ouvrirent, il se souvint que sa voiture était garée au parking souterrain et qu'il n'avait nul besoin de monter si haut.

Lorsqu'il appuya sur le bouton du premier sous-sol, l'ascenseur grimpa jusqu'au quinzième étage avant de se décider à descendre. Des gens montèrent dans la cabine, d'autres en sortirent, mais Ethan remarqua à peine ce ballet silencieux.

Ses pensées l'avaient emmené ailleurs. L'incident chez Reynerd... la disparition du corps de Dunny...

Malgré sa démission, Ethan avait conservé son flair de flic. Deux événements aussi extraordinaires, se produisant le même jour, ne pouvaient être une coïncidence.

L'intuition seule, aussi forte fut-elle, ne pouvait lui révéler la nature de ce lien. Autant espérer réaliser un double pontage les yeux bandés.

La logique pure ne lui offrait pas d'explication immédiate. Même Sherlock Holmes, en l'occurrence, aurait su que les chances de résoudre l'énigme par la simple déduction rationnelle étaient insignifiantes.

Dans le parking, une voiture errait dans les allées, à la recherche d'une place libre; elle disparut dans la rampe menant au deuxième sous-sol; un autre véhicule émergea des profondeurs de béton, derrière ses feux aveuglants, tel un sous-marin remontant d'un abysse pour retrouver l'air libre de la surface. Seul Ethan était à pied.

Le plafond, maculé par les gaz d'échappement qui avaient, au fil des années, dessiné sur le ciment une collection de motifs de Rorschach énigmatiques, semblait devenir de plus en plus bas, à mesure qu'Ethan s'enfonçait dans le parking. Comme la coque d'un submersible, les parois semblaient lutter pour résister à la pression titanesque de la terre.

Pas après pas, Ethan s'attendait à découvrir qu'il n'était pas le seul à être à pied... que derrière chaque véhicule, chaque colonne, son ancien ami l'épiait peut-être, l'attendait, ressuscité pour mener quelque mystérieux dessein.

Mais Ethan put rejoindre sa Ford Expedition sans incident.

Personne non plus ne l'attendait dans l'habitacle.

Sitôt derrière le volant, avant même de démarrer le moteur, Ethan verrouilla les portières.

8.

Le restaurant arménien sur Pico Boulevard avait des airs de restaurant-traiteur juif; le menu était si alléchant qu'il aurait fait sourire de plaisir un condamné à mort pour son dernier repas; on trouvait là plus de flics en civil et de magnats du cinéma réunis que dans une salle de tribunal au procès d'une star ayant occis sa dernière femme.

À l'arrivée d'Ethan, Hazard Yancy était installé dans une alcôve à côté d'une fenêtre. Même assis, il était si imposant qu'il aurait pu passer une audition pour le film *Hulk* si Hollywood se décidait à faire une version avec un héros noir.

Yancy avait déjà commandé une double entrée de kebbés avec un assortiment de concombres, de tomates et de navets marinés.

Lorsque Ethan s'assit en face du gargantuesque Yancy, celui-ci lâcha :

— Quelqu'un m'a dit que ton gars avait touché vingt-sept millions de dollars pour ses deux derniers films.

— Vingt-sept *pour chaque*. Il est le premier à passer la barre des vingt-cinq.

— C'est pas la misère !

— Il aura en plus des avantages sur les PP.

— Avec tout ce fric, c'est sûr qu'il peut s'acheter toutes les pépées qu'il veut !

— Les PP, les *parts-producteur* - C'est du jargon de studio. Cela veut dire que si le film fait un carton, il aura un pourcentage sur les bénéfices, et peut-être même sur les recettes brutes.

— Cela peut monter à combien ?

— Selon le *Daily Variety*, certains succès planétaires lui ont rapporté dans les cinquante millions.

— Tu lis la presse *people*, à présent ?

— Cela m'aide à me souvenir à quel point il est une cible tentante.

— Tu as tiré le gros lot ! Combien de films fait-il par an ?

— Toujours deux. Parfois trois.

— Je comptais m'empiffrer à ses frais et te faire virer pour avoir abusé de sa carte de crédit.

— Même toi, tu ne pourrais pas manger pour cent mille dollars de kebbés.

Yancy secoua la tête.

— Le grand Channing. Je ne suis peut-être pas à la page, mais je n'imaginais pas qu'il palpait autant.

— Il possède aussi une société de production télé ; il a trois émissions diffusées en ce moment sur le réseau national et quatre autres sur le câble. Il récolte quelques millions par an grâce à des pubs qu'il tourne au Japon, pour une marque de bière. Il a aussi sorti une ligne de vêtements. Et j'en passe. Ses agents le surnomment « la pompe à fric ».

— L'argent lui tombe dessus comme la pluie en automne.

— Il n'aura jamais besoin de faire les soldes.

La serveuse arriva à leur table. Ethan commanda un saumon et du thé glacé.

À noter la commande de Yancy, la jeune femme y laissa la pointe de son crayon : lebné à la feta et concombres, hoummous, feuilles de vigne farcies, pita aux herbes, tagine aux fruits de mer...

— Et donnez-moi deux autres de ces petites bouteilles d'Orangina.

— La seule personne que j'ai vu manger autant, déclara Ethan, c'est cette ballerine boulimique. Elle allait se faire vomir après chaque plat.

— Je ne fais que goûter et je ne porte pas de tutu.

Yancy coupa son dernier kebbé en deux.

— Alors, c'est un gros connard, ton Channing, la belle gueule ? Raconte...

Le brouhaha des conversations aux autres tables leur assurait une intimité aussi grande que si les deux hommes s'étaient trouvés dans le désert Mojave.

— En fait, il est impossible de le détester, répondit Ethan.

— Il y a mieux comme compliment.

— La vérité, c'est qu'il n'a pas le même charisme en vrai qu'à l'écran. Il ne dégage rien. Ni en bien ni en mal.

Yancy enfourna une moitié de kebbé avec un borborygme de plaisir.

— Derrière l'image, c'est le grand néant.

— Ce n'est pas tout à fait ça. Il est très affable, généreux avec ses employés. Jamais arrogant. Mais il y a en lui cette... superficialité. Il ne fait pas attention aux gens, pas même à son fils, mais c'est une indifférence qui n'est jamais malintentionnée. Il n'est pas volontairement méchant.

— Quand on a tout cet argent, tous ces gens qui vous lèchent les bottes, on devient vite un tyran...

— Chez lui, ce n'est pas ça. Il est...

Ethan s'interrompit pour réfléchir. Depuis qu'il travaillait pour Manheim, il n'avait jamais dit à personne ce qu'il pensait de son patron.

Yancy et Ethan s'étaient fait tirer dessus; chacun devait sa survie à l'autre. Ethan était certain de la discrétion de son ex-coéquipier.

Rassurés par le tintamarre ambiant, qui leur assurait une confidentialité optimale, Ethan voulait décrire The Face avec le plus de franchise et d'honnêteté possibles. En traçant ainsi, pour son ex-coéquipier, le portrait de Manheim, peut-être pourrait-il mieux lui-même cerner le personnage ?

Après que la serveuse eut apporté le thé glacé et les Orangina, Ethan reprit enfin son récit :

— Il est dans sa bulle. Mais pas comme le sont les autres vedettes – rien qui ne le fasse paraître égoïste. Il aime l'argent, certes, mais il se fiche de ce qu'on peut penser de lui et même de la célébrité. Il est dans son monde, d'accord, complètement refermé sur lui-même, mais c'est plutôt une sorte d'enfermement zen.

— Un enfermement zen ?

— Oui. Comme si la vie, c'était lui et la nature, lui et le cosmos, mais pas lui avec les autres gens. Il semble toujours perdu dans ses pensées, jamais vraiment avec toi dans l'instant présent, un peu comme ces soi-disant mages yogis, qui se prétendent détachés du monde matériel, sauf que chez lui ce n'est pas feint. Il est toujours dans un état contemplatif. Il contemple l'Univers et il est certain que l'Univers le contemple en retour. Une sorte de fascination mutuelle, si tu veux.

Après avoir englouti sa dernière moitié de kebbé, Yancy déclara :

— Spencer Tracy, Clark Gable, James Stewart, Bogart... eux aussi étaient donc des illuminés et personne ne le savait ? Ou alors, à cette époque, les stars étaient des gens normaux, ayant les pieds sur terre ?

— Il y a encore des gens normaux dans le métier. J'ai rencontré Jodie Foster, Sandra Bullock... Elles ne semblent pas avoir perdu pied avec la réalité.

— On les sent même prêtes à botter des culs, ces deux-là ! plaisanta Yancy.

Deux serveuses apportèrent leur commande.

Yancy hocha la tête d'un air béat à chaque plat qu'elles posaient devant lui.

— Parfait, parfait. Superbe. Magnifique.

Le souvenir de la balle dans ses entrailles coupait l'appétit à Ethan. Il aborderait le cas Rolf Reynerd après avoir mangé son saumon...

— Alors, tu es sur le point de coincer un gros bonnet. C'est quoi l'affaire ?

— Une jolie fille de vingt-deux ans étranglée et balancée dans le bassin de décantation d'une station d'épuration. On l'appelle la Sirène des égouts.

Aucun flic travaillant sur des homicides ne restait indemne. Les victimes empoisonnaient leur existence avec la constance insidieuse des tréponèmes de la syphilis se diffusant dans le sang.

L'humour était le meilleur antidote et souvent la seule défense contre l'horreur. À l'ouverture de chaque enquête, les victimes se voyaient affublées d'un surnom, qui était ensuite repris par tout le service de la Crime.

Jamais votre supérieur ne vous demanderait : *Alors, comment ça avance sur le meurtre de mademoiselle Ermitrude Pottlesby* ? Mais toujours : *Quoi de neuf sur la Sirène des égouts* ?

Lorsque Ethan et Hazard Yancy avaient travaillé sur la mort violente de deux lesbiennes d'origine arabe, l'affaire s'était appelée « les deux brouteuses de l'Oued ». Une jeune femme, ficelée à une table, était morte étouffée, des éponges à récurer enfoncées au fond de la gorge. Son affaire s'était surnommée : Miss Scotch-brite.

Un observateur extérieur serait sûrement choqué d'entendre ces sobriquets. Mais les civils ne se rendaient pas compte que les policiers étaient souvent hantés par les victimes dont ils cherchaient à trouver le meurtrier ; parfois même, un inspecteur s'attachait tellement à la victime que sa mort finissait par l'affliger comme s'il avait perdu un proche. Ce n'était pas par manque de respect qu'on leur donnait ces surnoms – parfois même, on y discernait de l'affection, une tristesse inavouée.

— Étranglée, répéta Ethan, en faisant référence à la Sirène des égouts. Ce qui laisse présager un crime passionnel. Il y a de fortes chances pour qu'il s'agisse de son petit copain ou d'un amoureux.

— Je vois que tes sens ne sont pas encore totalement amollis par les mocassins Gucci et les fringues de luxe.

— Je porte des Rockport, pas des mocassins. Le fait de la jeter dans une fosse à purin signifie sans doute que le tueur l'a surprise en train de s'envoyer en l'air. Il la considère donc comme une chose répugnante, une merde.

— Et qu'il connaît les plans de l'usine de retraitement, et aussi un moyen facile d'y faire entrer un cadavre. Il est en quoi, ton polo ? C'est du cachemire ?

— Non. Du simple coton. Alors ton quidam bosse à l'usine d'épuration ?

Hazard secoua la tête.

— C'est un membre du conseil municipal.

Cette fois, Ethan avait l'appétit définitivement coupé. Il reposa sa fourchette.

— Un homme politique ? Trouve-toi une falaise et saute dans le vide.

Yancy fit disparaître une feuille de vigne dans sa bouche et parvint à esquisser un sourire tout en mastiquant.

— J'ai déjà la falaise, déclara-t-il après avoir avalé sa bouchée, mais c'est lui que je suis en train de pousser dans le vide.

— S'il y en a un qui doit se casser les dents, ce sera toi.

— Il ne faut pas pousser trop loin la métaphore, déclara Yancy en piochant de l'hoummous avec un bout de pita.

Après cinquante années d'intégrité, la Californie était redevenue un cloaque de corruption tel que Raymond Chandler le décrivait dans les années quarante. À l'aube du nouveau millénaire, au niveau de l'État comme à celui des villes, malversations et pots-de-vin étaient devenus plus communs que dans une république bananière, sinon que l'État en question ne produisait pas de bananes mais se voulait la vitrine *glamour* de l'Amérique.

Un nombre important de politiciens se comportaient ici comme des mafieux. Et quand un mafieux vous voyait pourchasser l'un de ses frères, il en déduisait qu'il serait le suivant sur la liste, alors toute la bande s'unissait pour avoir votre peau d'une façon ou d'une autre.

Durant une autre ère où les gangsters tenaient également les rênes du pouvoir, Eliot Ness, dans sa croisade contre la corruption, avait dirigé une unité de justes et de braves surnommés à juste titre « les Incorruptibles ». Dans la Californie moderne, Eliot Ness et ses fidèles compagnons n'auraient pas fait long feu. Ce n'est ni la corruption, ni les balles qui les auraient détruits, mais la bureaucratie – une arme bien plus terrible – avec l'aide du poison de la calomnie, aussitôt colportée et transformée en vérité inexpugnable par des médias toujours enclins à défendre les voyous de tout poil, qu'ils soient élus par le peuple ou non, parce qu'ils représentaient leur fonds de commerce et qu'on ne tue pas la poule aux œufs d'or.

— Si tu vivais encore dans le monde réel comme moi, répliqua Yancy, tu ne procéderais pas autrement.

— Peut-être. Mais je n'aurais pas cet air béat et satisfait.

— C'est peut-être du coton ton polo, mais tu l'as acheté sur Rodeo Drive[1] ?

— Non, au supermarché !

— Combien tu sors aujourd'hui pour une paire de chaussettes ?

— Dix mille dollars, rétorqua Ethan.

Jusqu'ici, il hésitait à parler du cas Rolf Reynerd, mais à présent, tout ce qui pouvait détourner l'attention de Yancy de sa croisade suicide contre un assassin siégeant au conseil municipal était bon à prendre.

— Tu veux bien jeter un coup d'œil là-dessus ? commença Ethan.

Il ouvrit une chemise kraft, en sortit les documents qu'elle contenait et les tendit à Yancy.

Tandis que son ex-partenaire examinait les pièces, Ethan lui parla des cinq colis livrés par Federal Express et le dernier jeté par-dessus la grille.

— Puisqu'ils sont arrivés par Fedex, tu sais qui est l'expéditeur.

— Non. Les adresses retour étaient fausses. Les colis ont été enregistrés dans des petites boutiques qui font aussi dépôt pour Fedex et UPS, un peu partout en ville. Et l'expéditeur a payé cash.

— Combien de lettres Joli Cœur reçoit-il par semaine ?

— Environ cinq mille. Mais la grande majorité est envoyée au studio où il a un bureau. Son cabinet de relations

---

1. Rue chic de L.A. où toutes les stars font leurs courses. *(N.d.T.)*

publiques les lit et répond. L'adresse de son domicile n'est certes pas un secret d'État, mais elle n'est pas universellement connue non plus.

Dans la pochette, six tirages haute résolution de photos numériques qu'Ethan avait prises dans son bureau. La première montrait un petit bocal ouvert, reposant sur un linge blanc. À côté du bocal, le couvercle et son contenu répandu : vingt-deux coléoptères avec des carapaces orange tachetées de noir.

— Des bêtes à bon Dieu ? demanda Hazard.

— Des coccinelles, oui, de l'espèce *Hippodamia convergens*. Je doute que cela ait une importance, mais j'ai vérifié.

Les sourcils froncés de Yancy étaient suffisamment éloquents, mais il crut bon d'ajouter :

— Là, je suis sec.

— Ce type me prend pour Batman et lui pour Joker.

— Pourquoi *vingt-deux* bestioles ?

— Je n'en sais rien.

— Elles étaient vivantes quand tu les as reçues ?

— Toutes mortes. Elles étaient peut-être en vie quand il les a envoyées, mais elles semblaient mortes depuis un bon moment. Les carapaces étaient intactes, mais les pattes et les antennes étaient cassées ou ratatinées.

Sur le cliché suivant, une collection de mollusques à la coquille en spirale provenant de la deuxième boîte noire, posés en tas sur une feuille de papier sulfurisé.

— Dix escargots, précisa Ethan. Deux étaient encore en vie quand j'ai ouvert la boîte.

— Ça devait pas sentir N° 5 de Chanel.

Yancy avala une bouchée de son tagine aux fruits de mer.

La troisième photo montrait un autre petit bocal. L'étiquette avait été retirée, mais à en croire le logo sur le couvercle, il s'agissait d'un bocal de cornichons.

Sur le cliché, on distinguait mal le contenu du récipient.

— C'est du formol, contenant des morceaux de chairs translucides, vaguement roses. En forme de tube. C'est difficile à décrire. Comme de minuscules méduses.

— Tu les as fait analyser ?

— Oui. Lorsqu'ils m'ont rendu les résultats, ils m'ont regardé d'un drôle d'air. Il s'agissait d'une collection de prépuces humains.

Yancy interrompit sa mastication, comme si le tagine s'était transformé en pâte dentaire.

— Dix prépuces d'hommes *adultes*, pas d'enfants, précisa Ethan.

Yancy avala sa bouchée comme un automate, cette fois sans plaisir et avec une grimace.

— Combien de types adultes se font circoncire ? demanda-t-il.

— C'est sûr qu'ils ne se bousculent pas au portillon, concéda Ethan.

9.

Corky Laputa adorait la pluie.

Il portait un long ciré jaune et un chapeau de pêcheur assorti. Un pissenlit géant dans la grisaille!

Le ciré comportait beaucoup de poches intérieures, profondes et étanches.

Dans ses grandes bottes de caoutchouc noir, deux paires de chaussettes pour avoir les pieds bien au chaud.

Il aimait le tonnerre aussi.

Et les éclairs.

Malheureusement, les orages en Californie du Sud manquaient de maestria à son goût : pas de fracas titanesques, pas de boules de feu aveuglantes...

Il appréciait le vent, cependant, qui soufflait et mugissait; un champion du désordre, fouettant la pluie, cinglant les visages, promettant mille chaos.

Les ficus et les pins frémissaient, tremblaient de toute leur ramure. Les frondes des palmiers cliquetaient, battaient sous les bourrasques.

Des feuilles s'envolaient dans des tourbillons verts, feux follets éphémères allant se perdre dans les caniveaux.

Les débris agglutinés boucheraient finalement les grilles d'égout, provoquant des inondations qui créeraient des embouteillages monstres, rendraient les rues impraticables, retarderaient les ambulances et mille autres délicieux désagréments.

Sous les trombes d'eau, Laputa traversait un paisible quartier résidentiel de Studio City. Pour semer le désordre.

Il ne vivait pas ici. Et pour cause!

C'était un quartier pour classes moyennes, au mieux pour cadres. Peu ou pas de stimulations intellectuelles dans ce néant culturel.

Il était venu ici en voiture pour faire une promenade.

Tout paré de jaune, tel un canari géant, il arpentait les rues dans un anonymat total, attirant aussi peu l'attention qu'un fantôme au corps de brume ectoplasmique.

Il n'avait encore croisé personne à pied et seulement quelques rares voitures sillonnant les rues désertes.

Avec ce temps, les gens ne mettaient pas le nez dehors.

Ce magnifique déluge servait au mieux les desseins de Corky Laputa.

À cette heure, bien entendu, la plupart des résidents étaient au travail, à suer sang et eau comme des bêtes de somme.

C'étaient les vacances scolaires et les enfants n'étaient pas à l'école. Aujourd'hui : lundi. Vendredi : Noël ! Sortez les guirlandes !

Certains enfants seraient avec leur grande sœur, d'autres sous la responsabilité d'une mère au foyer.

Mais quelques-uns seraient tout seuls.

Corky avait quarante-deux ans. Les gosses, à présent, n'ouvraient plus leur porte à des étrangers.

Le désordre et la douce décadence avaient infecté le monde en profondeur, ces dernières années. Les agneaux, de tout âge, se faisaient de plus en plus craintifs.

Corky devait donc se contenter de crimes mineurs, de se promener sous la pluie et d'accomplir de petits méfaits.

Dans l'une de ses poches à rabat, il cachait un sac en plastique empli de petites billes bleues. Un puissant défoliant chimique.

Un produit mis au point par les militaires chinois. Avant chaque guerre, leurs agents les semaient dans les fermes ennemies.

Les billes azur gâchaient les récoltes pour douze mois. Et un ennemi trop affamé ne pouvait combattre.

L'un des collègues de Laputa à l'université était chargé d'étudier ces billes pour le compte du ministère de la Défense. L'armée américaine voulait rapidement un antidote pour se protéger de ce genre d'attaques chimiques.

Dans son laboratoire, le collègue en question gardait, dans un tonnelet, vingt-cinq kilos de cette substance. Corky en avait volé une livre.

Il portait des gants en latex, une protection qu'il dissimulait aisément sous les larges pans de ses manches.

Le ciré s'inscrivait entre le poncho et le manteau. Les manches étaient si volumineuses qu'il pouvait retirer ses bras, fouiller ses poches intérieures et les glisser à nouveau dedans, avec une poignée de tel ou tel poison dans la paume.

Il répandait les billes bleues sur les primevères et les

liriopes, les frangipaniers et les bougainvillées. Les azalées et les fougères. Les rosiers, les lantaniers.

Les pluies dissolvaient rapidement les billes. Les molécules s'immisçaient dans les racines.

Dans une semaine, les plantes se mettraient à jaunir, à perdre leurs feuilles. En quinze jours, elles se ratatineraient en une chose informe en putréfaction.

Les grands arbres ne seraient pas affectés par ces quantités infimes de défoliant. Mais les pelouses, les fleurs, les buissons, les vignes et les arbustes succomberaient, sans coup férir.

Il ne semait pas la mort dans les jardins de toutes les maisons. Une sur trois, et toujours dans un ordre aléatoire.

Si un pâté de maisons entier était touché, les habitants risquaient de se retrouver soudés par leur infortune commune. Au contraire, si certains avaient échappé au fléau, ils deviendraient des sujets d'envie de la part des affligés. Et la suspicion naîtrait tout naturellement dans le rang des malchanceux.

La mission de Corky Laputa n'était pas la pure destruction. N'importe quel crétin pouvait détruire. Lui, il voulait semer la dissension, la zizanie, la méfiance, la discorde – le désespoir.

De temps en temps, un chien aboyait ou grognait sous le couvert d'un auvent ou à l'intérieur d'une niche, derrière une clôture ou un mur de pierre.

Laputa aimait les chiens. Ils étaient les meilleurs amis de l'homme ; pourquoi assumaient-ils encore ce rôle avec autant de zèle ? Cela resterait un mystère, quand on songeait à la méchanceté humaine.

Parfois, lorsqu'il entendait un chien, il sortait un biscuit de l'une de ses poches et le jetait par-dessus la barrière.

Pour la déconstruction de la société, il lui fallait passer outre son amour de la gent canine et faire son strict devoir. Toute quête exigeait ses sacrifices.

On ne pouvait faire d'omelette sans casser d'œufs...

Les biscuits étaient imprégnés de cyanure. Les chiens mourraient bien plus vite que les plantes.

Rien, du moins pas grand-chose, ne causait plus de désespoir dans la cellule familiale que la mort du toutou.

Corky Laputa était triste. Triste pour les pauvres chiens.

Mais il était heureux aussi. Heureux de semer ainsi,

chaque jour, mille petites graines de chaos, de participer à la chute de cette société corrompue et donc à l'avènement d'un monde meilleur.

Pour la même raison qu'il laissait certaines maisons intactes, il ne tuait pas tous les chiens. Que chacun suspecte son voisin.

Il ne craignait pas d'être pris dans ses activités d'empoisonneur. L'entropie, la force la plus puissante de l'Univers, était son alliée et sa déesse protectrice.

En outre, les rares adultes présents dans les maisons étaient avachis devant leur télé, à regarder des *talk-shows* racoleurs où des filles annonçaient à leur mère qu'elles se prostituaient et des épouses à leur mari qu'elles couchaient avec leur beau-frère.

N'ayant pas cours, les gosses apprenaient les mille et une techniques de meurtres par consoles de jeux interposées. Mieux encore, les garçons prépubères surfaient sur les sites pornographiques, en compagnie de leur petit frère innocent, et songeaient à violer la petite fille des voisins.

Parce qu'il approuvait toutes ces activités, Laputa veillait à se montrer le plus discret possible ; pour ne pas interrompre chez ces gens ce programme volontaire d'autodestruction.

Corky Laputa n'était pas un simple empoisonneur. Il était un homme de talents et de ressources.

De temps en temps, à force d'arpenter ces trottoirs détrempés, sous les arbres dégouttant de pluie, il se mettait à pousser la chansonnette. Il chantait *Singin' in the rain*, bien sûr – un cliché, peut-être, mais pourquoi bouder son plaisir ?

En revanche, il s'abstenait de danser.

Non pas qu'il en fût incapable. Sans avoir la grâce et la souplesse de Gene Kelly, il ne se débrouillait pas si mal avec ses pieds.

Mais faire des sauts de cabri dans un ciré jaune, en pleine rue, n'était pas recommandé pour un anarchiste cherchant à passer inaperçu.

Les boîtes aux lettres devant les maisons portaient toutes un numéro. Souvent le nom des familles.

Parfois un nom avait des consonances juives – Stein, Levy, Glickman.

Devant chacune de ces boîtes, Corky marquait une courte pause et glissait dans la fente l'une de ces enveloppes blanches qu'il transportait par dizaines dans ses poches.

Sur chaque enveloppe, une croix gammée noire. À l'intérieur, deux feuilles de papier portant chacune sa charge de peur et de colère.

Sur la première feuille, en lettres capitales, était écrit : MORT À TOUS LES SALES JUIFS.

La photo sur la deuxième feuille montrait un tas de corps dans un four crématoire d'un camp de concentration nazi. En légende, en lettres rouges, on pouvait lire : TU ES LE SUIVANT.

Corky n'avait rien contre les juifs. Il éprouvait pour toutes les races, toutes les religions, tous les groupes ethniques, le même mépris.

En d'autres occasions, il avait distribué des MORT AUX CATHOS, MORT AUX NOIRS, MORT AUX POSSESSEURS D'ARMES.

Depuis des lustres, les politiciens divisaient les gens pour mieux régner, et les liguaient les uns contre les autres. La tâche de tout bon anarchiste était d'attiser les haines existantes et de jeter de l'essence sur les brasiers que les politiques avaient allumés.

Ces derniers temps, la haine à l'encontre d'Israël – et par suite, à l'encontre des Israélites en général – était une position à la mode parmi l'intelligentsia du show-biz et des médias, y compris chez ceux qui étaient des juifs non-pratiquants. Corky Laputa ne faisait donc que donner aux gens ce qu'ils voulaient.

D'azalées en jasmins, de chiens en boîtes aux lettres, il cheminait sous le jour pluvieux, semant ses petits germes de désespoir.

Des conspirateurs motivés étaient certes capables de souffler des gratte-ciel et de causer des destructions massives. Leurs faits d'armes étaient utiles, d'accord.

Mais dix mille Corky Laputa – inventif, industrieux –, œuvrant dans l'ombre et la discrétion, sapaient bien plus profondément les fondations de la société que tous les pilotes kamikazes et bombes humaines de la Terre réunis.

À mille hommes armés, songeait Laputa, *je préfère avoir un seul professeur aigri répandant son fiel en salle de classe, je préfère l'employé d'asile de vieux à la cruauté intarissable, je préfère le prêtre athée caché derrière sa chasuble.*

Au terme de son périple, Laputa retrouva sa BMW. Sa mini-croisade avait duré une heure et demie. Pas une minute de moins, pas une minute de plus.

Il était dangereux de séjourner trop longtemps dans un même quartier. L'anarchiste avisé ne cesse d'avancer, parce que l'entropie aime les itinérants, et que le mouvement est l'ennemi de l'ordre.

Les nuages gris et sales s'étaient amoncelés durant sa marche, formant une sorte de chape noire dans le ciel. Dans ce nouveau clair-obscur, à l'ombre humide d'un chêne, sa voiture gris métallisé luisait comme un glaive de bronze.

Les rameaux d'une bougainvillée faseyaient dans l'air, dispersant des essaims de pétales roses, griffant de ses épines le mur d'une maison, en un lancinant *critch-critch*.

Le vent emportait les feuilles, faisait claquer les branches, tournoyer la pluie. L'eau sifflait, crépitait, chuintait.

C'est alors que le téléphone de Laputa se mit à sonner.

Il était encore à cinquante mètres de sa voiture. Il raterait l'appel s'il attendait de l'avoir rejointe pour décrocher.

Il extirpa son bras droit de sa manche et décrocha le portable de sa ceinture.

Le bras de nouveau glissé dans son fourreau, il plaqua l'oreille contre l'écouteur, trottinant tout de jaune vêtu, un sourire à la Casimir aux lèvres ; Corky Laputa était de si bonne humeur qu'il lança en décrochant :

— Je te salue, toi qui vas éclairer ma journée !

L'interlocuteur était Rolf Reynerd. Reynerd – aussi stupide que Corky Laputa était jaune – crut qu'il avait fait un mauvais numéro...

— C'est moi ! lança Laputa avant que Reynerd ne raccroche.

Lorsqu'il atteignit sa BMW, sa bonne humeur était en miettes. Il aurait mieux fait de ne jamais répondre... Ce crétin de Reynerd avait fait une vraie connerie.

10.

Derrière les fenêtres du restaurant, la pluie, cristalline comme la conscience d'un nouveau-né, rencontrait la crasse de la ville, roulait dans les caniveaux en des tourbillons boueux.

Yancy, examinant la photo du bocal aux prépuces, articula :

— Dix petits scalps... tu penses qu'il peut s'agir de trophées ?

— De types qu'il aurait occis ? Possible, mais j'en doute. Un tueur qui aurait zigouillé autant de personnes ne s'amuserait pas à harceler sa prochaine victime avec ses petites boîtes de Pandore. Il ferait le boulot, point barre.

— Et si c'étaient des trophées, il ne s'en débarrasserait pas aussi facilement.

— Oui. Ils trôneraient sur la table de la salle à manger. À mon avis, il côtoie des macchabées. Il travaille peut-être dans un service de pompes funèbres ou dans une morgue.

— Des circoncisions *post mortem* ?

Yancy enroula du fromage sur sa fourchette comme une pelote de spaghetti.

— Faut vraiment être tordu pour faire ça. Mais tu as sans doute raison, ajouta-t-il, parce que je n'ai pas eu vent de dix homicides où le tueur avait des pulsions de rabbin fou.

Il enfourna sa bouchée avec un morceau de pita.

— Je pense qu'il a prélevé ces prépuces sur des cadavres dans le seul but de les envoyer à Manheim.

— Pour dire quoi ? Que Joli Cœur est un gland ?

— Je doute que le message soit aussi simple.

— La gloire, finalement, n'est pas si rose que ça.

La quatrième boîte noire était plus grande que les autres. Il fallait deux photos pour décrire les éléments qu'elle contenait.

Sur le premier cliché, on distinguait un chat en céramique couleur miel. Le chat était assis sur ses pattes arrière, et tenait dans chaque membre antérieur un cookie. En lettres rouges, sur son poitrail, on lisait LE CHATON GOURMAND.

— C'est une boîte à gâteaux, expliqua Ethan.

— Avec mon flair de vieux limier, je m'en étais aperçu tout seul.

Le chat était rempli de pièces de Scrabble.

Sur la deuxième photo, un tas de pièces carrées. Devant le monticule, Ethan avait utilisé sept pièces pour former le mot CHAGRIN.

— Il y avait trente-neuf A, trente-neuf C, et autant de G, de H, de I, de N, de R. CHAGRIN, c'est le seul mot que j'ai trouvé avec ces lettres, et il y a de quoi l'écrire trente-neuf fois. Je ne sais pas où il voulait en venir.

— C'est comme si ton dingue disait : je vais te faire pleurer un max. Sans doute considère-t-il que Manheim lui a causé du tort et qu'il est temps de lui retourner la monnaie de sa pièce.

— Peut-être. Mais pourquoi une boîte à gâteaux ?

— Tu aurais aussi pu écrire GRINCH, fit remarquer Hazard. C'eût été de circonstance à Noël.

— C'est vrai, mais que faire des A restants ? Il n'y a qu'avec CHAGRIN que l'on utilise toutes les lettres.

— Et une combinaison de deux mots ?

— À part CHAR et GIN, je ne vois pas trop ce que je peux faire d'autre, si je ne veux pas qu'il me reste des lettres sur les bras.

— Char et gin, un beau programme... carnaval et alcool ?

— Cela n'a pas de sens. Tout indique que CHAGRIN est la solution.

Hazard étala de l'hoummous sur un morceau de pita.

— J'ai toujours préféré le Monopoly au Scrabble !

La cinquième boîte contenait un livre intitulé *Nos amies les bêtes*. Sur la couverture, la photo d'un adorable petit chiot golden retriever jaune avec sa queue.

— L'auteur – Donald Gainsworth –, précisa Ethan, a passé trente ans à dresser des chiens d'aveugles et de paraplégiques.

— Pas de bestioles ni de prépuces coincés entre les pages ?

— Non. Et je les ai toutes passées au crible, dans l'espoir de trouver quelque annotation manuscrite. Mais rien. Pas même le moindre passage biffé ou souligné.

— Cela dénote avec le reste. Un livre innocent, plutôt de bons sentiments.

— La boîte numéro 6 a été jetée par-dessus la grille, cette nuit, vers 3 heures.

Yancy examina les deux dernières photos. D'abord la pomme cousue. Puis l'œil, enchâssé à l'intérieur.

— C'est un vrai ?

— Non. C'est un œil de poupée.

— En tout cas, c'est le colis qui me fiche le plus les jetons.

— À moi aussi. Mais pourquoi ?

— C'est l'envoi le plus soigné des six. Cela a dû lui prendre un temps fou pour coudre cette pomme comme ça, sans la déchirer. À mon avis, c'est, pour lui, le colis le plus important.

— Pour l'instant, je ne vois pas ce qu'il veut dire, se lamenta Ethan. Pas la moindre piste.

Agrafée sur le dernier cliché, une photocopie du mot dactylographié qu'Ethan avait trouvé, plié, sous l'œil. Après l'avoir lu deux fois, Yancy lâcha :

— C'est la première fois qu'il envoie un message écrit ?

— Exact.

— C'est donc, à mon avis, son dernier colis. Il a dit tout ce qu'il voulait, en symboles et à présent en mots. Maintenant, il va passer à l'action.

— Tu as sans doute raison. Mais le message est aussi obscur que les objets symboliques.

Avec une insistance argentée, les phares perçaient le clair-obscur de l'après-midi. Des ailes d'eau jaillissaient du macadam détrempé, noircissant les pneus, nimbant d'une aura surnaturelle les véhicules qui sillonnaient Pico Boulevard.

Après un silence méditatif, Yancy lança :

— Une pomme peut symboliser une connaissance dangereuse et interdite. Le fameux « péché originel » auquel il fait allusion.

Ethan tenta de manger de nouveau son saumon, mais il avait l'impression d'avoir du plâtre dans la bouche. Il reposa sa fourchette.

— Les *graines* de la connaissance ont été remplacées par l'œil, poursuivit Yancy, raisonnant à haute voix.

Les piétons passaient derrière la vitre du restaurant, courbés contre les bourrasques, s'abritant tant bien que mal derrière des parapluies noirs – on eût dit une procession funèbre se rendant à un enterrement.

— Il dit peut-être : je connais tes secrets, la source – les *graines* – du mal.

— Je me suis dit la même chose. Mais cela semble un peu tiré par les cheveux ; en plus, cela ne me mène nulle part.

— Quoi qu'il puisse vouloir dire, reprit Yancy, ce n'est pas par hasard s'il a choisi de mettre un œil dans cette pomme, juste après avoir envoyé un livre sur un dresseur de chiens d'aveugles.

— S'il menace de rendre aveugle Manheim, c'est déjà terrible, répliqua Ethan, mais je crains qu'il ne prévoie bien pire.

Après avoir jeté un dernier coup d'œil sur la série de clichés, Yancy les rendit à Ethan et dévora de nouveau son tagine aux fruits de mer avec délectation.

— J'imagine que ton gars est protégé de près.

— Il tourne un film en Floride. Il a cinq gardes du corps avec lui.

— Et pas toi ?

— Non. Je supervise toute la sécurité depuis Bel Air. J'ai en ligne une fois par jour le chef des Guerriers de la route.

— Les *Guerriers de la route* ?

— C'est une petite plaisanterie de Manheim. C'est comme ça qu'il appelle les gorilles qui voyagent avec lui.

— C'est ça, son humour ? À côté de lui, je suis le comique du siècle !

— Je n'ai jamais dit qu'il était drôle.

— Tu sais qui a jeté le sixième colis par-dessus la grille ? demanda Yancy. Tu as des images des caméras de surveillance ?

— Plein. J'ai même sa plaque d'immatriculation.

Ethan lui parla de Rolf Reynerd – mais il ne lui raconta pas ses deux rencontres avec celui-ci, la réelle et celle qui semblait fictive.

— Et en quoi puis-je t'être utile ?

— Tu pourrais te renseigner sur lui.

— Me renseigner ? Jusqu'où ? Tu veux que je fouille ses affaires quand il aura le dos tourné ?

— Peut-être pas à ce point-là.

— Tu veux que je lui ausculte l'anus pour voir s'il a des polypes ?

— Je sais déjà qu'il n'a pas de casier.

— Je ne suis donc pas le premier à qui tu demandes un service.

Ethan haussa les épaules.

— Tu me connais, je suis un affreux exploiteur. Personne n'est à l'abri avec moi. J'aimerais savoir, par exemple, si Reynerd possède des armes à feu légalement déclarées.

— C'est à Laura Moonves que tu t'es adressé, à la documentation...

— Elle m'a été d'une grande aide, reconnut Ethan.

— Tu devrais l'épouser.

— Mais elle n'a pas pu me dire grand-chose sur Reynerd.

— Même nous, les abrutis de service, on voit bien que tous les deux vous êtes faits l'un pour l'autre, comme le pain et le beurre.

— En dix-huit mois, on n'est pas sortis une fois ensemble, précisa Ethan.

— Parce que tu es encore plus godiche que nous. Tu n'es qu'un crétin. En attendant, ne me raconte pas des craques. Laura peut très bien te tuyauter sur le registre des détentions d'armes. Ce n'est pas ça que tu attends de moi.

Pendant que Yancy s'intéressait de nouveau au contenu de son assiette, Ethan contempla le faux crépuscule au-dehors.

Après deux hivers plutôt secs, les météorologues avaient prédit que la Californie entrerait dans une longue et désastreuse phase de sécheresse. Comme d'habitude, les médias abreuvèrent le pays de scénarios catastrophes liés à la canicule, qui furent, paradoxalement, autant de signes annonciateurs du déluge actuel.

Le ventre rond du ciel, trop lourd et bas, se creva, donnant naissance à de nouvelles trombes d'eau.

— Ce que j'attends de toi, en fait, reprit Ethan, c'est que tu ailles voir ce type et que tu me dises ton sentiment à son égard.

Hazard Yancy, avec sa perspicacité habituelle, demanda :

— Tu es allé frapper à sa porte, pas vrai ?

— Oui. J'ai fait comme si je cherchais l'ancien locataire avant lui.

— Et il t'a fichu les jetons... Le gars a un truc différent des autres, n'est-ce pas ?

— Tu iras le voir, oui ou non ? insista Ethan sans répondre à son ex-partenaire.

— Je suis de la Criminelle. Il n'est suspecté d'aucun meurtre. Comment veux-tu que je justifie ça ?

— Je ne te demande pas une visite officielle.

— Si je ne lui agite pas une plaque sous le nez, il ne me laissera pas entrer, même si je lui fais les gros yeux.

— Si tu ne peux pas, tant pis. Oublions ça.

Lorsque la serveuse arriva pour demander s'il désirait autre chose, Yancy répondit :

— J'adore vos *mamouls* aux noix. Donnez-m'en six douzaines à emporter.

— J'aime les hommes qui ont un bon appétit, minauda la jeune femme.

— Ne me tentez pas, jeune fille, car je ferais bien de vous mon quatre-heures ! répliqua Yancy

La fille rougit et lâcha un rire nerveux.

— Six douzaines ? demanda Ethan, une fois la serveuse partie.

— J'ai un faible pour les gâteaux. Bon, où habite ton type ?

Ethan avait déjà noté l'adresse sur un bout de papier. Il le donna à Yancy.

— Si tu y vas, n'y va pas les mains dans les poches.

— Comment tu veux que j'y aille ? En tank ?

— Tiens-toi prêt, c'est tout.

— Prêt à quoi ?

— À tout et à rien. Soit c'est la came qui lui a fait péter un plomb, soit c'est un dingue de naissance. En tout cas, il a un pistolet.

Les yeux de Yancy parcoururent le visage d'Ethan, comme un scanner optique lisant un code-barres.

— Je croyais que tu voulais que je vérifie s'il avait une arme déclarée ?

— C'est un voisin qui me l'a dit, mentit Ethan. Il dit que Reynerd est un peu parano, qu'il garde toujours son joujou à portée de main.

Yancy regarda Ethan fixement tandis que celui-ci tentait de ranger les photos dans leur pochette. Tout d'abord les documents refusèrent de glisser dans l'ouverture, et s'accrochèrent à plusieurs reprises dans les angles de la fente, puis ce fut au tour du crochet fermeture de refuser de passer dans le trou du rabat, comme s'il avait soudain doublé de volume.

— Dis donc, il y a un pois sauteur dans ta chemise ou quoi ? lança Yancy.

— J'ai bu trop de café ce matin, répondit Ethan, et pour éviter de croiser le regard de son ex-collègue, il jeta un coup d'oeil circulaire dans la salle du restaurant.

Un méli-mélo de voix flottait dans l'air, rebondissait contre les murs, emplissait la salle du restaurant, et ce qui semblait, à la première écoute, un brouhaha anodin et plutôt joyeux revêtit soudain des accents sinistres aux oreilles d'Ethan, comme la rumeur étouffée d'une foule haineuse, le mugissement sourd d'une multitude opprimée.

Ethan s'aperçut qu'il scrutait les clients à la recherche d'un visage particulier, s'attendant presque à voir Dunny Whistler assis à une table, avec sa face de cadavre, bouffie par l'eau des toilettes, en train de prendre son déjeuner.

— Tu n'as pas touché à ton poisson, remarqua son ex-coéquipier, tentant de prendre un ton quasi maternel.

— Il n'est pas frais.

— Pourquoi ne le renvoies-tu pas en cuisine ?

— Je n'ai pas très faim, en fait.

Yancy préleva, avec sa fourchette, un morceau de saumon et le goûta.

— Il me paraît parfaitement normal.

— Pas pour moi, insista Ethan.

La serveuse revint avec la note et un petit panier rose empli de *mamouls*, dans un sac plastique portant le logo du restaurant.

Pendant qu'Ethan sortait une carte de crédit de son portefeuille, la jeune femme resta à côté de leur table. Ses pensées se lisaient comme à livre ouvert sur son visage ; elle était curieusement attirée par Yancy, mais son apparence gargantuesque l'intimidait.

Lorsque Ethan lui tendit son American Express, la serveuse jeta un coup d'œil à Yancy, qui se passa alors la langue sur les lèvres avec une œillade lubrique ; la fille détala comme une petite lapine, prenant soudain conscience qu'elle allait se jeter dans la gueule d'un loup affamé.

— Merci pour le repas, lança Yancy. Maintenant, je pourrai dire que le grand Channing Manheim m'a payé à bouffer. Je suis sûr que ces *mamouls* sont hors de prix.

— Ce n'était qu'un déjeuner. Il n'y a aucune obligation. Si tu peux me rendre ce service, tant mieux, sinon, tant pis. Reynerd est mon problème, pas le tien.

— Ouais, mais tu as excité ma curiosité. Tu sais mieux t'y prendre que notre petite serveuse.

Malgré ses idées noires, Ethan parvint à sourire.

Une brusque bourrasque projeta une salve de pluie sur les baies vitrées.

Derrière les carreaux délavés, piétons et voitures semblèrent se dissoudre dans l'instant, victimes d'un Armageddon sans flammes, emportés par une douche d'acide.

— Si jamais il plonge la main dans un sachet de chips, de crackers ou quelque chose du genre, sache qu'il n'y aura peut-être pas que des gâteaux apéritif dedans.

— C'est l'aspect paranoïaque du bonhomme ? C'est là qu'il range son flingue ?

— C'est ce qu'on m'a dit. Dans un sachet de chips, des endroits comme ça, là où il peut le récupérer facilement sans éveiller les soupçons.

Yancy observa Ethan sans rien dire.

— C'est peut-être un Glock .9 mm, ajouta Ethan.

— Il a aussi un missile sol-air dans le placard ?

— Pas que je sache.

— Il doit garder l'ogive dans une boîte de Cheez-Its.

— Prends un sac de *mamouls* avec toi et tu seras paré.

— C'est connu, il n'y a pas mieux qu'un *mamoul* pour défoncer le crâne d'un gars.

— Et après, tu n'as plus qu'à manger l'arme du crime !

La serveuse revint avec la carte d'Ethan et le reçu.

Pendant qu'Ethan ajoutait le pourboire et signait le coupon, Yancy n'accorda pas un regard à la serveuse, comme s'il n'avait pas conscience de sa présence.

Les fines gouttes de pluie, soufflées par le vent, dessinaient des motifs évanescents sur les vitres.

— Il doit faire frisquet, dehors, articula Yancy.

C'était précisément ce que se disait Ethan.

11.

En jean, pull-over, ciré et bottes, Corky Laputa, au volant de sa BMW gris métallisé, se sentait aussi engoncé et bouillant que s'il portait un manteau d'ours polaire.

Bien que le col de sa chemise ne fût pas boutonné, il avait l'impression qu'un lasso enserrait sa gorge gonflée de colère et de frustration.

Il brûlait de foncer à West Hollywood et de faire la peau à cet idiot de Reynerd.

Mais il fallait savoir résister à de telles pulsions… même s'il rêvait de voir la société s'effondrer et devenir un territoire sauvage sans dieu ni loi, la législation contre le meurtre, pour l'heure, restait d'actualité. Et il y avait encore des gens pour la faire respecter.

Laputa était un révolutionnaire, mais il n'avait pas l'âme d'un martyr.

Il fallait pondérer l'action radicale par la patience.

Mettre des garde-fous à la rage anarchique.

Pour se calmer, Laputa mangea une barre chocolatée.

Contrairement aux préceptes du corps médical – qu'il soit de souche occidentale et matérialiste ou oriental se targuant pompeusement de spiritualité –, le sucre ne rendait pas Laputa hyperactif. Glucose et consorts l'apaisaient, au contraire.

Les très vieilles personnes, usées nerveusement par la vie et ses déceptions, connaissaient bien les vertus anxiolytiques du sucre. Plus leurs rêves et leurs espoirs semblaient leur échapper, plus leur régime alimentaire se chargeait en glucides – crème glacée par boîte d'un litre, farandoles de gâteaux en paquets familiaux, chocolat sous toutes ses formes (tablettes, bonbons, truffes… jusqu'au lapin géant de Pâques du petit-fils qu'ils démembraient sauvagement pour le dévorer avec un délice coupable).

Dans ses dernières années, la mère de Corky Laputa était devenue une accro de la glace – au petit déjeuner, déjeuner, dîner – présentée dans des coupes, des bols ou mangée à même la boîte en carton.

Mais loin de connaître une attaque cardiaque, elle s'était mise à prospérer. Son visage avait retrouvé couleurs, ses yeux un nouvel éclat... jamais elle n'avait paru en meilleure santé.

Litres et quintaux de Chocolat à la menthe, de fantaisie Cacahuètes-beurre-cacao, de délices Sirop d'érable-noix, et autres mélanges détonants hypercaloriques semblèrent inverser le cours de son horloge biologique, un miracle que les eaux de mille fontaines de jouvence n'avaient pu réaliser pour Ponce de Léon.

Laputa en était venu à craindre que pour le cas unique de sa mère, la crème glacée pouvait bel et bien être la clé de l'immortalité. Il la tua donc.

Si elle avait accepté, de son vivant, de partager un peu de son argent avec lui, il l'aurait laissée vivre. Il n'était pas si avide que cela.

Sa mère n'était pas un exemple de générosité ni même de responsabilité parentale ; elle ne se souciait guère du bien-être de son fils ni de ses besoins. Elle aurait pu changer son testament, sur un simple coup de tête, et décider de le laisser sur la paille après sa mort, pour le simple plaisir de le faire enrager.

Avant la retraite, sa mère était professeur d'économie, spécialiste des modèles marxistes-léninistes et participante active des luttes d'influence entre départements de l'université.

Elle croyait en la justesse de l'envie et au pouvoir de la haine. Lorsque ces deux croyances se révélèrent absconses, elle ne baissa pas les bras pour autant, mais compensa avec la glace.

Corky Laputa ne haïssait pas sa mère. Il ne haïssait personne.

Il n'enviait personne non plus.

La haine et l'envie s'étant révélées deux miroirs aux alouettes pour sa mère, il les avait définitivement bannies de son univers. Il ne voulait pas vieillir avec pour seul réconfort une collection de boîtes de Häagen-Dazs.

Quatre ans plus tôt, il était venu lui rendre visite avec l'intention, dans un accès de miséricorde, de l'étouffer doucement dans son sommeil ; mais contre toute attente, il s'était mis à la tabasser avec un tisonnier, comme s'il avait commencé à incarner un personnage d'Anne Tyler pour terminer l'histoire par une coda sanglante à la Norman Mailer.

Quoique improvisé, l'usage du tisonnier eut sur Corky

Laputa un effet cathartique, même s'il n'avait pris aucun plaisir particulier à cet accès de brutalité. Il n'était pas du genre à tirer jouissance de la violence – en aucune manière.

La décision de tuer sa mère était un choix purement économique, aussi réfléchi que s'il avait décidé d'acheter des actions en Bourse ; le meurtre en lui-même avait été accompli avec le même souci d'efficacité, dans la recherche d'une rentabilité maximale.

En tant qu'économiste, sa mère aurait sans doute compris son point de vue.

Son alibi était en béton armé. Il hérita des biens maternels. La vie continua. En tout cas, *la sienne*.

À présent, alors qu'il finissait sa barre chocolatée, Laputa se sentait apaisé par le sucre et rasséréné par le chocolat.

Il voulait toujours occire Reynerd, mais la pulsion aveugle était passée. Il prendrait le temps de planifier tout ça.

Lorsqu'il passerait à l'action, il devrait suivre son plan à la lettre. L'oreiller ne pouvait, cette fois, être remplacé par un tisonnier au dernier moment.

Il s'aperçut que son ciré trempé avait mouillé tout le siège. Mais il ne fit rien pour arrêter les dégâts. En véritable anarchiste, il n'allait pas se soucier du capitonnage d'un siège de voiture !

En outre, il devait réfléchir au cas Rolf Reynerd. Un adolescent attardé dans un corps de brute. Il avait fallu qu'il livre la sixième boîte en personne – trop avide qu'il était de sensations fortes !

Ce crétin, ne voyant aucune caméra de surveillance à l'extérieur, avait conclu qu'il n'y en avait pas.

Parce que tu ne vois pas de planètes dans le ciel, tu en déduis que nous sommes seuls dans l'Univers ? lui avait demandé Laputa.

Lorsque Ethan Truman, le chef de la sécurité de Manheim, avait débarqué chez Reynerd, ce benêt n'en était pas revenu. Et il avait reconnu s'être comporté de façon suspecte !

Corky replia le papier d'emballage de la friandise et la jeta dans la poubelle de bord. Si seulement il pouvait se débarrasser aussi facilement de Reynerd !

Soudain, la pluie tomba encore plus fort. Une averse de glands chuta des branches du chêne sous lequel il s'était garé. Les baies martelaient le toit et le capot, laissant sans doute des marques. Par chance, le pare-brise tenait bon.

Inutile de s'attarder ici, sous les projectiles, à songer à l'élimination de Reynerd, jusqu'à ce qu'une branche de cinq cents kilos se détache et l'écrabouille pour de bon ! Il pouvait très bien poursuivre ses affaires de la journée, tout en réfléchissant à la meilleure façon de tuer l'autre crétin.

Laputa se rendit dans une galerie marchande chic à quelques kilomètres de là et se gara dans le parking souterrain.

Il sortit de sa BMW, retira son ciré et son chapeau, qu'il posa sur le plancher entre les sièges. Il enfila une veste de tweed qui se mariait bien avec son chandail et son jean.

Un ascenseur l'arracha des abysses de béton pour le mener au deuxième et dernier niveau de l'empilement de restaurants, de boutiques et d'attractions en tout genre. La salle de jeux se trouvait, là-haut, au dernier étage.

Avec les vacances scolaires, tous les gosses se massaient dans les salles de jeux. La plupart avaient une douzaine d'années.

Les machines bipaient, sonnaient, cliquetaient, grondaient, caquetaient, sifflaient – staccato des mitraillettes, *boum boum* des musiques techno, hurlements des victimes virtuelles, flashes multicolores et salves stroboscopiques pour saluer les pièces qu'elles ingurgitaient avec un appétit plus vorace encore qu'un Pac-Man affamé, icône d'une ère déjà antédiluvienne pour la nouvelle génération de joueurs.

Déambulant entre les machines, Corky distribuait de la drogue gratuite aux mômes.

Dans chaque petit sachet de plastique, huit cachets d'ecstasy – ou extasy pour ceux qui venaient des écoles publiques – avec une étiquette annonçant EXTASES GRATIS, et sur la ligne en dessous : SOUVENEZ-VOUS QUI EST VOTRE AMI.

Il feignait d'être un dealer racolant le client, mais ne comptait jamais revoir aucune de ces têtes blondes.

Certains enfants acceptaient les sachets, considérant que de la dope gratuite, c'était cool.

D'autres ne montraient aucun intérêt. Même ceux qui refusaient son offre n'iraient pas, toutefois, le dénoncer à la police. Personne, à cet âge, n'aimait passer pour une balance.

De temps en temps, Laputa glissait des sachets dans des poches à l'insu de leur propriétaire. Ils auraient la surprise plus tard.

Certains prendraient la came. D'autres la jetteraient aux toilettes ou la garderaient. Bon an mal an, un nombre non négligeable de cerveaux seraient contaminés.

En vérité, il se contrefichait de créer des toxicomanes. Il aurait distribué de la cocaïne ou de l'héroïne s'il avait eu ce dessein.

Des études scientifiques sur l'ecstasy révélaient que cinq ans après avoir pris une seule dose, le consommateur montrait encore des dysfonctionnements de l'activité dopaminergique du cerveau. Après un usage régulier, les dommages au niveau des neurotransmetteurs étaient irréversibles.

Cancérologues et neurologues s'accordaient à dire que, dans les décennies à venir, la consommation croissante d'ecstasy risquait de générer une augmentation des tumeurs cérébrales, et une atrophie des capacités cognitives de centaines de milliers de citoyens.

Une distribution de huit doses ne provoquerait certes pas la chute de la civilisation en une nuit. Mais l'œuvre de Corky Laputa s'inscrivait sur le long terme.

Il ne transportait jamais plus de quinze sachets, et une fois la distribution commencée, il veillait à écouler son stock rapidement. Pour ne courir aucun risque, en trois minutes il avait quitté la salle de jeux.

Puisqu'il ne perdait pas de temps à négocier une vente, le personnel ne risquait pas de le repérer. Sitôt quitté les machines à jeux, il était redevenu un client lambda, avec rien dans les poches.

Au Starbucks, il commanda un double café-crème, qu'il savoura à une table en terrasse, en contemplant le ballet humain dans toute son absurdité consommatrice.

Après avoir terminé son café, il se rendit dans une boutique de vêtements ; il avait besoin de chaussettes.

12.

Les arbres, plantés en bosquets de huit spécimens, s'élevaient sur des troncs magnifiquement contournés, lançant vers le ciel leurs branches tortueuses; leur feuillage, comme des tresses vertes, s'agitait sous les bourrasques, semblant à la fois défier l'orage et le fêter. Pas de fruit en cette saison. Aucune olive sur les pavés de l'allée, juste des feuilles arrachées.

Oscillant dans les ramures, des guirlandes de Noël, éteintes à cette heure. Les ampoules, d'un gris sombre, attendaient la nuit pour s'illuminer.

Cette résidence de quatre étages, à moins de cent mètres de Wilshire Boulevard, était trop modeste pour justifier la présence d'un portier. Toutefois, le prix de chaque appartement aurait fait s'étrangler un avaleur de sabres.

Ethan courut sur le tapis de feuilles, passa sous les guirlandes éteintes, et pénétra dans le hall, dallé de marbre du sol au plafond. À l'aide de sa clé, il ouvrit la deuxième porte installée pour décourager les rôdeurs et les démarcheurs.

Passé le hall d'entrée, le foyer était petit et cosy – un tapis pour atténuer la froideur du marbre, deux fauteuils Art déco et une table basse, décorée d'une fausse lampe Tiffany, faite d'une mosaïque de verres multicolore.

Un escalier desservait tous les étages, mais Ethan préféra prendre l'ascenseur. Dunny Whistler vivait – avait vécu – au quatrième.

Les trois premiers étages abritaient chacun quatre appartements, mais le dernier niveau était divisé en deux immenses appartements-terrasses.

Une odeur déplaisante planait dans la cabine, relique du dernier utilisateur. Une odeur complexe et subtile, qui réveillait en lui de lointains souvenirs qu'il ne put clairement identifier.

Alors qu'il dépassait le premier étage, la cabine lui parut soudain plus petite que lors de ses précédentes visites. Le plafond plus bas, plus oppressant, comme le couvercle d'une marmite.

Passé le deuxième étage, il s'aperçut qu'il respirait vite, bien trop vite, comme s'il venait de piquer un sprint. L'air semblait ténu, pauvre en oxygène.

Lorsqu'il atteignit le troisième, il était certain d'entendre un drôle de bruit dans le moteur de l'ascenseur, un grincement anormal des câbles hissant la cabine le long de ses rails. Ce cliquetis, ce couinement était peut-être le signe annonciateur d'une clavette se détachant d'une poulie ?

L'air se fit encore plus rare, les murs plus proches, le plafond plus bas, la machinerie encore plus suspecte.

Peut-être les portes n'allaient-elles pas s'ouvrir ? Le téléphone d'urgence pouvait être hors service... Son téléphone portable être inutilisable dans la cabine...

En cas de tremblement de terre, le puits pouvait s'effondrer, écraser la cabine et la transformer en cercueil d'acier.

À l'approche du quatrième étage, Ethan s'aperçut que c'étaient là tous les symptômes d'une crise de claustrophobie ; un mal qu'il n'avait jamais éprouvé et qui faisait peut-être écran à une autre terreur que lui, l'homme cartésien, se refusait à admettre.

Il s'attendait presque à trouver Rolf Reynerd sur le palier du quatrième.

Comment Reynerd aurait-il pu connaître le sort de Dunny, l'adresse de son domicile, comment aurait-il pu deviner qu'Ethan avait décidé de venir ici... c'étaient des questions, pour l'heure, sans réponse, tant qu'il n'aurait pas mené une enquête minutieuse et peut-être tant qu'il s'accrocherait à des raisonnements logiques.

Toutefois, Ethan se plaqua dans l'angle de la cabine pour former une cible la plus petite possible, et sortit son pistolet.

Les portes de l'ascenseur s'ouvrirent sur un palier de trois mètres sur quatre, lambrissé de bois exotique. Personne.

Ethan ne rangea pas pour autant son arme dans son étui. Deux portes jumelles donnaient dans les appartements-terrasses. Il se dirigea vite vers celle de Dunny.

Avec la clé fournie par l'avocat, Ethan ouvrit la porte et entra avec précaution.

Le système d'alarme n'était pas en service. Lors de sa dernière visite, huit jours plus tôt, Ethan avait pourtant allumé l'alarme en partant.

La femme de ménage, Mrs. Hernandez, était venue entretemps. Avant que Dunny ne soit emmené à l'hôpital, dans le coma, elle travaillait ici trois jours par semaine ; mais aujourd'hui, elle ne venait que le mercredi.

Selon toute vraisemblance, Mrs. Hernandez avait dû oublier d'entrer le code de l'alarme en partant. Toutefois, même si cette explication se tenait, Ethan n'y croyait guère. Juanita Hernandez était une femme responsable, méthodique, attentive aux détails.

Il s'arrêta sur le seuil, laissant la porte ouverte dans son dos.

La pluie martelait le toit – le fracas de légions en marche, partant en guerre dans un royaume lointain.

Hormis ce bruit, le silence. Peut-être était-ce son instinct qui l'avertissait, peut-être le simple fruit de son imagination... toujours est-il qu'il perçut quelque chose d'artificiel dans ce silence, un silence tendu comme un ressort, plein d'énergie létale, le silence du cobra avant l'attaque.

Ne voulant pas attirer l'attention d'un voisin, ni permettre une retraite facile à quiconque d'autre que lui, il ferma la porte et donna un tour de clé.

Arnaque, trafic de drogue, et autres sinistres activités avaient fait la fortune de Dunny. Les criminels gagnaient de grosses sommes, mais peu faisaient fructifier leur argent, ou en conservaient longtemps la jouissance. Dunny avait été suffisamment futé pour éviter la prison, blanchir méticuleusement ses gains et payer dûment ses impôts.

C'est pourquoi il vivait dans cet appartement gigantesque, pourvu de deux couloirs desservant des pièces en enfilade, qui semblaient s'enrouler en une spirale vertigineuse à la manière d'une coquille de nautile.

Dans un cas de figure classique, Ethan aurait progressé en tenant son arme à deux mains, bras tendus, l'index plaqué sur la détente et aurait contrôlé tous les pas-de-porte.

Mais au lieu de cela, il tenait son pistolet dans sa main droite, canon pointé au plafond et avançait, certes, avec précaution, mais sans sortir le grand jeu prôné dans les écoles de police : *toujours rester plaqué aux murs, ne jamais tourner le dos à une ouverture de porte, se déplacer rapidement, tout en surveillant les pièces à gauche et à droite, bien en appui sur ses jambes, prêt à faire feu*... faire tout cela, c'était reconnaître implicitement qu'il avait peur d'un mort.

Ce qui était la stricte vérité – une vérité refoulée mais désormais acceptée.

Sa crise de claustrophobie dans l'ascenseur et la crainte de tomber nez à nez avec Rolf Reynerd n'étaient que des moyens de détourner ses pensées de sa véritable terreur, de sa certitude, totalement irrationnelle, que le cadavre de Dunny s'était levé de son brancard et était rentré chez lui pour accomplir un dessein mystérieux.

D'accord, les morts ne pouvaient marcher.

Et Ethan doutait que Dunny, mort ou vivant, ne cherche à lui faire du mal.

Son inquiétude, c'était que la chose qui avait peut-être quitté la morgue par ses propres moyens n'ait plus de Duncan Whistler que le nom. Un séjour dans une cuvette de toilettes et trois mois dans le coma avaient causé des dommages cérébraux irréparables qui pouvaient rendre le nouveau Dunny imprévisible et dangereux...

Malgré toutes ses qualités, dont celle, et non des moindres, d'avoir su reconnaître en Hannah une femme d'exception, Dunny était capable de violence... Il ne s'était pas taillé la part du lion dans le milieu criminel en faisant des risettes à son prochain.

Il pouvait casser des crânes au besoin. Et parfois même lorsque ce n'était pas absolument nécessaire.

Si Dunny était la moitié de l'homme qu'il était autrefois, et la *mauvaise* moitié, Ethan préférait ne pas tomber nez à nez avec lui. Avec les années, leur relation avait pris un nouveau tournant ; un ultime virage risquait de rompre le fragile équilibre.

Le grand salon était meublé de canapés et de fauteuils contemporains, tendu de soie crème. Tables, placards, objets décoratifs étaient tous des pièces de collection chinoises.

Soit Dunny avait découvert un génie dans une vieille lampe à huile qui l'avait doté d'un surprenant bon goût, soit il avait eu recours aux services d'un décorateur d'intérieur.

Ici, au-dessus de la cime des oliviers, les baies vitrées offraient un panorama des immeubles de l'autre côté de la rue et une vue du ciel, noir comme les cendres d'un incendie.

Au-dehors, un coup de klaxon dans le lointain, la rumeur sourde de la circulation sur Wilshire Boulevard.

La pluie tapotait au carreau comme mille insectes venant s'écraser contre un pare-brise, *tap, tap, tap*.

Dans le salon, l'immobilité parfaite. Juste son souffle. Et son cœur qui battait.

Ethan se rendit dans le bureau d'où provenait une faible lumière.

Sur la table de travail Ming, une lampe de bronze allumée, avec un abat-jour d'albâtre. La lumière jaune projetait des couleurs iridescentes après avoir traversé les motifs de nacre incrustés.

Lors de son dernier passage, une photo d'Hannah, sous cadre, trônait sur le bureau. Elle n'y était plus.

Ethan se souvenait encore de sa surprise lorsque, à sa première visite chez Dunny, onze semaines plus tôt, il avait découvert ce portrait.

La surprise – et l'incompréhension, aussi. Même si Hannah était morte depuis cinq ans, cette photo constituait une sorte d'agression et, d'une certaine manière, une insulte à sa mémoire, de la voir ainsi un objet d'affection – et autrefois un objet de désir – pour un homme versant dans le crime et la violence.

Ethan avait laissé la photographie où elle était ; même si, légalement, il avait droit sur ses toutes ses affaires, il avait jugé que cette image dans son joli cadre d'argent ne lui appartenait pas, et qu'il ne pouvait ni la jeter, ni en revendiquer la propriété.

À l'hôpital, la nuit où Hannah s'était éteinte, et une autre fois encore, aux funérailles, après ces douze années de silence, Ethan et Dunny s'étaient parlé. Leur chagrin mutuel, toutefois, n'avait pu ressouder les liens distendus. Ils n'avaient plus eu de contact durant les trois années suivantes.

Au troisième anniversaire de la mort d'Hannah, Dunny lui avait téléphoné, pour lui dire que, durant ces trente-six mois, il avait beaucoup réfléchi à la mort prématurée de Hannah – à trente-deux ans seulement. Peu à peu, mais toujours plus profondément, cette perte – le fait de savoir qu'Hannah n'était plus quelque part sur cette Terre – l'avait affecté, l'avait changé à tout jamais.

Dunny prétendait qu'il allait retrouver le droit chemin, se retirer de toutes les affaires criminelles. Ethan ne l'avait pas cru, mais lui avait souhaité bonne chance. Ce fut leur dernière conversation.

Plus tard, il apprit par un tiers que Dunny avait pris sa retraite, que ses anciens amis et associés ne le voyaient plus, qu'il était devenu une sorte d'anachorète, reclus et plongé dans ses livres.

En entendant ces rumeurs, la curiosité d'Ethan avait été piquée au vif. Il était certain d'apprendre un jour ou l'autre que Dunny était retombé dans ses anciens péchés – ou qu'il ne s'en était jamais totalement libéré.

Plus tard encore, il apprit que Dunny était revenu à l'église, qu'il assistait à la messe tous les dimanches, et qu'il montrait envers tous une humilité qu'on ne lui connaissait pas.

Que ce fût vrai ou non, il n'empêchait que la fortune de Dunny était basée sur l'escroquerie, le vol et le trafic de drogue. Vivre dans le luxe grâce à un argent aussi sale ne pouvait convenir à un repenti sincère; la culpabilité lui serait insupportable, sauf à consacrer ces fonds pour de bonnes causes.

Il n'y avait pas que la photo d'Hannah qui avait disparu. L'atmosphère studieuse et monacale qui régnait autrefois dans ce bureau s'était envolée aussi.

Deux piles d'ouvrages reliés encombraient un coin de la pièce. Ils avaient été retirés de deux rayonnages de la bibliothèque qui couvrait les murs du sol au plafond.

L'une des étagères avait été retirée, une portion du fond de la bibliothèque, qui paraissait solidaire aux montants, avait été glissée sur le côté, révélant un coffre-fort mural.

La porte du coffre, large de trente centimètres, béait. Ethan explora les entrailles de fer à tâtons. Elles semblaient vides.

Il ignorait qu'il y avait un coffre dans le bureau. La logique voulait que seul Dunny et l'installateur connaissent son existence.

Un gars au cerveau rongé par le gaz carbonique se lève de son brancard, s'habille, rentre chez lui et se souvient encore de la combinaison de son coffre.

Ou alors... le type est mort. Mais avant de quitter ce monde, il passe chez lui prendre un peu de liquide dans son coffre pour se payer une dernière virée.

La version du cadavre ambulant était presque aussi crédible que celle du légume lobotomisé retrouvant ses facultés motrices et cognitives.

13.

Fric était pris au cœur de la bataille : deux trains cliquetant et sifflant aux passages à niveau, les nazis dans les villages, les soldats américains descendant des collines, des morts partout, et d'immondes officiers SS en uniformes noirs faisant monter des juifs dans les wagons de marchandises d'un troisième train arrêté en gare. D'autres SS, plus loin, tirant sur des catholiques et jetant leurs dépouilles dans des fosses communes, derrière un bosquet de pins.

Peu de gens savaient que les nazis avaient tué aussi des millions de chrétiens. La plupart des dirigeants nazis avaient adopté une nouvelle religion, un paganisme voué à la mère patrie, à la race pure et aux mythes de l'ancienne Saxe. Le culte du sang et du pouvoir.

Peu de gens étaient au courant, mais Fric le savait. Fric aimait savoir des choses que le commun des mortels ignorait – anecdotes historiques, incongruités, secrets d'alchimie, curiosités scientifiques...

Par exemple, comment alimenter une montre électrique avec une pomme de terre. Il suffisait d'une clavette de cuivre, d'un clou de zinc et de deux brins de fils. D'accord, il aurait eu l'air ridicule avec, au poignet, une montre alimentée à la patate, mais cela fonctionnait !

Comme la pyramide tronquée au recto des billets d'un dollar. Elle représentait le temple inachevé de Salomon. L'œil en suspension au-dessus de la pointe symbolisait le Créateur de l'Univers.

Qui avait construit le premier ascenseur ? En utilisant tour à tour des humains, des animaux et la force de l'eau, c'est l'architecte romain Vitruve qui inventa le premier ascenseur vers 50 avant J.-C.

Fric le savait.

Toutes ces belles connaissances n'avaient guère d'applications dans la vie de tous les jours, ni ne changeaient le fait qu'il était plutôt petit pour son âge, et maigrelet ; il avait un cou de girafe et d'immenses yeux d'un vert improbable, les mêmes yeux que sa mère… mais sur elle, le charme était indéniable et tous les journalistes de la presse *people* tombaient en pâmoison, alors que sur lui, ces grands iris émeraude le faisaient ressembler à un hybride entre hibou et martien. Mais Fric aimait quand même savoir toutes ces bizarreries de la nature, même si cela ne l'aidait pas à sortir de sa bulle.

Le fait qu'il partage ces connaissances avec une toute petite poignée d'élus sur la planète lui donnait la sensation d'être une sorte de sorcier. Du moins un apprenti sorcier.

Hormis Mr. Jurgens, qui venait deux jours par mois pour nettoyer et réparer la formidable collection de trains électriques, seul Fric savait tout de « la salle des trains ».

Les modèles réduits appartenaient à Channing Manheim, la star planétaire, qui se trouvait être également son père. Mais dans le petit monde de Fric, la vedette de cinéma était depuis longtemps surnommée papa-fantôme, parce qu'il n'était présent le plus souvent qu'en esprit.

Papa-fantôme savait peu de choses sur la salle des trains. Il avait dépensé une fortune colossale, avec laquelle il aurait pu s'offrir toute la nation Touvalou, pour acheter les modèles réduits de collection, mais il jouait rarement avec.

La plupart des gens n'avaient jamais entendu parler du peuple Touvalou : dix mille âmes, réparties sur neuf îles du Pacifique Sud. Principale ressource économique : les noix de coco.

La salle des trains se trouvait au premier sous-sol, à côté du premier parking. Elle mesurait vingt mètres sur quinze, ce qui était plus grand que la maison de l'Américain moyen.

L'absence de fenêtres empêchait le monde réel de jouer les trouble-fête. La chimère ferroviaire était maîtresse des lieux.

Le long des murs est et ouest, de hauts rayonnages accueillaient la collection de petits trains, à l'exception des modèles qui étaient utilisés sur le plateau.

Sur les deux autres murs, des peintures d'inspiration ferroviaire – ici, une locomotive jaillissant d'un épais nuage de brouillard, tous feux allumés, là, un train traversant une plaine sous le clair de lune. Des trains de tout âge et de toute origine filaient dans les forêts, au-dessus des rivières, gravissaient des montagnes, sous la pluie, la neige, la brume, de jour comme de nuit, crachant des nuages gras de vapeur et des gerbes d'étincelles.

Au centre de cet immense espace, sur une vaste table munie d'une myriade de pieds, trônait un paysage de collines verdoyantes, de champs, de forêts, de vallées, de ravins et de lacs. Sept villages miniatures, faits de plusieurs centaines de constructions minutieuses, étaient desservis par des routes de campagne, dix-huit ponts et neuf tunnels. Virages, dévers, épingles à cheveux, montées, descentes, lignes droites, traçaient plus de voies de chemin de fer qu'il n'y avait de noix de coco dans les îles Touvalou.

La maquette était de dimension pharaonique, quinze mètres sur dix; on pouvait soit jouer par l'extérieur, soit pénétrer à « l'intérieur », en soulevant une barrière, et cheminer dans ses allées à la manière d'un géant explorant le pays des Lilliputiens.

Fric s'y trouvait en plein coeur.

Il avait réparti des armées de soldats à travers ce territoire, et jouait à la fois au petit train et à la guerre. Considérant la richesse de cet univers miniature, Fric aurait dû s'amuser bien plus.

Des téléphones se trouvaient à la fois à l'extérieur du plateau et disséminés sur les postes de contrôle internes. Lorsqu'ils émirent sa sonnerie personnelle, le son le fit sursauter; Fric recevait rarement des appels.

Vingt-quatre lignes desservaient la propriété. Deux étaient consacrées au système de sécurité, une autre à la surveillance du chauffage et de l'air conditionné, comme dans les grands hôtels. Il y avait deux lignes réservées aux fax, et deux pour Internet.

Sur les dix-sept restantes, seize servaient à la famille et au personnel. La ligne 24, quant à elle, était réservée à un usage exclusif tout à fait particulier...

Le père de Fric avait quatre lignes pour lui, car la Terre entière voulait lui parler, y compris le président des États-Unis. Des appels pour Channing, ou pour Chan ou Channi, ou même Chi-Chi (le surnom que lui avait donné une certaine actrice particulièrement imbue d'elle-même), il y en avait tout le temps, même lorsqu'il était absent.

Mrs. McBee avait quatre lignes, mais cela ne signifiait pas, comme s'amusait à le dire papa-fantôme, que la gouvernante se prenait pour l'égale du patron.

Ah! Ah! Ah!

L'une de ces quatre lignes arrivait dans l'appartement des McBee. Les trois autres étaient des numéros à usage professionnel.

D'ordinaire, l'intendance de la maison ne nécessitait pas l'emploi de trois lignes téléphoniques. Mais lorsque

Mrs. McBee devait organiser une fête pour quatre cents invités parmi le gratin d'Hollywood, trois téléphones suffisaient à peine pour négocier avec le maître de cérémonie, le traiteur, le fleuriste, les agents et les innombrables organismes mystérieux qu'elle devait superviser pour assurer la réussite de la soirée.

Fric se demandait si tous ces frais et ces efforts en valaient la peine. À la fin de la nuit, la moitié des convives repartaient si ivres ou si défoncés qu'au matin ils ne souviendraient plus de rien.

Il aurait suffi de leur fournir chaises longues, caisses de hamburgers et tonneaux de vin, c'eût été du pareil au même ! Après s'être saoulés à mort de toute façon, ils rentraient chez eux vomir leurs tripes, avant de s'effondrer dans un semi-coma. Et le lendemain matin, ils se réveillaient, prêts à recommencer.

En sa qualité de chef de la sécurité, Mr. Truman possédait deux lignes dans son appartement, une personnelle, une professionnelle.

Seules deux des six femmes de chambre logeaient dans la propriété, et elles avaient une ligne en commun avec le chauffeur.

Le jardinier avait une ligne pour lui, mais le terrible chef Mr. Hachette et le cuisinier, Mr. Baptiste, devaient se partager l'une des lignes de Mrs. McBee.

Mrs. Hepplewhite, la secrétaire particulière de papa-fantôme, avait deux lignes à sa disposition.

Freddie Nielander, le célèbre top model, surnommée en Fricsylvanie maman-bio, avait encore sa ligne privée dans la propriété, bien qu'elle fût divorcée de papa-fantôme depuis près de dix ans et eût passé moins de dix nuits ici depuis lors.

Papa-fantôme avait expliqué à Freddie qu'il appelait de temps en temps sur sa ligne, espérant qu'elle réponde et lui annonce qu'elle était revenue à la maison pour toujours.

Ah ! Ah ! Ah ! Ah ! Ah ! Ah !

Fric avait sa propre ligne depuis l'âge de six ans. Il n'appelait jamais personne, à l'exception d'une fois, où il s'était servi des relations paternelles pour avoir le numéro personnel de Mike Myers, qui avait fait la voix de *Shrek* dans le film éponyme, pour lui dire qu'il avait trouvé le film absolument *génial*.

Mr. Myers avait été très gentil au téléphone et avait imité *Shrek* et plein d'autres personnages pour lui faire plaisir. Le garçon avait tellement ri qu'il en avait eu mal dans tout le ventre. Ces douleurs abdominales étaient dues, certes, à la drôlerie irrésistible de Mike Myers, mais aussi au fait que Fric n'avait pas si souvent l'occasion de rire et manquait cruellement d'entraînement.

Le père de Fric, grand croyant devant le paranormal et autres foutaises, avait réservé la dernière ligne à la communication avec l'Au-Delà. Tout un poème !

Aujourd'hui, pour la première fois en huit jours, date du dernier appel de papa-fantôme, Fric entendit sa sonnerie retentir dans la salle de la maquette.

Tout le monde dans la propriété avait sa (ou ses) propres sonneries. Les lignes de papa-fantôme émettaient un simple *brrrrrrr*. Celles de Mrs. McBee des carillons musicaux. Celles de Mr. Truman jouaient les neuf premières notes d'une ancienne série télé, *LA Dragnet* – une série stupide, selon l'avis même de Mr. Truman.

Le standard téléphonique ultramoderne pouvait proposer jusqu'à douze sonneries différentes. Huit classiques. Les quatre autres pouvant être personnalisées par le client, comme celle de *LA Dragnet*.

Fric avait écopé de la sonnerie la plus ringarde qui soit, décrite par le fabricant comme « mélodie joyeuse et apaisante, idéale pour les nurseries ou les chambres de jeunes enfants ». Pourquoi les bébés en couches-culottes auraient-ils dû avoir leur propre ligne téléphonique, voilà qui restait un mystère...

Allaient-ils téléphoner à *Toys'r'Us* pour commander leur hochet ? Peut-être s'attendait-on à ce qu'ils appellent leur maman et disent : *Oups ! j'ai fait dans ma couche et je suis tout mouillé.*

Le ridicule n'avait pas de limites.

Oudili-oudili-ou, entonnait la sonnerie.

Fric détestait cette mélodie ! Il la détestait depuis l'âge de six ans et l'exécrait plus encore aujourd'hui.

Oudili-oudili-ou...

C'était le genre de borborygmes que devaient émettre ces créatures roses et poilues, mi-ours, mi-chien, que l'on trouvait dans toutes les émissions pour enfants, faites par des gens qui pensaient que les stupides *Teletubbies* étaient un *summum* d'humour et d'intelligence.

Humilié, bien qu'il fût tout seul, Fric coupa l'alimentation des trains et répondit à la quatrième sonnerie :

— Ici La Boucherie Sanzot, lança-t-il. Notre plat du jour : vache folle et salade verte pour un dollar.

— Bonjour Aelfric, répondit une voix d'homme.

Fric s'attendait à entendre son père. Si c'était la voix de maman-bio qui avait répondu, il aurait eu une crise cardiaque et se serait écroulé, raide mort, sur ses trains.

Tout le personnel de la maison, à l'exception peut-être du chef Hachette, aurait pleuré sa disparition. Ils se seraient déclarés terriblement tristes. Tellement tristes, horriblement tristes. Pendant environ quarante minutes. Puis ils se seraient affairés à préparer la tea-party post-funérailles à laquelle seraient invités un millier d'ivrognes et de drogués triés sur le volet dans le Bottin mondain, tous plus impatients les uns que les autres de lécher le cul doré de papa-fantôme.

— Qui est à l'appareil ? demanda Fric.

— Tu t'amuses bien avec les trains du paternel ?

Fric ne connaissait pas cette voix. Personne de la maison. Une voix totalement étrangère.

La plupart du personnel ignorait que Fric jouait dans la salle des trains et personne de l'extérieur ne pouvait le savoir.

— Comment vous savez où je suis ?

— Oh, je sais beaucoup de choses que les autres ignorent. Je suis comme toi, Fric. Exactement comme toi.

Les cheveux dans la nuque de Fric se mirent à fourmiller.

— Qui êtes-vous ?

— Tu ne me connais pas, répondit l'homme. Quand ton père revient-il de Floride ?

— Si vous en savez tellement, dites-le-moi donc.

— Le 24 décembre. En début d'après-midi. La veille de Noël, déclara l'inconnu.

Fric n'était pas impressionné outre mesure. Des millions de gens savaient tout des projets de son vieux, y compris avec qui et où il allait passer Noël. Une semaine plus tôt, papa-fantôme avait fait une apparition à *Entertainment Tonight*, où il avait parlé du film et de sa joie de rentrer chez lui fêter Noël.

— J'aimerais être ton ami, Fric.

— Qui êtes-vous ? Un pervers ?

Fric avait entendu parler des pervers. Il avait dû, sans le savoir, en croiser des centaines... berk ! Il ne savait pas trop ce qu'ils pouvaient faire à un enfant, ni ce qu'ils leur faisaient d'habitude, mais une chose était sûre... c'était qu'ils se baladaient avec, dans leurs poches, la collection d'yeux de leurs petites victimes et, au cou, des colliers faits avec leurs os.

— Je ne veux pas te faire du mal, expliqua l'inconnu, ce qui était précisément ce qu'aurait dit un pervers. Au contraire. Je veux t'aider, Fric.

— À quoi faire ?

— À survivre.

— Comment vous vous appelez ?

— Je n'ai pas de nom.

— Tout le monde a un nom, ne serait-ce qu'un prénom comme Cher ou Godzilla.

— Pas moi. Je ne suis qu'un élément parmi la multitude, une particule anonyme. Des problèmes arrivent, jeune Fric, et tu dois être prêt à les affronter.

— Quel genre de problèmes ?

— Connais-tu un endroit dans la maison où tu pourrais te cacher, un endroit où personne ne pourrait te trouver ?

— C'est une question bizarre.

— Il va te falloir une cachette, Fric. Un refuge secret que personne ne connaisse.

— Une cachette ? Pour me cacher de qui ?

— Je ne peux pas te le dire. Appelons-le la Bête en jaune. Mais il va falloir la trouver cette cachette, et vite.

Fric savait qu'il aurait dû raccrocher, qu'il pouvait être dangereux de parler plus longtemps avec ce cinglé. Il devait s'agir d'un pauvre hère qui avait eu son numéro de téléphone par hasard et qui allait lui dire d'une minute à l'autre des cochonneries. Mais le type pouvait être aussi un sorcier, pouvant lui lancer des sorts, ou un hypnotiseur, capable d'envoûter un garçon au téléphone et lui demander d'aller dévaliser une épicerie et lui rapporter l'argent du larcin en gloussant comme un dindon.

Conscient de ces risques et de bien d'autres encore, Fric resta néanmoins en ligne. Pour l'instant, jamais il n'avait eu une conversation aussi intéressante au téléphone.

Au cas où ce serait plutôt de ce type sans nom qu'il devait se cacher, Fric jugea bon de préciser :

— J'ai des gardes du corps et ils ont des mitraillettes.

— C'est faux, Aelfric. Mentir ne te mènera à rien, sinon à la souffrance. Le domaine est bien protégé, mais cela ne sera pas suffisant pour le danger qui arrive, lorsque la Bête en jaune se montrera.

— C'est vrai ! insista Fric. Mes gardes du corps sont d'anciens commandos, et l'un d'eux a été Monsieur Univers. Ils peuvent casser la gueule à n'importe qui.

L'inconnu ne répondit rien.

— Allô ? Vous êtes toujours là ? demanda Fric après deux secondes de silence.

L'homme répondit dans un murmure à peine audible :

— Je crois que j'ai une visite, Fric. Je te rappelle plus tard.

Le murmure se fit plus ténu encore...

— En attendant, commence à chercher ta cachette. Le temps presse.

— Attendez...

Mais l'inconnu avait raccroché.

14.

Arme au poing, le canon pointé en l'air, passant de pièce en pièce, de couloir en couloir, Ethan s'enfonça vers le cœur de l'appartement labyrinthique de Dunny Whistler et arriva jusqu'à la chambre du maître.

Une lampe de chevet était allumée. Contre la tête du grand lit chinois, des oreillers tendus de soie avaient été disposés harmonieusement par la femme de ménage.

Sur le lit, abandonnés dans une hâte évidente, des vêtements d'homme. Chiffonnés, tachés, encore humides de pluie. Pantalon, chemise, chaussettes, sous-vêtements.

Jetée dans un coin, une paire de chaussures.

Ethan ignorait ce que portait Dunny lorsqu'il avait quitté la morgue de l'hôpital Notre-Dame-des-Anges. Mais il aurait mis sa main à couper qu'il s'agissait de ces affaires.

En s'approchant du lit, il détecta la même odeur désagréable qui flottait dans la cabine d'ascenseur. Mais certains composants étaient cette fois plus identifiables : relents de transpiration, d'onguents sulfatés, effluves de vieille urine. L'odeur de la maladie, d'un être trop longtemps alité, lavé sommairement à l'éponge.

Ethan perçut un chuintement ténu, qu'il prit au début pour le bruissement de la pluie sur les carreaux. Puis il se rendit compte qu'il s'agissait d'un bruit d'eau provenant de la salle de bains.

La porte était entr'ouverte. Par l'interstice filtraient un nuage de vapeur et un rai de lumière.

Il poussa la porte.

Du marbre doré au sol, sur les murs. Deux vasques de céramique noire étaient enchâssées dans un coffrage de granit anthracite, alimentées par une robinetterie en or brossé.

Au-dessus de la console, un grand miroir, nimbé de condensation. Sous le glacis d'eau, son reflet distordu, comme une apparition pâle et fantomatique nageant juste sous la surface d'un étang.

Des nappes de brume flottaient dans l'air.

La salle de bains était pourvue de toilettes. La porte de la cabine était ouverte, la cuvette visible. Personne.

C'était dans ces mêmes toilettes que Dunny avait failli périr noyé.

Les voisins du troisième étage l'avaient entendu se débattre, appeler au secours.

La police était arrivée rapidement sur les lieux et avait attrapé les assaillants qui tentaient de s'enfuir. Ils avaient retrouvé Dunny gisant au sol, devant la cuvette, à demi conscient et toussant de l'eau.

Le temps que l'ambulance l'emporte, il avait sombré dans le coma.

Ses agresseurs, venus pour l'argent, la vengeance, ou les deux, n'avaient pas été dupés récemment par Dunny. Ils avaient passé les six dernières années en prison et tenaient, dès leur libération, à régler un vieux litige.

Dunny espérait peut-être quitter le monde du crime, mais ses vieux péchés l'avaient rattrapé ce soir-là.

Aujourd'hui, en tas sur le sol de la salle de bains, deux serviettes humides. Sur les barres, deux autres – sèches.

La douche se trouvait en face de la porte, dans l'angle opposé. Même si les portes de la cabine avaient été exemptes de buée, Ethan était trop loin pour distinguer s'il y avait un occupant ou non.

En s'approchant, il se représenta, en pensée, le Dunny Whistler avec lequel il s'attendait à tomber nez à nez : un visage d'une pâleur maladive ou d'un gris froid, incapable de rosir sous l'effet de l'eau chaude. Des yeux éteints, les blancs rendus pourpres par les hémorragies.

Son pistolet toujours à la main, il agrippa la poignée de la cabine, rassembla sa volonté, et ouvrit la porte.

Personne. L'eau clapotait sur le sol et tourbillonnait dans la bonde.

Ethan se pencha sous le jet et ferma le robinet thermostatique.

Le silence soudain qui suivit révélait la présence d'Ethan de façon aussi tonitruante qu'une corne de brume.

Inquiet, il se retourna par réflexe vers la porte de la salle de bains. Rien. Personne.

Bien que le robinet fût coupé, des volutes de vapeur continuaient de s'élever de la cabine de douche, quoiqu'en couches plus ténues ; elles passaient par-dessus la porte vitrée et retombaient sur les épaules d'Ethan.

Malgré la touffeur de l'air, Ethan avait la bouche sèche. Il eut toutes les peines du monde à décoller sa langue plaquée à son palais, comme s'il s'agissait de deux bandes Velcro.

Lorsqu'il marcha vers la porte, son regard fut attiré par son reflet déformé qui glissait sur le miroir embué au-dessus des lavabos.

Puis il vit l'impossible, l'inconcevable; il s'arrêta net.

Dans la glace, sous la couche de condensation, flottait une forme pâle, aussi brouillée que le reflet d'Ethan, mais parfaitement identifiable – une forme humaine.

Ethan était seul dans la pièce. Un rapide coup d'œil, autour de lui, lui confirma qu'aucun objet présent dans la salle de bains, aucun détail d'architecture, ne pouvait engendrer une telle silhouette dans le miroir.

Il ferma les yeux. Les rouvrit. La silhouette était toujours là.

Il n'entendait plus que les battements de son cœur, rapides, assourdissants, comme des coups de masse, pulsant tout son sang vers son cerveau pour chasser l'irrationnel.

Bien sûr, son imagination lui jouait des tours, de la même manière que l'on voit des hommes, des dragons et toutes sortes de chimères dans les volutes des nuages un jour d'été.

Mais cet homme, ce dragon ou dieu savait quelle créature, bougeait dans le miroir! Pas beaucoup. Un peu. Juste de quoi faire tressauter de terreur son cœur affolé.

Peut-être le mouvement aussi était-il imaginaire?

Avec précaution, Ethan s'approcha du miroir. Mais en décrivant une courbe prudente. Malgré son envie de lever le mystère, un pressentiment lui disait que quelque chose de terrible allait lui arriver si jamais son reflet venait toucher cette apparition.

D'accord, l'impression de mouvement était le fruit de son imagination. Mais cela recommençait! La silhouette se déplaçait vers lui, s'approchait...

Ethan n'aurait jamais avoué à Hazard Yancy, ni même à Hannah si elle avait encore été de ce monde, qu'en tendant la main vers le miroir, il était certain de rencontrer non pas la surface froide du verre, mais la main de quelqu'un d'autre, d'avoir traversé le voile glacé et interdit de l'Au-Delà.

Il effaça de la paume un arc de buée, laissant une traîne d'eau scintillante.

Simultanément; le fantôme se déplaça, s'écartant de la zone nettoyée. Rusé et farouche, l'être restait derrière son écran de buée, et vint se planter devant Ethan.

À l'exception de son visage, le reflet d'Ethan était sombre à cause de ses habits et de ses cheveux bruns. Tandis que la forme devant lui était d'une pâleur lunaire, diaphane comme des ailes de papillon, et n'occultait pas sa propre image.

La peur frappait à la porte, mais Ethan ne voulait pas la laisser entrer; comme du temps où il était flic et pris dans une fusillade. Ne jamais céder à la panique!

Mais il avait l'impression d'être à deux doigts de perdre la raison; il acceptait l'impossible, ici, aussi facilement que s'il était en train de rêver.

L'apparition se pencha vers lui, comme pour tenter de discerner la nature de l'être de l'autre côté du verre, de la même manière qu'Ethan venait de le faire quelques instants plus tôt.

Levant de nouveau la main, Ethan traça un petit chemin d'eau sur la buée, certain que ce ne seraient pas ses yeux qu'il verrait dans la glace mais ceux, gris et morts, de Dunny Whistler.

Encore une fois, l'apparition se déplaça, plus vite que le mouvement de main d'Ethan, allant cacher son mystère derrière son voile de buée.

C'est en expirant bruyamment qu'il s'aperçut qu'il avait retenu jusque-là sa respiration.

Au moment où il prenait une nouvelle inspiration, il entendit une déflagration quelque part dans l'appartement, un tintement de verre brisé…

15.

Ethan avait demandé au laboratoire Palomar de faire une recherche de produits illicites dans son sang, supposant qu'il avait pu être drogué à son insu. C'était une explication possible… car durant les événements chez Reynerd, il avait eu l'impression d'être quasiment dans un état second.

Et maintenant, dans cette salle de bains embuée, il se sentait aussi désorienté que lorsqu'il s'était retrouvé, totalement indemne, derrière le volant de sa voiture, juste après avoir reçu une balle dans les entrailles.

Quoi qu'il se soit passé – que la chose fût réelle ou fictive – il ne pouvait plus avoir confiance en ses sens. Il s'avança donc avec encore plus de précaution vers la source du bruit, s'attendant à rencontrer d'autres mystères.

Il traversa en sens inverse une enfilade de pièces qu'il avait déjà explorées, puis s'aventura en des territoires inconnus de l'appartement, jusqu'à parvenir à la cuisine. Des débris de verre jonchaient le sol et la table.

Par terre également, le cadre d'argent qui manquait dans le bureau de Dunny. La photo d'Hannah n'y était plus.

Celui qui avait pris le cliché était trop pressé pour retirer les quatre agrafes qui retenaient le fond du cadre et avait préféré casser le verre de façade.

La porte de service de l'appartement bâillait, ouverte.

Derrière s'étendait un large couloir qui desservait l'entrée de service des deux appartements-terrasses. À une extrémité, un panneau indiquait l'existence d'un escalier. À l'autre bout, un monte-charge, suffisamment grand pour transporter réfrigérateurs et gros meubles.

Si quelqu'un l'avait emprunté, il était déjà arrivé au rez-de-chaussée. Aucun bruit de machinerie ne se faisait entendre.

Ethan se précipita vers les escaliers. Ouvrit la porte coupe-feu et s'arrêta sur le palier, l'oreille aux aguets.

Un mugissement, un grognement, un soupir mélancolique, un tintement de chaînes… même un fantôme pouvait faire du bruit ! Mais le silence était total.

Il descendit rapidement les degrés, dix volées jusqu'au rez-de-chaussée, deux autres encore jusqu'au garage. Personne en vue, ni revenant, ni mortel.

L'odeur de mort, qu'il avait détectée dans l'ascenseur, ne flottait pas ici. Tout ce qu'il percevait, c'était un vague relent de savon, comme si quelqu'un, sortant tout juste de la douche, venait de passer. Il y avait également une pointe épicée d'après-rasage.

Il poussa la porte d'acier qui donnait dans le parking souterrain ; il entendit un bruit de moteur, sentit l'odeur de gaz d'échappement. À cette heure, la plupart des quarante box étaient vides.

Vers la rampe de sortie, une voiture sortait en marche arrière d'un emplacement. C'était la Mercedes bleue de Dunny.

Pilotée par télécommande, la porte du parking se souleva dans un concert métallique.

Pistolet à la main, Ethan courut vers la voiture qui s'éloignait. La porte se dérobait lentement et la Mercedes dut s'arrêter. Par la lunette arrière, Ethan apercevait la silhouette d'un homme derrière le volant, mais impossible de l'identifier.

Arrivé à la hauteur du véhicule, il décrivit une large courbe, comptant l'aborder par la portière côté conducteur. Mais la Mercedes redémarra, alors que la porte n'était pas encore totalement relevée. La voiture manqua d'un cheveu de laisser contre le battant un bel échantillon de sa peinture de toit, puis se rua sur la rampe de sortie menant dans la rue.

Le conducteur enfonça la commande de fermeture de la porte qui se mit aussitôt à redescendre. La voiture disparut en haut de la pente et se fondit dans le trafic.

Ethan resta au bas de la rampe, contemplant le rectangle de grisaille qui se refermait.

L'eau de pluie ruisselait sur la rampe, écumante, et disparaissait dans une grille d'égout.

Sur la pente de ciment, un petit lézard, la colonne brisée par une roue de voiture, se tortillait dans le torrent. Centimètre par centimètre, il remontait la pente avec opiniâtreté, comme si le sommet de la rampe était le Graal qui exaucerait ses vœux et le guérirait de ses blessures.

Ne voulant pas voir l'animal vaincu par les flots et retomber au pas de la pente pour agoniser sur la grille d'égout, Ethan détourna la tête.

Il rangea son arme dans son étui d'épaule.

Ses mains tremblaient.

Ethan remonta l'escalier jusqu'au dernier étage, percevant de nouveau la piste olfactive de savon et d'après-rasage. Mais cette fois, il détecta une autre odeur, moins proprette... ténue, mais troublante.

En tout état de cause, Dunny Whistler était un être vivant, et non un cadavre animé. Pourquoi un mort-vivant reviendrait-il chez lui prendre une douche, se raser, et se changer? Absurde.

De retour dans la cuisine, Ethan aspira les débris de verre avec un ramasse-miettes électrique.

Il trouva une cuillère et une boîte de crème glacée ouverte dans l'évier. Apparemment, les revenants, nouvellement ressuscités, appréciaient le parfum caramel-chocolat.

Il rangea la glace dans le réfrigérateur et reposa le cadre, à sa place, dans le bureau.

Il retourna dans la chambre à coucher et s'arrêta devant la porte de la salle de bains. Il voulait examiner le miroir une nouvelle fois, voir s'il était toujours recouvert de buée et si une chose, inconcevable, s'y promenait encore...

Mais chasser le fantôme lui parut soudain une très mauvaise idée. Il jugea préférable de quitter l'appartement, d'éteindre les lumières et de verrouiller la porte derrière lui.

Dans l'ascenseur, tandis qu'Ethan redescendait vers le plancher des vaches, une pensée lui traversa l'esprit : *Comme le loup du conte qui endosse une peau de mouton pour se fondre incognito dans le troupeau...*

Voilà pourquoi un mort vivant pouvait se doucher, se raser et enfiler des habits propres.

Lorsque la cabine atteignit le rez-de-chaussée, Ethan savait désormais ce qu'Alice avait ressenti quand elle était tombée dans le terrier du lapin.

16.

Après avoir coupé l'alimentation des trains, Fric laissa les méchants nazis à leurs sinistres desseins et quitta la féerie ferroviaire de la salle de la maquette. Sans lui accorder un regard, il traversa une autre féerie, mécanique celle-là, que représentaient les dizaines de voitures de collection paternelles sommeillant dans le garage, et se précipita vers les escaliers.

Il aurait dû prendre l'ascenseur. Mais la machinerie à piston qui faisait monter ou descendre la cabine sur un gros vérin hydraulique était trop lente pour son humeur du moment.

Le moteur interne de Fric tournait à cent à l'heure. Sa conversation au téléphone avec le « Mystérieux Inconnu » – il lui avait déjà trouvé un surnom ! – était du kérosène pur pour un jeune garçon ayant une vie ennuyeuse, une imagination débordante, et trop d'heures d'oisiveté à combler.

Il ne montait pas l'escalier, c'était l'escalier qui se déroulait sous ses pieds… Les jambes fendant l'air, la main agrippée à la rampe, Fric semblait ne plus toucher le sol ; il s'élevait du sous-sol telle une fusée, avalant dans une spirale d'énergie les huit volées de marches qui le menaient au dernier étage du Palazzo Rospo, où il avait ses quartiers.

De toute évidence, seul Fric semblait savoir pourquoi le premier propriétaire avait baptisé ainsi la grande maison : le Palazzo Rospo. Tout le monde savait qu'en italien, *palazzo* signifie palais, mais personne, hormis peut-être quelques réalisateurs d'origine européenne, n'avait la moindre idée du sens du mot *rospo*.

Pour être juste, la plupart des gens qui passaient le seuil de la maison se contrefichaient du nom de la propriété. Ils avaient d'autres préoccupations en tête – le nombre d'entrées en salle du week-end, l'Audimat de la veille, le dernier remaniement des responsables des grands studios et des chaînes de télévision, où trouver de nouveaux pigeons à plumer pour monter leur prochaine production, combien allaient-ils leur prendre, comment les berner pour qu'ils n'y voient que du feu, où dénicher un nouveau fournisseur de coke, et, pour d'aucunes, se poser des questions existentielles, telles que se demander, pour la énième fois, si elles n'auraient pas eu une plus belle carrière si elles avaient fait leur premier lifting à dix-huit ans.

Parmi les rares qui s'étaient interrogés sur le sens du nom de baptême de la maison, plusieurs théories s'affrontaient.

Certains pensaient que la maison devait son nom à un homme d'État italien, ou à un philosophe, ou encore à un architecte de renom. Dans le milieu du cinéma, trouver une personne ayant un minimum de culture générale était aussi difficile que de trouver dans la rue quelqu'un pouvant expliquer la physique quantique. Par voie de conséquence, cette théorie avait de nombreux adeptes et n'était jamais remise en question.

D'autres étaient persuadés que *rospo* était soit le nom de jeune fille de la mère du premier propriétaire, soit le nom d'un petit traîneau avec lequel il avait joué durant son enfance, à une époque où, pour la dernière fois de sa vie, il avait connu le bonheur véritable[1].

D'autres encore soutenaient qu'il s'agissait du nom de l'amour secret de l'ancien propriétaire, une jeune actrice nommée Vera Jean Rospo.

Il y avait eu, effectivement une Vera Jean Rospo dans les années trente, quoique son véritable nom fut Hilda May Glorkal.

Les producteurs, son agent – ou dieu sait qui lui avait donné Rospo comme nom de scène – devaient mépriser passablement la pauvre Hilda. Car *rospo*, en italien, signifiait « crapaud ».

Ainsi, Fric semblait être le seul à savoir que la meilleure traduction pour Palazzo Rospo, c'était Toad Hall ou la Maison du Crapaud.

Fric avait mené quelques recherches. Sa soif de connaissance était inextinguible.

À l'évidence, le magnat du cinéma qui avait fait construire cette demeure, voilà plus de soixante ans, avait le sens de l'humour et avait lu *Le Vent dans les saules*. Dans ce livre, un personnage nommé Crapaud habitait une grande maison appelée Toad Hall.

Aujourd'hui, plus personne, dans le milieu du cinéma, ne lisait de livres.

1. Allusion au « *Rosebud* » de *Citizen Kane*, d'Orson Welles. *(N.d.T.)*

Et, de l'expérience de Fric, plus personne non plus n'avait le sens de l'humour.

Il grimpa l'escalier si vite qu'il en eut les poumons en feu lorsqu'il atteignit le couloir Nord du deuxième étage. Ce n'était pas raisonnable ; il aurait dû s'arrêter, prendre le temps de retrouver son souffle...

Mais il continua à courir jusqu'au bout du couloir Nord, pour bifurquer, sans rependre haleine, dans celui de l'Est qui menait à ses chambres privées. Les meubles anciens qui décoraient les lieux à cet étage étaient de grande valeur, mais pas au point de faire la joie d'un musée, comme c'était le cas du mobilier des deux niveaux inférieurs.

La décoration des chambres de Fric avait été refaite voilà un an. Le décorateur que papa-fantôme avait embauché avait emmené Fric faire les magasins. Pour l'opération, son père lui avait octroyé un budget de trente-cinq mille dollars.

Fric n'avait pas demandé à changer le mobilier de ses chambres. Il ne demandait jamais rien, sauf pour Noël, lorsque son père insistait pour qu'il lui remette, par l'intermédiaire de Mrs. McBee, cette stupide « liste de commande au Père Noël » qu'il était censé remplir. Refaire toute la décoration était une idée du paternel.

Personne, à l'exception de Fric, ne trouvait qu'il était déplacé de donner à un garçon de neuf ans trente-cinq mille dollars pour changer les meubles et les papiers peints de sa chambre à coucher. Le décorateur et les vendeurs des boutiques se comportaient comme s'il s'agissait de la chose la plus normale du monde, comme si tous les enfants de neuf ans disposaient de telles sommes.

Des dingues !

Souvent, le garçon se demandait si tous ces gens parfaitement lisses et raisonnables qui gravitaient autour de lui n'étaient pas tous fous à lier.

Chaque meuble qui ornait ses pièces était moderne, lisse et brillant.

Fric n'avait rien contre l'artisanat et les meubles anciens. Il aimait aussi le rustique, mais six mille mètres carrés d'antiquités de toutes sortes lui suffisaient amplement.

Dans ses quartiers, il voulait se sentir comme un enfant d'aujourd'hui, pas comme un nain vivant en France il y a deux siècles, ce qu'il avait parfois l'impression d'être au milieu de tous ces meubles Empire. Et surtout, il voulait croire qu'un futur existait, un autre avenir qu'il pouvait toucher de la main.

Une suite entière lui était réservée. Salon, chambre à coucher, salle de bains, penderie.

Toujours hors d'haleine, Fric traversa le salon et sa chambre pour se réfugier dans la penderie.

Le terme « penderie » était inadéquat, car Fric aurait pu y garer une Porsche.

D'ailleurs, s'il en avait demandé une sur sa liste au Père Noël, elle l'attendrait sûrement dans le garage dès le 25 décembre au matin, avec un gros ruban.

Des dingues !

Bien que Fric eût bien plus d'affaires qu'il n'en avait l'usage, ses vêtements n'occupaient qu'un quart de la pièce. Le reste de l'espace accueillait des étagères où étaient entreposées des collections de soldats de plomb (qu'il aimait beaucoup), des boîtes de jeux de société (qui le laissaient indifférent), ainsi que les cassettes et DVD de toutes les niaiseries sorties au cinéma pour les enfants durant les cinq dernières années – cadeaux des cadres des studios qui voulaient se faire bien voir de papa-fantôme.

Au fond du réduit, les rayonnages, qui couvraient un mur large de cinq mètres, étaient divisés en trois sections. Sous la troisième étagère de la partie droite, il appuya sur un bouton secret.

La partie médiane pivota sur son axe, se révélant être une porte dérobée. Le bloc d'étagères mesurait une trentaine de centimètres de profondeur, ce qui laissait un passage, une fois le panneau ouvert, d'environ soixante-dix centimètres de chaque côté.

Certains adultes auraient dû se mettre de profil pour s'y glisser, mais le chétif Fric pouvait pénétrer dans son royaume sans la moindre contorsion.

Derrière les étagères, un « sas » d'environ quatre mètres carrés, donnant sur une porte d'acier. Même si la porte n'était sans doute pas en acier plein, elle était, avec ses dix centimètres d'épaisseur, aussi impressionnante que la porte du coffre-fort renfermant les réserves d'or de Fort Knox.

Lorsque Fric avait découvert cette pièce, trois ans plus tôt, la porte n'était pas verrouillée. Elle ne l'était toujours pas, car le garçon n'avait jamais retrouvé la clé.

En plus d'une poignée classique, sur la droite, la porte était équipée d'une seconde manette, en son milieu. Celle-ci pivotait sur trois cent soixante degrés, et ne ressemblait en rien à une poignée classique ; il s'agissait plutôt d'une manivelle, semblable à celles qui permettaient d'ouvrir des vasistas en hauteur.

À côté de la « manivelle » se trouvaient deux sortes de valves étranges.

Il ouvrit la porte, alluma la lumière et pénétra dans la pièce qui mesurait cinq mètres sur quatre. Une pièce étrange, à bien des égards.

Un canevas de plaques d'acier formait le sol. Les murs et le plafond étaient également couverts de plaques.

Ces plaques et panneaux étaient minutieusement soudés. Au cours de ses multiples inspections, Fric n'avait jamais repéré la moindre fissure ou trou dans ces soudures.

La porte était pourvue d'un joint en caoutchouc. Aujourd'hui vieux et craquelé, le joint avait autrefois assuré une étanchéité parfaite avec le chambranle.

Enchâssé dans la face interne de la porte, derrière un fin grillage, un mécanisme que Fric avait souvent examiné à l'aide d'une torche électrique. Derrière les petites mailles, il distinguait des lames de ventilateurs, des engrenages, des roulements à billes poussiéreux, et d'autres pièces qui lui restaient mystérieuses.

Il supposait que la manivelle de l'autre côté de la porte servait à actionner le ventilateur, afin d'aspirer tout l'air de la pièce, à travers les deux valves, jusqu'à faire une sorte de vide à l'intérieur.

À quelles fins faire ce vide, cela restait pour lui une énigme.

Pendant un temps, il avait pensé qu'il s'agissait d'un suffocatorium.

Un *suffocatorium* – un néologisme de Fric. Il imaginait qu'un génie malfaisant, arme au poing, forçait sa victime à pénétrer dans ledit suffocatorium, refermait la porte, et s'amusait à pomper l'air de la pièce en tournant la manivelle, jusqu'à ce que le malheureux suffoque.

Dans les films, les méchants, parfois, élaboraient des machines complexes pour tuer des gens, alors qu'un couteau ou un simple pistolet aurait accompli la même besogne beaucoup plus rapidement et à moindre coût. Les esprits dérangés pouvaient être aussi labyrinthiques que les tunnels d'une fourmilière.

Certains tueurs psychopathes pouvaient aussi avoir peur du sang. Ils aimaient peut-être tuer, mais pas s'ils avaient trois jours de ménage à faire ensuite. Ce genre de personnes pouvaient être des clients potentiels à l'installation *in muros* d'un suffocatorium.

Certains éléments de la pièce, toutefois, infirmaient quelque peu cette théorie.

Tout d'abord, un bouton à l'intérieur désengageait le pêne du verrou si celui-ci avait été actionné de l'extérieur avec une clé. Visiblement, ce système évitait que quelqu'un puisse se trouver piégé par mégarde et également que quiconque puisse s'enfermer volontairement dans la pièce.

Les crochets en acier inoxydable au plafond s'inscrivaient également contre la thèse du suffocatorium. Deux rangées, couvrant toute la longueur de la pièce, chacune à environ cinquante centimètres des parois.

En regardant de nouveau ces crochets luisants, Fric entendit son souffle devenir aussi bruyant que lorsqu'il avait monté l'escalier... chaque inspiration, chaque expiration se réverbérant sur les murs d'acier comme dans une caisse de résonance.

Une démangeaison remonta soudain entre ses omoplates, gagna rapidement sa nuque. Il *savait* ce qui allait arriver. C'était inéluctable...

Il ne respirait pas seulement vite. Son souffle s'était fait sifflant également.

Soudain, sa poitrine se comprima et il fut à court d'oxygène. Le sifflement se fit plus fort, ne lui laissant aucun doute. Il avait une crise d'asthme ! Fric sentait ses bronches se rétrécir, se ratatiner.

Inspirer lui était plus facile que d'expirer. Mais il devait d'abord évacuer l'air vicié pour espérer en aspirer du frais.

Les épaules voûtées, penché en avant, le garçon crispait les muscles de son torse et de son cou pour tenter d'expulser l'air piégé dans ses poumons. Mais en vain.

C'était une vilaine crise...

Il chercha son tube de Ventoline, accroché à sa ceinture.

Seulement trois fois dans sa vie, Fric se souvenait avoir suffoqué au point de devenir tout violet et d'être emmené d'urgence à l'hôpital. La vue du visage indigo de Fric avait effrayé toute la maisonnée.

Dégrafé de sa ceinture, l'inhalateur lui échappa des doigts. Il tomba au sol et tintinnabula sur les plaques d'acier.

La respiration sifflante, le garçon se baissa pour le ramasser ; pris de vertige, il s'écroula à genoux.

Il avait tellement de mal à respirer qu'il avait l'impression qu'un tueur était en train de l'étrangler.

Inquiet, mais pas encore paniqué, il rampa au sol pour récupérer sa Ventoline. Le tube glissa de nouveau entre ses doigts moites de sueur et roula encore plus loin.

Sa vue se brouilla, une frange opaque grignotait le pourtour de son champ de vision.

Personne ne l'avait pris en photo lorsque son visage virait à l'indigo. Il s'était toujours demandé à quoi il ressemblait en Schtroumpf bleu, puis violet.

Ses voies respiratoires se rétrécirent encore. Le sifflement s'accentua, se fit de plus en plus aigu. C'était comme s'il avait avalé un sifflet.

Lorsqu'il referma enfin la main sur l'inhalateur, il le serra contre sa poitrine et roula sur le dos. Mauvaise idée. Il ne pouvait plus du tout respirer dans cette position ! Impossible aussi d'utiliser la Ventoline.

Au-dessus de lui, les crochets qui luisaient...

Ce n'était vraiment pas le bon endroit pour avoir une crise d'asthme. Il n'avait plus assez d'air pour appeler au secours. Personne ne l'entendrait de toute façon. Le Palazzo Rospo était une solide bâtisse ; aucun son ne traversait ses murs épais.

Maintenant, il paniquait.

17.

Dans les toilettes pour hommes du centre commercial, Corky Laputa inscrivait, au marqueur indélébile, des graffitis racistes.

Il n'était pas raciste. Il n'éprouvait aucun ressentiment particulier à l'encontre de quelque ethnie, mais il n'avait pour l'humanité entière que mépris. Selon son expérience, personne n'aimait avoir des sentiments racistes.

Certaines personnes, toutefois, pensaient être cernées par des racistes. Elles avaient besoin d'y croire pour donner du sens à leur vie, un but à leur existence, pour avoir quelqu'un à haïr.

Pour une petite partie du genre humain, avoir quelqu'un à haïr était aussi vital que d'avoir du pain dans leur assiette ou de l'air dans leurs poumons.

Certaines personnes avaient besoin d'être en colère contre quelque chose, contre quelqu'un. Laputa était donc heureux de laisser cette prose murale qui alimenterait la fureur de certains visiteurs, ajoutant ainsi une mesure de bile à leur aigreur.

Tout en écrivant, Laputa fredonnait la musique que diffusaient les haut-parleurs d'ambiance.

Aujourd'hui, 21 décembre, la programmation ne contenait aucun chant de Noël. Le directeur du centre commercial craignait sans doute que *Petit Papa Noël* ou *Jingle Bell* n'offense la sensibilité des clients non-chrétiens ou n'agace irréversiblement les athées convaincus.

La sono passait donc un vieux morceau de Pearl Jam. Dans une orchestration très « violoneuse ». Même sans le chanteur à la voix criarde, cette version était aussi abrutissante que l'originale, mais moins douloureuse pour les oreilles.

Lorsque Laputa eut terminé sa prose xénophobe et tiré la chasse d'eau, il n'y avait plus personne dans les toilettes. Il se lava tranquillement les mains aux lavabos, dans une salle totalement déserte.

Il mettait un point d'honneur à profiter de la moindre opportunité pour servir son culte du chaos, aussi minime que fût sa participation à la sape de l'ordre social.

Aucun des robinets n'était équipé de valve de fermeture automatique... Il tira de pleines poignées de serviettes en papier sur un distributeur; après les avoir humidifiées, il en fit des boules compactes qu'il enfonça profondément dans les bondes de trois lavabos, sur les six que contenait la pièce.

De nos jours, la plupart des toilettes publiques étaient pourvues de robinets à poussoir qui libéraient un jet d'eau durant un temps déterminé, puis se fermaient automatiquement. Ici – Ô joie! – il s'agissait d'une robinetterie à l'ancienne, avec des manettes à tourner.

Il ouvrit donc, en grand, les robinets des trois lavabos ainsi bouchés.

La buse d'évacuation, au milieu de la salle, menaçait de ruiner ses efforts. Il saisit la poubelle, à moitié pleine de papiers usagés, pour boucher la grille.

Puis il ramassa ses sacs de commissions – qui contenaient une nouvelle paire de chaussettes, un drap de coton, un portefeuille en cuir, ainsi qu'un joli couteau acheté dans la boutique d'accessoires culinaires que fréquentaient les fans de Cuisine TV – et contempla les vasques qui se remplissaient rapidement.

Enchâssée dans le mur, à dix centimètres au-dessus du sol, une large grille d'aération. Si l'eau montait jusqu'à ce niveau, se déversait dans le conduit et inondait le système de chauffage et touchait les circuits électriques, cet incident mineur de plomberie pourrait se transformer en véritable petite catastrophe économique. De nombreuses activités et la vie de dizaines d'employés pouvaient s'en trouver bouleversées.

Les uns après les autres, les éviers débordèrent. L'eau tomba en cascade sur le sol.

Au son des éclaboussures et des trémolos de Pearl Jam, Corky Laputa quitta les toilettes, un sourire satisfait aux lèvres.

Le couloir, qui desservait également les toilettes pour dames, était désert. Il posa de nouveau son sac à commissions.

D'une poche de sa veste, il sortit un rouleau de chatterton. Laputa, en aventurier prévoyant, sortait toujours outillé.

À l'aide d'une longueur d'adhésif, il boucha l'interstice sous la porte. Les jambages du chambranle étaient suffisamment jointifs pour contenir la masse d'eau de l'autre côté; ils n'avaient nul besoin d'être renforcés.

Il sortit de son portefeuille un petit autocollant. Il retira le plastique protecteur et le colla sur la porte.

En lettres rouges sur fond blanc, on y lisait : HORS SERVICE

Cet autocollant éveillerait la suspicion des vigiles du centre commercial mais convaincrait les clients d'aller se trouver un autre endroit où se soulager.

Son œuvre, ici, était désormais terminée. L'ampleur future des dégâts était, à présent, entre les mains du destin.

Les caméras de surveillance étaient interdites dans les toilettes et leurs abords immédiats. Pour l'instant, il n'avait pas été filmé sur le lieu de son forfait.

Le couloir en « L » desservant les toilettes menait également à la passerelle du deuxième niveau, qui elle était constamment sous surveillance vidéo. Plus tôt, Laputa avait repéré l'emplacement des caméras couvrant l'entrée du couloir.

En partant, il veilla à détourner la tête pour dissimuler son visage à la scrutation des objectifs. Tête baissée, il se fondit rapidement dans la masse des chalands.

Lorsque les gardes, plus tard, visionneraient les bandes, ils pourraient peut-être repérer l'entrée et la sortie de Corky à l'heure approximative du délit, mais ne pourraient discerner ses traits.

Il avait, volontairement, choisi des vêtements passe-partout – le camouflage idéal en milieu urbain. Sur les bandes vidéo des autres caméras du centre commercial il serait difficile à identifier.

Les décorations et la fausse neige pour les fêtes achèveraient de tromper les caméras en réduisant leur champ de prise de vue habituel.

Le thème « L'hiver enchanté » évitait toute référence directe ou symbolique à Noël : pas d'anges, pas de crèches, pas de saint Nicolas, pas d'elfes ni de rennes, ni aucun des ornements classiques de la Nativité. On avait même délaissé les guirlandes multicolores pour de minuscules cordons lumineux uniformément blancs. Des litanies de stalactites de plastique ou d'aluminium encombraient les allées, des milliers de flocons de neige en polystyrène pendaient du plafond. Sur l'esplanade centrale, dix automates, de taille réelle, patinaient sur une fausse mare gelée, dans un paysage hivernal composé de bonhommes de neige, de figurines d'enfants figées dans une bataille de boules de neige et d'ours polaires prenant des poses comiques.

Cette mise en scène absconse et grotesque ravissait Corky

Laputa. La fin de cette société était définitivement imminente...

Dans les escalators qui le ramenaient au parking, il peaufina les détails de son plan pour tuer Rolf Reynerd. Tout en faisant ses courses et semant le chaos, Laputa avait mis au point le meurtre.

À sa façon, il était un ordinateur multitâches.

Pour les profanes, qui n'avaient aucune notion de stratégie politique et n'avaient jamais étudié la philosophie, les activités de Laputa dans les toilettes étaient du vandalisme gratuit, parfaitement infantile. Une société était rarement anéantie par de purs actes de violence; aussi l'anarchiste attentif se devait de saisir la moindre opportunité qui se présentait pour mener son travail de sape, que ce soit par des actions discrètes ou de grands coups d'éclat.

La racaille ignare qui dégradait les lieux publics avec des bombes de peinture fluo, les terroristes jouant les bombes humaines, les pop-stars qui déversaient, entre deux joints, leur rage et leur nihilisme sur des rythmes syncopés, les avocats avides de procès médiatiques, qui se proclamaient les défenseurs de la veuve et de l'orphelin, mais dont l'unique but était d'avoir la peau de grandes compagnies et d'institutions vénérables, les tueurs en série, les dealers de drogue, les flics corrompus, les grands patrons qui détournaient les fonds de la société et pillaient les caisses de retraite, les prêtres pédophiles, les politiciens qui, pour obtenir leur réélection, soufflaient sur les braises de la lutte des classes... tous et nombre d'autres étaient autant d'ouvriers nécessaires au démantèlement de la civilisation occidentale. Ils œuvraient à tous les niveaux de la société, certains ayant le pouvoir destructeur d'un train de marchandises déraillant à pleine vitesse, d'autres menant une action plus insidieuse, à l'image de termites rongeant patiemment les piliers de l'État de droit.

Si Laputa avait pu répandre la peste sans craindre pour sa propre santé, il se serait fait un plaisir de jouer les agents propagateurs en éternuant, toussant, crachant ses miasmes au visage de tout le monde croisant son chemin. S'il devait, parfois, se contenter de boucher des lavabos, il continuait néanmoins le combat, à petits pas, dans l'attente de la grande occasion qui ferait de lui l'Antéchrist sur Terre.

Une fois dans le parking, il retira sa veste avant de monter dans sa BMW et enfila de nouveau son ciré jaune. Il plaça son chapeau de pluie sur le siège côté passager, à portée de main.

En plus d'apporter une magnifique protection, même par le plus violent des orages, le ciré était le vêtement idéal pour commettre un meurtre. Le sang s'ôtait facilement sur le vinyle, sans laisser de traces compromettantes. Selon la Bible, à chaque saison, sa raison; il y avait une saison pour tuer et une pour soigner.

N'ayant aucune vocation médicale, Laputa scindait l'année en deux périodes. Celle où l'on tuait et celle où l'on ne tuait pas. Le temps de tuer était arrivé.

Sa liste de victimes contenait bien plus d'un nom, et Reynerd n'y figurait pas en première position. Mais la cause de l'anarchie demandait des efforts de chaque instant.

18.

Fric, dans le suffocatorium, haletait, pétri d'angoisse, le visage plus bleu qu'une lune des tropiques. En rassemblant ses dernières forces, il parvint à se traîner au sol et à s'adosser contre la paroi métallique.

L'inhalateur, dans sa main droite, pesait encore plus lourd qu'un 4 × 4 Mercedes 500 ml.

Si son père avait été à sa place, un bataillon de larbins l'aurait aidé à soulever le petit aérosol. Voilà encore un désavantage à être seul.

Avec le manque d'oxygène, ses pensées se brouillèrent. L'espace d'un instant, il crut que sa main droite était plaquée au sol par un fusil à pompe, et que c'est ce fusil qu'il tentait de soulever pour enfoncer l'extrémité du canon dans sa bouche.

Fric faillit jeter le flacon au loin, pris d'horreur. Mais la lucidité lui revint *in extremis* et il retint son geste.

Il ne pouvait plus respirer, ni penser, juste haleter, tousser, et haleter encore. Il se dirigeait tout droit vers l'une de ces crises aiguës qui nécessitait une hospitalisation d'urgence. Les médecins l'ausculteraient sous toutes les coutures, tout en débitant des niaiseries sur les films du paternel qu'ils préféraient – Et la scène avec les éléphants ! Et le saut dans le vide entre les deux avions ! Le naufrage du bateau ! Le serpent extraterrestre ! Et la scène des singes à mourir de rire ! Les infirmières, toutes attendries, lui diraient encore une fois à quel point Fric avait de la chance et comme ce devait être excitant d'avoir pour papa une star comme lui, un héros, un monument des salles obscures, un génie !

Autant mourir ici, maintenant.

Même s'il n'était ni Clark Kent ni Peter Parker, Fric parvint finalement à soulever l'inhalateur. Il glissa l'embout dans sa bouche et s'envoya une giclée de Ventoline, en aspirant de toutes ses forces, qui étaient bien maigres en réalité.

Dans sa gorge, un œuf dur, ou une pierre, ou un inconcevable bouchon de glaire digne de figurer au Guinness, ne laissait passer qu'un fragile filet d'air.

Le garçon se pencha, contractant puis relâchant les muscles de sa nuque et de son abdomen. Il fallait faire pénétrer le produit dans ses poumons, expulser cet air lourd et vicié, épais comme du sirop.

Deux giclées. C'était la dose prescrite.

Il appuya une seconde fois sur le flacon.

Le produit avait un goût métallique infâme à le faire hoqueter de dégoût, mais Fric en était incapable, ses voies respiratoires étaient trop tétanisées et se rétrécissaient chaque seconde davantage.

Un voile gris descendit devant ses yeux, premier signe de la nuit qui gagnait son cerveau.

La tête lui tournait. Assis par terre, dos au mur d'acier, jambes étendues, il avait l'impression de se tenir en équilibre sur un fil, oscillant au-dessus du vide avant la chute fatale.

Deux giclées. Il en avait pris deux.

Dépasser les doses était fortement déconseillé. Voire dangereux.

Deux giclées. Cela devrait suffire. D'ordinaire, cela suffisait. Parfois même une seule giclée parvenait à desserrer le nœud coulant invisible.

Pas de surmédication. Ordre du docteur.

Pas de panique. Conseil du docteur.

Laisse au produit le temps de faire effet. Instruction du docteur.

Au diable le docteur !

Fric s'envoya une troisième giclée.

Quelque chose cliqueta dans sa trachée, comme le roulement d'un dé sur une piste de jeu ; son souffle se fit soudain moins sifflant, moins court.

Une bouffée d'air chaud s'échappa de sa bouche. L'air frais put entrer dans sa gorge. Fric voyait la terre ferme.

Il lâcha l'inhalateur qui tomba sur ses cuisses.

Un quart d'heure ; c'était le temps nécessaire pour se remettre d'une crise d'asthme. Il n'y avait rien d'autre à faire qu'attendre.

Le voile s'évanouit à la périphérie de son champ de vision. La clarté revint dans ses pensées.

Fric était couché par terre dans un cube d'acier, avec rien d'autre pour attirer son regard que ces crochets pendant au plafond. Il contempla leurs lignes courbes. Quelle pouvait être leur utilité ?

Lorsqu'il avait découvert cette pièce, elle lui avait évoqué une chambre froide de boucher, avec ses alignements de carcasses de bœufs suspendues au plafond.

Il s'était demandé si un tueur psychopathe avait suspendu des corps humains à ces crochets. Peut-être la pièce était-elle autrefois réfrigérée ?

Les fixations n'étaient pas suffisamment espacées pour accueillir des corps d'adultes. Fric en était arrivé à la sinistre conclusion que le tueur faisait la collection de cadavres d'enfants.

Une inspection plus attentive avait révélé que les crochets inoxydables n'étaient pas pointus. Leurs extrémités étaient bien trop rondes pour transpercer un bœuf ou un corps d'enfant.

Il avait finalement laissé de côté le mystère de ces crochets et le concept du suffocatorium s'était peu à peu imposé à lui. L'existence, toutefois, d'une poignée intérieure, mettait à mal cette théorie.

Tandis que sa respiration revenait lentement à la normale, que l'étau emprisonnant sa poitrine se desserrait, Fric étudia de nouveau ces étranges crochets, les parois en acier brossé, cherchant une troisième explication quant à l'usage de cette pièce. Mais aucune idée ne lui vint.

Il n'avait parlé à personne de ce rayonnage de bibliothèque escamotable ni de l'étrange pièce qui se trouvait derrière. Ce qui rendait cet endroit si fascinant était moins sa nature exotique que le fait qu'il était le seul à connaître son existence.

Cet espace pouvait servir de « cachette spéciale et secrète » qui, selon le Mystérieux Inconnu, risquait de lui être bientôt utile...

Peut-être pourrait-il y mettre des vivres ? Deux ou trois packs de Pepsi ? Des paquets de sandwiches au beurre de cacahuètes ? Deux lampes électriques avec des piles de rechange ?

Boire du soda tiède était une perspective guère réjouissante, mais c'était mieux que de mourir de soif. Mieux valait avoir du Pepsi chaud si on se retrouvait perdu dans le désert Mojave que d'être contraint de boire sa propre urine.

Des sandwiches au beurre de cacahuètes, savoureux et bienvenus en toutes circonstances, seraient absolument ignobles accompagnés d'un verre d'urine.

Peut-être devrait-il prendre *quatre* packs ?

Puisqu'il ne comptait pas boire son urine, il lui faudrait un récipient où se soulager, si d'aventure il lui fallait rester enfermé plusieurs heures. Un pot avec un couvercle. Encore mieux, un bocal avec un bouchon à vis.

Le Mystérieux Inconnu n'avait pas précisé combien de temps Fric devrait tenir le siège. Il faudrait aborder le sujet lors de leur prochaine conversation...

L'inconnu avait promis de l'appeler de nouveau. S'il s'agissait d'un pervers sexuel, il tiendrait parole, c'était sûr. S'il s'agissait d'un type normal, il se pouvait alors qu'il soit un ami sincère, auquel cas il rappellerait aussi, pour des raisons, cette fois, beaucoup plus louables.

Le temps passa; la crise reflua et Fric put se relever. Il raccrocha l'inhalateur à sa ceinture.

Un peu groggy, s'appuyant à la paroi, le garçon se dirigea vers la porte.

Une minute plus tard, il avait rejoint sa chambre à coucher; il était assis sur son lit et décrochait le téléphone. Le témoin d'appel de sa ligne directe clignotait sur le clavier.

Personne ne lui avait téléphoné depuis l'appel du Mystérieux Inconnu dans la salle des trains. Après avoir enfoncé les touches *69 il écouta le téléphone composer le numéro du dernier correspondant.

S'il avait eu les dons d'un James Bond, ou l'oreille prodigieuse d'un Beethoven avant sa surdité, ou si ses parents avaient été des extraterrestres envoyés sur Terre pour améliorer les performances auditives des êtres humains, alors, peut-être, Fric aurait-il pu retrouver les chiffres du numéro au seul son des tonalités successives. Il aurait pu ainsi connaître et mémoriser le numéro du Mystérieux Inconnu pour s'en servir ultérieurement.

Mais il n'était rien de plus que le fils d'une vedette de cinéma. Ce statut avait ses privilèges : XBox offerte gracieusement par Microsoft, passe permanent pour Disneyland et consorts, mais cela ne lui conférait pas des pouvoirs paranormaux.

Après avoir laissé sonner une dizaine de fois, il alluma le haut-parleur et se dirigea vers la fenêtre.

La pelouse, verte et soyeuse comme un feutre de billard, s'étalait en molles ondulations parmi les chênes, les cèdres, les rosiers pour se fondre au loin dans la bruine argentée.

Devait-il parler à quelqu'un de l'existence du Mystérieux Inconnu et de sa mise en garde contre un danger imminent?

S'il appelait papa-fantôme sur son portable, ce serait un garde du corps qui lui répondrait ou son maquilleur personnel qui l'accompagnait dans tous ses déplacements. Ou encore son coiffeur. Ou son masseur. Ou son conseiller spirituel, Ming du Lac, ou l'un des nombreux courtisans qui orbitaient autour du quatrième homme le plus admiré sur la planète, d'après un récent sondage de popularité.

Le téléphone passerait alors de main en main suivant un trajet tortueux jusqu'à ce que dix ou quinze minutes plus tard papa-fantôme le prenne enfin en ligne. Il dirait alors : « Hé, petit gars, devine qui se trouve à côté de moi et qui veut te parler ? »

Avant même que Fric ait pu dire un mot, papa-fantôme aurait passé le téléphone à Julia Roberts ou à Arnold Schwarzenegger, ou encore à Tobey Maguire, Kirsten Dunst ou Winnie l'Ourson, ou plus vraisemblablement à eux tous les uns après les autres ; ils seraient tous très gentils avec lui, lui demanderaient si ça se passait bien à l'école, s'il voulait être comme son papa une grande star du cinéma quand il serait grand, quelles étaient ses céréales préférées pour son goûter...

Lorsque le téléphone reviendrait dans les mains de papa-fantôme, un journaliste de *Entertainment Weekly* prendrait des notes de leur conversation et, la semaine suivante, un article sortirait où tout serait faux et où Fric passerait pour un débile profond ou pour une chochotte trop gâtée.

Pire encore, une jeune actrice sans filmographie mais connaissant déjà tout le monde – autrement dit une starlette – pourrait répondre à la place du papa, comme cela arrivait parfois. Elle glousserait en entendant son prénom – Fric – car ces filles-là s'amusaient tout le temps d'un rien. Il avait parlé à des centaines d'entre elles, au fil des années, et elles se ressemblaient toutes, autant que des épis de maïs dans un champ, comme si un fermier quelque part dans l'Iowa les faisait pousser et les envoyait par fourgons entiers à Hollywood.

Fric ne pouvait pas appeler maman-bio, Freddie Nielander, partie faire la belle dans quelque paradis lointain et glamour, comme Monte-Carlo, car elle ne lui avait pas laissé son numéro de portable.

Mrs. McBee, et par extension Mr. McBee, étaient certes gentils avec Fric. Ils semblaient toujours se soucier de son bien-être.

Toutefois, Fric hésitait à leur révéler une affaire comme celle-ci. Mr. McBee était un peu trop... nunuche. Et Mrs. McBee était une maîtresse femme si impressionnante que d'un simple regard de désapprobation, sans même durcir la voix, elle pouvait vous tuer net.

Mr. et Mrs. McBee étaient *in loco parentis*. Un terme légal pour désigner les personnes qui avaient l'autorité parentale lorsque les parents biologiques étaient absents – autrement dit quasiment tout le temps.

Lorsque Fric avait entendu pour la première fois l'expression *in loco parentis*, il avait cru que cela signifiait que ses parents étaient *loco*, autrement dit *fous*, comme on dit en espagnol.

Les McBee, cependant, faisaient partie des murs et avaient dirigé la maison bien avant l'arrivée de papa-fantôme. Leur véritable allégeance était pour le Palazzo Rospo, pour le domaine, la tradition, bien davantage que pour le propriétaire ou l'un ou l'autre des membres de sa famille.

Mr. Baptiste, le joyeux cuisinier, était sympathique, mais il n'était pas un ami, et encore moins un confident éventuel.

Quant à Mr. Hachette, le maître queux (qui, lui, était réellement fou), personne n'aurait eu idée d'aller lui demander de l'aide, à l'exception peut-être de Satan. Sans doute le Prince de l'Effroi aurait-il pu prendre des leçons auprès du terrible chef de cuisine.

Fric planifiait donc méticuleusement ses passages en cuisine pour éviter de trouver sur son chemin Mr. Hachette. À l'inverse des vampires classiques, l'ail ne repoussait pas le chef, au contraire, il adorait ça, mais un crucifix plaqué sur sa poitrine l'aurait transformé, à n'en pas douter, en torche humaine et il se serait envolé dans un hurlement, sous la forme d'une chauve-souris.

Peut-être le danger auquel faisait allusion le Mystérieux Inconnu provenait-il justement de Hachette le Terrible ?...

En fait, n'importe lequel des vingt-cinq employés de maison pouvait fomenter un meurtre derrière un beau sourire de façade – un maniaque de la binette, un excité du pic à glace, un étrangleur fou à l'écharpe de soie.

Peut-être les *vingt-cinq* étaient-ils des assassins en puissance ? Peut-être qu'à la prochaine pleine lune une folie meurtrière s'emparerait de leurs esprits et qu'ils déferleraient dans la maison telle une horde de barbares sanguinaires, qui avec des pistolets, qui avec des outils de jardin, qui avec des hachoirs à viande.

Puisque Fric ne savait pas lui-même ce que ses propres parents pensaient de lui, qu'il ne pouvait dire quels êtres ils étaient réellement, comment pouvait-il connaître les pensées que nourrissaient, à son égard, des gens qui lui étaient quasiment étrangers ?

Selon toute vraisemblance, supputait Fric, Mr. Truman n'était pas un tueur psychopathe adepte du débitage humain à la tronçonneuse. Il avait été flic après tout.

En outre, il y avait chez cet homme une sorte de droiture d'âme. Fric n'avait pas de mots pour décrire cette impression, mais elle était pourtant tangible. Mr. Truman était quelqu'un de solide. Lorsqu'il était dans une pièce, il était réellement là. Quand il vous parlait, il vous parlait *vraiment*.

Fric n'avait jamais rencontré une personne comme lui.

Cependant, il ne parlerait pas, même à lui, du Mystérieux Inconnu, ni de ses prédictions funestes.

D'abord, Mr. Truman ne le croirait sans doute pas. Les garçons de son âge fabulent beaucoup. Pas Fric. Mais les autres, oui. Et Fric ne voulait pas que Mr. Truman le prenne pour un menteur.

Ni qu'il pense qu'il était une poule mouillée, une chochotte, un pleutre, un lâche.

Jamais personne n'imaginerait que Fric puisse sauver le monde à vingt reprises, à l'instar de son auguste père, d'accord... mais pas question, pour autant, de passer pour une petite chose timorée. En particulier aux yeux de Mr. Truman.

Et puis, il aimait bien avoir un secret. C'était mieux que de jouer au petit train.

Il contempla le jour gris et pluvieux, s'attendant presque à voir trottiner un troll en maraude dans la propriété, derrière le rideau de bruine.

Au bout de cent sonneries chez son Mystérieux Inconnu, Fric revint vers le téléphone et raccrocha.

Il avait du travail à faire. Des préparatifs.

Une vilaine chose allait se produire. Fric comptait être fin prêt pour la confrontation, et en sortir vainqueur.

19.

Sous un parapluie noir, Ethan Truman marchait dans les allées du cimetière, ses chaussures chuintant sur la terre saturée d'eau.

Les cèdres se transformaient en grands arbres pleureurs sous les larmes du ciel, et les oiseaux, telles des âmes en peine, bruissaient dans les ramures à son passage.

À première vue, il était le seul à arpenter ces allées. On rendait visite aux disparus le plus souvent aux beaux jours, pour que les souvenirs soient aussi radieux que le soleil. Personne ne se rendait sur une tombe un jour de pluie.

Personne, sauf un flic dont la curiosité était piquée au vif, et qui, par nature, cherchait toujours à connaître la vérité. Un mécanisme d'airain dans son cœur et son âme, un cadeau empoisonné du destin déposé dans son berceau, le contraignait à tenter de lever tous les mystères qui croisaient sa route.

Et aujourd'hui, le mystère recelait de l'épouvante.

Un pressentiment lui disait qu'il n'était pas le premier visiteur de la journée, que, dans ce champ mortuaire, il allait faire une découverte troublante, même s'il en ignorait encore totalement la nature.

Les pierres de granit usées par le temps, les caveaux incrustés de lichens et noircis par la pollution, les colonnes, les obélisques penchés sur leurs socles : rien, dans cette architecture traditionnelle, ne faisait penser à un cimetière. Quant aux plaques sur les tombes – un rectangle de bronze sur un cadre de granit blanc – elles étaient le plus souvent mangées par l'herbe. De loin, on aurait dit un parc.

Hannah, son rayon de soleil, reposait ici, son nom sur une telle plaque, perdue parmi les milliers d'autres défunts voués au sommeil éternel.

Ethan se rendait sur sa tombe cinq ou six fois l'an, et une fois encore à Noël. Et toujours aussi à son anniversaire.

Il ne savait pas pourquoi il venait si souvent. Ce n'est pas Hannah qui se trouvait ici, seulement ses os. Elle vivait dans son cœur, toujours avec lui.

Parfois, il se disait qu'il venait ici moins pour se souvenir d'elle – parce que Hannah était *inoubliable* – que pour regarder la place vide à côté de sa tombe, l'espace vierge sur la plaque de bronze où son nom à lui, un jour, serait gravé.

À trente-sept ans, il était trop jeune pour envisager la mort comme une délivrance, et la vie continuait, pour lui, à renfermer plein de promesses. Cependant, cinq ans après la disparition de Hannah, Ethan avait l'impression que quelque chose en lui était mort, parti avec elle.

Pendant douze années de mariage, ils avaient ajourné le projet d'avoir des enfants. Ils étaient si jeunes. Inutile de devancer l'heure.

Qui aurait pu croire qu'une femme resplendissante de trente-deux ans serait victime d'un cancer fulgurant qui l'emporterait en quatre mois ? Quand la tumeur avait pris Hannah, elle lui avait pris aussi ses enfants et ses petits-enfants.

En un sens, Ethan était mort avec elle. L'Ethan qui aurait été un père aimant pour ses enfants, l'Ethan qui aurait connu la joie de vivre avec Hannah pendant des décennies, qui aurait connu la paix et le désir de vieillir à ses côtés.

Peut-être allait-il découvrir sa tombe ouverte et vide ?

Mais ce qu'il trouva, au lieu de quelque profanation, bien que plus improbable encore, ne le surprit curieusement pas.

Au pied de la plaque de bronze étaient disposées deux dizaines de roses fraîches à longues tiges. Le fleuriste les avait emballées dans un cône de cellophane pour protéger les délicats pétales de la pluie.

Une variété de roses hybrides, rouge et or, dénommée Broadway. Les préférées d'Hannah. Des roses Broadway.

Ethan tourna lentement sur lui-même, scrutant le cimetière. Pas de silhouette sur les douces pentes d'herbe.

Il examina avec suspicion chaque cèdre, chaque chêne. Autant qu'il put en juger, personne ne se dissimulait derrière les troncs.

Aucune voiture s'éloignant dans la rue menant au cimetière. La Ford Expedition d'Ethan – blanche comme l'hiver, scintillante comme la glace – était le seul véhicule garé devant les grilles.

Derrière les limites du cimetière, le paysage urbain faseyait sous les voiles de pluie et de brume – une cité semblant sortir d'un rêve. Aucun bruit de circulation, aucun coup de klaxon ne montaient du labyrinthe des rues, comme si tous les habitants étaient venus trouver le repos sur les étendues silencieuses qui environnaient Ethan.

Il observa de nouveau le bouquet de fleurs. En plus de leurs couleurs chatoyantes, les Broadway avaient un parfum délicat. Elles fleurissaient dans les jardins baignés de soleil et résistaient comme nulle autre au mildiou.

Deux douzaines de roses sur une tombe ne constitueraient jamais une preuve recevable par un tribunal. Et pourtant, aux yeux d'Ethan, ces pétales colorés étaient le signe irréfutable d'une cour étrange que menait un mort à une morte.

20.

Un mamoul dans la bouche, arrosé d'une rasade de café, Hazard Yancy surveillait les allées et venues dans l'immeuble de Rolf Reynerd, garé sur le trottoir d'en face, à bord d'une voiture banalisée.

Le crépuscule d'hiver ne viendrait pas avant une demi-heure, mais sous la chape de plomb des nuées, la ville était plongée dans la pénombre depuis plus d'une heure. Les cellules photoélectriques avaient allumé les réverbères et la lumière patinait d'argent les traits de pluie qui striaient le ciel.

Même si Yancy, au premier abord, paraissait tout entier abîmé dans la dégustation de ses gâteaux, il réfléchissait activement à la façon dont il allait approcher Reynerd.

Après le déjeuner avec Ethan, il était rentré à son bureau de la Criminelle. Deux heures plus tard, de navigation sur Internet en coups de téléphone, il en savait un peu plus long sur son suspect.

Rolf Reynerd était un acteur qui vivait de son art seulement par grandes intermittences. Entre deux apparitions dans des séries pour incarner des petites frappes, il traversait de longues périodes de chômage.

Dans un épisode d'*X-Files*, il avait joué un agent fédéral devenu un tueur psychopathe, vampirisé par une sangsue extraterrestre dévoreuse de cerveau. Dans un épisode de *New York District*, il avait interprété le rôle d'un entraîneur fou qui tuait sa femme et se donnait la mort à la fin du premier acte. Dans une publicité pour un déodorant, il jouait un gardien psychotique dans un goulag soviétique; le spot n'était jamais passé sur les chaînes nationales et Reynerd avait gagné une misère.

Un acteur, d'ordinaire, évitait de jouer toujours le même type de personnage à moins de rencontrer un énorme succès en incarnant l'un d'eux, le public n'aimant guère être bousculé dans ses habitudes.

Mais Reynerd, quant à lui, s'était enferré tout seul dans ce piège sans même connaître la réussite. Yancy en déduisit qu'il y avait chez l'homme des qualités (ou des carences) qui le condamnaient à interpréter toujours le même genre de personnage sur le fil du rasoir, entre la raison et la folie ; autrement dit, s'il jouait si bien les malades mentaux, c'est qu'il l'était peut-être un peu lui-même.

Malgré des revenus pour le moins fluctuants, Rolf Reynerd habitait un appartement spacieux, au premier étage d'un immeuble coquet dans un quartier agréable. Il s'habillait bien, fréquentait les boîtes de nuit les plus chaudes, en compagnie d'une nuée de jeunes actrices qui appréciaient le Dom Pérignon. Et roulait en Jaguar – un modèle flambant neuf.

Selon d'anciens amis de la mère de Reynerd, une veuve dénommée Mina, elle subvenait aux besoins de son cher fils, persuadée qu'il deviendrait un jour une star. Tous les mois, elle lui envoyait son chèque.

C'étaient *d'anciens* amis de sa mère, car la maman en question était morte depuis quatre mois. Une balle dans le pied, puis bastonnée à mort avec une lampe au socle de marbre surmonté de dorures.

Son assassin courait toujours, les enquêteurs n'ayant trouvé aucune piste.

Pas étonnant, le seul héritier était son cher fils, le grand acteur méconnu.

Et Reynerd avait un alibi en béton le soir du meurtre de sa mère.

Cela n'étonnait pas non plus Yancy ni ne le convainquait de son innocence. Seuls les coupables avaient des alibis intouchables.

Selon le médecin légiste, Mina avait été battue à mort entre 21 heures et 23 heures. Elle avait été frappée avec une telle violence que les motifs des dorures s'étaient imprimés dans sa chair, et même dans les os de son crâne.

Reynerd faisait la fête avec sa petite amie du moment en compagnie de quatre autres couples de 19 heures jusqu'à 2 heures du matin. Dans les deux boîtes de nuit où ils avaient passé la soirée, on se souvenait de leur passage fracassant.

Bien que le meurtre de Mina restât à élucider, Yancy n'avait aucune raison de venir rendre visite à Reynerd, même si son seul alibi avait été d'avoir passé la soirée tout seul chez lui... Un autre inspecteur s'occupait de ce dossier.

Par chance, l'un des amis de Reynerd ce soir-là – un dénommé Jerry Nemo – était impliqué dans une affaire dont Yancy avait la charge. Cela lui donnait une petite porte d'entrée.

Deux mois plus tôt, Carter Cook, un dealer de drogue, avait été abattu d'une balle dans la tête. Apparemment, le mobile du meurtre était le vol. Cook avait de l'argent et de la came plein les poches.

Le copain de Reynerd, Jerry Nemo, avait appelé Cook sur son portable une heure avant le meurtre. Nemo était un client, un cocaïnomane. Ils étaient convenus d'un rendez-vous pour lui acheter quelques lignes.

Nemo n'était plus suspect. Personne à Los Angeles ou sur la planète Terre n'était suspect. La mort de Cook était une affaire classée qui resterait à jamais non résolue.

Toutefois, en disant que Nemo était encore dans le collimateur des autorités, Yancy pouvait approcher Reynerd et rendre ainsi service à Ethan.

Il n'avait pas de raison à donner à Reynerd. En lui agitant sa plaque sous le nez et avec un peu de baratin, le gars lui ouvrirait sa porte et répondrait à ses questions.

Si Reynerd, de façon explicite ou implicite, révélait son obsession à l'égard de Channing Manheim, ou si, d'aventure, il annonçait qu'il comptait faire du mal à la vedette de cinéma, Yancy devrait en référer à ses supérieurs pour ouvrir une enquête. Il aurait alors besoin d'expliquer ce qui l'avait amené chez Reynerd en premier lieu.

En prétendant que Nemo, son copain sniffeur de coke, restait un suspect dans l'affaire Carter Cook, Hazard Yancy couvrait ses arrières.

Après avoir léché le sucre glace qui maculait ses doigts, il sortit de la voiture.

Il ne s'encombra pas d'un parapluie. Sachant qu'il offrait à la pluie un volume de deux stoppeurs de football, ce n'était pas un parapluie qu'il lui aurait fallu pour se protéger des gouttes, mais un parasol.

Pour rejoindre l'immeuble, il marcha d'un pas vif sous le déluge, mais ne courut pas, l'entrée se trouvant non loin de la rue.

En outre, Yancy prêtait rarement attention aux éléments extérieurs, car peu d'entre eux pouvaient se mettre en travers de son chemin. Il remarqua donc à peine la pluie.

Une fois dans le hall, il délaissa l'ascenseur pour l'escalier.

On lui avait tiré dessus une fois alors qu'il était dans un ascenseur. Il montait au cinquième étage, quand les portes s'étaient ouvertes sur un affreux armé d'un pistolet...

Une cabine ne laissait guère de place pour l'esquive; dans

le domaine des cercueils ambulants, seuls les cabines téléphoniques et les habitacles de voiture offraient au tireur des probabilités de réussite plus élevées.

On lui avait tiré dessus aussi alors qu'il se trouvait à bord d'une voiture, mais jamais encore dans une cabine téléphonique. Mais ce n'était qu'une question de patience...

Le tueur qui faisait le planton sur le palier du cinquième avait à la main un .9 mm. Et il était très nerveux.

Si le bougre avait été plus calme ou armé d'un fusil à pompe, les vicissitudes existentielles de Yancy se seraient arrêtées là.

La première balle avait touché le plafond de la cabine. L'autre avait fait un trou dans la paroi du fond. La troisième avait touché l'inconnu qui avait eu l'infortune d'emprunter le même ascenseur que Yancy.

L'inconnu, un inspecteur des impôts, était en fait la cible visée. Yancy s'était trouvé au mauvais endroit au mauvais moment, condamné à mort parce qu'il était le témoin involontaire d'un meurtre.

Le type du fisc n'avait ordonné aucun redressement fiscal à l'encontre du tireur. Il avait simplement couché avec sa femme.

Au lieu de riposter, Yancy avait plongé sous le pistolet... il avait arraché l'arme des mains du tireur et plaqué le type contre le mur, en lui écrasant les testicules du genou. Il lui avait aussi cassé le bras, volontairement.

Plus tard, pendant la procédure de divorce, il avait fréquenté l'épouse en question. C'était une gentille fille qui avait tiré le mauvais numéro avec son mari.

Aujourd'hui, Yancy montait au premier étage, pas très à son aise dans cette cage d'escalier étroite.

Il pressa un index volontaire sur la sonnette de l'appartement 2B.

Lorsque Rolf Reynerd ouvrit la porte, il ressemblait en tout point à la description qu'en avait faite Ethan; une lueur d'amphétamines dans ses prunelles bleues, des agrégats de salive aux coins des lèvres – signe qu'il était si souvent défoncé qu'il pouvait à tout moment, victime d'un accès délirant, se mettre à sauter partout dans l'appartement en se prenant pour Spiderman.

Yancy sortit sa plaque, lâcha un laïus sur Jerry Nemo, le vrai-faux suspect dans le meurtre de Carter Cook, et entra dans l'appartement. L'eau de pluie dégoulinait encore de ses oreilles, tellement la manœuvre avait été adroite et rapide.

Pur produit de la gonflette et des concentrés protéiniques, Reynerd semblait gober douze œufs crus chaque matin rien que pour nourrir son triceps droit.

Des deux, Yancy était le plus grand et, à n'en pas douter, le plus intelligent, mais il jugea plus prudent de rester sur ses gardes.

Reynerd referma la porte d'entrée et accompagna Yancy jusqu'au salon, en se montrant tout enclin à coopérer et jurant ses grands dieux que son ami Jerry serait incapable de faire mal à une mouche.

Que Nemo fût ou non un adorateur des hyménoptères, Reynerd, dans ses efforts pour disculper son copain, était aussi gauche qu'un Casimir se lançant dans un pas de deux dans *L'Île aux Enfants*.

S'il jouait aussi mal la comédie devant les caméras, les scénaristes de sitcom devaient avoir très envie de faire disparaître son personnage dès le deuxième épisode – un accident de voiture ou une tumeur cérébrale foudroyante, peu importait le moyen ! Même si le public aurait préféré une fin plus sanglante, par exemple un duel au fusil à pompe dans une cage d'ascenseur !

Mobilier, tapis, stores, photographies d'oiseaux... tout était en noir et blanc dans la pièce. À la télévision, un vieux film avec Clark Gable et Claudette Colbert ; les images en noir et blanc semblaient être le modèle que Reynerd cherchait à atteindre dans son appartement.

Avec son pantalon noir et sa chemise noire et blanche, l'ami sincère de Jerry Nemo avait assorti sa tenue au décorum.

Suivant l'invitation de Reynerd, Yancy s'installa dans un fauteuil. Il s'assit sur le bord du coussin, prêt à bondir sur ses jambes au besoin.

Reynerd prit la télécommande sur la table basse et figea sur « pause » Clark Gable en pleine tirade, devant les yeux écarquillés de la petite Claudette Colbert. Et s'assit sur le canapé.

La seule touche de couleur dans la pièce était les iris turquoise de Reynerd et les motifs qui décoraient les deux sachets de chips éventrés posés de part et d'autre de lui sur le canapé.

Le sachet de gauche contenait des chips hawaïennes. Celui de droite une variété crème & ciboulette de Mr. Gourmet.

Yancy n'avait pas oublié l'avertissement énigmatique d'Ethan lui disant de se méfier des sachets de chips.

Les deux sacs, ouverts, étaient dressés à la verticale, apparemment pleins, à en croire leurs flancs rebondis. Yancy percevait l'odeur huileuse des chips.

Peut-être chaque sachet contenait-il des chips *et* un pistolet, mais Yancy ne percevait toutefois aucune odeur de lubrifiant ou de poudre. Et les parois étaient trop opaques pour espérer discerner quoi que ce soit à l'intérieur.

Reynerd avait les mains posées à plat sur ses cuisses et se passait la langue sur les lèvres, comme s'il se léchait les babines à l'idée d'avaler une pleine poignée de ces douceurs salées.

En désignant du menton l'image figée sur le téléviseur, Reynerd déclara :

— Pour moi, il n'y a pas mieux. Je suis né trop tard. J'aurais dû vivre à cette époque.

— À quelle époque ? demanda Yancy, sachant que c'était lors de ce genre de bavardages anodins que les suspects en dévoilaient le plus.

— Les années trente, quarante. Quand les films étaient en noir et blanc. J'aurais été une star à cette époque...

— Ah bon ?

— J'ai une personnalité trop forte pour les films en couleurs. Je crève l'écran, comme on dit. Je subjugue le public.

— C'est embêtant, effectivement.

— À l'ère de la couleur, les plus grandes vedettes ont des personnalités falotes. Pas d'étoffe, pas de substance.

— Et pourquoi donc ?

— À cause de la couleur, de la profondeur de champ des objectifs modernes, du son Dolby-surround – tout ça fait de la moindre potiche un dieu ou une déesse sur pied, leur donne une chair, une consistance plus vraie que nature

— Alors que vous...

— Moi, je suis grand et profond, du vrai sang bat dans mes veines. J'ai une telle présence que la moindre amélioration technique me transcende, fait de moi une caricature.

— Cela doit être assez frustrant, en effet.

— Vous n'imaginez pas à quel point. Dans un vieux film, j'aurais empli l'écran sans étouffer le public. Vous voyez des Bogart et Bacall à notre époque ? Des Tracy, des Hepburn, des Cary Grant, des Gary Cooper, des John Wayne ?

— Non, il n'y en a pas, convint Yancy.

— Ils ne pourraient réussir aujourd'hui. Ils sont trop *grands* pour le cinéma d'aujourd'hui, bien trop charismatiques. Vous avez vu *Moonshaker* ?

Yancy fronça les sourcils.

— Quel film dites-vous ?

— *Moonshaker*. La dernière grosse production de Channing Manheim. Deux cents millions de dollars au box-office !

Peut-être Reynerd était-il si obsédé par Manheim qu'il ne pouvait s'empêcher d'amener la conversation sur lui.

Précautionneux, Yancy répondit :

— Je ne vais pas au cinéma.

— Allons, tout le monde va au cinéma !

— Pas tout le monde. Trente millions de tickets suffisent à rapporter deux cents millions de dollars. Cela fait quoi, dix pour cent de la population du pays ?

— D'accord, mais les autres voient les films à la télé, ou sur DVD.

— Disons trente millions de mieux. Même s'il s'agit d'un mégasuccès, quatre-vingts pour cent de la population ne l'auront pas vu. Il n'y a pas que le cinéma dans la vie.

Reynerd parut soudain chagriné à l'idée que le septième art n'était pas le centre du monde. Bien qu'il ne sortît aucun pistolet de ses sachets de chips, son déplaisir était évident.

Yancy retrouva les bonnes grâces de l'acteur en déclarant :

— Mais du temps des films noir et blanc, la moitié du pays allait au cinéma une fois par semaine. Les stars étaient de vraies stars à cette époque. Le monde entier connaissait les films de Clark Gable ou de James Stewart.

— Tout juste ! renchérit Reynerd. Manheim n'aurait jamais percé à l'ère du noir et blanc. Il est trop ténu, trop plat pour le support. On l'aurait totalement oublié de nos jours. Pire que ça. Il serait totalement *inconnu*.

On sonna à la porte.

Reynerd parut agacé.

— Je n'attends personne.

— Moi non plus, précisa Yancy.

Reynerd jeta un coup d'œil à la fenêtre ou le crépuscule gris tombait lentement derrière les vitres sales.

Il reporta son attention sur le téléviseur. Gable et Claudette Colbert, toujours figés dans leur dispute amoureuse.

Finalement, Reynerd se leva du canapé, mais s'arrêta dans son mouvement et regarda fixement les deux sachets de chips sur le siège.

Voyant ce comportement, Yancy se demanda si ce n'était pas les signes avant-coureurs d'une crise léthargique si fréquente chez les toxicomanes où le sujet passait brusquement de la veille à l'état de légume amorphe et confus.

La sonnette retentit de nouveau. Reynerd se décida enfin à aller ouvrir.

— À tous les coups, c'est encore un de ces dingues de témoins de Jéhovah ! pesta-t-il en tournant la poignée.

De son fauteuil, Yancy ne put voir qui tira les coups de feu. Trois *bam ! bam ! bam !* puissants et rapides. Sans doute un gros calibre. Du .357, ou plus gros encore.

À moins que les témoins de Jéhovah n'aient opté pour des techniques de vente plus radicales, Reynerd s'était trompé quant à l'identité du visiteur.

Yancy s'était levé de son siège à la deuxième détonation, avait sorti son arme à la troisième.

Reynerd, finalement aussi mortel que ses demi-dieux Gable et Bogart, fut propulsé en arrière par l'onde de choc, répandant un camaïeu de rouge Technicolor dans le décor monochrome de la pièce où, quelques secondes plus tôt, Reynerd se disait si *grand*, si *vivant*.

En s'approchant de l'acteur, Yancy entendit des bruits de pas s'évanouissant dans le hall.

Reynerd avait reçu trois balles dans la poitrine, dont une avait déchiqueté son cœur et emporté ses débris par le trou de sortie dans son dos. Il était déjà mort avant de toucher le sol.

Les yeux turquoise de l'acteur, écarquillés de surprise, semblaient moins froids que lorsqu'il y avait de la vie en eux. Finalement, un témoin de Jéhovah aurait été le bienvenu à présent.

Yancy enjamba le corps, et sortit de l'appartement. Il vit le tueur atteindre le bout du couloir, s'élancer dans l'escalier en dévalant les marches quatre à quatre. Hazard le prit en chasse.

21.

Au-dessus de la ville, dans le jour gris et mourant, nappé de brume et de pluie, le visage dur de la nuit n'était pas encore apparu.

Dans une rue des quartiers Ouest, où se succédaient galeries d'art, boutiques de grands couturiers et restaurants chics se souciant davantage de la pompe que de la qualité de la nourriture, Ethan Truman gara sa Ford Expedition sur une ligne jaune, le long d'un caniveau inondé, certain que le mauvais temps découragerait les aubergines les plus zélées.

La principale activité du quartier – attirer la clientèle fortunée – s'opérait derrière les vitrines, sans signe ostentatoire; luxe et discrétion étaient les maîtres mots. Le petit millionnaire parle fort, mais le milliardaire murmure.

Les magasins n'étaient pas encore fermés, et les restaurants n'ouvriraient leurs portes que dans une heure. Les lampadaires illuminaient les feuilles détrempées des arbres, et transformaient le macadam du trottoir en un chemin pavé d'or.

Ethan, pour se protéger de la pluie, progressait sous les auvents des boutiques, qui étaient tous des variations de vert anglais, d'argent ou d'anthracite, à l'exception du *Forever Roses*, qui lui était d'un rose corallien.

La boutique de fleurs aurait pu s'appeler *Rien que des roses* car derrière les vitres des présentoirs, c'était la seule essence proposée, hormis quelques brins de fougères et autre « verdure » servant à atténuer l'éclat chromatique des bouquets.

Hannah était une grande amatrice de fleurs; cinq ans après sa mort, Ethan, grâce aux leçons de botanique de sa défunte épouse, pouvait encore identifier chaque variété dans la boutique.

Ici, une rose d'un pourpre si profond qu'il paraissait presque noir, avec des pétales comme du velours, qui portait bien son nom : la Magie Noire.

Ici, la rose JFK : des pétales blancs si épais et luisants qu'ils semblaient faits de cire.

La Charlotte Armstrong : une large corolle saumon au parfum capiteux. La Jardin de Bagatelle, la Rio Samba, la Paul McCartney, l'Auguste Renoir, la Barbara Bush, la Vaudou, la Rêve de la Mariée.

Derrière le comptoir se tenait une autre rose exceptionnelle, une rose humaine... le portait craché d'Hannah si celle-ci avait vécu jusqu'à soixante ans. Des cheveux poivre et sel, de grands yeux pétillant de vie et de ravissement. Le temps n'avait pas effacé la beauté de cette femme, mais l'avait magnifiée, enrichie avec la patine de l'expérience.

Ethan jeta un coup d'œil sur le badge de la vendeuse et dit :

— Bonjour Rowena. La plupart des roses que je vois ici sont des hybrides de rosiers en buisson, n'est-ce pas ? Vous avez quelque chose contre les rosiers grimpants ?

— Oh, non. Au contraire, répondit Rowena d'une voix mélodieuse. Mais nous utilisons rarement de rosiers grimpants pour les bouquets. Les fleurs à longues tiges sont plus pratiques.

Ethan se présenta et, comme à son habitude, il expliqua qu'il était autrefois policier, mais qu'il assurait à présent la protection d'une célébrité.

Los Angeles et ses environs fourmillaient de mythomanes et d'arnaqueurs qui prétendaient connaître tout Hollywood. Et pourtant, même ceux que les mirages de cette ville avaient rendus cyniques croyaient les propos de Truman, ou feignaient à merveille de les croire.

Hannah disait que les gens lui faisaient confiance parce qu'il y avait en lui, conjuguées, la conviction d'airain de l'inspecteur Harry et l'innocence de Huckleberry Finn. À cela, Ethan répondait que c'étaient deux talents antinomiques qui feraient un navet assuré à l'écran.

Rowena, sensible peut-être à cette dualité Harry-Huck, sembla accepter son explication.

— Si je devine quelle est votre variété préférée de rosiers grimpants, dit-il, accepterez-vous de répondre à quelques questions concernant un client que vous avez servi cet après-midi ?

— C'est pour la police ou pour votre célébrité ?

— Un peu les deux.

— Comme c'est excitant ! Vous savez, travailler dans une boutique de fleurs, c'est agréable, c'est joli et ça sent bon, mais on s'y ennuie ferme. Alors, allez-y, tâchez de deviner.

Rowena ressemblait tant à ce qu'aurait pu être Hannah à soixante ans qu'Ethan donna le nom du rosier grimpant que sa défunte épouse affectionnait particulièrement : le Manteau de Joseph.

Rowena sembla surprise et ravie.

— C'est exactement ça ! À côté de vous Sherlock Holmes est un amateur.

— Maintenant, à vous d'honorer votre part du marché, répliqua Ethan en posant ses deux coudes sur le comptoir. Cet après-midi, un homme est venu vous acheter des Broadway.

Les fleurs rouge et or avaient été déposées, sur la tombe d'Hannah, dans un écrin de cellophane. Les deux bords de la feuille de cellophane, pour garder sa forme conique, n'avaient été ni agrafés, ni scotchés, mais maintenus en place par dix petits autocollants. Sur chaque pastille, figuraient le nom et l'adresse du *Forever Roses*.

— On n'en avait que deux douzaines, expliqua Rowena. Et il a pris les deux.

— Vous vous souvenez donc de lui, alors ?

— Oh oui. Je ne risque pas de l'oublier…

— Vous pouvez me le décrire ?

— Grand, musclé, mais un peu maigrelet ; et il portait un costume gris très chic.

Duncan Whistler possédait de beaux costumes, tous taillés sur mesure.

— Un homme séduisant, poursuivit Rowena, mais d'une pâleur effrayante, comme s'il n'avait pas vu le soleil depuis des mois.

En douze semaines de coma, Dunny avait perdu tout hâle, sans compter l'heure passée à la morgue.

— Il avait des yeux magnifiques, des yeux gris, avec des pointes de vert. Vraiment très beaux.

C'étaient bien les yeux de Dunny.

— Il a dit que ces roses étaient pour une femme très chère à son cœur.

Lors de l'enterrement, Dunny avait vu les gerbes de roses Broadway.

Rowena esquissa un sourire.

— Il a dit aussi qu'un vieil ami à lui viendrait à la boutique et me poserait des questions sur les roses. J'en déduis que vous briguez tous les deux les faveurs de la même fille.

Ni la pluie hivernale au-dehors, ni l'air frais du magasin réfrigéré n'étaient responsables du frisson glacé qui parcourut la colonne d'Ethan. Il serra les mâchoires pour s'empêcher de claquer des dents.

C'est alors qu'il remarqua que le sourire de Rowena était un peu forcé, comme si la vendeuse était mal à l'aise.

Voyant le trouble d'Ethan, son sourire s'effaça complètement.

— C'était un homme étrange.

— A-t-il dit autre chose ?

Rowena détourna les yeux et lança un regard inquiet vers la porte du magasin, comme si elle redoutait que l'on surprenne ses paroles.

Ethan attendit, sans la presser.

— Il a dit que cet ami le croirait mort.

Des souvenirs remontèrent à la mémoire d'Ethan : le brancard vide, le drap abandonné à la morgue, l'apparition fantomatique dans le miroir de la salle de bains, le lézard dans l'allée, se débattant malgré son échine brisée, cherchant désespérément à lutter contre le flot inexorable, comme les vagues du temps...

— Il a dit que vous le croyiez mort, répéta Rowena en regardant de nouveau Ethan. Et que je devrais vous dire que c'est bien ce qu'il est – *mort*.

22.

À la poursuite du tueur, Hazard Yancy courait dans le couloir, dévalait l'escalier tête baissée, sachant dans toutes les fibres de son être quelle cible facile il constituait... mais il ne pouvait abandonner. Quand on acceptait ce genre de travail, on savait qu'un jour ou l'autre on risquait de se trouver en mauvaise posture.

En outre, comme la plupart des policiers, Yancy était persuadé que les plus grands périls survenaient dans les moments d'hésitation, lorsque les nerfs, mis à trop rude épreuve, vous lâchaient. La survie dépendait de la témérité, assaisonnée de l'once salvatrice de peur qui interdisait l'acte kamikaze.

Du moins il était facile d'y croire, jusqu'à ce qu'un excès d'audace vous fasse faire le grand saut vers l'Au-Delà.

Dans les films, les flics criaient toujours « halte, police ! » quand ils sentaient que les méchants allaient leur filer entre les doigts. Mais ce genre de semonce révélait également au quidam la présence des forces de l'ordre avant même qu'il n'ait aperçu le moindre uniforme à ses trousses.

Hazard Yancy, qui avait failli être abattu alors qu'il était tranquillement assis dans un fauteuil de salon, ne tenait pas à faire savoir sa présence au tireur qui venait d'occire Rolf Reynerd.

Lorsque Yancy atteignit l'entre-palier, le tueur arrivait dans le hall d'entrée ; le fuyant, il manqua de perdre l'équilibre sur les carreaux mexicains lustrés, battit des bras et parvint à éviter la chute.

Le type courait droit devant, sans regarder derrière lui – signe qu'il s'ignorait suivi.

Yancy, tout en poursuivant le tueur, tentait de se mettre à sa place. À l'évidence, il était certain de trouver Reynerd seul chez lui ; il sonne, décharge son arme et détale dans la rue ; et déjà il pense au joint qui l'attend, et à la jolie pépée qui va l'accueillir à son retour au bercail.

Lorsque le tireur atteignit la porte d'entrée de l'immeuble, Yancy arrivait dans le hall, mais le bruit de ses propres pas l'empêcha d'entendre ceux du policier derrière lui. Yancy, à l'inverse du fugitif, ne glissa pas sur les dalles, et gagna beaucoup de terrain.

Lorsqu'il atteignit à son tour la porte d'entrée, le tireur s'enfonçait dans la nuit, au bas des marches du perron, songeant peut-être à ce qu'il allait faire de l'argent du contrat – de nouvelles jantes chromées pour sa voiture, ou une bague 24 carats pour habiller les doigts de sa belle.

Le vent était tombé, la pluie devenue glacée. Yancy dévalant le perron, le tueur s'éloignant sur le trottoir... L'écart se réduisait à une peau de chagrin, aussi inexorablement que l'espace entre un mur de brique et un camion fou.

Mais il y eut ces coups de klaxon. Un long, deux courts.

Un signal.

Dans la rue, une Mercedes noire, phares allumés, le moteur tournant au ralenti, un nuage de fumée s'élevant du pot d'échappement. La portière, côté passager, était ouverte, pour accueillir le tueur. Un tueur qui avait les moyens... ou alors le véhicule avait été volé, pour l'occasion, dans une allée de Beverly Hills ; derrière le volant, l'âme damnée du tueur, prête à faire fumer la gomme.

Le signal sonore avait sans doute indiqué que le lapin avait un loup à ses trousses, car le quidam se retourna brusquement, un bond si soudain qu'il faillit encore une fois tomber ; mais non, il resta sur ses deux jambes et, dans sa main, l'arme avec laquelle il avait abattu Reynerd.

N'ayant plus l'avantage de la surprise, Yancy cria finalement : « Police ! Lâchez cette arme ! », exactement comme au cinéma, mais, bien entendu, le quidam savait qu'il avait déjà droit à perpette, voire à la chaise électrique, pour le meurtre de Reynerd ; il n'avait donc rien à perdre. Il ne risquait pas plus de lâcher son pistolet que de baisser son pantalon.

L'arme était de belles dimensions, ni un .38, ni un .357, mais un .45. Chargé avec des munitions adéquates, un .45 vous déchiquetait os et viande avec autant de facilité qu'un hachoir de boucher, mais il fallait être bien en appui sur ses jambes, pour compenser le recul de l'arme.

En déséquilibre, dans la précipitation, le type fit feu. Ne tenant pas l'arme fermement en main, la crosse vibra et la balle partit dans la nature, manquant largement sa cible ; Yancy aurait eu plus de risques, à cet instant, d'être touché par la chute d'une météorite.

Lorsqu'il vit la flamme sortir de la gueule du canon et entendit le bris de verre éclatant d'une fenêtre derrière lui, ce furent, à parts égales, l'entraînement, son sens du devoir et l'instinct de conservation qui prirent les commandes... Le tireur ne manquerait pas sa cible deux fois. Tous les cours prônant la tempérance, la compréhension et la nécessité de répondre à la violence avec des moyens mesurés, comme les recommandations des comités de vigilance mettant en garde contre les bavures et les conséquences sociales et politiques de toute mort violente... tout s'envolait comme une nuée d'oiseaux affolés lorsque la survie était en jeu, quand il s'agissait de tuer ou d'être tué.

Les éclats de verre sonnaient encore dans ses oreilles quand Yancy se mit en position de tir, tenant son arme à deux mains, et riposta. Il tira deux balles. Faisant fi des pamphlets du *Los Angeles Times* vitupérant contre les débordements policiers, il se soucia uniquement de la préservation de l'enfant chéri de Mme Yancy mère.

La première balle fit tomber le tireur, la seconde le transperça alors que ses genoux n'avaient pas encore touché terre. Par réflexe, le type fit feu avec son .45, – pas sur Yancy, mais dans l'herbe à ses pieds. Le recul lui arracha l'arme des mains.

Un genou toucha le sol, puis l'autre, et le tueur s'écroula, face contre terre.

Yancy, d'un coup de pied, projeta le .45 dans les fourrés et se précipita dans la rue, vers la Mercedes.

Le chauffeur lança le moteur avant même de lâcher les freins. Les pneus projetèrent un nuage de vapeur empestant la gomme brûlée.

Peut-être le chauffeur risquait-il de tirer sur Yancy par la portière ouverte côté passager, mais c'était un risque à courir. Un chauffeur, spécialiste des braquages et autres départs en catastrophe, pouvait opter pour la fusillade s'il était dos au mur, mais pas quand il avait une route ouverte devant lui, un moteur sous les pieds et un réservoir plein.

Yancy traversa la chaussée parsemée de flaques d'eau vers sa voiture. Le temps d'atteindre son véhicule, la Mercedes s'était élancée dans la rue dans un rugissement mécanique. Dans l'accélération, la portière s'était refermée.

Yancy n'avait pu apercevoir le visage du chauffeur.

La silhouette derrière le volant n'était qu'une ombre. Courbée, bossue, déformée... en un mot, bizarre.

À la grande surprise de Yancy, les griffes glacées d'une peur irrationnelle lui comprimèrent les entrailles – une première chez lui pour qui le spectre du surnaturel ne s'était plus manifesté depuis ses dernières terreurs enfantines. Mais il ne pouvait dire ce qui lui causait cette frayeur, ni pourquoi il était soudain si certain d'être confronté à quelque chose qui dépassait l'entendement.

Tandis que la Mercedes s'éloignait, tel un fauve rageur, Yancy ne fit pas feu, à l'inverse de n'importe quel flic au cinéma. C'était un quartier résidentiel paisible, les gens regardaient les rediffusions de la série *Seinfeld*, d'autres préparaient le dîner, et aucun d'entre eux ne méritait de mourir à cause d'une balle perdue tirée par un inspecteur chatouilleux de la gâchette.

Il courut derrière la voiture, néanmoins, dans l'espoir de pouvoir lire la plaque d'immatriculation. Mais les fumées d'échappement, les éclaboussures, la pluie, le crépuscule se liguèrent contre lui.

Yancy s'obstina – avoir une tête de bois avait parfois du bon dans le métier. La Mercedes, bien que loin, passa sous deux réverbères au moment où une bourrasque favorable chassait l'écran de fumée... et la plaque lui fut révélée.

Selon toute probabilité, c'était un véhicule volé. Le chauffeur l'abandonnerait quelque part. Cependant, avoir le numéro minéralogique, c'était mieux que rien.

Yancy abandonna la poursuite et retourna vers la pelouse devant l'immeuble de Reynerd en priant pour qu'il ait occis pour de bon le tueur.

Dans quelques minutes, les enquêteurs de l'Inspection interne des services arriveraient sur les lieux, comme c'était la procédure lorsqu'un officier de police avait fait usage de son arme à feu. Selon leur inclination philosophique, soit ils chercheraient à le disculper par tous les moyens, en négligeant d'étudier les faits et de connaître la vérité – ce qui serait pour le mieux –, soit ils chercheraient la petite bête, la moindre faille, le moindre prétexte pour le traîner devant les tribunaux, et donner ainsi une occasion aux médias d'allumer le bûcher pour l'immoler sur la place publique, comme au temps de la chasse aux sorcières.

La troisième possibilité était que les enquêteurs arrivent sans idées préconçues, qu'ils examinent les faits en toute impartialité, et rendent une conclusion objective et dépassionnée, fondée sur la logique et la raison, ce qui convenait tout aussi bien à Yancy puisqu'il n'avait rien fait de mal.

Certes, cette « troisième voie » était purement théorique. Ou tout au moins aussi miraculeuse qu'un vol de rennes le jour de Noël, sillonnant le ciel en tirant leur traîneau.

Si le tireur était en vie, il pourrait prétendre que Yancy avait tué Reynerd et tenté ensuite de lui faire porter le chapeau. Ou qu'il faisait une collecte dans le quartier pour les enfants déshérités, quand il avait été pris dans la fusillade et que le vrai tueur en avait profité pour filer.

Peu importait ce qu'il raconterait, les anti-flics, comme les citoyens aigris, le croiraient sans y regarder à deux fois.

Plus grave encore, le tueur trouverait un avocat pour poursuivre la ville en justice, histoire d'attiser la vindicte populaire par un grand procès médiatique. Un accord à l'amiable serait alors trouvé, au détriment de la vérité, et le sort de Yancy serait sacrifié sur l'autel du consensus et de la paix sociale. Pour les politiciens, les bons flics n'avaient pas plus de valeur que leurs jeunes assistantes qu'ils abusaient sexuellement et parfois tuaient après usage.

Le tueur poserait donc bien moins de tracas mort que vivant.

Yancy aurait pu lambiner avant de revenir vers lui, histoire de lui laisser le temps de perdre encore une pinte de sang, mais une sorte d'intégrité morale le contraignit à presser le pas.

Le tueur n'avait pas bougé, couché à plat ventre dans l'herbe mouillée. Un escargot avait entamé l'ascension de sa nuque.

Les gens étaient à leurs fenêtres, le visage vide et blafard, comme des sentinelles aux portes de l'enfer. Yancy s'attendait presque à voir Reynerd accoudé à l'une d'elles, l'ex-future star du noir et blanc qui s'était trompé d'époque.

Il retourna le tireur sur le dos. Ce type était le fils de quelqu'un, le chéri de quelqu'une... une vingtaine d'années, le crâne rasé, avec en pendentif d'oreille une petite mesurette à cocaïne en argent.

Yancy fut soulagé de voir le rictus de la mort sur ses lèvres, les yeux béants et vagues devant l'éternité, et dans le même temps, ce soulagement lui donnait la nausée.

Debout sous la pluie battante, une boule aigre de vomi dans la gorge, il sortit son téléphone portable et appela le service pour annoncer la situation.

Après avoir passé le coup de fil, Yancy aurait pu se mettre à l'abri dans le hall, mais il resta sous le déluge.

Les feux de la ville se reflétaient sur les facettes innombrables générées par la pluie, mais quand la nuit avala les dernières lueurs du jour, les ténèbres se refermèrent sur la cité comme un serpent repu.

Les tapotis des gouttes rappelaient le fourmillement de légions de rongeurs bruissant dans les frondaisons au-dessus de sa tête.

Yancy vit deux escargots sur le visage du mort. Il avait envie de les retirer, mais quelque chose l'en empêcha.

Les gens aux fenêtres le suspecteraient de vouloir dissimuler des preuves. Et leurs sinistres suppositions pourraient charmer les inspecteurs chargés de l'enquête interne.

La peur griffa de nouveau ses entrailles. Encore cette présence du surnaturel.

Un mort dans l'appartement au premier étage, un autre mort ici, le mugissement des sirènes au loin.

Que se passait-il ? Pourquoi tout allait-il de travers ?

23.

Rowena, la prêtresse des roses, répéta les paroles de Dunny Whistler, mais cette fois davantage pour elle-même que pour Ethan Truman :

— Il a dit que vous le croyiez mort et que c'est bien ce qu'il est.

Un grincement de gonds, un faible tintement de clochettes, attirèrent le regard d'Ethan vers la porte d'entrée. Personne.

Le vent, qui était tombé, se levait de nouveau, soufflant sur la porte, la faisant bouger comme une main invisible.

Derrière son comptoir, la femme restait perplexe :

— Pourquoi a-t-il dit une chose pareille ?

— Vous ne lui avez pas demandé ?

— Il a dit ça après avoir payé les fleurs, au moment de quitter le magasin. Je n'ai pas eu le temps de lui poser de questions. C'est une blague entre vous, pas vrai ?

— Est-ce qu'il souriait en disant cela ?

Rowena réfléchit, puis secoua la tête.

— Non.

Du coin de l'œil, Ethan aperçut une silhouette qui était apparue insidieusement. Il se retourna, en retenant son souffle ; mais ce n'était que son reflet dans la vitrine d'un présentoir.

Dans leurs seaux d'étain, alignées sur les rayonnages, les fleurs délicates dessinaient un enchantement de couleur. On en oubliait qu'il s'agissait de plantes mortes et qu'elles faneraient et pourriraient en quelques jours.

Ces présentoirs, où la mort se dissimulait derrière des pétales flamboyants, étaient comparables, aux yeux d'Ethan, aux tiroirs d'une morgue, où les défunts avaient encore l'apparence de leur vivant, où la mort, bien que tapie dans chacune de leurs cellules, n'avait pas encore commencé son œuvre répugnante.

Même si Rowena était une femme aimable et charmante, même si son royaume de roses était un ravissement pour le nez et les yeux, Ethan sentait l'angoisse monter... il était pressé de s'en aller.

— Est-ce que mon... *ami* a laissé un autre message pour moi ?

— Non. C'est tout, je crois.

— Je vous remercie beaucoup, Rowena. Vous m'avez été d'une aide précieuse.

— Vraiment ? répliqua-t-elle, encore troublée par les paroles mystérieuses de Dunny Whistler.

— Oui, je vous l'assure.

Le vent cognait à la porte. Alors que Ethan posait la main sur la poignée pour quitter le magasin, Rowena lui lança :

— Une chose encore...

Quand il se retourna vers elle, alors que près d'une dizaine de mètres les séparaient, Ethan lut dans ses yeux que ce petit interrogatoire l'avait troublée profondément.

— Lorsque votre ami est parti, il s'est arrêté sur le pas de la porte, exactement là où vous êtes, et il m'a dit : que Dieu vous bénisse, vous et vos roses.

C'étaient des paroles quelque peu étranges pour un homme comme Dunny, mais rien dans ces quelques mots n'expliquait la confusion soudaine de Rowena.

— Et au moment où il a fini de dire ça, ajouta-t-elle, les lumières se sont mises à vaciller et se sont éteintes, d'un coup... puis elles se sont rallumées. Je n'y ai pas prêté attention sur le moment... avec ce vent et cette pluie... mais maintenant, je me dis que ce n'était sûrement pas un... hasard.

Par expérience, Ethan savait que Rowena n'en avait pas terminé. Son silence patient l'inciterait à poursuivre plus efficacement qu'en la pressant de questions.

— Lorsque les lampes se sont éteintes puis rallumées, votre ami a ri ; juste un petit rire, pas longtemps, pas très fort. Il a regardé le plafond pendant que les lumières clignotaient, poussé un gloussement et il est parti.

Ethan attendit encore.

Rowena marqua un temps d'arrêt, surprise elle-même de s'attacher à ce détail, puis ajouta :

— Il y avait quelque chose de terrifiant dans ce rire.

Les belles fleurs mortes derrière les vitrines.

Le vent reniflant comme un animal derrière la porte.

La pluie cognant aux carreaux.

— Comment ça « terrifiant » ?

— Je n'ai pas de mots pour l'expliquer. Il n'y avait

pas d'humour dans ce rire, mais plutôt quelque chose de sinistre.

Se sentant ridicule, elle épousseta le comptoir pourtant immaculé, comme si elle y voyait de la poussière, des débris, quelque salissure.

Visiblement, elle avait dit tout ce qu'elle avait sur le cœur, du moins tout ce qu'elle pouvait exprimer avec des mots.

— Que Dieu vous bénisse, vous et vos roses, articula à son tour Ethan, comme pour conjurer le mauvais sort.

Et si les lumières s'étaient mises à vaciller, qu'aurait-il fait ? Mais par chance, il n'y eut pas la moindre fluctuation dans le flux de photons.

Rowena continua à afficher un sourire timide.

En se tournant vers la porte, Ethan aperçut de nouveau son reflet ; il ferma les yeux, peut-être de crainte de voir soudain apparaître un fantôme dans l'épaisseur du verre. Il ouvrit la porte, franchit le seuil et rouvrit les yeux.

Dans le tintement du carillon de la porte d'entrée, il quitta le *Forever Roses* pour retrouver le froid mordant de la nuit de décembre et referma la porte derrière lui.

Il attendit sous l'auvent, devant la vitrine, tandis qu'un jeune couple, vêtu d'imperméables à capuche, passait devant lui, tiré par un golden retriever impétueux.

Ravi par ces intempéries, le chien pataugeait dans les flaques, reniflant à tout va dans ce festival d'odeurs. L'animal releva la tête et regarda Ethan. Ses yeux sombres étaient deux puits de sagesse.

Le chien s'arrêta, dressa les oreilles, inclina la tête, comme s'il s'interrogeait sur la nature exacte de cet humain planté sous l'auvent couleur parme, entre les roses et la pluie. Il remua la queue, un ou deux va-et-vient, timide et plein de questions.

Arrêté par leur toutou, le couple lâcha à Truman un bonsoir de circonstance.

Truman leur retourna la politesse puis la femme s'adressa au chien :

— Allez, Tink, viens !

Tink hésita, chercha de nouveau le regard de Truman, et n'obéit que lorsque sa maîtresse réitéra l'ordre.

Voyant que le couple s'éloignait dans la direction de sa voiture, Truman attendit un peu avant de leur emboîter le pas.

Les feuilles semblaient des pétales dorés sur les branches des arbres, et de leurs dentelures délicates s'égouttaient des gouttes d'or fondu.

Dans la rue, la circulation était anormalement fluide à une heure pareille, et les voitures roulaient plus vite que de raison.

D'auvent en auvent, Truman se rapprocha de sa Ford Expedition, et sortit les clés de sa poche.

Quelques mètres plus loin, Tink ralentit le pas à deux reprises pour regarder Truman, mais ne s'arrêta pas.

L'odeur d'ozone de la pluie ne parvenait pas à chasser l'odeur du pain cuit qui s'échappait d'un vasistas d'un restaurant s'apprêtant à ouvrir ses portes pour le soir.

Au carrefour, le chien s'arrêta et regarda encore Truman.

La voix de la femme lui parvint assourdie, mêlée aux sons des voitures passant dans la rue :

— Allez Tink ! Avance !

Elle répéta ces mots deux fois encore avant que le chien ne consente à bouger.

Le trio disparut au coin de la rue.

Truman arriva à proximité de la zone de stationnement interdit où il avait laissé son véhicule, mais il hésitait à quitter l'abri du dernier auvent. Il observa la circulation et attendit un trou dans le flot de véhicules.

Il s'élança sous la pluie, traversa le trottoir, et sauta par-dessus le caniveau et son ru bouillonnant.

À l'abri derrière sa voiture, il sortit ses clés et commanda à distance l'ouverture des portes. La Ford obtempéra avec un bip plein d'entrain.

Après le passage d'une voiture, pour ne pas se faire éclabousser, Truman fit le tour de son véhicule, espérant encore sauver son costume.

Alors qu'il atteignait la portière côté conducteur, il s'aperçut qu'il avait omis d'examiner sa voiture depuis son abri sous l'auvent. Allait-il trouver Dunny, en zombie ou en pleine forme, assis sur le siège passager ?

Mais le véritable danger était ailleurs.

Abordant le virage bien trop vite, une Chrysler PT Cruiser dérapa sur la chaussée glissante. Le conducteur, pris de panique, freina et la voiture partit en tête-à-queue.

Le pare-chocs heurta la jambe de Truman, le projetant dans la vitre de la portière, qui explosa sous le choc.

Il ne se souvint pas être tombé à terre, mais quand il reprit conscience, il était allongé sur le macadam détrempé, suffoquant sous les gaz d'échappement, avec le goût du sang dans sa bouche.

Il entendit des freins crisser ; mais pas ceux de la Chrysler. Des freins pneumatiques. Tonitruants, assourdissants.

Quelque chose d'énorme, un camion, occulta son champ de vision au-dessus de lui, et un poids titanesque, inconcevable passa sur ses jambes, brisant ses os comme du petit bois.

24.

Empilés par trois le long des murs, comme des voyageurs dans un wagon-lit, les cadavres gisaient sur leurs couchettes, arrêtés dans leur voyage vers le cimetière.

Après avoir allumé la lumière, Corky Laputa referma, sans bruit, la porte derrière lui.

— Bonsoir messieurs dames ! lança-t-il à la funeste assemblée.

En toutes circonstances, il fallait savoir s'amuser.

— Le prochain arrêt sur cette ligne est l'Enfer ; matelas de clous, lits infestés de cafards brûlants et affamés, et au petit déjeuner, soufre lyophilisé à volonté.

Sur sa gauche, huit corps et une couchette vide. Sur sa droite, sept corps et deux couchettes vides. Au fond de la pièce, cinq corps et une couchette vacante. Au total, vingt voyageurs et encore quatre places libres.

Ces dormeurs sans rêves ne reposaient pas sur des matelas, mais sur un treillis d'acier. Les « couchettes » étaient à structure ouverte afin de permettre une libre circulation de l'air.

Cette chambre froide offrait un air sec à une température comprise entre cinq et huit degrés Celsius – jamais plus. L'haleine de Laputa dessinait un nuage blanc devant son visage.

Un complexe système d'aération renouvelait sans cesse l'air par des buses d'évacuation situées au niveau du sol. L'air frais était soufflé par des auvents en haut des murs.

Même si l'odeur aurait quelque peu dénoté dans un dîner romantique aux chandelles, il n'y planait nulle senteur repoussante. Rien de plus que de vagues relents de sueur froide, d'odeur de vieilles chaussettes, en tout point comparable à un vestiaire de garçons.

Aucun des résidents ne se trouvait dans un sac mortuaire. La température basse et le taux d'humidité strictement limité freinaient la décomposition cellulaire. Mais le processus se poursuivait néanmoins au ralenti... Une poche de plastique hermétique aurait accumulé les gaz liés à la putréfaction, et aurait réduit à néant les bienfaits de la réfrigération.

Au lieu de cocons de vinyle, de simples suaires de coton enveloppaient les dépouilles. Mis à part le froid et l'odeur, les résidents ressemblaient à des clients d'un centre de cure thermale de luxe, piquant un petit somme dans un sauna.

De leur vivant, aucun n'avait eu droit à ce genre de douceur. Si l'un d'entre eux s'était présenté aux portes d'un établissement de cure, il aurait été refoulé *manu militari* par les vigiles.

Car ceux-là faisaient partie de la lie. Des miséreux. Ils étaient morts seuls, dans l'anonymat le plus complet.

Ceux qui avaient connu une mort violente, tués par un tiers, étaient voués à subir une autopsie. De même que ceux qui avaient péri par accident, ou par suicide, ou d'une maladie mal identifiée, ou encore pour quelque cause mystérieuse ou dans des circonstances suspectes.

Dans toutes les grandes villes, en particulier dans une mégapole aussi aberrante que Los Angeles, les cadavres arrivaient trop vite dans les morgues et les médecins légistes croulaient sous la charge. On traitait en priorité les victimes de meurtres avérés, de mauvais traitements ou de négligences médicales, et dans ce sous-groupe, ceux qui avaient une famille qui réclamait le corps pour les funérailles.

Les vagabonds sans parents, parfois même sans nom, dont les corps avaient été retrouvés dans une allée, un parc, sous un pont, morts peut-être d'une overdose ou de froid, de faim, ou d'une simple cirrhose, étaient conservés ici durant quelques jours, parfois quelques semaines, avant que les médecins légistes puissent accomplir leur auscultation *post mortem*.

Dans la vie, comme dans le trépas, les démunis étaient servis en dernier.

Il y avait un téléphone dans la chambre froide ; l'appareil était fixé au mur, à côté de la porte, comme pour permettre aux pensionnaires de se commander une pizza si une fringale les prenait.

La plupart des lignes étaient réservées aux communications internes, à la manière d'interphones. Mais avec la dernière des six lignes, on pouvait appeler à l'extérieur.

Laputa composa le numéro de portable de Roman Castevet...

Castevet, un technicien de l'équipe médico-légale, venait de prendre son service pour sa garde de nuit. Il se trouvait sans doute dans l'une des salles d'autopsie du bâtiment, son scalpel à la main.

Voilà plus d'un an, les deux hommes avaient fait connaissance lors d'une soirée anarchiste organisée dans les locaux de l'université où Corky Laputa officiait. La nourriture était médiocre, l'alcool coupé, et les bouquets de fleurs parfaitement disgracieux, mais les gens étaient sympathiques.

À la troisième sonnerie, Castevet décrocha.

— Devine où je suis ? lança Laputa.

— Tu t'es mis la tête dans le cul et tu ne peux plus la ressortir !

Castevet avait un sens de l'humour un peu particulier...

— Heureusement que les communications sont gratis, répliqua Laputa. Je n'ai pas de monnaie et ce n'est pas ces loquedus, ici, qui vont me dépanner de quelques pièces.

— Ce doit être une maladie endogène des universités. Il n'y a pas plus pingres que les profs de fac, alors que vous êtes payés grassement par le contribuable !

— Parfois ton humour est trop caustique. D'autres que moi pourraient se vexer, répliqua Laputa d'un ton sévère qui ne lui ressemblait pas.

— Tant mieux. Mon credo, c'est la méchanceté, je te le rappelle.

Castevet était un sataniste. Vive le Prince des ténèbres et ce genre de tralala. Tous les anarchistes ne versaient pas dans le satanisme, mais de nombreux satanistes étaient anarchistes.

Laputa connaissait une bouddhiste qui était anarchiste – une jeune femme pas mal chargée psychologiquement. Autrement, au vu de son expérience, la grande majorité des anarchistes étaient des athées.

Un anarchiste digne de ce nom ne pouvait croire au surnaturel, ni dans le pouvoir des Ténèbres, ni dans celui de la Lumière. Toute leur ferveur devait être consacrée au pouvoir de la destruction et à l'espoir d'un ordre meilleur et nouveau qui renaîtrait des décombres.

— Vu ton boulot de fonctionnaire, lâcha Laputa, il n'y a pas que le corps enseignant qui se la coule douce aux frais des contribuables. Qu'est-ce que tu fais ici toute la nuit avec tes collègues, à part taper le carton en vous racontant des histoires de fantômes ?

Roman Castevet n'avait écouté que d'une oreille et ne releva pas le mot « ici » qui en disait pourtant long sur l'endroit où se trouvait Laputa.

— C'est pas pour raconter des conneries que tu m'as appelé. Alors, vas-y, crache. Qu'est-ce que tu veux ? Tu as toujours quelque chose à me demander...

— Je paie toujours rubis sur l'ongle, non ?

— Mon admiration va toujours à celui qui peut sortir de la monnaie sonnante et trébuchante.

— Je vois que vous avez réglé vos problèmes de rats.

— Quels problèmes de rats ?

Deux ans plus tôt, les médias avaient dénoncé les conditions d'hygiène déplorables dans les chambres froides et autres installations de l'établissement.

— Je ne vois pas de rats ici. Pas la queue d'un, lança Laputa. Pas un seul cousin de Mickey en train de grignoter le bout du nez de tes pensionnaires.

Il y eut un silence. Puis Castevet demanda d'une voix tremblante, ne pouvant dissimuler sa stupéfaction :

— Ne me dis pas que tu es *là-bas*.

— Si, j'y suis.

Le ton supérieur et sarcastique de Castevet s'envola dans l'instant pour faire place au courroux.

— À quoi tu joues ? Pourquoi tu me fais un truc pareil ? Venir ici. Tu ne fais pas partie du personnel. C'est interdit. Et encore plus là-bas !

— J'ai pourtant des références.

— Tu parles !

— Je peux monter te voir si tu préfères. Où es-tu, dans une salle d'autopsie ou dans ton bureau ?

Castevet baissa la voix. Son ton se fit murmure, au bord de la panique.

— Tu es fou ? Tu veux me faire virer ?

— Je viens juste faire mes emplettes, répondit Laputa.

Récemment Castevet lui avait fourni une jarre de formol contenant dix prépuces prélevés sur des cadavres destinés à la crémation.

Laputa avait remis le flacon à Reynerd avec ses instructions. Malgré sa bêtise congénitale, Reynerd était parvenu à emballer l'objet dans un paquet-cadeau noir et à le faire parvenir à Channing Manheim.

— J'en veux dix autres, annonça Laputa.

— Je ne veux pas parler de ça ici. Ne viens jamais ici, espèce d'idiot. Tu peux me joindre chez moi.

— Je pensais que tu apprécierais la surprise. Que ça te ferait rire.

— Seigneur..., bredouilla Castevet d'une voix tremblante.

— Tu es un sataniste, lui rappela Laputa.

— Et toi, un fou furieux.

— Où es-tu exactement, Roman? Il faut que je te voie, qu'on parle affaires.

— Ne bouge pas. Reste où tu es.

— Cela ne me dit trop rien. Je deviens un peu claustrophobe ici. Je commence à avoir les jetons.

— *Reste où tu es!* J'arrive dans deux minutes.

— Je viens juste d'entendre un truc bizarre. Je crois qu'il y a un macchabée qui se réveille.

— Impossible. Ils sont tous morts.

— Je suis sûr que celui-là, le type dans le coin, il vient de dire quelque chose.

— Il doit dire, comme moi, que tu es un fou furieux.

— Peut-être as-tu enfermé quelqu'un de vivant ici, par erreur. Je commence vraiment à avoir les jetons.

— Deux minutes, insista Castevet. Ne sors pas d'ici. Ne te fais pas remarquer, sinon, c'est toi que je circoncis!

Roman Castevet coupa la communication.

Dans la chambre froide peuplée de ses résidents anonymes, Laputa raccrocha.

Il contempla son public silencieux.

— En toute humilité, je pourrais donner des leçons de comédie à Channing Manheim, pas vrai, les gars?

Peu importait que personne ne l'applaudisse. La perfection de son jeu était sa plus belle récompense.

25.

La neige tombait sur la cité des anges.

Le vent, soudain, tel un berger, fit descendre des moutons blancs des pâtures obscures du ciel, pour les conduire entre les ficus et les palmiers, vers les avenues qui n'avaient jamais connu de Noël sous la neige.

Émerveillé, Ethan contempla la nuit piquetée de flocons.

Au fond de son lit d'enfant, il comprit que le toit avait dû être emporté par une bourrasque. La neige allait recouvrir les meubles, la moquette.

Il allait devoir se lever, aller trouver ses parents dans leur chambre. Papa saurait quoi faire pour le toit.

Mais d'abord, Ethan voulait profiter du spectacle. Au-dessus de lui, les flocons duveteux dessinaient un lustre de cristal aux motifs infinis, ses larmes et ses perles animées de chatoiements perpétuels.

Ses cils étaient tout blancs.

Les flocons déposaient des milliers de baisers froids sur son visage.

Quand sa vue s'éclaircit, il s'aperçut que ce n'était que la pluie qui striait la nuit de décembre. Les gouttes d'eau avaient brouillé sa vision, dessinant des formes cristallines et des hiéroglyphes mystérieux.

Pourtant si douillet un instant plus tôt, son lit d'enfant se transforma en béton dur et froid.

Il se sentait plutôt bien, sauf que l'oreiller derrière sa tête était une dalle de pierre meurtrissant l'arrière de son crâne.

La pluie sur son visage était glacée comme la neige, et piquetait la paume ouverte de sa main gauche.

Sa main droite était ouverte également, mais il ne sentait ni le froid, ni le cliquetis des gouttes.

Il ne sentait pas ses jambes non plus. Il était incapable de les bouger. En fait, il ne pouvait mouvoir que son cou et sa main gauche.

Sa chambre sans toit était emplie de pluie, et s'il était à ce point incapable de bouger, il allait périr noyé.

Malgré son état semi-comateux, Ethan sentit soudain une terreur sourde monter, telle une horde de requins affamés jaillissant des profondeurs du macadam.

Il ferma les yeux pour refouler une vérité plus terrible encore que cette pluie déguisée en neige.

Des voix. Maman et papa devaient avoir reposé le toit, retapé son oreiller pour lui redonner son moelleux, et tout remis dans l'ordre.

Il s'abandonna à leurs soins attentifs et, telle une plume, il se laissa emporter vers les ténèbres, vers le pays des songes, pas celui où Caïn s'était enfui après avoir tué Abel, mais vers les terres où s'évadaient les enfants dans leurs rêves, à la recherche d'aventures, sachant qu'à leur réveil, ils seraient sains et saufs pour vivre un jour nouveau.

Pendant qu'il sombrait dans le septentrion du pays des songes, il entendit les mots : « lésion vertébrale ».

Il rouvrit les yeux, dans la seconde ou peut-être dix minutes plus tard. La nuit était striée d'éclairs rouges et bleus, comme le plafond d'une discothèque, et il sut qu'il ne danserait ni ne marcherait plus jamais.

Ethan fut emporté sur un brancard, escorté de deux infirmiers, à travers le rideau de pluie vers le concert dissonant des communications radio entre services de secours et policiers.

Sur le haillon arrière du véhicule, en lettres rouges soulignées d'or, juste sous le mot AMBULANCE, d'autres mots, en caractères plus petits : HÔPITAL NOTRE-DAME-DES-ANGES.

Peut-être lui donnerait-on la même chambre que Dunny?

Cette idée le fit frissonner.

Il ferma les yeux le temps d'un battement de paupières, lui sembla-t-il, tandis que des voix disaient « attention » et « doucement, doucement ». Lorsqu'il ouvrit les yeux, il était dans l'ambulance.

Une aiguille s'enfonça dans son bras droit, reliée à une perfusion où oscillait une poche de plasma.

Pour la première fois, il entendit sa respiration, pleine de gargouillis. Ses jambes n'étaient pas les seules parties de son corps qui avaient été endommagées. Sans doute avait-il la cage thoracique enfoncée, peut-être un ou deux poumons perforés.

Il aurait aimé avoir mal. Rien n'était plus terrifiant que cette absence totale de douleur.

L'infirmier, à côté d'Ethan, parla rapidement à son collègue qui se tenait sous la pluie, devant les portes ouvertes.

— Il faut se dépêcher !

— On va brûler de la gomme, promit l'infirmier en refermant les portes.

Le long des parois scintillaient des guirlandes rouges. À chaque extrémité, ainsi qu'au milieu, trois petites clochettes argentées qui oscillaient au bout de leurs fils. Des décorations de Noël.

Les clochettes de chaque groupe étaient suspendues en file indienne sur un même brin. Celle du sommet, la plus grosse, débordait sur la deuxième qui elle-même débordait sur la troisième – la plus petite du lot.

Lorsque les portes claquèrent, les minuscules cloches se mirent à s'entrechoquer en tintinnabulant, emplissant l'habitacle d'une petite musique féerique.

L'infirmier ajusta sur le visage d'Ethan un masque à oxygène.

Frais comme le vent d'automne, doux comme le printemps, un air riche apaisa sa gorge en feu, mais les gargouillis au tréfonds ne diminuèrent pas pour autant.

Une fois installé derrière le volant, l'ambulancier referma sa portière, ce qui souleva un nouveau concert de tintements.

— Des cloches, articula Ethan, mais le masque à oxygène étouffa ses paroles.

L'infirmier retira le stéthoscope de ses oreilles, et demanda :

— Quoi ? Qu'avez-vous dit ?

La vue du stéthoscope lui fit prendre conscience que l'homme écoutait son cœur et que ce qu'il entendait était arythmique, anarchique et inquiétant.

Il n'écoutait pas seulement son cœur, mais aussi les galops du cheval de la Grande Faucheuse qui s'approchait.

— Des cloches, répéta-t-il, tandis que dans sa tête les portes de la peur s'ouvraient, libérant une nuée d'oiseaux affolés.

L'ambulance démarra, et la sirène hurla de sa voix stridente.

Ethan ne pouvait plus entendre les clochettes dans ce tintamarre, mais il les voyait se balancer au bout de leurs fils. Comme des âmes de pendus.

Il leva la main vers le groupe le plus proche, mais les clochettes étaient hors de sa portée. Sa main n'attrapa que le vide.

Peut-être la peur, associée aux séquelles du choc, lui jouait-elle des tours... peut-être était-il en plein délire ? Toujours est-il que les clochettes ne furent plus de simples décorations, mais des symboles mystiques, des petits phares scintillants lui disant de garder espoir, de s'accrocher. Et il brûlait de les toucher, de les serrer dans sa main comme le dévot étreint son missel.

L'infirmier sembla comprendre le geste d'Ethan, à défaut d'en comprendre la raison. Il sortit une paire de ciseaux d'un kit de premiers soins et, d'une main oscillant sous les cahots de la route, il coupa le fil du premier trio de clochettes.

Une fois les grelots dans sa main, il les serra dans sa paume avec force et tendresse à la fois.

Il était épuisé, mais il n'osait pas fermer les yeux de nouveau, de crainte de se retrouver, quand il les rouvrirait, prisonnier à jamais des ténèbres, condamné à ne plus rien voir de ce monde.

L'infirmier ajusta de nouveau son stéthoscope sur ses oreilles.

Avec les doigts de sa main valide, Ethan compta les clochettes, de la plus petite à la plus grosse, puis inversement.

Il les tenait comme il avait tenu le rosaire quand il avait veillé Hannah à l'hôpital, pour sa dernière nuit; avec autant d'espoir que de désespoir, avec une ferveur qui exaltait le cœur et un stoïcisme qui l'endurcissait. La foi n'avait pas suffi à exaucer ses prières, mais le stoïcisme avait été essentiel lorsqu'il avait compris qu'il devrait survivre à Hannah.

En égrenant les perles entre le pouce et l'index, il avait espéré un miracle. Et maintenant qu'il caressait les courbes argentées des clochettes, il cherchait moins une explication qu'un miracle encore, une révélation inaudible au tympan mais que le cœur saurait reconnaître.

Ethan avait beau garder les yeux ouverts, un voile noir grignotait son champ de vision, comme une tache d'encre s'épanouissant dans les fibres d'un buvard.

Apparemment, le microphone du stéthoscope capta des cadences qui alarmèrent l'infirmier. L'homme se pencha sur lui, mais sa voix sembla provenir de très loin; bien que son visage affichât un calme parfait, il y avait une trépidation dans la voix.

— Monsieur Truman, restez avec nous. Accrochez-vous. Accrochez-vous!

Étranglé par un nœud coulant de ténèbres, la vision d'Ethan se réduisait à un point de plus en plus petit.

Il perçut l'odeur astringente de l'alcool. Du froid au creux du coude, puis la piqûre de l'aiguille.

À l'intérieur de lui, le son creux du cheval de la Grande

Faucheuse laissa place à la cavalcade des chevaux de l'apocalypse.

L'ambulance fonçait toujours vers l'hôpital Notre-Dame-des-Anges, mais le conducteur avait coupé la sirène, jugeant suffisants les avertissements des gyrophares sur le toit.

Maintenant que la sirène s'était tue, il entendait de nouveau les clochettes.

Mais ce n'étaient pas celles, dans sa paume, qui tintaient, ni celles suspendues aux guirlandes. Ces cloches-là sonnaient au loin, l'appelaient avec l'insistance de leur marteau de cuivre pesant.

Sa vision faiblit encore, le nœud mortel se resserra encore, le rendant aveugle pour de bon. Face à l'inévitable, à la mort et aux ténèbres sans fin, il ferma enfin les yeux.

Il ouvrit la porte, franchit le seuil et rouvrit les yeux.

Dans le tintement du carillon de la porte d'entrée, il quitta le *Forever Roses* pour retrouver le froid mordant de la nuit de décembre et referma la porte derrière lui.

Sous le choc de se voir encore en vie, debout et bien vivant sur ses deux jambes, Ethan Truman s'immobilisa sous l'auvent, tandis qu'un jeune couple en imperméables à capuche marchait sur le trottoir, tiré par un golden retriever.

Le chien releva la tête vers Truman, ses yeux noirs comme deux puits de sagesse.

— Bonsoir, dit le couple.

Ethan hocha la tête, incapable de parler.

— Allez, Tink, viens ! lança la femme en tirant sur la laisse.

La femme réitéra son ordre. Finalement le chien reprit sa marche, le nez en l'air pour profiter des senteurs de l'air.

Ethan se retourna vers la fleuriste qui se tenait toujours derrière son comptoir, entourée de ses cercueils de verre foisonnant de roses.

Rowena le regardait fixement. Par réflexe, elle baissa aussitôt la tête, feignant de s'intéresser à autre chose.

Sur des jambes aussi vacillantes que sa raison, Ethan suivit pour la seconde fois le chemin tortueux sous les auvents des boutiques et des restaurants, jusqu'à sa Ford garée sur la zone de stationnement interdit.

Devant lui, Tink se retourna dans sa direction, mais ne s'arrêta pas.

En passant devant un restaurant, tout scintillant de chandelles et d'argenterie, il sentit l'odeur du pain chaud. *Le pain est le soutien de la vie*, songea Truman.

Au bout de la rue, le chien se retourna une fois encore puis le trio disparut à l'angle.

Dans la rue, la circulation était anormalement fluide à une heure pareille, et les voitures roulaient plus vite que de raison.

Arrivé à proximité de la zone de stationnement interdit, Truman marqua une halte sous le dernier auvent. Et s'il restait là, bien à l'abri, loin de la chaussée, jusqu'à ce que le jour se lève ?

Un grand trou apparut dans le flot de véhicules.

De ses doigts tremblants, il sortit de sa poche ses clés et commanda le déverrouillage des portes. La Ford lança un bip plein d'entrain en réponse, mais Ethan ne traversa pas la rue.

Il reporta son attention sur le carrefour et aperçut les phares de la PT Cruiser, arrivant bien trop vite depuis la rue perpendiculaire.

L'auto dérapa au carrefour, les roues bloquées, partit en tête-à-queue, et frôla la Ford Expedition, évitant la collision d'un cheveu.

Si Truman s'était trouvé à côté de la portière, il aurait été pris en sandwich entre les deux véhicules, comme une bille de flipper entre deux champignons.

Vint alors le camion qui lui avait écrasé les jambes, dans un sifflement de freins pneumatiques.

Avec un court chuintement de gomme sur le macadam mouillé, l'auto termina son tête-à-queue sur la partie de la chaussée qui lui était réservée.

Fendant la pluie où le PT Cruiser venait de passer, le camion pila dans un grincement de ferraille.

Sitôt que le conducteur retrouva le contrôle de sa voiture, il redémarra et s'aligna à une vitesse moindre mais encore trop rapide avec cette pluie.

Le chauffeur du poids lourd lança un coup de klaxon rageur, puit reprit sa route, un instant interrompue, vers quelque destination mystérieuse que lui réservait le destin.

Dans le sillage du camion, la rue était de nouveau encombrée. Impossible de traverser.

Les feux passèrent au rouge, arrêtant la circulation sur cet axe, mais ceux des deux rues perpendiculaires se firent verts et le flot de voitures continua.

Dans la nuit pluvieuse, l'arôme délicieux du pain, tout juste sorti du four, embaumait l'air.

La lumière dorée des réverbères répandait des doublons sur le trottoir.

La pluie chuintait, cliquetait.

Les feux passèrent deux ou trois fois au rouge avant qu'Ethan prenne conscience de la crampe grandissante dans sa main gauche. La douleur remontait à présent tout le long de son bras.

Entre ses doigts crispés, les trois clochettes argentées que l'ambulancier lui avait remises dans un geste de compassion.

26.

À l'image de notables de la Rome décadente, surpris en pleines bacchanales, leurs toges ouvertes de façon impudique, les morts sans nom offraient ici une épaule blafarde, ici la courbe d'un sein, ici encore une cuisse veinée de bleu, une main repliée en une position vaguement obscène, une cheville délicate, un œil laiteux ouvert et figé dans une extase silencieuse.

Tout témoin de cette assemblée grotesque, même le plus cartésien qui soit, ne pouvait s'empêcher de penser qu'une fois la porte refermée, ces pauvres hères et ces jeunes égarées passaient de couchette en couchette, s'adonnant au cœur de la nuit à des ébats sans fin et monstrueux.

Si Corky Laputa avait eu quelque souci de la dignité humaine, ou jugé que le simple bon goût imposât certaines règles inaliénables de bonnes manières, il aurait pris deux minutes de son temps pour réajuster ces suaires défaits, la pudeur étant peut-être plus primordiale encore dans l'abandon du trépas.

Mais au lieu de ça, Laputa se réjouit du spectacle, parce qu'il avait devant lui, dans cette chambre froide, l'œuvre ultime de l'anarchie. En outre, il attendait avec une grande excitation l'arrivée de cette mauviette de Roman Castevet, à qui il s'apprêtait à porter le coup de grâce.

Au bout de deux minutes, presque à la seconde près, la poignée de la chambre froide cliqueta. Le battant d'acier s'ouvrit, mais de quelques centimètres seulement.

Craignant peut-être que Laputa l'attende avec une équipe de télévision derrière lui, Castevet passa, avec précaution, la tête par l'interstice, son œil droit, le seul visible, écarquillé et rond comme celui d'une chouette effarouchée.

— Entre ! Entre donc ! l'encouragea Laputa. Nous sommes en bonne compagnie. Rien que des amis, même si certains d'entre eux vont connaître ton bistouri !

Castevet poussa un peu plus la porte, pour laisser passer son corps malingre, et pénétra dans le caveau d'acier, en jetant un coup d'œil par-dessus son épaule pour s'assurer qu'il n'y avait pas de témoins. Il referma doucement la porte derrière lui et rejoignit Laputa et sa bande d'orgiastes en suaire.

— Qu'est-ce que c'est que ce truc? demanda le jeune homme en désignant le ciré jaune.

Laputa tourna sur lui-même, en soulevant, comme une midinette, les pans de l'imperméable.

— C'est chic, non? Ça vous habille un homme!

— Comment as-tu pu passer la sécurité dans un accoutrement pareil?

— Je n'ai pas eu besoin de me cacher. Il m'a suffi de présenter mes références.

— Quelles références? Tu donnes des cours de littérature à des petites connes et des demeurés qui sont nés le cul bordé de nouilles.

Comme bon nombre de scientifiques, Roman Castevet avait un certain mépris pour les sciences humaines, et plus encore pour ces étudiants qui usaient les bancs des universités à philosopher sur la vie au lieu d'affronter le monde du travail.

Laputa ne prit nullement ombrage de la remarque de Castevet. Il ne pouvait qu'approuver le côté antisocial du jeune homme.

— Les joyeux drilles à la réception me prennent pour un médecin d'Indianapolis, venu discuter avec toi d'un détail entomologique concernant la victime d'un tueur psychopathe sévissant dans le Middle West.

— Hein? Comment ont-ils pu gober ça?

— Je connais un expert en faux papiers.

— Toi? répliqua Roman, interdit.

— Souvent, dans mon cas, il m'est utile d'avoir des faux papiers absolument irréprochables.

— Tu es totalement fêlé ou juste complètement crétin?

— Comme je te l'ai expliqué, je ne suis pas un simple rat de bibliothèque qui prend son pied à s'encanailler avec des anarchistes.

— Oui, oui...

— Je prône l'anarchie à chaque instant de mon existence, au risque de me faire arrêter et emprisonner.

— Un vrai Che Guevara.

— Nombre de mes actions sont aussi inspirées et poignantes qu'inattendues. Pas une seconde, j'espère, tu n'as cru que je voulais ces dix prépuces pour je ne sais quel usage personnel et pervers, n'est-ce pas?

— C'est, au contraire, précisément ce que je me suis dit… Lorsqu'on s'est rencontrés à cette sauterie rasoir à la fac, tu ressemblais au chef des loufdingues, le tordu vicieux et amoral comme on en voit partout.

— De la bouche d'un sataniste, répliqua Laputa dans un sourire, ce serait presque un compliment.

— Ce n'en est pas un ! rétorqua Castevet avec colère.

Même sous son meilleur jour – coiffé, rasé de près et l'haleine fraîche pour jouer le bon petit employé modèle –, Castevet était vilain. Et la colère l'enlaidissait davantage encore.

Roman était d'une maigreur famélique – la peau parcheminée, les hanches osseuses, les épaules pointues, la pomme d'Adam proéminente, le nez démesuré (le plus grand que Laputa ait vu chez un être humain), des joues creuses, le menton saillant comme la rotule d'un fémur. Un squelette ambulant qui connaissait de sérieux problèmes d'anémie.

À chaque fois qu'il croisait ses yeux enflammés de rapace, ou qu'il le surprenait en train de passer langoureusement sa langue sur ses lèvres (les seules parties charnues de son visage de corbeau), Laputa suspectait que le jeune homme était le siège d'une libido dévorante qui le consumait de l'intérieur. S'il avait fallu estimer le nombre de calories que Castevet devait brûler par jour, dans son culte assidu de l'onanisme, Laputa aurait avancé le chiffre de trois mille calories, et il aurait été sans doute encore en deçà de la vérité.

— Peu importe ce que tu peux penser de moi, lâcha Laputa. En attendant, je passe une commande pour dix nouveaux prépuces.

— Tu peux te les mettre au cul. Je ne fais plus d'affaires avec toi. Tu es complètement fêlé. Y a pas idée de venir ici comme ça !

En partie pour arrondir les fins de mois, et en partie aussi pour accomplir une sorte de devoir religieux et montrer sa ferveur envers le Prince des Ténèbres, Roman Castevet fournissait à d'autres satanistes – uniquement par prélèvement sur des cadavres – des parties de corps humains, des organes, du sang, des tumeurs malignes, et de temps en temps, des cerveaux entiers. Ses clients, hormis Corky Laputa, montraient un intérêt à la fois théologique et pragmatique dans l'accomplissement de rites occultes destinés à demander les grâces du Maître Satan ou à faire sortir quelque démon de sa tanière infernale. Il fallait reconnaître qu'on trouvait rarement dans le commerce les ingrédients nécessaires aux incantations.

— Inutile de jouer les grandes effarouchées, personne ne te regarde !

— Je ne joue rien du tout. Venir ici est une folie. Tu as perdu tout sens de la mesure.

— *Le sens de la mesure ?* répéta Laputa, se retenant d'éclater de rire. Voilà des paroles bien prudes pour quelqu'un qui pense que la torture, le viol et le meurtre seront récompensés dans l'Au-Delà !

— Parle moins fort, chuchota Castevet, avec agacement. Si quelqu'un te trouve ici, je vais me faire virer.

Laputa, faisant fi de la demande du jeune homme, poursuivit d'une voix tout aussi audible :

— Du calme. Tu ne risques rien. Je suis un médecin d'Indianapolis ; nous parlons du manque cruel de personnel dans la profession et de toute cette viande froide, sans indication de provenance, qui nous reste sur les bras, à chaque hiver.

— À cause de toi, je vais me retrouver à la rue, gémit Castevet.

— Tout ce que je veux, mentit Laputa, c'est te commander dix nouveaux prépuces. Je ne m'attends pas à ce que tu me les donnes sur-le-champ. Je suis venu en personne parce que je me suis dit que cela ferait accélérer les choses.

Même si Roman Castevet paraissait trop sec et malingre pour produire des larmes, ses yeux sombres se mirent à briller de frustration et de désespoir.

— De toute façon, poursuivit Laputa, en ce qui concerne la pérennité de ton travail en cet établissement, il existe une menace autrement plus dangereuse que celle de te faire surprendre ici en ma compagnie... si l'on apprend que tu as enfermé un type vivant dans cette chambre froide par erreur, en compagnie de tous ces cadavres, je ne donne pas cher de ta carrière.

— Tu as pris des amphètes ?

— Je te l'ai dit au téléphone, il y a un instant. L'un de ces malheureux est encore en vie.

— À quoi tu joues ?

— Je ne joue pas. C'est la vérité vraie. J'ai entendu murmurer : *À l'aide, à l'aide*. Des appels au secours à peine audibles.

— Qui ?

— J'ai cherché et je l'ai trouvé. J'ai tiré le drap pour découvrir son visage. Le gars est paralysé. Les muscles faciaux distordus par une attaque cérébrale.

Castevet s'approcha, menaçant, pour river son regard dans celui de Laputa, comme s'il espérait que la férocité de ses prunelles pourrait transmettre un message subliminal.

Laputa poursuivit, impassible.

— Le pauvre gars était sans doute dans le coma à son arrivée ici, et il s'est réveillé. Mais il est très faible.

Les mots finirent par trouver une faille dans la cuirasse de Roman Castevet. Le jeune homme détourna les yeux et contempla les cadavres alignés sur les rayonnages.

— Lequel est-ce ?

— Celui-là, là-bas, répondit Laputa nonchalamment en désignant le fond de la chambre froide.

La lumière des tubes fluo ne parvenait pas à éclairer cette partie de la pièce et les corps semblaient flotter dans une sorte de clair-obscur duveteux.

— J'ai plutôt l'impression que c'est toute ta vie professionnelle que je viens de sauver... alors, par simple reconnaissance, tu devrais me faire gratis ma nouvelle commande...

Castevet se dirigea vers le fond de la chambre froide et insista :

— Lequel est-ce ?

Laputa emboîta le pas du jeune homme et répondit :

— Celui sur la gauche, la deuxième étagère en partant du bas.

Au moment où Castevet se penchait pour tirer le drap et découvrir le visage du cadavre, Laputa leva son bras droit. Sa main, cachée jusque-là par la manche de son ciré jaune, tenait un pic à glace. D'un mouvement judicieux, vigoureux et dextre, il plongea l'arme dans le dos du jeune médecin légiste.

Enfoncé avec précision, un pic à glace peut perforer les deux ventricules cardiaques et causer l'arrêt quasi instantané et définitif du cœur.

Dans un bruissement de tissus et un impact sourd, le corps inerte de Roman Castevet s'écroula.

Il était inutile de vérifier le pouls. La bouche béante, d'où ne s'échappait aucun souffle, les yeux, fixes comme des billes de verre de taxidermiste, confirmaient à eux seuls que la pointe d'acier avait trouvé sa cible.

La préparation est mère de tous les succès. À la maison, avec le même pic à glace, Laputa s'était exercé sur un mannequin qu'il avait volé à la faculté de médecine. S'il lui avait fallu s'y reprendre à deux ou trois fois, ou si le cœur de Castevet n'avait pas cessé de battre immédiatement, il y aurait eu du sang partout ; c'était la raison pour laquelle il avait enfilé son ciré.

Dans le cas, peu probable, qu'un des pensionnaires de la chambre froide ait une fuite, le sol carrelé était percé d'une large bonde d'écoulement. Près de la porte, un tuyau de caoutchouc sur un enrouleur était fixé au mur.

Laputa connaissait l'existence de ce conduit d'évacuation dans le sol grâce aux articles qu'il avait lus, deux ans plus tôt, lorsque le scandale des rats avait éclaté. Par chance, il n'avait pas besoin de décrocher le tuyau.

Il plaça Castevet sur l'une des couchettes vides, dans le fond de la chambre froide, là où la pénombre serait son alliée.

Il tira, d'une poche intérieure, le drap qu'il avait acheté plus tôt au centre commercial et enveloppa le corps du jeune homme, en veillant à ne laisser aucune partie apparente ; non seulement il lui fallait cacher l'identité du cadavre, mais, à l'inverse des autres pensionnaires du lieu, Castevet était tout habillé.

La mort ayant été instantanée, la blessure étant minuscule, aucune goutte de sang ne risquait de tacher le drap et de révéler, par conséquent, la fraîcheur anormale de cette dépouille.

Dans deux ou trois jours, Castevet serait retrouvé par un employé de la morgue venant faire l'inventaire du travail restant ou chercher un cadavre pour pratiquer une autopsie avec des semaines de retard. Un nouveau scandale en perspective pour la morgue...

Laputa regrettait d'avoir tué Roman Castevet – c'était un bon sataniste et un anarchiste enthousiaste. L'homme avait bien servi dans cette croisade contre l'ordre social, et contribué efficacement à son effondrement prochain.

Bientôt, toutefois, des événements terribles chez Channing Manheim allaient défrayer la chronique. Les autorités allaient déployer tous leurs moyens pour connaître l'identité de l'homme qui avait envoyé ces étranges colis noirs.

La simple logique mènerait leurs pas vers les morgues publiques et privées, afin de déterminer d'où provenaient ces dix prépuces. Si les soupçons se portaient sur Castevet, il risquait de désigner Laputa pour sauver sa peau.

Les anarchistes ne se vouaient aucune fidélité entre compagnons d'armes – ce qui était bien la moindre des choses pour des archanges du chaos.

Et Laputa avait d'autres maillons faibles à éliminer avant de pouvoir lancer les festivités de Noël.

Puisqu'il avait enfilé des gants de latex avant l'arrivée de Castevet, caché au regard de sa victime par les grandes manches de son ciré, Laputa aurait pu laisser le pic à glace sur les lieux sans craindre que l'on puisse relever ses empreintes. Néanmoins, il le retira de la plaie et le remisa dans sa poche, non seulement parce qu'il pouvait de nouveau en avoir l'usage, mais aussi parce que, dorénavant, l'instrument avait, à ses yeux, une valeur sentimentale.

En quittant la morgue, il salua amicalement les gardiens de nuit. Ces gens avaient un travail ingrat... protéger les morts des vivants. Laputa prit même le temps de plaisanter avec eux et de leur raconter une petite blague obscène sur un avocat et un poulet.

Il n'y avait guère de chance que les gardiens puissent faire une description précise de son visage. Avec son chapeau à larges bords et son ciré immense, Laputa constituait un personnage excentrique dont on se souviendrait davantage du costume que des traits.

Plus tard, tout en savourant un cognac, Laputa brûlerait, dans sa cheminée, sa fausse carte de médecin d'Indianapolis. Il avait encore, au besoin, bien d'autres fausses identités en réserve, avec toutes les pièces justificatives.

Il retrouva la nuit et la pluie.

L'heure était venue de faire sortir de scène Rolf Reynerd, qui s'était révélé finalement aussi mauvais à la ville que sur un plateau de sitcom.

27.

Si le *Daily Variety* avait rapporté le dîner ce lundi du fils de Manheim, le titre de l'article aurait été : AU MENU : POULET-FRIC !

La volaille avait été arrosée d'huile d'olive, saupoudrée de sel, de poivre et d'une décoction délicieuse d'herbes aromatiques, appelée sur les terres du Palazzo Rospo le « Mcmélange » en hommage à son inventrice, Mrs. McBee, dont elle seule connaissait le secret de fabrication. Pour accompagner le poulet, il y avait des pâtes nappées, non pas de sauce tomate, mais d'un beurre de basilic, avec pignons et copeaux de parmesan.

Mr. Hachette, le chef et la terreur des cuisines, digne descendant de Jack l'Éventreur, ne travaillait pas les dimanches et lundis – sans doute occupait-il ses temps libres à torturer des femmes innocentes, jeter des chats enragés dans les landaus, ou s'adonner à Dieu savait quelles autres activités impies.

Mr. Baptiste, le gentil cuisinier, était de congé les lundis et mardis ; de sorte que les lundis, c'était « relâche » en cuisine, pour reprendre le jargon du milieu. Mrs. McBee avait donc préparé ce délice elle-même.

Sous la lueur tamisée des appliques électriques déguisées en lampes à pétrole antique, Fric mangea dans la cave à vin, seul à la grande table de réfectoire, dans le décor raffiné de la salle de dégustation, où l'on pouvait contempler, derrière une paroi de verre isolante, les alignements de grands crus. De l'autre côté de la vitre, un labyrinthe renfermant quatorze mille bouteilles de cabernet sauvignon, merlot, pinot noir, porto et bourgognes et aussi « quelques jéroboams de sang de critiques, une cuvée spéciale très aigre et acide, totalement imbuvable ! », comme disait son père.

Ah ! ah ! ah !

Lorsque papa-fantôme était à la maison, ils dînaient dans la salle à manger, sauf si les invités – amis, associés et divers conseillers personnels du paternel, tels que son mentor spirituel ou son professeur de chiromancie – n'appréciaient pas d'avoir à leur table un gamin de dix ans qui écoutait leur conversation en roulant des yeux à chaque gros mot.

En l'absence du père – autrement dit la plupart du temps –, Fric pouvait choisir de dîner où bon lui semblait, et pas uniquement dans ses appartements.

Lorsque le temps le permettait, il soupait dehors, à côté de la piscine, savourant le silence. Quand son père était présent, un bataillon de starlettes à demi nues occupaient les pourtours du bassin, toutes sottes et gloussantes, et venaient l'assaillir de questions : quelle était sa matière préférée à l'école, le plat qu'il aimait, sa couleur favorite, son acteur fétiche...

Elles essayaient toujours d'extorquer à Fric de la Ritaline ou des antidépresseurs. Il avait beau leur dire que les seuls médicaments qu'il prenait étaient contre l'asthme, rien n'atténuait leurs ardeurs.

Si la piscine n'avait pas ses faveurs, Fric pouvait s'installer dans la roseraie, à une table dressée de porcelaine délicate et d'argenterie fine, son inhalateur à portée de main, dans le cas où le pollen déclencherait une crise d'asthme.

Parfois, il mangeait sur un plateau, dans l'un des soixante fauteuils de la salle de projection dont la décoration, récente, reprenait le style Art déco du cinéma Pantages de Los Angeles.

La salle pouvait projeter tous les formats – film 35 ou 70 mm, cassettes vidéo, DVD, télévision – sur un écran plus grand que ceux équipant la plupart des salles multiplex.

Pour visionner des vidéos ou des DVD, Fric n'avait pas besoin de l'assistance d'un projectionniste. Assis au milieu de la salle, à côté de la console de commande, il pouvait s'organiser ses propres séances de cinéma.

Mais pas question de voir un film où jouait son père !

Ce n'étaient pas des navets. Certains étaient nuls, bien sûr; aucune star ne tournait uniquement des chefs-d'œuvre. Mais il y en avait des bons, des sympas. Certains mêmes étaient à couper le souffle.

Mais si jamais on surprenait Fric à regarder un film de son paternel, tout seul dans une salle de projection, il serait élu le plus grand crétin de l'année, ou même de la décennie. Voire du siècle ! Le club des « losers pathétiques » lui offrirait une carte de membre à vie.

Mr. Hachette, le chef psychopathe issu d'un croisement entre la créature de Frankenstein et Dracula, ne se gênerait pas pour lui ricaner au nez et se moquer de la constitution chétive de Fric comparée aux biscotos de son géniteur.

Et pourtant, Fric s'installait parfois dans l'un des soixante fauteuils de la salle de projection, sous le dais Art déco du plafond, dont les dorures et les festons s'épanouissaient dix mètres au-dessus de sa tête, et visionnait un film du paternel sur l'écran monumental, se laissant baigner par le son Dolby surround.

Il choisissait certains films pour l'histoire, même s'il les avait vus de nombreuses fois. Il en regardait d'autres pour les effets spéciaux.

À chaque fois qu'apparaissait son père à l'écran, Fric tentait de décrypter ce qui faisait le charme et le talent particuliers de Channing Manheim et qui déchaînait l'amour des foules à travers toute la planète.

Dans les bons films, de tels moments de grâce étaient légion. Même dans les plus nuls des navets, il y avait toujours des scènes où l'on ne pouvait s'empêcher d'être touché ou charmé par Manheim, de l'admirer, de rêver de l'avoir pour mari ou amant.

Les critiques, faisant référence aux meilleurs passages, disaient que son père était magique. « Magique » était un mot un peu puéril, du vocabulaire de midinettes en pâmoison, et pourtant, ce n'était pas loin de la vérité.

Sur l'écran, Manheim paraissait plus charismatique, plus rayonnant que tout autre être humain.

Cela n'avait rien à voir avec la taille de l'écran, ni avec le talent du directeur de la photo. Ni avec le génie du metteur en scène, dont le QI, bien souvent, ne dépassait pas celui de l'huître ; ni encore avec les retouches numériques. La plupart des acteurs, y compris parmi les stars, n'avaient pas l'aura de Manheim même quand ils avaient les meilleures équipes d'Hollywood pour les bichonner.

Lorsque papa-fantôme apparaissait sur l'écran, il semblait un être supérieur, qui savait tout, avait tout vu, tout compris. Il était plus sage, plus tendre, plus drôle, plus courageux que le commun des mortels – passés, présents et à venir. Comme s'il vivait dans six dimensions alors que trois suffisaient amplement au reste de l'humanité.

Fric s'était passé certaines scènes en boucle, des centaines de fois, jusqu'à ce qu'elles finissent par se confondre avec la réalité, qu'elles deviennent des souvenirs d'une vie commune avec son père.

De temps en temps, lorsqu'il allait se coucher, assommé de sommeil mais incapable de sombrer dans les bras de Morphée, ou alors qu'il s'éveillait au beau milieu de la nuit, sortant d'un rêve ou d'un cauchemar, ces scènes de films avec son père semblaient parfaitement réelles. Elles s'étaient enracinées dans son esprit, non pas comme des extraits de films mais comme des éléments inhérents à sa propre vie... des *souvenirs*.

Ces rêveries éveillées, ces mirages, comptaient parmi les moments les plus heureux de son existence.

Bien sûr, s'il s'était confié à quelqu'un de cette faiblesse, le Club des « Losers pathétiques » lui aurait érigé une statue de dix mètres de haut, reproduisant avec une minutie fidèle ses cheveux en épis, son cou gracile, et ils l'auraient plantée à côté du célèbre panneau HOLLYWOOD sur la colline.

Ce lundi soir, même si Fric aurait préféré dîner dans la salle de projection en regardant son héros de père punir une horde de gros méchants et sauver un orphelinat entier, il prit son repas dans la cave à vin parce qu'à cause des préparatifs de Noël, c'était le seul endroit de la maison où il pouvait jouir d'une relative intimité.

Miss Sanchez et Miss Norbert, les femmes de chambre à demeure au Palazzo Rospo, étaient en congés depuis dix jours. Elles ne seraient de retour que le jeudi 24 décembre au matin.

Mrs. et Mr. McBee seraient absents le mardi et le mercredi pour fêter Noël avant l'heure avec leur fils dans leur famille à Santa Barbara. Eux aussi reviendraient au Palazzo Rospo le 24 décembre, pour s'assurer que leur patron, la plus grande star de cinéma de la planète, serait accueilli avec toute la pompe qu'il se doit lorsque, l'après-midi, il débarquerait de Floride.

Par conséquent, ce lundi soir, les quatre autres femmes de chambre et les portiers faisaient des heures supplémentaires, sous la houlette des McBee; en renfort, la propriété accueillait une équipe de nettoyage, spécialisée dans la rénovation des sols de marbre et d'albâtre, une brigade de décorateurs d'intérieur comptant huit personnes, ainsi qu'un conseiller feng shui, appelé d'urgence, qui devait veiller à ce que la disposition des sapins de Noël, guirlandes et autres ornements de circonstance, ne perturbe pas les flux d'énergie de la grande maison.

Une ruche en folie.

Loin du bourdonnement des lustreuses et des rires des

poseurs de guirlandes, Fric avait trouvé refuge sous terre, dans la cave à vin paternelle. Dans le cocon de ces murs de brique, sous le plafond voûté, les seuls sons audibles étaient ceux de sa mastication et le tintement de sa fourchette sur l'assiette.

Et puis soudain : *oudili-oudili-ou !*

Assourdie, mais reconnaissable, la sonnerie du téléphone, au fond d'un tonneau, se mit à carillonner.

La température de la salle de dégustation étant trop élevée pour la conservation du vin, les tonneaux et bouteilles dans la pièce étaient factices et purement décoratifs.

Oudili-oudili-ou !

Couvrant un mur du sol au plafond, d'énormes tonneaux empilés, couchés à plat les uns sur les autres, servaient de casiers de rangement, grâce à leurs fonds escamotables qui s'ouvraient comme des portes de placard. Certains tonneaux étaient équipés d'étagères, sur lesquelles étaient entreposés verres, napperons, tire-bouchons et autres accessoires de dégustation. Quatre tonneaux renfermaient des télévisions, permettant à l'amateur de vin de suivre plusieurs programmes en même temps.

Oudili-oudili-ou !

Fric ouvrit le tonneau où se trouvait le téléphone ; on l'appelait sur sa ligne privée. Il décrocha et salua son interlocuteur par son habituel « Bonjour, ici boucherie Sanzot et culture d'asticots !

— Bonjour Aelfric

— Et vous, vous avez un nom ?

— Joker.

— C'est le prénom ou le nom de famille ?

— Les deux. Alors, tu te régales ?

— Je ne suis pas en train de manger.

— Je t'ai déjà dit qu'il ne fallait pas mentir, Aelfric.

— Je sais, cela ne m'attirera que des problèmes.

— Tu dînes souvent ainsi dans la cave ?

— Je suis dans le grenier.

— Cesse de mentir, mon garçon. Tu vas avoir assez d'ennuis comme ça, inutile d'en rajouter.

— Dans le milieu du cinéma, répliqua Fric, les gens mentent à longueur de journée, et c'est comme ça qu'ils font fortune.

— Parfois le retour de bâton est violent, lui assura le Mystérieux Inconnu. Le plus souvent, cela met une vie entière à arriver, mais tu peux être certain qu'à la fin, cela se produit, et alors c'est un vrai raz-de-marée qui détruit tout.

Fric resta silencieux.

L'inconnu l'imita.

Finalement, ce fut Fric qui céda le premier.

— Je dois reconnaître que vous me fichez les jetons. *Ça* c'est la vérité.

— Parfait. Nous progressons, Aelfric.

— J'ai trouvé un endroit où je peux me cacher.

— Tu parles de la pièce secrète au fond de la penderie ?

Fric n'imaginait pas qu'autant de petites bêtes grouillantes pouvaient loger dans ses os. Il les sentit, d'un coup, galoper en tous sens dans sa moelle, en bataillons affolés.

Le Mystérieux Inconnu ajouta :

— Le caisson avec ses murs d'acier et les crochets au plafond... c'est vraiment là que tu espérais te cacher ?

28.

L'esprit (mais non la conscience) tout entier accaparé par la nécessité du meurtre, Corky Laputa quitta la morgue et son lot de morts sans nom et traversa la ville battue par la pluie nocturne.

Tout en conduisant, il songeait à son père, peut-être parce que Henry James Laputa avait gâché sa vie aussi radicalement que les vagabonds et les jeunes fugueurs qui reposaient sur les rayonnages de la chambre froide.

La mère de Corky, économiste de formation, croyait avec ferveur aux vertus de l'envie et au pouvoir de la haine. Tout son être était consommé par le feu de ces deux passions. Et elle portait l'aigreur et la rancune sur sa tête comme une couronne de lauriers.

Pour son père, l'envie était un simple moteur dans l'existence, un catalyseur accélérant les réactions. Sa convoitise intarissable se mua inévitablement en une haine chronique et générale pour son prochain, mais ce n'était là qu'un effet secondaire de sa jalousie.

Henry James Laputa était professeur de littérature, ainsi que romancier, rêvant de gloire et de reconnaissance.

Ses sujets d'envie étaient tous les écrivains célèbres du moment. Avec une diligence ardente, il jalousait le moindre éloge fait à leur égard, le moindre article dithyrambique, les honneurs et les prix qu'on leur attribuait. Chaque best-seller qu'ils publiaient était un tison brûlant planté dans ses entrailles.

Ainsi éperonné, il produisait des romans emplis de fiel et de rancœur, destinés à faire passer les œuvres de ses confrères pour du babillage insipide. Son but était d'humilier les autres écrivains, susciter chez eux plus de jalousie encore qu'il n'en éprouvait, lui, à leur égard. C'était à ce seul prix qu'il pouvait oublier ce feu qui le rongeait et tirer plaisir de ses propres réalisations.

Il était convaincu qu'un jour, ces tâcherons seraient si envieux de son talent qu'ils perdraient tout plaisir à écrire.

Quand ces gens seraient rongés par la jalousie, désespérés et honteux de voir leurs efforts pathétiques de littérateurs réduits à des cendres mourantes comparées au feu resplendissant de son talent unanimement reconnu, alors Henry James Laputa connaîtrait le bonheur, la satisfaction du devoir accompli.

Année après année, toutefois, ses romans, à leur sortie, recevaient des éloges mollassons, et la plupart de ces louanges en demi-teinte provenaient de critiques de seconde zone. Les honneurs, tant attendus, ne vinrent jamais. La gloire qui lui était due ne fut pas au rendez-vous. Son génie resta ignoré – *volontairement* ignoré.

En effet, il s'aperçut que nombre de ses confrères le traitaient avec condescendance, une façon de lui montrer qu'ils faisaient tous partie d'un club dont il serait toujours exclu. Ils reconnaissaient son talent supérieur, mais ils conspiraient dans son dos pour le spolier de la part de gloire qui lui revenait, car ils voulaient garder tout le gâteau pour eux.

Le gâteau ! Henry Laputa comprit que même dans le domaine de la littérature, le dieu des dieux était l'argent. C'était là le cadavre caché dans leur placard ! Ils s'échangeaient des prix, parlaient art et création, mais ne visaient qu'un seul et unique but : devenir riche.

Cette cupidité du milieu littéraire était l'engrais, l'eau et le soleil au jardin de la haine d'Henry Laputa. Les fleurs noires de l'acrimonie y poussaient tel du chiendent.

Frustré par leur obstination à ne pas reconnaître sa valeur, Henry Laputa décida, un jour, d'écrire un roman dont le succès commercial les ferait pâlir d'envie. Il pensait connaître tous les ingrédients nécessaires à une bonne histoire, les multiples emplois du sentimentalisme à l'eau de rose qui avait assuré le succès d'un besogneux comme Dickens auprès d'une foule d'ignares. Il allait écrire une histoire irrésistible, gagner des millions et regarder ces confrères pompeux en baver de jalousie.

Ce récit commercial trouva un éditeur, mais point son public. Les royalties furent maigrelettes. Au lieu de le couvrir d'or, ce fut un ramassis d'immondices qui se répandit sur lui, ce qu'était justement son roman, au dire d'un grand critique.

Au fil des ans, la haine de Henry Laputa se cristallisa en un point dense de méchanceté pure. Il nourrissait et chérissait cette malignité comme une orchidée rare, tant et tant que la fleur de venin se chargea d'une rancœur aussi implacable et virulente qu'une tumeur du pancréas.

À cinquante-trois ans, alors qu'il faisait un discours plein de fiel et d'aigreur devant un public d'universitaires apathiques lors du congrès annuel de la Modern Language Association, Henry James Laputa fut victime d'une crise cardiaque. Il tomba, foudroyé, avec une telle autorité que certains membres de son auditoire crurent que Laputa avait choisi cette figure de style en point d'orgue à son discours ; il y eut quelques applaudissements dans la salle avant que l'on s'aperçoive qu'il ne s'agissait pas d'une simulation.

Corky Laputa tira grand enseignement de l'exemple de ses parents. Il avait compris que la jalousie ne pouvait être un moteur fiable dans l'existence. Et que l'optimisme et la joie de vivre ne pouvaient résister au travail de sape d'une haine bien ajustée.

Il avait appris également à se méfier des lois, des idéaux et des arts.

Sa mère avait cru dans les lois économiques et les mirages du marxisme. Elle avait fini sa vie acariâtre et aigrie, sans espoir ni but, presque soulagée d'être bastonnée à mort par son propre fils à coups de tisonnier.

Le père de Corky pensait pouvoir se servir de l'art comme d'un marteau pour soumettre le monde à sa volonté. Mais le monde tournait toujours, et le paternel était redevenu poussière, ses cendres dispersées dans l'océan, comme s'il n'avait jamais existé.

Le Chaos.

Voilà la seule force de l'Univers à laquelle on pouvait se fier et Corky Laputa avait décidé d'être son champion, de la défendre avec tant d'ardeur qu'un jour ses efforts seraient récompensés.

Il traversait la cité scintillante, à travers la nuit diluvienne, direction West Hollywood, pour trouver Rolf Reynerd, un pion auquel on ne pouvait se fier et qu'il fallait retirer de l'échiquier.

Le pâté de maisons où habitait Reynerd était interdit à la circulation par des barrages de police. Des agents en cirés noirs, rayés de bandes jaunes fluorescentes, déviaient les voitures.

Les feux bicolores des gyrophares tissaient dans la nuit des écheveaux évanescents de pluie, dessinant sur le sol détrempé des motifs de sinistre augure.

Laputa dépassa le cordon de police et se gara deux cents mètres plus loin.

Peut-être l'agitation qui régnait dans la rue était-elle sans rapport avec l'acteur ? Mais un pressentiment l'assurait du contraire...

Laputa n'était pas inquiet outre mesure. Quel que soit l'imbroglio dans lequel s'était fourré Reynerd, il trouverait un moyen d'accomplir sa mission. Le trouble et le tumulte étaient ses amis ; il était certain d'être, à l'autel du chaos, l'un des favoris.

29.

Fric eut l'impression qu'un fluide magique l'avait soudain transformé en brique, comme le sol, les murs et le plafond voûté de la pièce où il se trouvait.

— La chambre secrète au fond de la penderie n'est pas aussi secrète que tu le penses, Aelfric, reprit le Mystérieux Inconnu, de sa voix douce. Tu n'y seras pas en sécurité quand Robin Goodfellow vous rendra visite.

— Qui ça ?

— Avant, je le surnommais la Bête en Jaune. Il se fait passer pour un Robin Goodfellow des temps modernes, mais il est plus sombre que ça. Il me fait plutôt penser à Moloch, avec des bouts d'os de bébés coincés entre les dents.

— Il doit lui falloir du fil dentaire sacrément solide, répliqua Fric par bravade, sans pouvoir dissimuler un trémolo de terreur dans la voix.

Il enchaîna aussitôt, espérant que le Mystérieux Inconnu n'avait pas perçu sa peur :

— Robin Goodfellow, Moloch, des os de bébés... je ne comprends rien.

— Tu as une grande bibliothèque chez toi, n'est-ce pas ?

— Ouais.

— Il doit y avoir, forcément, un bon dictionnaire dans cette bibliothèque.

— On en a des rayonnages entiers, répondit Fric. Pour montrer aux invités à quel point on est cultivés.

— Alors ouvre-les. Apprends qui est ton ennemi, prépare-toi à l'inéluctable, Aelfric.

— Pourquoi ne me dites-vous pas simplement ce qui va arriver ? Ce serait plus simple et rapide.

— Ce n'est pas en mon pouvoir. Je n'ai pas l'autorisation d'une action directe.

— Vous n'êtes donc pas James Bond.

— Je ne peux agir qu'avec discrétion et de façon indirecte. Par l'encouragement, l'incitation, l'intimidation, la cajolerie, le conseil. J'influence le cours des événements uniquement par des moyens détournés, furtifs et subliminaux.

— Vous êtes une sorte d'avocat ou quelque chose de ce genre ?

— Tu es une jeune personne très attachante, Aelfric. Je serais vraiment triste de te voir vidé de tes entrailles et crucifié au portail du Palazzo Rospo.

Fric faillit raccrocher.

Sa paume, refermée sur le combiné, devint moite.

Il s'attendait à ce que l'homme au bout du fil perçoive l'odeur astringente de cette transpiration et fasse des commentaires désobligeants.

Fric revint au sujet de la discussion : trouver un endroit sûr.

— Nous avons une *panic room* dans la maison, annonça-t-il d'une voix qui se voulait assurée, en faisant référence au bunker high-tech censé protéger ses occupants des kidnappeurs et des terroristes les plus déterminés.

— La maison est si grande qu'il y a deux *panic room*, rectifia le Mystérieux Inconnu. Les deux sont connues de Moloch, et aucune d'elles ne pourra te protéger ce soir-là.

— Et ce grand soir, c'est pour quand ?

De but en blanc, l'inconnu déclara :

— C'est un ancien coffre à fourrures, tu le savais.

— Un quoi ?

— Il y a longtemps, tes jolies petites pièces étaient occupées par la mère de l'ancien propriétaire.

— Comment savez-vous quelles pièces me sont réservées ?

— Elle avait une collection de manteaux de fourrure, poursuivit-il, en ignorant la question. Des visons, des zibelines, des renards polaires, des renards bleus, des chinchillas.

— Vous la connaissiez ?

— Cette pièce tapissée d'acier était destinée à mettre ces manteaux à l'abri des voleurs, des mites et des rongeurs.

— Vous avez habité la maison ?

— Le coffre à fourrures est un mauvais endroit pour avoir une crise d'asthme...

Abasourdi, Fric bredouilla :

— Comment vous pouvez savoir ça ?

— ... mais ce serait un endroit pire encore pour se faire piéger quand Moloch viendra. Le temps presse, Aelfric.

La communication fut coupée. Fric resta immobile dans la pièce, seul, mais certain d'être épié.

30.

Le ciel aurait eu beau déverser un déluge de crapauds crochus, le vent menacer d'arracher la peau et les yeux des imprudents s'aventurant à découvert, aucun cataclysme sur terre n'aurait pu empêcher les gens de s'attrouper devant un accident ou un meurtre spectaculaire. L'attrait du frisson et des commérages était trop fort. Par comparaison, la pluie de décembre était un temps de pique-nique printanier pour cette foule qui se repaissait du malheur d'autrui comme d'autres se repaissent d'exploits de base-ball.

Sur la pelouse devant un petit immeuble, contenus de l'autre côté du carrefour par un cordon policier, une trentaine d'habitants du quartier s'étaient rassemblés pour amplifier la rumeur et propager des détails sanglants. La plupart était des adultes, mais on voyait des enfants gambader dans les rangs.

La majorité de ces vautours des temps modernes était équipée d'imperméables ou de parapluies. Deux jeunes hommes, toutefois, étaient torse nu et nu-pieds. Ils semblaient insensibles au froid, imprégnés qu'ils étaient d'une marinade de substances illicites, comme deux tranches de saumon cuites dans le citron.

Un air de carnaval semblait planer sur cet attroupement. Il ne manquait plus que les pétards et les chars.

Tout chatoyant en jaune vif, Corky Laputa se faufilait parmi les badauds, comme une abeille silencieuse, butinant çà et là son pollen. De temps en temps, pour s'attirer la sympathie et délier les langues, il offrait de son miel enfiellé, inventant des détails horribles qu'il disait avoir entendus de la bouche d'un policier de l'autre côté de la rue.

Rapidement, il apprit que Rolf Reynerd avait été tué.

Suivant les dires de ces charognards du dimanche, la victime se prénommait Ralph, Rafe, Dolph, Randolph. Parfois même Bob.

Mais ils étaient sûrs que le nom de famille était Reinhardt ou Kleinhard, ou encore Reiner comme le réalisateur, ou bien

Spielberg, comme l'autre célèbre réalisateur. À moins que ce fût Nerdoff, ou Nordoff.

L'un des types torse nu prétendait que tout le monde se mélangeait les pinceaux, et faisait un méli-mélo entre le prénom, le nom et le surnom. Selon ce prince de la déduction, le mort s'appelait Ray « the Nerd[1] » Rolf.

Tous, toutefois, s'accordaient à dire que le pauvre gars était un acteur en passe de devenir une grande star. Il venait de terminer un film où il incarnait le meilleur ami de Tom Cruise, ou son petit frère. La Paramount ou Dreamworks l'avait engagé pour être la covedette avec Reese Witherspoon. La Warner lui offrait le rôle-titre de la nouvelle série des Batman, Miramax le voulait pour jouer le personnage d'un shérif transsexuel, dans un drame psychologique sur l'homophobie qui régnait au Texas dans les années quatre-vingt, et enfin Universal espérait lui faire signer pour dix millions de dollars deux films qu'il allait écrire et mettre en scène.

À l'évidence, en ce nouveau millénaire, au vu de l'imagination populaire des habitants de ce côté glamour de Los Angeles, la mort ne pouvait faucher dans leur envol que les riches et les célébrités ; un pauvre type sans avenir ne mourrait jamais jeune. C'était une loi universelle.

Peut-être le tueur de Ray « the Nerd » Rolf était-il également un acteur sur le point d'accéder au firmament des stars – c'est du moins ce qui se disait. Une chose était avérée. Personne n'avait la moindre idée du nom du meurtrier et, par conséquent, aucune version déformée n'avait été propagée.

De toute évidence, l'assassin était mort aussi. Son corps gisait par terre à proximité de l'immeuble de Rolf.

Deux paires de jumelles circulaient dans les rangs de l'assistance. Corky Laputa en emprunta une pour examiner le meurtrier apparent de Rolf.

Dans la pénombre et la pluie, malgré le fort grossissement des lentilles, il ne put identifier le cadavre étendu dans l'herbe.

Les enquêteurs de la police scientifique, les bras chargés d'instruments et d'appareils photo, s'activaient autour de la dépouille. Dans leurs cirés noirs, ils ressemblaient à un groupe de corbeaux curant une charogne.

Dans toutes les versions de l'histoire, un point semblait irréfutable : le tueur avait été abattu par un policier. Le flic passait dans la rue au bon moment, par pur hasard, ou alors

1. « Le crétin » *(N.d.T.)*

il habitait le même immeuble que la victime, ou encore il venait y rendre visite à sa petite amie ou à sa mère.

Quoi qu'il ait pu se passer ici ce soir, cela ne remettait pas en cause les projets de Laputa ni ne dirigerait les soupçons sur lui. Personne ne connaissait ses liens avec Reynerd.

Et il avait toutes les raisons de croire que Reynerd, de son côté, avait été aussi discret que lui. Ils avaient perpétré ensemble des crimes, en avaient d'autres en préparation. L'un et l'autre n'avaient rien à gagner – et tout à perdre – à révéler leurs activités.

Reynerd était stupide mais pas fou. Pour impressionner une femme ou ses idiots de copains, il pouvait être tenté de révéler qu'il avait fait occire sa mère ou qu'il était associé dans une conspiration sanglante impliquant la plus grande vedette de cinéma de la planète, mais cela resterait au niveau du fantasme. Plutôt que de raconter la vérité, il opterait pour un joli mensonge.

Même si Ethan Truman, incognito, était venu ici plus tôt dans la journée, les probabilités pour que les autorités fassent un lien entre la mort de Reynerd et les six colis noirs envoyés à Channing étaient minimes.

En sa qualité d'apôtre de l'anarchie, Laputa savait que le chaos régissait le monde et que dans le tohu-bohu cacophonique du quotidien, des coïncidences aussi improbables pouvaient se produire. De tels synchronismes illusoires incitaient des êtres plus sommaires à y voir des signes du destin, une signification occulte, un message de la vie.

Laputa avait construit son futur, et toute son existence, sur le fait que la vie n'avait pas de sens. Il avait lourdement investi dans le chaos et il n'allait pas tout brader à cause de ce petit incident de parcours.

Reynerd rêvait non seulement de devenir une superstar mais d'être un méchant garçon – et les méchants garçons s'attirent toujours des ennemis. Plus pour le frisson que pour l'argent, il était devenu dealer de drogue pour le compte de gens du cinéma – principalement cocaïne, méthadone et ecstasy.

Sans doute des gars plus méchants que le petit Reynerd avaient jugé qu'il empiétait sur leurs plates-bandes. Une balle dans la tête lui avait fait quitter le terrain de jeu.

Laputa avait besoin d'éliminer Reynerd.

La cause du chaos l'exigeait.

Une obligation structurelle. Rien de personnel.

Il était l'heure de passer à la phase suivante.

Et aussi de dîner. Hormis la barre chocolatée dans la

voiture et deux laits chauds au centre commercial, Laputa n'avait rien mangé depuis le matin.

Les bons jours, la satisfaction du travail accompli suffisait à le rassasier, et il sautait souvent le déjeuner. Mais aujourd'hui, après une journée entière de rude labeur, il avait l'estomac dans les talons.

Cependant, l'appel du chaos fut le plus fort. Comment résister à la tentation que représentaient ces enfants innocents qui s'ébattaient parmi la petite foule ?

Ils avaient entre six et huit ans. Même si certains n'étaient guère habillés pour le froid et la pluie, tous jouaient et s'égosillaient comme des pétrels, s'amusant dans les bourrasques.

Hypnotisés par les gyrophares des policiers et des ambulances, les adultes ne prêtaient plus attention à leur progéniture. Les gamins savaient que tant qu'ils jouaient sur la pelouse, derrière leurs aînés, et ne faisaient pas trop de chahut, on leur ficherait une paix royale.

À cette époque de paranoïa aiguë, un inconnu n'offrait plus jamais un bonbon à un enfant. Même le plus crédule des bambins foncerait tout droit chez les flics en hurlant à pleins poumons sitôt la sucette sortie de la poche du quidam.

Laputa n'avait pas de sucettes, mais il ne voyageait jamais sans sa réserve spéciale de caramels mous…

Il attendit que les gosses regardent ailleurs pour sortir le sachet de friandises de l'une des poches intérieures de son ciré. Il le laissa tomber à un endroit où il était sûr que les enfants le retrouveraient quand leurs jeux les entraîneraient dans cette direction.

Il n'avait pas mis de poison dans les caramels ; mais un puissant hallucinogène. La terreur et le désordre pouvaient être semés dans la société par des moyens plus subtils que la souffrance pure.

La quantité de drogue insérée dans le bonbon était réduite ; même si le petit gourmand en mangeait six d'affilée, il ne risquait pas l'overdose. Mais dès le troisième caramel ingurgité, les visions cauchemardesques allaient commencer.

Laputa s'attarda parmi les adultes, surveillant discrètement les enfants ; enfin, deux fillettes trouvèrent le sachet. Comme toutes petites filles modèles, elles partagèrent aussitôt leur butin avec les quatre garçons.

Ce produit, s'il n'était pas consommé avec un puissant antidépresseur comme le Prozac, provoquait des hallucinations si horribles qu'elles finissaient par ébranler la santé mentale des utilisateurs. Les gosses, sous peu, allaient voir des gueules, bardés de crocs et des langues de serpent, s'ouvrir dans le sol pour les avaler, ou croire que des petits *aliens* allaient jaillir de leur poitrine, et que tous leurs parents s'apprêtaient à leur arracher les bras et les jambes. Même lorsque les effets se seraient dissipés, ce souvenir viendrait les hanter pendant des mois, peut-être des années.

Après avoir ainsi semé ses petites graines du chaos, Laputa regagna sa voiture, sous la fraîcheur vivifiante de la nuit et les trombes d'eau.

S'il était né au dix-neuvième siècle, Corky Laputa aurait suivi la trace ancienne de Johnny Pépin-de-pomme, pour empoisonner, les uns après les autres, tous les pommiers que le fructiculteur avait plantés sur le Nouveau Monde.

31.

Si Fric avait pensé que la cave à vin était hantée ou que des gargouilles habitaient ses recoins, le garçon aurait dîné dans son lit.

Il se leva sans hésitation.

Le joint de caoutchouc, assurant l'étanchéité de la porte de verre dans la paroi vitrée, se décolla avec un bruit d'aspiration rappelant le *pop!* émis lors de l'ouverture d'une boîte de cacahuètes sous vide.

Le garçon quitta la salle de dégustation pour pénétrer dans les réserves proprement dites, là où la température était constamment maintenue à 13 °C.

Conserver quatorze mille bouteilles exigeait de nombreux casiers de rangement – une multitude labyrinthique, à vrai dire. Les rayonnages n'étaient pas simplement alignés comme des gondoles de supermarché. Ils constituaient un dédale de briques fait de passages voûtés reliant une litanie d'alcôves circulaires.

Quatre fois par an, toutes les bouteilles de la collection étaient tournées d'un quart de tour – quatre-vingt-dix degrés. Cela évitait au bouchon de se dessécher et permettait aux sédiments de se déposer au fond de la bouteille.

Les deux portiers, Mr. Worthy et Mr. Phan, ne pouvaient tourner les bouteilles que pendant quatre heures par jour – l'ennui inhérent à cette tâche, le soin qu'il fallait y apporter et la pénibilité de ces gestes répétitifs qui endolorissaient la nuque et les épaules imposaient un temps de travail limité. Un homme, au cours d'une séance de quatre heures, pouvait tourner entre mille deux cents et mille trois cents bouteilles.

Dans l'air froid que pulsaient les évents ménagés dans les voûtes, Fric suivit un corridor étroit tapissé, du sol au plafond, de pinot noir, emprunta ensuite un passage plus large abritant des cabernet, contourna une grotte regorgeant de Lafite-Rothschild de divers millésimes, poursuivit son périple dans le tunnel des merlot, à la recherche d'une cachette sûre pour le soir de l'Armageddon.

Arrivé dans une salle ovale abritant des bourgognes, Fric crut entendre des bruits de pas derrière lui, quelque part dans le labyrinthe. Il se figea, l'oreille aux aguets.

Plus rien. Juste le bruissement de l'air frais, entrant mollement dans la salle par un corridor et ressortant par un autre.

Le vacillement des fausses lampes à pétrole – pour certaines en appliques murales, pour d'autres en suspension – projetait des reflets changeants de lumières sur les briques et les casiers. Ces mouvements à la fois naturels et étranges pouvaient avoir généré une hallucination auditive.

C'était sans doute l'explication.

Un peu moins hardi que précédemment, Fric continua son périple, en jetant de temps en temps des regards derrière lui.

Les caves à vin, d'ordinaire, étaient des antres poussiéreux, où les bouteilles se couvraient, avec le temps, d'un voile gris du plus bel effet.

Mais le père de Fric avait une sainte horreur de la poussière. Pas le moindre grain en ce sanctuaire. Les domestiques, avec un soin méticuleux, passaient l'aspirateur dans les casiers une fois par mois, en veillant à ne déranger aucune bouteille ; les murs, le sol et le plafond faisaient l'objet du même traitement.

Çà et là, dans les coins, ou dans les cintres enténébrés des voûtes, on distinguait de délicates toiles d'araignée. Certaines toutes simples, d'autres de véritables chefs-d'œuvre.

Aucun propriétaire à huit pattes de ces édifices n'était visibles. Les araignées n'étaient pas les bienvenues.

Les femmes de ménage, pendant leur travail, passaient au large de ces constructions, qui avaient été confectionnées non par des arachnides mais par un décorateur de papa-fantôme. Toutefois, avec le temps, les ouvrages se détérioraient. Deux fois par an, Mr. Knute, l'orfèvre en question, installait de nouvelles toiles factices.

En revanche, le vin était authentique.

Tout en progressant dans ce labyrinthe, Fric se demanda combien de temps son père pourrait rester ivre avant d'épuiser les réserves de cette caverne d'Ali Baba.

Quelques hypothèses de départ, cependant, s'imposaient ; la première étant que son père dormait huit heures par nuit. Saoul, il dormirait sans doute plus longtemps ; toutefois, par souci de simplicité, il décida de conserver arbitrairement cette durée. Huit heures.

Il fallait également supposer qu'un adulte, pour ne pas dessaouler, devait consommer une bouteille de vin toutes les trois heures. Pour amorcer la griserie, la première bouteille devait être bue en une heure ou deux, mais après ce coup de « starter », une toutes les trois heures suffisait pour entretenir la griserie.

En fait, cela n'avait rien d'une supposition; c'était une observation. Fric avait, en de nombreuses occasions, vu à l'œuvre des acteurs, des écrivains, des rock-stars, des réalisateurs et autres soiffards célèbres amateurs de bons vins; ceux qui vidaient plus d'une bouteille toutes les trois heures, s'endormaient sans coup férir.

Parfait. Cinq bouteilles pour seize heures de veille quotidienne. Il suffisait de diviser quatorze mille par cinq. Deux mille huit cents jours.

Les réserves de ce cellier géant pouvaient garder son fantôme de père, rond comme une queue de pelle, pendant deux mille huit cents jours. Deux mille huit cents divisés par trois cent soixante-cinq...

Un peu plus de sept ans et demi. Le vieux pourrait ne pas dessaouler jusqu'à ce que Fric quitte le lycée et s'engage chez les Marines.

Bien sûr, la plus grande star de cinéma sur Terre ne buvait jamais plus d'un verre de vin au dîner. Il ne se droguait pas – pas même de l'herbe, alors que tout le monde à Hollywood la consommait comme de la camomille. « Je suis loin d'être parfait, avait-il dit un jour à un journaliste de *Première*, mais mes vices et défauts sont de nature moins terrestres que spirituels. »

Le sens de cette assertion était pour le moins obscur. Fric avait eu beau se creuser les méninges, le mystère était demeuré aussi épais.

Sans doute Ming du Lac, le conseiller spirituel du paternel, aurait-il pu l'éclairer. Fric n'avait jamais osé lui demander la traduction, parce que Ming le terrorisait presque autant que Mr. Hachette, le prédateur extraterrestre déguisé en maître queux.

Arrivé dans la dernière grotte, le point le plus éloigné de l'entrée de la cave à vin, il perçut de nouveau des bruits de pas. Encore une fois, sitôt qu'il tendit l'oreille, il n'entendit plus rien de suspect.

Parfois son imagination lui jouait des tours.

Trois ans auparavant, à l'âge de sept ans, il était persuadé qu'une créature verte et gluante sortait chaque nuit de la cuvette des toilettes et s'apprêterait à le dévorer s'il s'avisait d'aller faire pipi au milieu de la nuit. Pendant des mois, lorsque Fric s'éveillait avec une vessie pleine, il allait se soulager dans les autres WC de la maison.

Dans sa salle de bains où avait élu domicile le monstre, il avait laissé un biscuit dans une assiette. Nuit après nuit, le biscuit restait intact. Finalement, il remplaça le gâteau sec par du fromage, puis encore par un sandwich à la mortadelle. Un monstre n'ayant aucun goût pour les cookies, pouvait dédaigner le fromage, mais sûrement pas un morceau de mortadelle !

Voyant que rien ni personne n'avait touché à la délicieuse charcuterie, Fric se décida enfin à utiliser de nouveau ses propres toilettes. Et aucun monstre ne le mangea.

Aujourd'hui, personne ne le suivait dans la dernière caverne du dédale. Rien, sinon l'air pulsé et le vacillement des fausses lampes à pétrole.

La disposition des couloirs d'accès et de sortie divisait plus ou moins la pièce en deux. Sur la droite du garçon, encore une litanie de bouteilles. Sur sa gauche, empilées du sol au plafond, des caisses de vin.

À en croire les indications peintes au pochoir, les caisses contenaient un grand bordeaux. Mais, en réalité, elles renfermaient une horrible piquette que seuls des clochards auraient bue et qui avait sans doute tourné au vinaigre avant même la naissance de Fric.

Les caisses servaient à la fois à décorer l'endroit et à dissimuler la porte de la réserve à portos.

Fric pressa le discret bouton de commande d'ouverture. Une colonne de caisses pivota.

Derrière se trouvait une petite pièce de la taille d'un débarras. Au fond, des casiers de portos de cinquante à soixante-dix ans d'âge.

Le porto était le grand vin du dessert, mais Fric préférait de loin le gâteau au chocolat.

Même dans les années trente, lorsque cette demeure avait été construite, le pays n'était pas ravagé par des gangs de voleurs de porto. Le réduit était dissimulé davantage par facétie que par nécessité.

Cette chambre secrète, plus petite que le coffre à fourrure, pouvait offrir une bonne cachette – tout dépendait combien de temps il devait rester caché. L'endroit serait une cellule tout à fait confortable pour quelques heures.

S'il devait y séjourner deux ou trois jours, il aurait l'impression d'être enterré vivant. Il aurait une crise de claustrophobie, puis sombrerait dans la folie, jusqu'à peut-être, dans un accès de démence furieuse, se mettre à se dévorer vivant, en commençant d'abord par les orteils et en remontant vers le haut.

Troublé par la direction inattendue qu'avait prise sa deuxième conversation avec le Mystérieux Inconnu, Fric avait oublié de demander combien de temps risquait de durer le siège.

Il sortit de la réserve à portos et ferma la porte dérobée.

En se retournant, Fric aperçut un mouvement dans le passage qu'il avait emprunté pour entrer dans cette dernière caverne. Cette fois, ce n'était pas la simple palpitation des fausses flammes.

Une grande ombre courait sur les murs et les voûtes, fendant le jeu de lumière projeté par les lampes. Ça s'approchait...

À l'inverse de son héros de père sur grand écran, Fric fut tétanisé de terreur, incapable même de s'enfuir.

La silhouette sans forme ondulait, roulait mollement sur les briques, de plus en plus près, et puis la chose apparut à l'entrée du passage, vaporeuse, luminescente, descendant vers lui avec une lenteur surnaturelle.

Fric recula, pris de panique, et tomba à la renverse, le sol dur lui rappelant brutalement que ses fesses n'étaient pas plus volumineuses que ses biceps.

L'apparition pénétra dans la caverne, comme une raie au fond d'un abysse. La lumière blafarde courait dans les trames du fantôme, l'enveloppant d'une aura mystérieuse, comme s'il s'agissait d'un ectoplasme poilu.

Fric leva ses mains pour se protéger et vit, entre ses doigts, l'esprit arriver au-dessus de lui. L'espace d'un instant, l'apparition diaphane et tournoyante eut des airs de galaxie miniature, s'enroulant dans ses bras spiraux – et puis le garçon reconnut la véritable nature de cette chose.

Lévitant dans l'air frais pulsé, une fausse toile d'araignée, confectionnée par Mr. Knute, s'était décrochée de son encoignure. Dérivant sur les thermoclines avec la grâce d'une méduse, elle traversait la grotte artificielle vers la sortie.

Honteux, Fric se releva.

En quittant la caverne, la toile heurta une applique murale et y resta accrochée, pendant dans l'air, translucide et vaporeuse, comme un jupon de la fée Clochette.

Agacé par sa propre couardise, Fric quitta la cave à vin.

C'est lorsqu'il eut regagné la salle de dégustation et refermé la porte de la partition vitrée qu'il prit conscience que la toile d'araignée ne pouvait s'être détachée toute seule. L'air pulsé n'était pas assez puissant pour la décrocher de son support d'origine.

Il avait fallu que quelqu'un s'y frotte par mégarde, et Fric était quasiment certain de n'avoir pas touché la moindre toile durant son périple souterrain.

Quelqu'un, donc, l'avait suivi dans le labyrinthe et (il en était sûr) avait détaché une toile avec précaution, en prenant soin de ne pas l'endommager ni de l'entortiller et l'avait lâchée dans le courant d'air, pour lui faire peur.

D'un autre côté, le souvenir du monstre imaginaire dans les toilettes était encore vif à sa mémoire, celui qui n'avait jamais touché à la mortadelle.

Fric s'immobilisa devant la table, les sourcils froncés. Pendant ses errances dans la cave, quelqu'un avait débarrassé son plateau.

L'une des femmes de ménage, peut-être. Ou Mrs. McBee, mais occupée comme elle l'était ce soir, elle aurait probablement envoyé son mari.

Mais pourquoi aucun d'entre eux ne lui avait fait connaître leur présence ? Pourquoi auraient-ils décroché l'une des chères toiles de Mr. Knute ?

Fric se sentit soudain lui-même au centre d'une gigantesque toile, non pas née des mains expertes de Mr. Knute, mais tissée du fil invisible et opiniâtre de la conspiration.

32.

Sitôt qu'il a reçu l'appel, Dunny Whistler se dirige vers Beverly Hills.

Il n'a plus besoin de voiture, mais il aime sentir sous le volant la puissance d'un moteur, et le simple plaisir de conduire revêt une nouvelle coloration à la lumière des derniers événements.

Sur la route, il a tous les feux verts, la circulation se fend devant lui comme de l'eau pour lui laisser passage, et il roule si vite que la voiture se trouve flanquée de deux ailes d'eau noire, projetée par les pneus. Il se laisserait gagner par une joie enfantine s'il n'avait tous ces soucis en tête.

À l'hôtel, où le plus humble véhicule se garant devant les portes vaut cent mille dollars, il confie l'auto au voiturier. Il lâche au portier vingt dollars, sachant qu'il n'aurait pas le temps de les dépenser lui-même.

Le luxe outrancier du hall de réception l'enveloppe d'un cocon de couleurs et de chatoiements ; dans la seconde, Dunny oublie qu'il fait nuit au-dehors, qu'il y règne le froid et la pluie.

Le bar de l'hôtel, lambrissé d'essences précieuses, achalandé en spiritueux rares et décoré pour l'amour et le glamour, est immense et pourtant plein à craquer.

Toutes les femmes, quels que soient leurs âges, sont magnifiques, par la grâce de Dieu ou celle du scalpel d'un chirurgien adroit. La moitié des hommes ont réellement le charisme de vedettes de cinéma, et l'autre moitié *croit* l'avoir.

La plupart des clients travaillent dans l'industrie du spectacle. Ce ne sont pas des acteurs, mais des agents, des directeurs de studio, des publicitaires, des producteurs.

Dans tout autre hôtel de la ville, on entendrait converser dans toutes les langues, mais dans ces murs, seul l'anglais a droit de cité, et plus particulièrement cette version limitée, mais haute en couleurs, nommée le « jargon des affaires ». C'est ici que se concluent les accords, que l'on brasse des millions, et que toutes les débauches s'organisent.

Ces gens sont énergiques, optimistes, charmeurs, bruyants et convaincus de leur immortalité.

À la manière de Cary Grant, qui, dans les films, fendait les foules avec la grâce et l'aisance d'un patineur, Dunny sinue entre les groupes de clients vers l'une des rares et très prisées tables d'angle – une alcôve pour quatre personnes occupée par un seul homme.

L'homme en question s'appelle Typhon, du moins c'est ce qu'il prétend. Il prononce « Typhon » comme les hellénistes, et vous dit, dès votre première rencontre avec lui, qu'il porte le nom d'un monstre de la mythologie grecque, une bête qui voyage sur les nuées d'orage et sème la terreur partout où elle s'abat. Puis il éclate de rire, prenant peut-être conscience du contraste entre ce patronyme et son apparence d'homme d'affaires raffiné et élégant.

Rien chez Typhon ne paraît monstrueux ni terrifiant. Il est tout en rondeurs, avec des cheveux blancs et un visage androgyne qui aurait pu lui valoir l'honneur d'interpréter au cinéma une nonne béate ou un franciscain dévot. Il a le sourire facile, et apparemment sincère. Il parle doucement et sait écouter – un être charmant, le gendre idéal qui attire la sympathie de tout le monde dans la seconde.

Il porte un complet bleu outremer impeccable, une chemise blanche, une cravate rouge et bleue, une pochette rouge au revers. Sa manne de cheveux blancs est laissée aux soins attentifs d'un coiffeur pour les stars et grands de ce monde. Sa peau, sans taches ni marbrures, patinée par des onguents de luxe, ses dents éclatantes de blancheur, ses mains manucurées, prouvent qu'il porte une grande attention à son apparence.

Typhon est assis face à la grande salle, se régalant du spectacle, comme un monarque contemplant sa cour. Bien qu'il soit une figure connue en ce lieu, personne ne vient l'importuner, chacun ayant compris que l'homme préfère voir et être vu plutôt que de parler à qui que ce soit.

Sur les quatre chaises réparties autour de la table, deux font face à la salle; Typhon occupe l'une d'elles.

Typhon mange des huîtres, accompagné d'un magnifique pinot Grigio.

— Dîne avec moi, mon garçon! lance-t-il à Dunny. Commande ce qui te fait plaisir.

Un serveur apparaît aussitôt, comme par magie. Dunny commande deux douzaines d'huîtres et une nouvelle bouteille de pinot Grigio.

— Tu n'as jamais fait dans la demi-mesure, fait remarquer Typhon avec un sourire. Pour la nourriture comme pour le reste.

— Cela aura une fin aussi, répond Dunny. Alors tant qu'il y a à manger sur la table, j'en profite.

— Voilà une bonne philosophie ! C'est exactement ma façon de penser. Au fait, bravo pour ton costume. Il est très beau.

— C'est votre tailleur qu'il faut féliciter !

— Rien n'est plus ennuyeux que d'avoir à parler travail, annonce Typhon. Alors réglons ce point tout de suite et passons à autre chose.

Dunny ne répond pas, mais se prépare à essuyer une réprimande.

Typhon boit une gorgée de vin, pousse un soupir de satisfaction gustative.

— Dois-je comprendre que tu as embauché un tueur à gages pour éliminer Reynerd ?

— Oui. Un type qui se fait appeler Hector X.

— Un tueur à gages..., répète Typhon avec un étonnement manifeste.

— Un homme de main que j'ai connu autrefois, il bossait avec le gang des Crisps. On fabriquait et on distribuait du sherm.

— Du sherm ?

— Du PCP, un sédatif pour animaux, très hallucinogène. On écoulait aussi la dope que produisait Jim Jones. De la marijuana mélangée à de la coke et plongée dans du PCP.

— Tous tes associés ont de si charmantes références ?

Dunny hausse les épaules.

— Personne n'est parfait.

— Et à l'heure qu'il est, les deux gugusses sont morts.

— Voilà comment je vois les choses ; Hector a déjà tué et Reynerd a comploté pour faire supprimer sa vieille. C'était deux êtres déjà corrompus. Je n'ai dévié personne du droit chemin.

— Je me contrefiche du droit chemin, Dunny. Ce qui m'inquiète, c'est de te voir perdre ainsi tout sens de la mesure.

— J'ai juste fait appel à un tueur pour en éliminer un autre, cela n'a rien que de très normal.

— *Normal* ? (Typhon secoue la tête). Non, mon garçon, c'est au contraire absolument et totalement *inacceptable*.

Les huîtres et le vin arrivent à table. Le serveur débouche

le pinot Grigio, verse quelques décilitres pour le faire goûter. Dunny approuve d'un hochement de tête.

Profitant de l'intimité que leur procure le doux brouhaha de cette foule élégante et avinée, Typhon reprend la conversation où elle en est restée.

— Dunny, tu dois agir avec plus de discrétion. D'accord, tu as été un voyou la quasi-totalité de ton existence, c'est entendu, mais tu as changé de vie ces dernières années, je me trompe ?

— J'ai essayé. Et réussi, la plupart du temps. Écoutez, monsieur Typhon, je n'ai pas pressé moi-même la détente pour tuer Reynerd. J'ai fait ça de façon indirecte, comme nous en étions convenus.

— Embaucher un tueur n'est pas une méthode indirecte !

Dunny avale une huître.

— Alors j'ai dû mal comprendre.

— Permets-moi d'en douter, réplique Typhon. Je crois plutôt que tu as volontairement outrepassé tes prérogatives, pour voir si ça allait coincer.

Dunny feint d'être abîmé dans une fascination gloutonne pour ses huîtres plutôt que d'admettre l'évidence.

Le président du plus grand studio d'Hollywood fait son entrée au bar, avec toute l'assurance et la fatuité d'un César. Il voyage en compagnie d'un équipage de jeunes hommes et de demoiselles qui, de loin, paraissent aussi calmes et impassibles que des vampires, mais qui, de près, sont aussi frétillants et nerveux que des chihuahuas.

Sitôt qu'il a repéré Typhon, ce roi d'Hollywood lui fait un signe avec une ardeur contenue mais néanmoins révélatrice.

Typhon retourne le salut avec une retenue plus ostensible encore, se plaçant ainsi, *de facto*, un cran au-dessus dans l'échelle sociale, à l'embarras évident du César du septième art.

Et puis Typhon pose alors la question que Dunny n'a pas encore osé formuler :

— En louant les services de Hector X, as-tu outrepassé ton autorité, au-delà du point de non-retour ? La réponse est « oui ». Mais je suis prêt à te laisser une seconde chance...

Dunny avale une autre huître, qui passe dans sa gorge plus facilement que la précédente.

— Nombre d'hommes et de femmes dans ce bar, reprend

Typhon, signent des contrats avec la ferme intention de ne pas les honorer. Les gens avec qui ils négocient savent qu'ils seront escroqués, ou eux-mêmes les escroqueurs. Au final, des accusations seront prononcées, des avocats seront envoyés au front, des poursuites judiciaires seront lancées – à défaut d'être destinées à aboutir – et au plus fort de la tourmente,... réquisitoire... contre-réquisitoire... un accord sera trouvé hors du tribunal. Après toute cette agitation, et parfois même dans l'œil du cyclone, les deux parties seront en train de négocier de nouveaux contrats l'une avec l'autre, des contrats que ni l'une ni l'autre n'auront davantage l'intention de respecter.

— Le milieu du cinéma est un asile de fous.

— C'est vrai. Mais là n'est pas la question.

— Excusez-moi.

— La question, c'est que la rupture de contrat, la trahison d'une manière générale, fait partie intrinsèque de leur culture professionnelle et personnelle, tout comme le sacrifice humain faisait partie du monde aztèque. Mais la trahison n'est pas une chose que je puis accepter. Je ne suis pas aussi cynique. J'attache une grande importance à la parole donnée, le sens de l'honneur, au pouvoir d'un serment. Une importance extrême, même... Je ne peux pas travailler – impossible, viscéralement – avec des gens qui ne tiennent pas leurs promesses.

— Je comprends. Je mérite cette réprimande.

Typhon paraît sincèrement chagriné par la réaction de Dunny. Sa face replète se fronce d'incrédulité. Ses yeux bleus, d'ordinaire pétillants de joie, se voilent de tristesse.

On lit sur le visage de cet homme comme dans un livre ouvert. Il n'y a pas le moindre non-dit, le moindre mystère, dans ce regard-là... c'est la raison pour laquelle on apprécie tant l'homme.

— Dunny, je suis vraiment déçu que tu te sentes puni. Ce n'était nullement mon intention. J'avais juste besoin de remettre les pendules à l'heure. Je veux que tu réussisses, je le souhaite de tout mon cœur. Mais si tu veux cette victoire, tu dois suivre à la lettre les grands principes sur lesquels repose notre collaboration.

— Entendu. Vous êtes plus qu'honnête. Et je vous suis vraiment reconnaissant de me donner une seconde chance.

— Allons, il n'y a nul besoin de me montrer tant de gratitude, Dunny. (Typhon sourit, la joie revient dans ses yeux malicieux.) Ta victoire sera la mienne aussi. Tes intérêts sont les miens.

Pour rassurer son interlocuteur, pour lui prouver qu'ils sont bien, de nouveau, sur la même longueur d'ondes, Dunny ajoute :

— Je ferai tout ce que je peux pour Ethan Truman – toujours dans l'ombre, cela va sans dire. Mais je ne ferai rien contre Corky Laputa.

— Quel personnage fascinant, celui-là. (Typhon émit un claquement de langue admiratif, tout en lançant un clin d'œil ironique.) Le monde aura toujours besoin de la miséricorde divine tant que la Terre portera des Corky Laputa.

— Amen.

— Tu sais que Laputa aurait sans doute tué Reynerd si tu ne t'en étais pas mêlé.

— Je le sais, concède Dunny.

— Alors pourquoi avoir envoyé ton Hector X ?

— Laputa ne l'aurait pas tué devant témoin. En tout cas pas sous les yeux de Hazard Yancy. Quand Reynerd est mort au pied de Yancy, Yancy s'est trouvé impliqué, et jusqu'au cou. Pour le bien d'Ethan, il fallait embarquer Yancy dans l'histoire...

— Ton ami a effectivement besoin de toutes les bonnes volontés, reconnaît Typhon.

Pendant une minute ou deux, les deux hommes mangent leurs huîtres et savourent le bon vin dans un silence confortable.

Puis Dunny dit :

— L'accident avec la PT Cruiser m'a pris de court.

Typhon soulève les sourcils.

— Tu ne crois pas que nos gens sont derrière ça ?

— Non, répond Dunny. Je sais comment ça marche. C'était vraiment un imprévu. Mais j'ai pu le tirer à mon avantage.

— Lui laisser les trois clochettes était un coup de maître, reconnaît Typhon. Même si ça lui a donné envie de se prendre une cuite mémorable.

— Peut-être bien, concède Dunny en souriant.

— C'est une certitude, réplique Typhon en pointant le doigt vers le comptoir. Ce pauvre Ethan s'en envoie un au bar en ce moment même.

Bien que Dunny soit assis face à la salle, la moitié du comptoir se trouve dans son dos. Il se retourne dans la direction indiquée par Typhon.

Derrière la litanie de tables où des escrocs et briseurs de contrats négocient comme de vieux amis, Ethan Truman est perché sur un tabouret, offrant son profil à Dunny, abîmé dans la contemplation d'un verre de whisky millésimé.

— Il va me voir, s'inquiète Dunny.

— C'est peu probable. Il est trop occupé par ses pensées. En un sens, il ne peut voir personne en ce moment. Il est enfermé dans sa bulle.

— Mais s'il me voit...

— Si cela se produit, réplique Typhon d'un ton rassurant, tu trouveras un moyen de t'en sortir, d'une façon ou d'une autre... Je serai là pour t'aider, au besoin.

Dunny observe Ethan pendant un moment, puis lui tourne le dos.

— Vous avez choisi cet endroit en sachant qu'il se trouvait ici ?

Typhon se contente de lui retourner un sourire, avec une pointe d'ironie, reconnaissant implicitement qu'il n'avait pu résister à la tentation.

— Vous avez choisi cet endroit uniquement *parce que* Ethan était là.

— Sais-tu que saint Duncan, d'où est issu ton prénom, est le saint patron des gardiens et des protecteurs de toutes sortes, et qu'il te viendra en aide si tu fais appel à lui ?

— C'est vrai ?

Typhon tapote le bras de Dunny pour le tranquilliser.

— De tous les hommes que je connais, tu es le moins démuni, Dunny.

Dunny médite cette assertion devant son verre de pinot Grigio, puis déclare :

— Vous pensez qu'il va s'en sortir vivant ?

Après avoir fini sa dernière huître, Typhon dit :

— Qui ça ? Ethan ? Dans une certaine mesure, cela dépend de toi.

— Mais seulement dans une certaine mesure.

— Tu sais comment ça marche, Dunny. Selon toutes probabilités, il sera mort avant Noël. Mais sa situation n'est pas absolument désespérée. Rien n'est jamais totalement sans espoir.

— Et les gens du Palazzo Rospo ?

Avec ses cheveux blancs, son visage joufflu, ses yeux pétillants, Typhon, la barbe en moins, ressemble comme deux gouttes d'eau au père Noël. Ses traits semblent faits uniquement pour la bonne humeur et la jovialité. C'est avec une bonhomie déconcertante qu'il ajoute :

— Je ne crois pas qu'un joueur miserait un cent sur leur

survie. Pas contre un Corky Laputa. Il a la violence, la folie et la détermination pour arriver à ses fins.

— Même le garçon ?

— Surtout le garçon ! répond Typhon. Lui, il n'a pas l'ombre d'une chance.

33.

Inquiet, irrité et le ventre plein, Fric quitta la cave à vin pour se rendre dans la bibliothèque, en empruntant un chemin détourné, destiné à minimiser les risques de rencontrer un membre du personnel de maison.

Comme un esprit, un fantôme, ou un nouveau Harry Potter portant sur ses épaules la cape d'invisibilité, le garçon passa de salle en salle, de hall en couloir, sans que personne ne remarque sa présence ; sans doute avait-il dans ses gènes celui de la furtivité féline, mais la vérité, c'était que personne, à l'exception peut-être de Mrs. McBee, ne se souciait de ce qu'il pouvait faire ni de l'endroit où il pouvait se trouver.

Quand on est petit et fluet, être invisible n'était pas une mauvaise chose. Lorsque les forces du mal se rassemblent contre soi en bataillons noirs, passer inaperçu réduisait notablement les risques d'éviscération, de décapitation, d'enrôlement dans des armées de zombies ou quelque autre hideux destin qu'on envisageait pour vous.

La dernière fois que maman-bio lui avait rendu visite, ce qui remontait quasiment au temps des dinosaures et des tigres à dents de sabre, elle l'avait comparé à une souris. « Une gentille petite souris dont personne ne soupçonne la présence, toute discrète et silencieuse, qui passe ici, qui repasse par là, qui bouge si vite et sans cesse que personne ne la voit. Tu es un petit animal, Aelfric, une petite souris invisible. »

Freddie Nielander disait souvent des choses stupides.

Fric ne lui en voulait pas.

Elle était si belle que jamais personne ne prêtait attention à ce qu'elle disait. Tout le monde était envoûté par son apparence.

Et quand personne ne vous écoute, ne vous écoute *réellement*, on ne sait plus si ce qu'on dit est intelligent ou non.

Sans exception, tous les hommes, au premier regard, tombaient sous le charme de Freddie Nielander, et tous voulaient, en retour, se faire aimer d'elle. Même s'ils avaient prêté l'oreille à ses babillages, ils ne l'auraient pas contredite, et même lorsqu'elle proférait des imbécillités totales, ils opinaient bêtement du chef, en vantant son esprit.

La pauvre Freddie n'avait jamais aucun retour sincère, si ce n'était celui d'un miroir. C'était un miracle si elle n'était pas devenue aussi dégénérée qu'un rat dans une décharge de déchets radioactifs.

Arrivé dans la bibliothèque, Fric découvrit que les meubles dans la salle de lecture avaient été légèrement déplacés pour laisser la place à un sapin de Noël, haut de quatre mètres. L'odeur de conifère était si forte qu'il s'attendait à voir des écureuils assis dans les fauteuils ou occupés à engranger des glands dans les vases chinois.

C'était l'un des neuf sapins géants érigés ce soir même dans les pièces principales de la maison. Un cône parfait, d'une symétrie irréprochable, plus vert encore que les arbres factices.

Chaque arbre avait sa décoration propre, suivant un thème particulier. Sur celui-ci, le leitmotiv était les anges.

Chaque ornement sur les branches était un ange ou l'une de ses représentations. Des anges bébés, enfants, adultes, blonds aux yeux bleus, des afro-américains, des asiatiques, des anges indiens hiératiques avec une coiffe de plumes doublée d'une auréole. D'aucuns souriant ou riant aux éclats, d'aucuns jouant avec leur auréole comme avec des Houla-Hoops, d'autres encore volant, dansant, priant ou sautant à la corde. Il y avait aussi des anges en formes de chiens, de chats, de crapauds ou de cochons.

Fric fut pris d'un haut-le-cœur.

Abandonnant toutes ces créatures ailées à leurs paillettes et à leur joie de vivre, Fric se dirigea vers les rayonnages – direction : la section des dictionnaires. Il s'assit par terre avec le plus gros volume de la collection : *The Random House Dictionary of the English Language*. Il chercha ROBIN GOODFELLOW, parce que le Mystérieux Inconnu lui avait dit que son ennemi se voyait comme un « Robin Goodfellow des temps modernes ».

La définition était plus que lapidaire : *Puck*.

Pour Fric, cela sonnait vaguement comme une obscénité[1], même s'il ignorait le véritable sens de ce mot.

Les dictionnaires regorgeaient de gros mots. Cela ne choquait pas Fric. Les gens qui compilaient ces ouvrages

1. Fric songe sans doute au mot « *fuck* ». *(N.d.T.)*

n'étaient pas un ramassis de rustres mal embouchés, mais des érudits ayant de bonnes raisons de truffer leurs livres de ces insanités.

Mais lorsqu'ils se mettaient à se servir de gros mots pour définir un terme, il était temps pour leur éditeur de humer leur café pour s'assurer qu'il n'était pas allongé au cognac.

Nombre d'associés de son père alignaient tant de grossièretés par phrase qu'ils devaient avoir, chez eux, des dictionnaires uniquement consacrés aux gros mots... Et pourtant personne n'avait prononcé le mot *Puck* en sa présence.

Fric tourna les pages à la recherche de la définition de *Puck*, quasiment certain qu'il allait découvrir quelque chose du genre : « Va te faire voir. On en a marre de donner des définitions. Fais preuve d'imagination. »

Mais contre toute attente, il apprit que *Puck* était un « farfadet malicieux », dans le folklore anglais, ainsi qu'un personnage du *Songe d'une nuit d'été* de Shakespeare.

La plupart des mots avaient plusieurs sens, et *Puck* n'échappait pas à la règle. La seconde définition se révéla moins gaie que la première : « démon malveillant ; gobelin ».

Le Mystérieux Inconnu avait dit que le méchant en question était plus noir que Robin Goodfellow. Comment pouvait-on être plus noir qu'un démon malveillant ou qu'un gobelin ?

De sombres nuées s'amoncelaient dans le ciel de Fricland.

Fric tourna de nouveau les pages du dictionnaire, à la recherche d'un certain Moe Lock. Après quelques errances, le garçon trouva MOLOCH. Il lut à deux reprises la définition.

Ce n'était pas bon. Pas bon du tout.

Moloch était un dieu, cité dans deux livres de la Bible, dont le culte exigeait le sacrifice d'enfants. À l'évidence, Moloch était une entité guère fréquentable aux yeux des auteurs.

Les derniers mots de la définition troublèrent particulièrement Fric : « ... le sacrifice d'enfant devant être perpétré par *leurs propres parents*. »

C'était la goutte de trop.

Pas une seconde Fric ne pensait que papa-fantôme et maman-bio allaient le ficeler sur un autel et le découper en rondelles pour faire plaisir à Moloch.

D'abord, avec leurs emplois du temps surchargés, il était quasi impossible pour eux de se trouver au même moment au même endroit.

En outre, même s'ils n'étaient pas le genre de parents

attentionnés qui vous lisaient des histoires au lit ou vous apprenaient à jouer au base-ball, ce n'étaient pas des monstres non plus. C'étaient juste des gens. Des gens un peu perdus, un peu largués, tâchant de faire le mieux possible avec le peu qu'ils savaient.

Ses parents voulaient son bien, évidemment. C'était leur responsabilité, puisque c'étaient eux qui l'avaient mis sur cette Terre.

Simplement, ils n'exprimaient pas leurs sentiments. L'image, et non les mots, était la seule référence de sa top-modèle de mère. Certes, en tant qu'acteur, son père était plus à l'aise que Freddie avec la parole, mais uniquement quand quelqu'un lui écrivait le texte.

Pendant un moment, juste pour s'occuper l'esprit et ne plus penser à sa mort prochaine, Fric regarda les mots obscènes que pouvait contenir le dictionnaire. Il y en avait des quantités.

Finalement, il se sentit honteux de lire toutes ces insanités dans la même pièce que le sapin aux angelots.

Après avoir remisé l'ouvrage à sa place, il se dirigea vers le téléphone le plus proche. La bibliothèque étant immense, trois téléphones étaient disséminés parmi les fauteuils de lecture.

Les rares fois que papa-fantôme invitait un journaliste à l'interviewer à son domicile plutôt que sur un plateau de tournage ou en quelque autre terrain neutre, il faisait remarquer que sa bibliothèque contenait deux fois plus de livres que sa cave de bouteilles de vin. Puis il ajoutait toujours : « Au moins, quand je serai un *has-been*, j'aurai de quoi lire et de quoi boire. »

Ah ! ah ! ah !

Fric s'assit sur le bord d'un siège, décrocha le combiné et appuya sur le bouton de sa ligne privée, puis composa *69. Il avait oublié de le faire dans la cave à vin, après sa conversation avec le Mystérieux Inconnu.

La dernière fois qu'il avait tenté cette manœuvre, le numéro avait sonné sans fin et personne n'avait répondu.

Cette fois, quelqu'un décrocha. À la quatrième sonnerie. Mais l'interlocuteur ne dit rien.

— C'est moi, articula Fric.

Bien qu'il n'y eût aucune réponse, le garçon savait que la communication n'était pas coupée. Il sentait une présence à l'autre bout du fil.

— Vous êtes surpris ? demanda Fric.

Il entendit le souffle d'une respiration.

— J'ai fait *69.

La respiration s'accéléra, eut des cahots, comme si le fait d'avoir été retrouvé par *69 amusait le type au bout du fil.

— Je vous appelle des chiottes de mon vieux, mentit Fric, en attendant de voir si son drôle d'interlocuteur allait lui faire un nouveau sermon sur les mensonges.

Mais l'inconnu se contenta de respirer.

Le type essayait visiblement de lui faire peur. Fric serra les dents, ne voulant pas lui montrer qu'il y était parvenu.

— J'ai oublié de vous demander combien de temps il faudra que je reste caché quand votre Puck pointera le bout de son nez.

À bien écouter ce souffle, Fric se rendait compte que cela n'avait rien à voir avec la respiration sifflante des psychopathes au cinéma; ce souffle-là était bien plus dérangeant, bien plus étrange.

— J'ai regardé aussi à Moloch.

Ce nom sembla exciter le monstre. La respiration se fit plus urgente.

Ce n'était pas un humain qu'il y avait à l'autre bout du fil, songea Fric brusquement, mais un animal. Un ours, peut-être, ou pire encore. Un taureau, mais un taureau de légende, comme il n'en existe nulle part sur Terre.

Tel un serpent, la respiration remontait en spirale le long du fil en accordéon, traversait le combiné, jusqu'à la membrane de l'écouteur, cherchait à pénétrer à l'intérieur de son oreille, impatient de planter ses crochets dans son cerveau.

Cela ne ressemblait pas du tout à son Mystérieux Inconnu. Fric raccrocha.

Dans la seconde, son téléphone se mit à sonner : *Oudili-oudili-ou !*

Il ne répondit pas.

Oudili-oudili-ou !

Fric se leva de son fauteuil et s'éloigna.

Il longea les rayons de livres jusqu'à la porte d'entrée de la bibliothèque.

La sonnerie de sa ligne personnelle continuait de le narguer. Il s'arrêta sur le seuil et regarda fixement le témoin rouge qui s'allumait sur le téléphone à chaque sonnerie.

Comme tous les membres de la famille et du personnel jouissant d'une ligne privée, Fric avait une boîte vocale. S'il ne décrochait pas à la cinquième sonnerie, la messagerie prendrait l'appel pour lui.

Mais la boîte vocale ne se déclenchait pas, alors que le téléphone sonnait pour la quinzième fois.

Fric contourna le sapin de Noël, ouvrit l'une des grandes portes et sortit de la bibliothèque.

Enfin, le téléphone cessa de le tourmenter.

Fric regarda à gauche, puis à droite. Il était seul dans le couloir, mais il avait l'impression d'être observé.

Dans la bibliothèque, parmi les lumières des guirlandes disséminées comme des étoiles dans les branches du conifère, les anges chantaient et riaient en silence, soufflaient sans bruit dans des trompettes de héraut, tout scintillants et pailletés, suspendus par leurs auréoles, leurs harpes ou par leurs ailes percées d'une ficelle, ou encore accrochés par les mains, jointes en signe de supplique, ou simplement pendus la corde au cou, comme s'ils avaient violé toutes les lois du Paradis – une exécution collective, des suppliciés sur un immense arbre gibet.

34.

Ethan buvait un whisky sans grand effet, comme si son métabolisme avait été accéléré depuis qu'il avait vécu, le même jour, deux fois sa propre mort.

Ce bar d'hôtel, avec sa clientèle glamour, était le bar préféré de Channing Manheim, son repère depuis le début de sa carrière. En temps normal, Ethan aurait choisi un lieu moins en vue, un humble estaminet de quartier fleurant bon la Budweiser.

Tous les autres bars qu'il connaissait étaient fréquentés par des flics. L'idée de tomber sur un ancien collègue, ce soir plus que tout autre, lui était insupportable.

En l'espace d'une minute, un confrère, malgré tous les efforts d'Ethan pour paraître joyeux et détendu, saurait qu'il avait des problèmes. Et aucun flic qui se respecte ne pourrait s'empêcher de le cuisiner, de façon directe ou détournée, pour connaître l'origine de ses ennuis.

Or, pour l'heure, Ethan ne voulait surtout pas parler de ce qui venait de lui arriver. Il voulait d'abord y réfléchir, faire le point.

D'accord, ce n'était pas tout à fait vrai. La vérité, c'est qu'il aurait préféré pouvoir ne pas y penser du tout. Oublier. Tout effacer. Bloquer sa mémoire et se saouler à mort.

Le déni n'était pas une solution, toutefois, pas avec ces trois clochettes argentées récupérées dans l'ambulance et qui scintillaient maintenant sur le zinc à côté de son verre de whisky. Autant tenter de nier l'existence de l'abominable homme des neiges quand vous êtes dans ses bras et qu'il vous emporte dans sa grotte.

Ethan n'avait donc pas le choix. Il devait reconnaître que la chose lui était bel et bien arrivée, ce qui le menait, dans l'instant, dans une impasse obscure, au pied d'un mur infranchissable pour son entendement. Non seulement il était incapable d'interpréter ces événements bizarres, mais il ne savait pas même expliquer leur existence.

À l'évidence, Rolf Reynerd ne l'avait pas tué d'une balle

dans le ventre. Et pourtant, Ethan savait, d'instinct, que le laboratoire d'analyses déclarerait que le sang séché sous ses ongles était bien le sien.

Le souvenir d'avoir été renversé par une voiture folle et réduit en charpie restait toujours aussi vif dans son esprit, de même que celui de sa paralysie. Les détails étaient si précis, si horribles que ces images ne pouvaient être le fruit de son imagination, même débridée par une drogue quelconque qu'on aurait pu lui administrer à son insu.

Ethan commanda un autre verre ; au moment où le serveur versait le liquide ambré sur son lit de glaçons, il désigna du doigt les clochettes.

— Vous les voyez ? demanda-t-il au serveur.

— J'adore cette vieille chanson, répondit l'employé.

— Quelle chanson ?

— *Silver Bells*[1].

— Vous les voyez donc, tout comme moi ?

Le serveur souleva un sourcil.

— Ben oui. Trois petites clochettes. Combien vous en voyez, vous ? Le double ? Déjà ?

Ethan esquissa un sourire qui se voulait rassurant.

— Juste trois. Ne vous inquiétez pas. Je ne vais pas être un danger public au volant.

— Ah oui ? Vous vous croyez différent des autres !

Bingo ! songea Ethan. Je suis justement différent des autres. Je viens de mourir deux fois dans la même journée, mais je peux encore tenir l'alcool... En deux temps, trois mouvements, le garçon lui aurait repris son verre s'il l'avait entendu prononcer ces paroles.

Ethan but son whisky, cherchant à s'éclaircir les idées dans les brumes de l'alcool, puisque la sobriété le laissait dans la confusion.

Un quart d'heure plus tard, toujours pas ivre, il entrevit, dans le miroir du bar, le reflet de Dunny Whistler.

Ethan pivota sur son tabouret, en renversant un peu de whisky.

Sinuant entre les tables, Dunny avait presque atteint la sortie. Ce n'était pas un fantôme : une serveuse s'arrêta même pour le laisser passer.

Ethan descendit de son siège, ramassa ses clochettes et fonça vers la porte d'entrée.

Certains clients encombraient le passage et parlaient à des

1. Cloches d'argent. *(N.d.T.)*

connaissances à d'autres tables. Ethan dut se retenir de ne pas les pousser brutalement hors de son chemin. Ses « excusez-moi » étaient si autoritaires que les gens sursautaient, leurs visages s'empourprant d'un courroux silencieux.

Lorsque, enfin, Ethan sortit du bar, Dunny avait disparu.

Il s'avança dans le hall : des gens au comptoir de la réception, d'autres massés devant les ascenseurs. Mais pas de trace de Dunny.

Sur sa gauche, la salle, dallée de marbre, donnait sur un vaste salon équipé de canapés et de gros fauteuils. Les clients pouvaient y prendre le thé tous les après-midi ; à cette heure de la soirée, on y servait des boissons à ceux qui préféraient une ambiance plus tranquille que celle du bar.

À première vue, Dunny ne faisait pas partie des clients.

Plus près, sur sa droite, le portillon vitré donnant sur la rue achevait de tourner, comme si quelqu'un venait de quitter l'hôtel.

Ethan poussa les battants pivotant pour rejoindre l'air froid de la nuit sous l'auvent de l'hôtel.

Parapluie sous le bras, portiers et voituriers escortaient les clients. Voitures, 4 × 4 de luxe et limousines formaient un ballet incessant dans l'allée.

Dunny n'était pas dans la file des gens qui attendaient leurs véhicules. Et ne s'éloignait pas non plus sous l'averse, abrité par le parapluie d'un chasseur.

Plusieurs Mercedes de diverses couleurs sombres patientaient dans la file de véhicules, mais aucune d'entre elles n'appartenait à Dunny.

La sonnerie de son portable aurait sans doute été inaudible, couverte par le brouhaha des conversations, des moteurs et le cliquetis de la pluie sur le toit de l'auvent. Par chance, l'appareil était réglé pour un signal discret et Ethan sentit sa poche se mettre à vibrer.

Tout en continuant de scruter les alentours, Ethan décrocha.

— Il faut que je te voie. Tout de suite, déclara Hazard Yancy. Et dans un endroit que le gratin ne fréquente pas !

35.

Dunny prend l'ascenseur jusqu'au troisième étage en compagnie d'un couple de retraités. Ils se tiennent la main comme de jeunes amoureux.

En surprenant, dans leur conversation, le mot « anniversaire », Dunny leur demande depuis combien de temps ils sont mariés.

— Un demi-siècle, répond le mari, la poitrine gonflée de fierté à l'idée de voir que sa femme a choisi de passer sa vie avec lui.

Ils viennent de Scranton, en Pennsylvanie ; ils sont ici pour fêter leurs noces d'or en compagnie de leur fille, qui leur a offert la suite nuptiale de l'hôtel. Aux dires de la femme, celle-ci est si luxueuse qu'ils n'osent même pas s'asseoir dans les fauteuils !

De Los Angeles, ils s'envoleront ensuite pour Hawaï, juste tous les deux – une semaine en amoureux à lézarder au soleil.

Ce sont des gens simples, gentils et visiblement emplis d'amour. Ils ont mené une vie que Dunny autrefois a dédaignée, et même considérée avec mépris.

Mais, dans les dernières années, il en est venu à envier ce genre de bonheur. Leur dévotion, leur adoration l'un pour l'autre, la famille qu'ils ont construite, leur vie de dur labeur, les épreuves et les joies vécues ensemble, les victoires durement gagnées : voilà ce qui compte à la dernière page de l'existence, et non ces choses qu'il a pourchassées avec un acharnement et une obsession maladifs. Rien de tout cela ne subsiste, ni l'argent, ni le pouvoir, ni le frisson.

Il a tenté de changer, mais il s'est aventuré trop loin sur une route solitaire pour pouvoir faire demi-tour et trouver l'âme sœur dont il rêve. Hannah est morte depuis cinq ans. Ce n'est qu'au chevet de son lit de mort qu'il a compris que la jeune femme a été la grande chance de sa vie pour revenir dans le droit chemin. En jeune tête brûlée, il a rejeté ses conseils, persuadé que l'argent et le pouvoir importaient plus qu'elle. Le choc que lui a causé sa mort soudaine lui a montré brutalement l'ampleur de son erreur.

Et c'est en ce jour funeste et pluvieux qu'il a compris également qu'Hannah a été non seulement la grande chance de sa vie, mais aussi la *dernière*.

Dunny, qui avait, jusqu'alors, considéré que le monde était de l'argile qu'il pouvait façonner à son gré, s'est retrouvé dans une position délicate : il avait perdu tout pouvoir… quoi qu'il puisse tenter, rien ne saurait plus changer son existence.

Sur l'argent qu'il a récupéré dans le coffre de son bureau, il lui reste vingt mille dollars. Il peut en donner la moitié à ce couple de retraités, leur dire de rester un mois à Hawaï, de faire bonne chère, de boire les meilleurs vins à sa santé.

Ou alors il peut immobiliser l'ascenseur et les tuer.

Aucune de ces deux actions ne changerait notablement le cours de son existence.

Il envie tant leur bonheur… Ce serait, sans doute, une certaine satisfaction de leur voler leurs dernières années.

Quelle que soit la noirceur de son âme – et la liste de ses péchés est longue –, il ne peut tuer purement par envie. L'orgueil, l'amour-propre l'en empêche, à défaut de toute autre considération altruiste.

Au troisième étage, ils se séparent – la suite du couple se trouve dans l'aile opposée à la sienne. Il leur souhaite tout le bonheur possible et les regarde s'éloigner dans le couloir, main dans la main.

Dunny occupe la suite présidentielle. Ce grand appartement est loué par Typhon à l'année; ces prochains jours, il ne l'utilisera pas, étant appelé pour affaires en un autre endroit de la planète.

Le qualificatif *présidentielle* traduit, peut-on croire, un hommage à la grandeur de la démocratie. Mais les pièces sont si luxueuses, si raffinées, si sensuelles, toutefois, qu'elles semblent moins conçues pour accueillir l'émissaire du peuple que les rois, les reines et les demi-dieux.

Sols de marbre, tapis persans dans les tons or, grenat et indigo, lambris précieux s'élevant à plus de cinq mètres de hauteur pour couvrir le plafond…

Dunny passe de pièce en pièce, ému par ces efforts illusoires. L'homme s'évertue à embellir son habitat, comme pour nier la brutalité du monde extérieur. Chaque palace, chaque œuvre d'art n'est que poussière en devenir, et le temps est le vent d'airain qui va les buriner. Et pourtant, des hommes et des femmes déploient encore et toujours des prodiges d'opiniâtreté et de soins pour rendre ces pièces somptueuses – un cri dans le désert, pour se convaincre et espérer, contre toute évidence, que leur vie a un sens et que leur savoir-faire leur survivra.

Deux ans plus tôt, encore, Dunny ne connaissait pas ces états d'âme. Trois ans de chagrin après la mort d'Hannah, par une facétie sinistre du destin, l'ont convaincu de la nécessité de croire en Dieu.

Au fil des années qui ont suivi les funérailles, un nouvel espoir a grandi en lui, pathétique et fragile, mais tenace. Mais il reste trop, encore, de l'ancien Dunny, prisonnier de ses mauvaises habitudes, tant en pensée qu'en action...

L'espoir est une lumière voilée. Dunny n'a pas appris à la distiller, à la débarrasser de ses scories, pour la rendre pure et resplendissante.

Et maintenant, il est trop tard.

Dans la chambre, il s'arrête devant une fenêtre zébrée de pluie, regarde l'horizon. Derrière les feux de la ville, derrière la luxuriance des versants de Beverly Hills, se trouve Bel Air et le Palazzo Rospo, ce stupide, et pourtant poignant, mémorial à l'espoir. Tous ceux qui l'ont habité sont morts – ou vont mourir...

Il se détourne de la fenêtre et contemple le lit. La femme de chambre a retiré le dessus-de-lit, et déposé une petite boîte dorée sur l'un des oreillers.

L'écrin renferme quatre bonbons. De forme élégante dans leur joli papier, ils paraissent délicieux, mais il n'a aucune envie d'en goûter un.

Il peut appeler l'une des dizaines de jolies femmes qu'il connaît pour partager sa couche – certaines demanderont de l'argent, d'autres non. Parmi elles, il s'en trouvera pour qui le sexe est un acte d'amour et de grâce, mais d'autres se délecteront de leur propre avilissement. À lui de choisir, soit la tendresse, soit l'excitation du fantasme.

Il ne se souvient plus du goût des huîtres ni du pinot Grigio. Le souvenir est désormais insipide; une photographie des mêmes mets stimulerait bien davantage les sens.

Aucune de ces femmes ne lui laisserait d'ailleurs une impression plus pérenne que ces coquillages et ce vin. Il a beau savoir les huîtres dans son ventre, leur existence semble imaginaire. Le souvenir de la peau soyeuse de ces sirènes, leur parfum, l'odeur de leurs cheveux, s'évanouirait sitôt qu'elles auraient refermé la porte de sa chambre.

Dunny vit comme un homme la nuit précédant le jour du jugement dernier; il sait que le soleil va se lever, et pourtant il est incapable de profiter des plaisirs de ce monde; toute son énergie est phagocytée par le désir désespéré et illusoire que l'apocalypse imminente, finalement et contre toute attente, ne va pas se produire.

36.

Ethan et Yancy se retrouvèrent dans une église qui, un lundi soir, était déserte. Les bancs étaient vides, et nul politicien, nul enquêteur de l'inspection interne des services ou autre représentant de la loi ne risquait de les surprendre.

Ils étaient assis côte à côte, dans un angle enténébré, là où ni la lumière des lustres ni celle des appliques des allées ne pouvait les atteindre. L'odeur des encens, éteints depuis longtemps, parfumait encore l'air immobile.

Ils parlaient à voix basse, non par souci de discrétion, mais en signe d'humilité devant des phénomènes qui dépassaient leur entendement.

— J'ai donc dit aux gars de l'inspection que je suis allé voir Reynerd pour lui poser des questions sur Jerry Nemo, un suspect dans le meurtre d'un dealer de coke nommé Carter Cook.

— Ils t'ont cru ? s'enquit Ethan.

— Du moins, ils ont fait semblant. Mais si, demain, le rapport du labo relie ma Sirène des Égouts à mon gars du conseil municipal…

— La fille qu'on a retrouvée dans l'usine de retraitement des eaux ?

— Ouais. Ce salaud va commencer à chercher un moyen de me coincer. Si jamais un des gars de l'inspection interne peut être acheté, ils vont faire de cette ordure de dealer un enfant de chœur lâchement abattu dans le dos et je vais retrouver ma trombine en première page des journaux avec le gros titre que tu sais.

Ethan savait – BAVURE POLICIÈRE ; parce qu'ils connaissaient, l'un comme l'autre, la toute-puissance du préjugé antiflic. Quand un politicien véreux et la presse à sensation se trouvaient un but commun, la vérité finissait plus déformée encore que la peau des douairières d'Hollywood après quatre liftings, et le bandeau qui voilait d'ordinaire les yeux de Dame Justice se trouvait cette fois enfoncé au fond de sa bouche pour la faire taire définitivement.

Yancy se pencha, calant les coudes sur ses genoux, les mains jointes comme en prière, les yeux rivés sur l'autel.

— Les médias adorent ce type à la mairie. Il se fait passer pour un réformateur, il a toujours le beau rôle, il s'attire toutes les sympathies. Les médias aussi devraient m'aimer ; je suis un gars hyper aimable ; mais ces ordures préféreraient se trancher la gorge plutôt que de s'abaisser à faire une risette à un flic. S'ils peuvent me crucifier pour le sauver, on ne trouvera bientôt plus un clou en ville. Toutes les quincailleries seront en rupture de stock !

— Je suis désolé de t'avoir embarqué là-dedans.

— Tu ne pouvais pas savoir qu'un dingue allait fourailler Reynerd.

Yancy détourna les yeux de l'autel pour scruter le visage d'Ethan, comme s'il cherchait à discerner la tâche de Judas.

— Tu ne le savais pas, *n'est-ce pas* ? ajouta-t-il.

— Les événements ne plaident guère en ma faveur.

— C'est vrai, reconnut Yancy. Mais tu ne serais pas stupide au point de travailler pour une star de cinéma qui gère ses affaires comme un caïd du rap.

— Manheim n'est pas au courant pour Reynerd, ni pour les colis. Et même s'il en avait vent, sa seule réaction face à Reynerd serait de lui conseiller une cure d'aromathérapie pour améliorer son karma torturé.

— Mais tu ne me dis pas tout, je le sens, insista Yancy.

Ethan secoua la tête de dépit, mais pas de déni.

— Cela a été une rude journée...

— D'abord, Reynerd était bien assis sur son canapé entre deux sachets de chips. Dans chacun d'eux, il y avait un pistolet chargé.

— Et pourtant, quand il va ouvrir au tueur, il y va sans arme...

— Peut-être parce qu'il pense que c'est moi le vrai danger, et que je suis déjà dans la place. En attendant, tu avais raison pour les sachets de chips.

— Comme je te l'ai dit, un voisin m'a prévenu que Reynerd était parano, qu'il gardait toujours un flingue à portée de main, caché dans des endroits comme ça.

— Ton voisin bavard, c'est des conneries, répliqua Yancy. Il n'y a pas de voisin. Tu as découvert ça d'une autre façon.

Yancy se trouvait au croisement entre la confiance et la suspicion. Si Ethan ne lâchait pas quelque chose, Yancy ne le suivrait pas. Leur amitié perdurerait, mais s'il lui cachait la vérité, quelque chose serait brisé entre les deux hommes.

— Si je te raconte, tu vas croire que je suis devenu dingue.

— C'est déjà le cas.

Ethan inspira une bouffée de vapeur d'encens, et parvint à expulser ses dernières inhibitions. Il lui raconta d'une traite que Reynerd lui avait tiré une balle dans le ventre, puis qu'en rouvrant les yeux, il s'était découvert indemne, mais que, malgré l'absence de la moindre blessure, il avait trouvé du sang séché sous ses ongles...

Pendant sa tirade, Yancy ne le quitta pas du regard; il ne tourna pas la tête vers les voûtes ou les vitraux comme il l'aurait fait s'il avait pensé que Ethan le menait en bateau ou perdait la raison. À la fin seulement, lorsque Ethan eut terminé son récit, Yancy baissa la tête pour contempler de nouveau ses mains jointes.

Finalement, la montagne de chair déclara :

— Une chose est sûre, c'est que je ne suis pas assis à côté d'un fantôme.

— Quand tu me choisiras un établissement psychiatrique, j'aimerais que tu en trouves un avec un bon programme de poterie et de macramé.

— À part l'idée qu'on ait pu te droguer, tu as une autre explication ?

— Tu veux dire autre que le fait d'avoir fait un tour dans la quatrième dimension ? Ou que je sois réellement mort et qu'en ce moment, je suis en Enfer ?

— Tu n'as pas la moindre piste, comprit Yancy.

— Du moins aucune que l'on puisse suivre, comme disent les ronds-de-cuir à l'école de police, avec les « outils d'investigation traditionnels ».

— Tu ne me parais pas fou du tout.

— Moi non plus, je n'ai pas cette impression. Mais le fou est toujours le dernier à se rendre compte de son état.

— En plus, tu avais raison pour le flingue dans le sachet de chips. C'est donc, au minimum, une expérience de prescience...

— Une vision, c'est ça. Sauf qu'il y a ce sang sous mes ongles.

Yancy accepta ce fait avec un flegme et une sérénité remarquables.

Mais Ethan ne comptait pas lui parler pour autant de la PT Cruiser et du camion qui l'avaient écrasé. Ni de sa seconde mort dans l'ambulance.

Si on raconte que l'on a vu un fantôme, on vous prend

pour un type normal qui a eu une expérience paranormale. Si vous dites en avoir vu un second, un peu plus tard dans la journée et dans un autre endroit, au mieux vous passez désormais pour un fabulateur invétéré dont la moindre parole doit être passée aux rayons X.

— Le type qui a tué Reynerd, annonça Yancy, était un certain Hector X, Calvin Roosevelt de son vrai nom. Un lieutenant des Crisps. La bagnole où se trouvait son complice a sans doute été volée juste avant le coup.

— Logique.

— Mais il n'y a eu aucune déclaration de vol de Mercedes de ce modèle. J'ai relevé le numéro et tu ne devineras jamais à qui la tire appartient.

Yancy releva les yeux pour regarder Ethan.

Ethan savait que, quelle que soit la réponse, cela allait être une mauvaise nouvelle :

— À qui?

— À ton vieux pote. Le fameux Dunny Whistler.

Ethan soutint le regard de Yancy. Il n'osait pas détourner les yeux.

— Tu sais ce qui lui est arrivé, il y a quelques mois? demanda-t-il.

— Des types l'ont noyé dans les chiottes; il est dans le coma depuis.

— Quelques jours après le drame, son avocat m'a contacté pour m'annoncer que Dunny m'avait désigné comme son exécuteur testamentaire, et que j'avais autorité, entre autres, pour prendre toute décision médicale le concernant.

— Tu ne m'en as jamais parlé.

— Je n'en ai pas vu l'utilité. Tu le connaissais. Tu comprends pourquoi j'ai coupé les ponts avec lui. Mais j'ai accepté cette charge parce que... je ne sais pas... en souvenir de ce qui nous unissait quand on était gosses.

Yancy opina du chef. Il sortit de sa poche un tube de bonbons au caramel. Il retira la cellophane et en proposa à Ethan.

Ethan déclina l'offre.

— Dunny est mort ce matin au Notre-Dame-des-Anges.

Yancy prit un caramel et le glissa dans sa bouche.

— Son corps a disparu, lâcha Ethan, pressentant soudain que Yancy était déjà au courant de tout ça.

— Ils sont sûrs qu'il était mort, poursuivit Ethan, mais quand on sait comment fonctionne la morgue de l'hôpital, la seule façon pour Dunny de s'en aller, c'était sur ses deux pieds.

Yancy rangea le tube de caramels dans son manteau. Il suçota le bonbon, en le faisant rouler de droite à gauche dans sa bouche.

— Je suis sûr qu'il est vivant, déclara Ethan.

Son ex-partenaire le regarda de nouveau.

— Et tout ça s'est passé avant que nous ne déjeunions ensemble...

— Exact. Il ne faut pas m'en vouloir... je ne t'en ai pas parlé parce que je ne voyais pas comment Dunny pouvait être lié à Reynerd. D'ailleurs, je ne vois toujours pas le lien. Tu as une explication, toi ?

— Tu as bien joué la comédie, mon salaud, sachant que ça devait pas mal s'affoler dans ta tête.

— Je pensais effectivement que j'avais pété un plomb, mais je ne voyais pas l'utilité de te le dire. Ça risquait de t'ôter l'envie de me donner un coup de main.

— Et après déjeuner, que s'est-il passé ?

Ethan narra sa visite à l'appartement de Dunny, ne lui cachant rien à l'exception de la vision de l'étrange silhouette dans le miroir embué de la salle de bains.

— Pourquoi Dunny avait-il une photo d'Hannah sur son bureau ? s'enquit Yancy.

— Il n'a jamais pu tirer un trait sur elle. Jamais. C'est pour cela qu'il a cassé le cadre ; pour récupérer la photo et l'emporter avec lui.

— Et il a quitté le parking à bord de sa Mercedes...

— Je suppose que c'était lui. Je n'ai pas pu voir le conducteur.

— Et ensuite ?

— Il fallait que je tente d'y voir clair. Alors je me suis rendu sur la tombe d'Hannah.

— Pourquoi ?

— Un mouvement intuitif. Je pensais trouver là-bas des réponses.

— Et quel a été le résultat des courses ?

— J'ai trouvé des roses.

Ethan lui parla du bouquet de Broadways et de son passage au *Forever Roses*.

— La fleuriste m'a décrit point pour point Dunny. C'est à ce moment-là que j'ai su, avec certitude, qu'il était encore en vie.

— Qu'est-ce qu'il a voulu dire avec ce message – tu le crois mort et c'est le cas ?

— Je l'ignore.

Yancy croqua son reste de son caramel.

— Tu risques d'y laisser une dent, l'avertit Ethan.

— Si c'était mon seul problème...

— C'est juste un conseil d'ami.

— Whistler se réveille dans une morgue, s'aperçoit qu'on le croit mort, à tort, enfile ses affaires, rentre chez lui sans rien dire à personne et prend une douche. Cela ne tient pas debout.

— Certes. Mais je me suis dit qu'il avait peut-être le cerveau abîmé.

— Il a conduit jusqu'au fleuriste, a acheté des roses, s'est rendu sur une tombe, a embauché un tueur à gages... Pour un type qui sort du coma avec des lésions cérébrales, il est plutôt en forme.

— J'ai abandonné la théorie du cerveau endommagé.

— Tant mieux. Que s'est-il passé après le fleuriste ?

Voulant conserver une once de crédibilité aux yeux de Yancy, Ethan passa sous silence l'épisode de l'accident et de sa mort dans l'ambulance, et annonça :

— Je suis allé boire un verre.

— Tu n'es pas du genre à aller trouver des réponses dans un verre de gin.

— C'était du whisky. Mais je n'ai pas trouvé plus de réponses. J'essaierai la vodka la prochaine fois.

— C'est tout ? Tu m'as tout dit, cette fois ?

Rassemblant tout son pouvoir de conviction, il répondit :

— Quoi ? Tu trouves que cela ne suffit pas ? On nage en plein *X-Files !* Que veux-tu de plus ? des vampires ? des extraterrestres ? des loups-garous ?

— Ne détourne pas la question.

— Je ne détourne rien du tout ! se défendit Ethan, en regrettant d'être obligé de mentir éhontément au lieu de pouvoir laisser la question en suspens. Oui, c'est tout. Je suis allé boire un verre et je t'ai appelé.

— Vrai de vrai ?

— Ouais. J'ai bu un whisky et je t'ai téléphoné.

— Je te rappelle que nous sommes dans une église.

— Pour un croyant, l'église n'a pas de murs, elle est le monde entier.

— Tu es croyant ?

— Je l'étais.

— Mais plus depuis la mort d'Hannah, n'est-ce pas ?

Ethan haussa les épaules.

— Peut-être, je ne sais plus. Ça dépend des jours.

Ethan lui jeta un regard à faire fondre un bloc de granit et, finalement, Yancy lâcha :

— Ça va, je te crois.

Se sentant plus méprisable qu'un ru de caniveau, Ethan articula :

— Merci, vieux.

Yancy se retourna pour surveiller la nef, afin de s'assurer qu'aucune âme égarée n'était entrée dans la maison de Dieu pour recevoir une dose salutaire de divin.

— Tu as été honnête avec moi, alors je vais l'être avec toi... Il y a quelque chose que je veux te raconter, mais attention, je ne t'ai rien dit.

— Je ne me souviens déjà plus avoir eu cette conversation avec toi.

— Il n'y avait pas grand-chose d'intéressant dans l'appartement de Reynerd. Quelques meubles, tout en noir et blanc.

— Il vivait comme un moine, mais un moine branché.

— Et versant dans le commerce. Il avait un carton plein de coke, conditionnée pour la revente, ainsi qu'un carnet avec des noms et des numéros ; sans doute la liste de ses clients.

— Des noms célèbres ?

— Pas vraiment. Quelques acteurs. Mais pas de pointures. Ce qui vaut, en revanche, son pesant d'or, c'est le scénario qu'il écrivait.

— Dans cette ville, il y a plus de gars qui écrivent des scénarios que de maris qui trompent leurs femmes.

— Il y avait vingt-six pages empilées à côté de son ordinateur.

— Cela ne suffit pas à faire un premier acte.

— Tu t'y connais drôlement en scénarios ! Tu en écris un aussi ?

— Non. J'ai encore un peu d'amour-propre.

— Celui de Reynerd parle d'un jeune acteur qui suit des cours d'art dramatique et qui entre, comme il dit, en « osmose intellectuelle » avec son professeur. Les deux gugusses détestent un dénommé Cameron Mansfield, une mégastar de cinéma, et ils décident de le tuer.

Sous le poids de la lassitude, Ethan s'était laissé aller mollement contre le dossier du banc. Mais il se redressa soudain.

— Et pourquoi ? Quelle est leur motivation ?

— Ce n'est pas très clair. Reynerd a écrit de nombreuses notes dans la marge, pour tenter d'éclaircir ce point. En attendant, pour se prouver mutuellement qu'ils seront prêts à aller jusqu'au bout, chacun doit tuer, pour l'autre, la personne qu'on lui désigne, avant d'occire ensemble la grande vedette. En l'occurrence, le jeune acteur veut que son professeur tue sa mère.

— Cela me rappelle un truc d'Hitchcock, bizarre, non ?

— C'est dans l'un de ses vieux films. *L'Inconnu du Nord-Express*. L'idée, c'est qu'en s'échangeant les meurtres utiles à chacun, les deux protagonistes ont un alibi parfait pour un crime dont on les aurait accusés sans coup férir.

— Ne me dis pas que la mère de Reynerd a été assassinée...

— Il y a quatre mois, confirma Yancy. Un soir que son cher fils avait un alibi en béton armé, plus inattaquable qu'un bunker.

L'église se mit à tourner à une vitesse de six ou huit tours par minute, comme si le whisky avait sur Ethan un effet à retardement. Ce vertige n'était cependant pas dû à l'alcool, mais à cette dernière révélation.

— Quel idiot irait écrire ça, noir sur blanc, dans un script ?

— Un acteur imbu de lui-même. Ils sont légion.

— Et le professeur ? Qui était l'heureux élu que Reynerd devait faire disparaître ?

— Un collègue de l'université. Mais Reynerd n'avait pas encore écrit cette partie. Il venait juste de terminer la scène du meurtre de sa mère. Dans la vie réelle, elle s'appelle Mina ; on lui a tiré une balle dans le pied puis on l'a battue à mort avec un pied de lampe en marbre. Dans le scénario, elle s'appelle Rena, elle est poignardée dans tout le corps, décapitée, démembrée et incinérée en petits morceaux dans un four.

Ethan grimaça.

— Autant dire que les jours de la vieille mère étaient comptés... que Reynerd rencontre ou pas son mentor.

Les deux hommes restèrent silencieux. Le toit de l'église était si haut au-dessus de leurs têtes que le tambourinement de la pluie était à peine audible, un bruissement aussi ténu que des battements d'ailes de pigeons.

— Bref, même si Reynerd est mort, conclut Yancy, Gueule

d'amour ferait quand même mieux de surveiller ses arrières. Le professeur – ou je ne sais qui en réalité – se balade toujours en liberté.

— Qui enquête sur le meurtre de Mina Reynerd ? Quelqu'un que je connais ?

— Sam Kesselman.

Kesselman était inspecteur à la section vol/homicide quand Ethan faisait encore partie de la maison.

— Que pense-t-il du scénario ?

Yancy haussa les épaules.

— Il n'est pas encore au courant de son existence. Il recevra sans doute une copie d'ici demain.

— C'est un bon flic. Il réglera ça vite.

— Peut-être pas assez vite pour toi, prédit Yancy.

À l'entrée de l'église, les flammes des cierges s'agitèrent dans leur écrin de verre rouge, sous l'effet d'un courant d'air. Des serpents d'ombres et de lumières glissèrent sur les murs.

— Que comptes-tu faire ? demanda Yancy.

— La mort de Reynerd sera dans les journaux demain matin. Ils vont sans doute faire référence au meurtre de sa mère. Cela me donnera un prétexte pour aller voir Kesselman, et lui parler de ces colis que Reynerd a envoyé à Manheim. Il aura déjà lu le scénario inachevé...

— À propos duquel tu ne sais rien, lui rappela Yancy.

— ... et il va comprendre qu'une autre menace pèse sur Manheim tant que ce « Professeur » ne sera pas identifié. Cela accélérera l'enquête ; je pourrais même obtenir une protection policière pour mon patron.

— Tout serait donc parfait dans le meilleur des mondes ?

— Parfois, le système fonctionne.

— Uniquement lorsqu'on s'y attend le moins.

— C'est vrai. Mais je n'ai pas les moyens de mener une enquête rapide auprès des connaissances de Reynerd, et je n'ai pas le droit de fouiller dans ses dossiers et effets personnels. Je dois m'en remettre au système, je n'ai pas le choix.

— Et pour notre déjeuner d'aujourd'hui ? s'enquit Yancy.

— On ne s'est pas vus.

— Mais quelqu'un a pu, lui, nous voir ? Et il y a la trace d'une carte de crédit.

— D'accord, on a déjeuné ensemble. Mais je ne t'ai jamais parlé de Reynerd.

— Qui va croire ça ?

Pas grand-monde, reconnut Ethan en pensée.

— Toi et moi, on déjeune ensemble, reprit Yancy. Le même jour, j'invente un prétexte pour aller voir Reynerd, et comme par hasard, il se fait descendre au moment où je suis là. Et il s'avère que la voiture du tueur appartient à Dunny Whistler, ton vieux pote...

— J'ai la tête qui tourne, lâcha Ethan.

— Attends, le pire reste à venir. Ils vont être persuadés que nous savons ce qui se passe, et quand on va leur dire qu'on ne sait pas...

— Ce qui est vrai.

— ... ils vont se dire qu'on leur ment, qu'on leur cache des choses. À leur place, je tiendrais le même raisonnement.

— Moi aussi, admit Ethan.

— Alors ils vont inventer une histoire tordue pour tenter d'expliquer la situation, et on va se retrouver accusés du meurtre de la mère de Reynerd, puis d'avoir organisé celui de Reynerd fils, en louant Hector X, et de l'avoir éliminé à son tour pour effacer les pistes. Avant qu'on ait le temps de dire *ouf*, le procureur nous mettra au trou en nous collant en plus sur le dos la disparition des dinosaures !

L'église n'avait plus rien d'un sanctuaire. Ethan aurait préféré se trouver dans un bar, à chercher du réconfort dans l'alcool, mais pas n'importe quel bar... un bar où Dunny, mort ou vivant, ne risquait pas de mettre les pieds.

— Je ne peux donc pas aller voir Kesselman, conclut-il.

Yancy se garda bien de pousser un soupir de soulagement ; pas question de révéler à Ethan l'intensité de son inquiétude. Certes, un miroir, placé sous ses narines, aurait révélé une brusque floraison de condensation, mais l'onde de paix intérieure qui l'envahit en entendant les paroles d'Ethan ne se traduisit par aucun signe extérieur sinon une discrète décrispation des épaules.

Ethan poursuivit :

— Je vais prendre des mesures supplémentaires pour assurer la protection de Manheim, en priant pour que Kesselman trouve rapidement le tueur de cette Mina.

— Si les gars de l'enquête interne ne me retirent pas l'affaire Reynerd, annonça Yancy, je vais retourner la ville sens dessus dessous pour retrouver Dunny Whistler. Pour moi, il est la clé de cette histoire.

— Je pense que Dunny me retrouvera avant.

— Que veux-tu dire ?

— Je ne sais pas. Un pressentiment. (Ethan hésita, puis poussa un soupir.) J'ai vu Dunny; il était là...

Yancy fronça les sourcils.

— Tu l'as vu où?

— Au bar de l'hôtel. Je n'ai remarqué sa présence qu'au moment où il s'en allait. Je lui ai couru après, mais j'ai perdu sa trace dans la foule.

— Qu'est-ce qu'il fichait là-bas?

— Il était venu boire un coup. Ou m'observer. Peut-être m'a-t-il suivi, avec l'intention de m'approcher, et qu'il s'est ravisé. Va savoir...

— Pourquoi tu ne me le dis que maintenant?

— Je ne sais pas au juste. Je me disais que cela allait faire un fantôme de trop.

— Tu avais peur que je décroche, que je ne te croie pas? Et la confiance, vieux? On en a vu des vertes et des pas mûres, tous les deux! On peut tout se dire.

Les deux hommes décidèrent de quitter l'église séparément.

Yancy sortit le premier. Du bout de l'allée centrale, il lança à Ethan :

— Comme au bon vieux temps, pas vrai!

Ethan comprit le message. « Chacun protège l'autre. »

Pour un homme de sa corpulence, Yancy traversa le narthex avec une furtivité remarquable.

Avoir un vieil ami pour surveiller ses arrières était bien rassurant, mais le soutien du meilleur ami qui soit n'était rien comparé à celui d'une femme aimante pour son mari ou inversement. Dans la maison du cœur, les pièces de l'amitié se situaient près des fondations, profondes et solides, mais le cocon le plus douillet dans l'édifice était celui qu'il avait partagé avec Hannah, et qu'elle n'occupait plus, désormais, sinon comme un fantôme précieux, une absence, un doux souvenir.

Il aurait pu tout dire à Hannah – lui parler du fantôme dans le miroir, de sa deuxième mort devant la boutique de fleurs – et elle l'aurait cru sans ciller. Et ensemble, ils auraient cherché à comprendre.

Depuis ces cinq années où elle avait quitté ce monde, jamais elle ne lui avait manqué autant qu'à cet instant. Assis seul dans l'église, il était douloureusement conscient du clapotis de la pluie sur le toit, des nappes d'encens flottant dans l'air, de la lumière rubis des cierges, mais incapable de discerner la moindre trace d'immanence divine. Ce n'est pas Dieu que regrettait Ethan, mais Hannah, la musique de sa voix, la géométrie transcendantale de son sourire.

Il se sentait sans terre, déraciné, un bateau à la dérive. Son appartement chez Manheim l'attendait, lui offrant mille conforts, mais ce n'était qu'un toit et des murs, pas un foyer. Il ne s'était senti chez lui qu'une seule fois au cours de cette journée étrange : lorsqu'il s'était tenu devant la tombe d'Hannah, là où l'attendait son cercueil vide à côté de celui de la défunte.

37.

La pluie noir et argent ruisselait en rus vifs sur l'entrelacs de flammes et de sphères de bronze sur les arabesques savantes, les spirales, les faisceaux, les coquilles saint-jacques, les griffons et les emblèmes héraldiques du grand portail du Palazzo Rospo.

Ethan s'arrêta à côté du poste de contrôle : un pilier cubique, haut d'un mètre cinquante, contenant une caméra de surveillance, un interphone et un pavé numérique. Il descendit sa vitre et entra son numéro d'identifiant à six chiffres.

Lentement, miroitant dans le faisceau de la Ford Expedition, le grand portail commença à s'ouvrir.

Chaque employé de la maison possédait un code d'accès différent. Les vigiles conservaient une trace de toutes les entrées.

Un système de badge électronique, comparable à ceux utilisés dans les parkings souterrains, assigné à chaque véhicule, aurait été plus utile que ce système à code, surtout quand il pleuvait à verse ! Mais la maison aurait été ainsi ouverte aux garagistes, voituriers ou à n'importe quelle personne se trouvant temporairement au volant d'une voiture de la propriété. Il suffisait alors d'un seul individu malintentionné pour mettre en péril toute la sécurité du domaine.

Si Ethan avait été un visiteur lambda sans code d'accès, il aurait appelé à l'interphone et aurait annoncé sa présence au poste de garde situé au fond de la propriété. Si le visiteur était attendu, ou était un ami de la famille dont le nom figurait sur la liste des personnes autorisées, le vigile aurait commandé l'ouverture du portail.

Tandis qu'il attendait que la porte de métal achève de s'escamoter, Ethan était sous la surveillance de l'œil scrutateur de la caméra du pilier. En pénétrant dans le parc, il passerait dans le champ des caméras aériennes dissimulées dans les arbres et orientées de façon à pouvoir repérer une quelconque personne dissimulée entre les sièges et cherchant à passer incognito.

Toutes les caméras vidéo étaient équipées de systèmes de vision nocturne, qui transformait le moindre rayon de lune en faisceau de projecteur. Un logiciel corrigeait les distorsions dues à la pluie et assurait une image, en temps réel, parfaitement nette et précise.

S'il avait été un technicien ou un livreur arrivant en camionnette fermée, on aurait demandé à Ethan d'attendre à l'extérieur jusqu'à l'arrivée d'un garde. Le vigile aurait alors inspecté le véhicule pour s'assurer que l'employé ne transportait pas, sous la menace, quelques vilains.

Le Palazzo Rospo n'était pas une forteresse, ni au sens moderne du terme, ni médiéval, avec créneaux et pont-levis. Mais il ne s'offrait pas sur un plateau à la convoitise affamée du premier voleur venu.

Des explosifs pouvaient venir à bout du portail. Le mur d'enceinte pouvait être escaladé. Mais on pouvait difficilement pénétrer dans la propriété sans être repéré. Tout intrus serait identifié et suivi aussitôt par les caméras de surveillance équipées de détecteurs de mouvements, de capteurs infrarouges et autres gadgets électroniques.

Le portail de bronze, large de dix mètres, massif, quasiment coulé d'un seul bloc, pesait quatre tonnes. Le moteur qui commandait l'ouverture était puissant, et le panneau de métal roulait sur ses rails avec une facilité et une rapidité surprenantes.

Un terrain de trois hectares était considéré comme une belle surface, quel que soit le quartier d'habitations. Mais dans *ce quartier* où le demi-hectare valait dix millions de dollars, une propriété de trois hectares était l'équivalent d'une baronnie dans la campagne anglaise.

La longue allée contournait un étang où se mirait la demeure qui n'avait nullement le charme baroque du portail festonné ; c'était une construction de pierre sur trois niveaux, d'inspiration palladienne, avec des ornements classiques ; une bâtisse gigantesque et massive, mais élégante dans ses proportions.

Juste avant d'atteindre l'étang, l'allée se scindait en deux ; Ethan emprunta la voie de gauche qui contournait la demeure. L'embranchement suivant desservait d'un côté la maison du jardinier et le bureau des gardes, et de l'autre la rampe d'accès au parking souterrain.

Le garage avait deux niveaux. Le premier abritait les trente-deux véhicules de collection de Manheim – une caverne aux trésors où l'on trouvait, entre autres, une Porsche flambant neuve, des Rolls-Royce des années trente, une Mercedes-benz 500K de 1936, une Duesenberg Model J de 1931 et une Cadillac Sixteen de 1933.

L'étage en dessous accueillait la flotte de véhicules d'usage quotidien, ainsi que les voitures personnelles des employés.

Comme le premier sous-sol, le niveau -2 était dallé de carreaux beiges, avec des faïences murales assorties. Les colonnes de soutènement étaient décorées de mosaïques dans un camaïeu de jaunes.

Peu de concessionnaires en ville jouissaient d'un aussi beau décor pour vendre leurs voitures aux nantis.

L'armoire à clés était rivetée au mur, à la sortie de l'ascenseur; Fric était assis juste en dessous, le nez plongé dans le livre d'heroic-fantasy qu'il lisait déjà le matin dans la bibliothèque. Il se releva à l'arrivée d'Ethan.

Sans trop savoir pourquoi, Ethan était content de rencontrer le garçon – son premier moment de joie dans cette longue et éprouvante journée.

Pourquoi donc la vue de ce gamin le mettait-il ainsi de bonne humeur? Peut-être parce qu'il pensait, comme tout le monde, que le fils du célébrissime Channing Manheim ne pouvait être qu'un enfant gâté, insupportablement capricieux ou totalement névrosé – (ou les deux à la fois), alors que Fric était gentil et poli; un garçon réservé qui tentait de dissimuler sa timidité sous des faux airs blasés, sans parvenir à cacher une modestie aussi rare dans ce milieu de paillettes que la pitié dans une famille crocodile.

Ethan désigna le livre :

— Alors? Le méchant sorcier a trouvé la langue d'un honnête homme pour faire sa potion magique?

— Pas encore. Mais il a envoyé sa brute, Cragmore, rendre visite à un politicien véreux pour lui prendre les testicules.

Ethan grimaça;

— C'est vraiment un *méchant* sorcier.

— Quoi? C'est juste un politicien. Certains d'entre eux séjournent ici, comme vous savez. Après leur départ, Mrs. McBee doit vérifier qu'ils n'ont rien volé!

— Et toi... que fais-tu ici? Tu prévois de faire une virée en voiture?

Fric secoua la tête.

— C'est pas pour tout de suite; inutile de s'exciter tant

que je n'ai pas seize ans. D'abord, il faut que je passe le permis, que j'économise un max pour recommencer une nouvelle vie, et que je trouve la petite ville bien tranquille où me planquer avec toute une série de déguisements pour passer incognito.

Ethan sourit.

— C'est le plan de bataille ?

Fric, le plus sérieusement du monde, confirma :

— Oui. C'est le plan de bataille.

Le garçon appuya sur le bouton d'appel de l'ascenseur. La machinerie se mit à bourdonner derrière les murs.

— Je me cachais ici pour éviter l'équipe de décoration, révéla Fric. Ils n'arrêtent pas de mettre des sapins et des guirlandes partout dans la maison. C'est votre premier Noël ici, vous ne savez donc pas ce que c'est... ils portent tous ces ridicules bonnets de père Noël, et à chaque fois qu'on en croise un, il se met à beugler « joyeux Noël ! » et vous court après comme un illuminé pour vous donner des bonbons. Ces gens ne s'occupent pas seulement de décorer la maison, ils en font un spectacle ! C'est sans doute ce que veulent leurs clients, mais il y a de quoi vous rendre athée pour la vie !

— Cela a l'air d'être une tradition ici.

— C'est moins pire que les chanteurs du réveillon. Ils sont accoutrés de guenilles à la Dickens et, entre deux chansons, ils vous parlent de la reine Victoria, de Mr. Scrooge et vous demandent si vous allez avoir de l'oie et du pudding à la viande au repas, en vous appelant « mon seigneur » ou « jeune maître »... et il faut endurer ça, pas moyen d'y couper, parce que papa-fantôme trouve ça hyper génial. Après une demi-heure de ce supplice soit vous vous êtes fait dessus, soit vous êtes devenu sourd et aveugle... il y a encore une demi-heure à se taper. Mais c'est pas grave, on supporte... parce qu'après les chanteurs, il y a le magicien, qui fait un numéro avec des nains déguisés en lutins du père Noël, et lui, il est vraiment rigolo.

Quelque chose tracassait Aelfric ; son inquiétude perlait derrière cette logorrhée verbale inhabituelle. Fric n'était pas un garçon muré dans le mutisme, mais il était loin d'être une pipelette.

L'ascenseur arriva et les portes s'ouvrirent.

Ethan entra, derrière le garçon, dans la cabine lambrissée.

Après avoir pressé le bouton du rez-de-chaussée, Fric demanda :

— Selon votre expérience, les pervers au téléphone peuvent-ils être réellement dangereux, ou c'est juste de la poudre aux yeux ?

— Des pervers au téléphone ?

Jusqu'à présent, le garçon regardait Ethan dans les yeux. Maintenant, il contemplait le bout de ses chaussures et ne releva pas la tête quand il répondit :

— Des types qui vous appellent et qui se mettent à respirer fort dans le téléphone. Ils se contentent de prendre leur pied comme ça, ou parfois ils débarquent pour vous tomber dessus ?

— Quelqu'un t'a appelé, Fric ?

— Ouais. Un malade.

Fric se mit à haleter, comme si Ethan pouvait identifier le pervers en question grâce à la simple imitation de ses respirations.

— Ça a commencé quand ?

— Aujourd'hui. D'abord, quand j'étais dans la salle du train. Puis encore une fois, quand je dînais dans la cave à vin.

— Il a appelé sur ta ligne privée ?

— Ouais.

Sur le tableau de commande, le voyant clignota du niveau -2 au niveau -1.

— Qu'est-ce qu'il t'a dit ?

Fric hésita, remuant les pieds sur les dalles de marbre.

— Il a juste respiré et fait des sortes de... bruits d'animal.

— C'est tout ?

— Oui. Des bruits d'animal, mais je ne sais pas ce qu'ils étaient censés représenter. Ce n'était pas une imitation ou quelque chose de ce genre.

— Tu es sûr qu'il ne t'a rien dit ? Il n'a pas même prononcé ton nom ?

Tout en fixant des yeux l'indicateur d'étage, Fric répondit :

— Juste cette respiration bizarre. J'ai fait *69, pensant que, peut-être, ce dingue vivait encore chez sa mère et que, si elle répondait, je pourrais lui dire ce que son cher fils faisait... mais c'est sur lui que je suis tombé et il a recommencé ses halètements.

Ils arrivèrent au rez-de-chaussée. Les portes s'ouvrirent.

Ethan sortit dans le hall, mais Fric resta dans l'ascenseur.

Ethan bloqua les portes du bras.

— Le rappeler n'était pas une très bonne idée, Fric. Quand quelqu'un te harcèle, rien ne l'excite plus que de voir sa victime inquiète. La meilleure des choses à faire est de raccrocher dès que tu le reconnais ; et ne pas répondre si le téléphone sonne tout de suite après.

— Je pensais que vous auriez peut-être le moyen de savoir qui c'est, répliqua Fric en réglant sa montre pour s'occuper les mains.

— Je vais essayer... Fric ?

— Oui ? répondit le garçon en continuant à jouer avec les aiguilles.

— Il est important que tu me dises bien tout.

— Bien sûr.

— Et c'est le cas ? Tu m'as tout dit ?

Fric porta la montre à son oreille, comme pour vérifier qu'elle fonctionnait.

— Oui. Un type qui halète. C'est tout.

Le garçon lui cachait des choses, mais le presser de questions ne ferait que renforcer ses défenses.

Se souvenant comment lui-même avait réagi aux questions de Yancy, Ethan se fit conciliant.

— Si cela ne te dérange pas, lorsque ton téléphone sonnera ce soir ou demain, j'aimerais pouvoir répondre.

— D'accord.

— Ta ligne ne sonne pas chez moi, mais j'irais modifier le dispatching du standard.

— Quand ça ?

— Tout de suite. Je décrocherai dès les premières sonneries, mais si, demain, des appels arrivent quand je suis absent, laisse ta boîte vocale prendre la communication.

Le garçon releva enfin les yeux vers Ethan.

— D'accord. Vous connaissez ma sonnerie ?

Ethan sourit.

— Je la reconnaîtrai.

Gêné, Fric répliqua :

— C'est vrai que c'est plutôt ridicule.

— Tu crois que le générique de *LA Dragnet*, qu'on entend sur ma ligne, est un exemple de bon goût ?

Fric sourit.

— Si tu as besoin de m'appeler, de jour comme de nuit, ajouta Ethan, que ce soit sur l'une des lignes de la maison ou sur mon portable, n'hésite pas. Je ne dors pas beaucoup de toute façon. Dis-moi que tu le feras.

Le garçon hocha la tête.

— Merci, monsieur Truman.

Ethan fit un pas dans le couloir.

Mordillant d'un air solennel sa lèvre inférieure, Fric pressa un bouton du tableau de commande, sans doute celui du deuxième étage, où le garçon avait ses appartements.

À cause de l'ossature chétive du garçon, la cabine de l'ascenseur, déjà digne d'un gratte-ciel, parut encore plus grande que d'habitude.

Même si Fric était petit et maigrelet pour son âge, il émanait de sa personne courage et détermination – ce qui était surprenant chez un garçon de dix ans. La solitude de Fric l'avait déjà armé contre l'adversité.

Malgré sa richesse, son intelligence et sa sagesse, le malheur lui tomberait dessus tôt ou tard. Il était un être humain, après tout, il aurait donc son lot de peines et de souffrances.

Les portes de l'ascenseur se refermèrent.

Pendant que la cabine, dans un bourdonnement électrique, emportait Fric dans les hauteurs, Ethan regarda l'indicateur d'étage au-dessus de la porte. Il vit le chiffre 1 remplacer le 0, écouta la machinerie cliqueter dans les entrailles du mur.

En pensée, Ethan se représenta l'ascenseur s'arrêtant au deuxième étage, les portes s'ouvrant sur une cabine vide... Fric ayant disparu à jamais entre deux étages.

De telles prémonitions, aussi sinistres, étaient rares chez Ethan. En un jour autre que celui-ci, Ethan se serait étonné d'avoir des pensées aussi bizarres, et il les aurait chassées de son esprit aussi facilement que l'on chasse une plume du revers de la main.

Mais aujourd'hui, en ce jour le plus étrange de son existence, Ethan avait tendance à prendre au sérieux le moindre pressentiment.

L'escalier de service s'enroulait autour du puits de l'ascenseur. Il était tenté de le grimper quatre à quatre ; l'ascenseur était si lent qu'il atteindrait le deuxième étage avant le garçon.

Lorsque les portes s'ouvriraient, révélant un Fric indemne, le garçon serait surpris d'être l'objet de tant d'attentions. Essoufflé par le sprint, Ethan ne pourrait cacher son inquiétude – et pas plus l'expliquer.

Le moment passa.

Sa gorge serrée se détendit. Il put avaler de nouveau, respirer.

L'indicateur d'étage afficha le chiffre 2. Et la cabine se fit silencieuse.

Sans doute Fric était-il arrivé sain et sauf au dernier étage de la maison. Il n'avait pas été dévoré par quelque machinerie possédée par le démon.

Ethan tenta de refouler cette idée saugrenue tandis qu'il regagnait son propre appartement dans l'aile Ouest de la maison. Mais en vain. Tout juste put-il l'assourdir.

38.

Longeant, à pas vifs, le long couloir Nord, Fric regarda à plusieurs reprises derrière son épaule ; il avait été toujours persuadé que des fantômes hantaient les confins de la grande maison. Mais *ce soir*, leur présence était quasiment palpable.

Au moment de passer devant un miroir accroché au-dessus d'une commode, il crut discerner *deux* silhouettes dans l'épaisseur du verre – lui-même, mais aussi un autre personnage, plus grand, plus sombre, juste derrière lui.

Dans une tapisserie datant de l'âge de glace, les cavaliers juchés sur leurs destriers noirs, l'air menaçant, semblèrent tourner la tête pour le regarder passer. À la périphérie de son champ de vision, il crut voir les chevaux, l'œil écarquillé, les naseaux palpitants, se mettre à galoper dans la forêt et les champs de laine tissée, comme s'ils voulaient quitter leur monde de fil tramé pour rejoindre le couloir du deuxième étage.

Dans son état psychique, ce n'était pas le moment de travailler dans un cimetière ou une morgue ou pis, dans un centre de cryogénisation où des légions de morts attendaient d'être ressuscités !

Dans un film, papa-fantôme avait interprété le rôle de Sherlock Holmes, le premier homme, aux dires des scénaristes, à avoir été congelé après sa mort. Holmes était revenu à la vie en 2225, au moment où une société utopique avait besoin de ses services pour élucider le premier meurtre commis depuis un siècle.

Si les auteurs avaient évité les hordes de robots démoniaques, les méchants aliens, et les momies revanchardes, le film aurait été bien meilleur. Parfois trop d'imagination tue l'imagination.

À cet instant, Fric n'avait aucune difficulté à croire que le Palazzo Rospo était peuplé de fantômes, de robots, d'aliens et de momies, et autres créatures plus innommables les unes que les autres... en particulier ici, au deuxième étage, où il était seul – seul mais pas en sécurité, juste le seul être humain au milieu d'une pullulation invisible.

La chambre de son père et les pièces attenantes se trouvaient à ce niveau, dans l'aile Ouest. Quand papa-fantôme était en résidence, Fric avait de la compagnie, mais la plupart du temps, c'était seul qu'il devait affronter les étendues désertes du deuxième étage.

Comme ce soir.

À la jonction des couloirs Nord et Est, il s'immobilisa, raide comme une statue, écoutant les bruits de la maison.

Il entendait (ou croyait entendre) le tapotis de la pluie sur les ardoises du toit. Le toit, parfaitement isolé, était bien trop loin au-dessus de lui pour que l'on puisse entendre l'eau clapoter.

Quant au vent qu'il entendait murmurer, ce n'était qu'un souvenir d'un autre temps, car la nuit était parfaitement immobile.

En plus des appartements de Fric, le couloir desservait d'autres pièces – des chambres d'amis (rarement utilisées), une réserve à linge, une pièce contenant une armoire électrique et d'autres appareils mystérieux, donnant à ce lieu des airs de laboratoire de Frankenstein. Il y avait un petit boudoir, cosy et richement meublé, où jamais personne ne venait se détendre.

Au bout du couloir, une porte donnait sur un escalier desservant les cinq niveaux de la maison, jusqu'au deuxième sous-sol du parking. Un autre escalier, à l'extrémité du couloir Ouest, menait également jusqu'au tréfonds du Palazzo Rospo. Ces deux escaliers, bien entendu, n'avaient ni la magnificence, ni les dimensions de l'escalier d'apparat avec ses lustres de cristal tintinnabulant à chaque palier.

L'actrice Cassandra Limone – née Sandy Leaky – qui avait vécu avec le père de Fric pendant cinq mois, et qui restait à la maison même pendant les absences de Manheim, montait et descendait les escaliers quinze fois par jour pour garder la ligne et la forme. Une salle de gymnastique parfaitement équipée se trouvait au premier étage, offrant un *step* entre autres machines d'exercice, mais Cassandra prétendait que les escaliers authentiques étaient moins ennuyeux et créaient un modelé plus naturel des jambes et des fesses.

Dégoulinante de sueur, tout en grognements et grimaces, jurant comme la fille possédée de l'Exorciste et poussant des hurlements de goret égorgé si Fric avait le malheur de se trouver sur son passage, Cassandra était méconnaissable pendant ses séances de gymnastique ; jamais les responsables du magazine *People* ne lui auraient accordé un regard, eux qui, pourtant, l'avaient élue deux fois parmi les dix plus belles femmes du monde.

Apparemment, le jeu en valait la chandelle. Papa-fantôme disait souvent à Cassandra qu'elle était une femme fatale au sens propre, car les muscles de ses mollets étaient si durs qu'ils pouvaient fracasser le crâne d'un homme, les triceps de ses cuisses briser les cœurs, et ses fesses vous faire perdre la raison à jamais.

Ah ! Ah ! Ah ! Au lieu d'exciter votre sens de l'humour, certaines blagues du paternel éprouvaient plutôt votre résistance à l'ennui.

Un jour, vers la fin de son séjour, la belle Cassandra était tombée dans l'escalier et s'était cassé la cheville.

Ça, c'était drôle !

Fric longeait à présent le couloir Est, non pour rejoindre ses appartements, mais une sorte de réduit, juste avant l'escalier.

Cette pièce, plutôt vilaine, mesurait quatre mètres de large pour cinq de long, et était pourvue d'un plancher de bois brut et de murs nus et blancs. Vide pour l'heure, l'endroit servait d'entrepôt-relais entre le grenier et le reste de la maison.

Un grand monte-plats électrique pouvait emporter près de deux cents kilos de marchandises vers le vaste espace de rangement au-dessus. Une porte donnait sur un escalier en colimaçon qui menait également au grenier.

Fric emprunta l'escalier. Il grimpa les marches avec précaution, une main sur la rampe, craignant que le destin, pour lui rendre la monnaie de sa pièce après ses moqueries à l'encontre de l'infortunée Cassandra, ne cherche à lui briser les deux jambes dans un accident similaire.

Le grenier s'étendait sur toute la longueur de la maison. L'espace était aménagé ; murs de plâtre, solide plancher recouvert de linoléum pour faciliter l'entretien. Une enfilade de piliers supportait la charpente. Aucune cloison n'avait été montée entre les poutres de sorte que le grenier restait un grand espace ouvert.

Dans les faits, il était difficile de voir le grenier d'un bout à l'autre, car des centaines d'affiches de cinéma sous cadre étaient suspendues aux poutres. Toutes portaient le nom de Channing Manheim et étalaient son image en quadrichromie.

Le père de Fric n'avait fait que vingt-deux films, mais il collectionnait toutes les affiches sorties à travers la planète, dans toutes les langues. Ses films étaient des succès au box-office et la moindre production avait donné naissance à des dizaines d'illustrations différentes.

Les affiches formaient des sortes de murs derrière lesquels s'empilaient des centaines de cartons regorgeant d'objets à la gloire de Channing Manheim – T-shirts à son effigie, agrémentés de ses meilleures répliques, des montres où les aiguilles parcouraient son visage adoré des foules, des mugs, des chapeaux, des casquettes, des verres, des figurines, des poupées, des centaines de jouets divers, des dessous, des médaillons, des paniers-repas, et autres produits dérivés qui dépassaient l'entendement de Fric.

À chaque détour se dressait papa-fantôme en silhouette géante de carton – ici en cow-boy buriné, là en capitaine de vaisseau spatial, là encore en amiral, en pilote de chasse, en explorateur, en cavalier de l'infanterie du dix-neuvième siècle, en médecin, en boxeur, en policier, en pompier...

Des dioramas plus élaborés montraient la plus grande star du siècle en pleine action dans des scènes tirées de ses films. Ces œuvres étaient installées dans les halls de cinéma, et nombre d'entre elles, si elles avaient été alimentées, auraient été animées par un jeu savant de mécanismes et d'effets de lumière.

Des rayonnages d'acier, couvrant les murs, renfermaient des accessoires provenant de ses films. Des armes futuristes, des casques de pompiers et de fantassins, une armure, une araignée robot de la taille d'un fauteuil...

Des accessoires plus volumineux comme la machine à remonter le temps de *Futur imparfait* étaient entreposés dans un hangar de Santa Monica. Ces deux lieux étaient équipés d'un système de ventilation digne d'un musée afin de préserver au mieux la pérennité des reliques.

Papa-fantôme avait acheté récemment la propriété jouxtant le Palazzo Rospo. Il comptait démolir la maison existante, unifier les deux terrains et construire un musée dans le style architectural du Palazzo Rospo, pour exposer ses souvenirs.

Même si son père ne l'avait pas dit ouvertement, Fric suspectait que son intention était d'ouvrir le domaine un jour au public, à la manière de Graceland; et qu'il comptait sur son fils pour gérer cette opération marketing.

Si ce jour arrivait, il ne lui resterait plus qu'à se tirer une balle dans la tête ou à se jeter du haut d'une fenêtre, ou les deux à la fois, s'il n'avait pas réussi, d'ici là, à vivre incognito dans un trou perdu du Montana ou dans quelque autre ville reculée où les gens du cru appelaient encore le cinéma la « lanterne magique ».

Parfois, lorsque Fric montait au grenier pour se promener dans ce labyrinthe dédié à la gloire paternelle, il était ravi. Parfois même, une sorte d'excitation le gagnait à l'idée de faire partie de cette légende vivante.

Mais le plus souvent, il se sentait petit et misérable comme un ver, risquant de se faire écraser à tout moment, à l'insu de tout le monde, et oublié pour de bon.

Ce soir, la collection ne suscitait chez lui nulle émotion. Son seul objectif était de trouver une cachette sûre. Dans ce dédale, peut-être pouvait-il dénicher un sanctuaire, un endroit où il serait protégé par l'image omniprésente de son père – une image-talisman, plus efficace contre son démon que ne l'étaient l'ail et les crucifix contre les vampires ?

Le garçon s'approcha d'un grand miroir de deux mètres de haut, dans son cadre de serpents sculptés s'enroulant en torsades multicolores. Dans *Neige noire*, le père de Fric avait vu dans ce miroir des bribes de son avenir.

Fric vit Fric, et seulement Fric, scrutant son reflet comme il le faisait parfois, plissant des yeux dans l'espoir de se voir plus grand et plus robuste qu'il ne l'était. Comme d'habitude, le subterfuge ne fonctionna pas ; il n'avait rien d'un héros. Mais il était heureux que le miroir ne lui révèle aucune scène de son avenir à lui et ne lui montre le pauvre hère qu'il allait devenir à trente, quarante ou cinquante ans.

Au moment où Fric commençait à se retourner, le verre se mit à onduler et un homme apparut dans l'épaisseur du miroir, un homme robuste, l'air pas commode – sans même qu'il eût besoin de froncer les sourcils. La brute grimaçante tendit le bras pour attraper Fric, qui détala comme un lapin.

39.

Curieusement oppressé par les ténèbres qui s'étendaient derrière les fenêtres, Ethan traversa son appartement et ferma les rideaux pour chasser la nuit, comme si elle l'épiait de ses milliers d'yeux.

Dans son bureau, il alluma l'ordinateur et lança le programme des systèmes internes de la maison. Sur l'écran, des icônes s'affichèrent pour le contrôle du chauffage, de la piscine, du spa, des jeux d'eaux du parc, de l'éclairage intérieur et extérieur, du réseau des appareils audio-vidéo, du système de sécurité, du dispatching des lignes téléphoniques et autres équipements.

À l'aide de la souris, il cliqua sur l'icône du téléphone. Le programme lui demanda son mot de passe, qu'il entra dans la machine.

Ethan était le seul membre du personnel de maison à pouvoir reprogrammer les systèmes de sécurité et le central téléphonique.

L'écran afficha alors une série de commandes.

Dans son appartement, les téléphones pouvaient recevoir vingt-quatre lignes, mais seules deux lui étaient accessibles. Il ne pouvait espionner les conversations téléphoniques des autres personnes, pas plus qu'eux ne pouvaient écouter les siennes.

En outre, lorsque des appels parvenaient sur d'autres lignes, les téléphones chez lui ne sonnaient pas. Un simple indicateur sur l'appareil clignotait quand un appel arrivait, et passait au rouge lorsque quelqu'un décrochait à l'autre bout du fil et que la conversation s'engageait entre les deux interlocuteurs.

Une fois entré dans le programme du téléphone, Ethan déroute la ligne 23, celle de Fric, pour qu'elle puisse être accessible depuis son appartement. La sonnerie serait celle qu'avait choisie Fric.

Une fois ces nouveaux réglages accomplis, il consulta la liste des appels de la journée.

Tous les numéros d'appels, entrants et sortants, étaient automatiquement enregistrés – mais pas la conversation. Le système indiquait l'heure de l'appel et sa durée.

Pour tout appel sortant, le numéro était conservé en mémoire. Les appels entrants voyaient leurs numéros consignés de la même manière, sauf si l'interlocuteur avait activé le mode confidentiel.

Ethan entra son nom et vit qu'il avait reçu un seul appel pendant son absence. Les communications via son portable ne figuraient pas sur ce listing.

Il décrocha le combiné pour consulter sa boîte vocale. L'appel provenait de l'hôpital, l'informant de la mort de Dunny Whistler.

Ethan entra le nom « Aelfric » et l'ordinateur annonça que le garçon n'avait reçu aucun appel ce lundi 21 décembre.

Aux dires de Fric, le pervers avait appelé deux fois. Et une fois, le garçon l'avait eu en ligne en composant *69. Ces trois appels auraient dû être consignés.

Ethan quitta la liste de Fric, pour consulter le fichier central, où étaient enregistrés, depuis la veille, minuit, tous les appels entrants et sortants de toutes les lignes de la maison. La liste était longue évidemment, à cause des préparatifs de Noël.

Malgré un examen minutieux, Ethan ne trouva nulle trace d'appels sur la ligne de Fric.

À moins que le programme ait des ratés, ce qui ne lui était jamais arrivé jusqu'à présent, la conclusion qui s'imposait était que Fric avait menti.

Son estime pour le gamin convainquit Ethan d'examiner la liste une deuxième fois, en sens inverse. Mais le résultat fut le même.

Il était aussi difficile de croire à un bogue du système que d'envisager l'hypothèse du mensonge. Fric n'était pas un fabulateur et détestait attirer l'attention sur lui.

De plus, le garçon semblait réellement inquiet lorsqu'il lui avait parlé de ces appels. *Il a juste respiré et fait des sortes de... bruits d'animal.*

Percevant une palpitation lumineuse à la périphérie de son champ de vision, Ethan tourna la tête et vit que le témoin de la ligne 24 clignotait. Puis le voyant passa au rouge continu. À l'autre bout du fil, on avait décroché.

La ligne 24, dernière ligne du standard, était inutilisée et réservée aux morts.

40.

Quand un type à l'air mauvais jaillit d'un miroir, qu'il tente de vous attraper et que ses doigts se referment sur votre col de chemise, il y a de quoi faire dans sa culotte; Fric fut donc surpris de ne pas se voir se vider par tous les orifices de son corps; avec une célérité étonnante, il avait échappé à cette main crochue et s'était enfui dans le dédale des reliques paternelles, les sous-vêtements parfaitement secs et immaculés.

Il tourna à gauche, à droite, encore à droite, à gauche, sauta par-dessus une pile de cartons pour changer d'allée, se faufila entre deux affiches monumentales, bouscula une silhouette grandeur nature de son père en détective des années trente, contourna une licorne de polystyrène très réaliste, provenant du seul film dont Manheim avait honte, fit encore un gauche/gauche/droite, et s'arrêta soudain, s'apercevant qu'il s'était égaré et qu'il risquait peut-être de revenir sur ses pas.

Dans son sillage, sur une portion non négligeable du grenier, les affiches sous cadre jouèrent les pendules de Foucault. Fric en avait bousculé un certain nombre, et le mouvement d'air en avait agité d'autres, en une longue réaction en chaîne.

Parmi toute cette agitation, l'approche de l'homme du miroir était plus délicate à repérer que s'il avait régné dans le grenier une immobilité parfaite. Fric ne l'apercevait nulle part, comme s'il s'était volatilisé.

À moins d'être un suppôt de Satan ayant une forte inclination pour l'ombre, l'éclairage du grenier laissait à désirer. Il y avait des appliques sur le pourtour des murs, ainsi que sur certains piliers de soutènement, mais leur nombre et leur intensité étaient insuffisants. Les palissades d'affiches, alignées comme les multiples drapeaux de la nation Manheim, occultaient la lumière.

Accroupi dans la pénombre, Fric prit une longue inspiration et écouta le silence.

Au début, il ne perçut que les battements de son sang dans

ses tempes, puis il commença à distinguer, derrière le bruit de sa respiration, le martèlement de la pluie sur le toit.

Conscient qu'au moindre bruit son prédateur le localiserait, Fric prit une nouvelle goulée d'air et retint son souffle.

Ici, dans les hauteurs de la maison, il était plus près des éléments. Le bruissement de la pluie sur les ardoises se muait en une multitude de murmures s'échangeant de sinistres secrets dans l'océan de nuit qui enveloppait le Palazzo Rospo.

Toutefois, de la même manière qu'il était parvenu à distinguer la pluie derrière les tambourinements de son cœur, Fric perçut les pas de l'homme du miroir. La structure du grenier, les mouvements pendulaires des affiches géantes, le chuintement des gouttes, distordaient les sons de sorte que l'intrus semblait s'éloigner de Fric puis s'approcher, puis s'éloigner de nouveau, alors que le chasseur devait sans doute marcher droit sur sa proie.

Fric avait pris au sérieux le conseil du Mystérieux Inconnu lui recommandant de trouver une cachette sûre. Il voulait bien croire qu'il aurait bientôt besoin d'un refuge, mais pas *si tôt !*

Apprenant peu à peu à respirer et à écouter en même temps, le garçon se convainquit que sa mère disait peut-être vrai quand elle soutenait qu'il était « une petite souris invisible ». Il rampa rapidement derrière les tours rouge et or d'une cité futuriste sur laquelle veillait son père de carton-pâte, armé d'un fusil laser.

À l'intersection de deux allées, Fric regarda des deux côtés et opta pour la gauche. Il avança à petites foulées, analysant en direct le son des pas lourds, calculant la meilleure trajectoire pour mettre un maximum de distance entre lui et l'homme du miroir.

L'intrus ne faisait aucun effort pour être discret. Il semblait vouloir que Fric l'entende, certain qu'il était que tôt ou tard le garçon tomberait dans ses serres.

Moloch. Ce devait être Moloch. Cherchant un enfant pour faire un sacrifice, un enfant à tuer, peut-être à manger.

C'est Moloch, avec des bouts d'os de bébés coincés entre les dents...

Fric s'interdit d'appeler à l'aide, certain qu'il ne serait pas entendu sinon de cet être mi-homme mi-démon. Les murs de la maison étaient épais, les planchers plus encore que les murs, et personne, s'affairant dans la maison, ne se trouvait au-delà du premier étage.

Il aurait pu chercher une fenêtre et s'enfuir par le toit – ou tenter le saut dans le vide – mais le grenier était dépourvu d'ouvertures.

Un faux sarcophage de pierre trônait au bout d'une allée, décoré de hiéroglyphes et d'un visage hiératique de pharaon; il n'était plus habité par la momie malveillante qui avait autrefois cherché des crosses à la grande star de cinéma.

La malle dans laquelle un meurtrier sans scrupules (interprété par Richard Gere) avait caché le cadavre d'une jolie blonde (la Cassandra Limone susnommée) était aujourd'hui vide.

Fric n'avait aucune envie de se dissimuler dans l'un ou l'autre de ces objets, pas plus que dans ce cercueil laqué de noir ou dans ce coffre magique où l'on pouvait disparaître grâce à un savant jeu de miroirs. Tous ces objets étaient des tombeaux en puissance; se glisser dans l'un d'eux, c'était prendre un aller simple pour l'Au-Delà.

La seule réaction intelligente, c'était de continuer à bouger, vif et furtif comme une souris, se faire tout petit, *invisible*, et toujours garder une longueur d'avance sur l'homme du miroir. Finalement, il parviendrait peut-être à rejoindre l'escalier, à s'enfuir du grenier et il pourrait aller chercher de l'aide dans les étages inférieurs.

Brusquement, Fric s'aperçut qu'il n'entendait plus les bruits de pas de son poursuivant.

Le jeune garçon se figea : aucune statue de carton de papa-fantôme ou aucune momie millénaire, enterrée sous les sables, ne pouvait être plus immobile que Fric, lorsqu'il comprit que ce silence était, forcément, de très mauvais augure.

Une ombre flotta au-dessus de sa tête, fendant l'air comme l'étrave d'un bateau.

Fric hoqueta et releva les yeux.

La charpente reposait sur des piliers, un mètre cinquante au-dessus de sa tête. Entre deux lignes de fermes, au-dessus des affiches de cinéma, une silhouette volait dans l'allée, dépourvue d'ailes, mais plus gracieuse qu'un oiseau, bondissant d'une solive à une autre avec la lenteur et l'aisance d'un astronaute en apesanteur.

Ce n'était pas un fantôme dans un suaire, mais un homme en costume, *l'homme du miroir*, accomplissant un ballet aérien inconcevable. Il atterrit sur une poutre, pivota vers Fric et descendit de son perchoir, non pas comme une pierre soumise à la gravitation universelle mais telle une plume, avec un sourire aux lèvres – le sourire démoniaque de Moloch, affamé, venant dévorer les petits enfants...

Fric tourna les talons et s'enfuit à toutes jambes.

Même si la descente de Moloch s'était faite avec une lenteur duveteuse, il était de nouveau *là*. Il attrapa Fric, refermant un bras autour de sa poitrine, plaqua une main sur son visage.

Fric se débattit comme un beau diable, mais il fut soulevé du sol, comme un mulot des champs emporté dans les serres d'un faucon.

L'espace d'un instant, il crut que Moloch allait le transporter dans les hauteurs de la charpente pour le dépecer à loisir.

Mais ils restèrent au sol. Moloch se mit à courir, avec son butin sous le bras, sinuant dans le dédale des allées, comme s'il en connaissait le moindre recoin.

Fric se battait bec et ongles, mais il avait l'impression de se battre contre une chose aussi inconsistante que de l'eau, comme s'il était pris dans les vagues invisibles d'un cauchemar.

La main était plaquée sur son visage, lui maintenait les mâchoires fermées, l'empêchant de crier et l'étouffant à moitié.

Une peur panique envahit le garçon, une terreur trop familière qu'il endurait lors de ses pires crises d'asthme – celle de ne plus pouvoir respirer. Il ne pouvait ouvrir la bouche pour mordre, ne pouvait décocher un coup de pied qui fasse mouche. *Il étouffait.*

Et une peur plus terrible encore le gagnait, lui déchirait les entrailles et l'esprit, tandis que défilaient, de part et d'autre de lui, le sarcophage du pharaon, la silhouette de carton de papa-fantôme en flic justicier... la terreur d'être emporté par-delà le miroir, dans un monde de ténèbres infinies où les enfants étaient parqués comme du bétail pour le plaisir de dieux cannibales, un endroit où même la gentillesse rétribuée et professionnelle de l'irréprochable Mrs. McBee n'existait pas, où l'espoir n'avait pas droit de cité, pas le moindre soupçon, pas même celui de pouvoir grandir et un jour devenir adulte.

41.

Ethan regarda sa montre, puis le voyant allumé de la ligne 24.

Il ne pensait pas qu'un mort ait réellement appelé le Palazzo Rospo, en insérant des pièces ectoplasmiques dans une cabine de l'Au-Delà. Sans doute était-ce un faux numéro ou un prospecteur téléphonique tellement sur les dents qu'il était prêt à vendre son boniment à un répondeur.

Lorsque Ming du Lac, le conseiller spirituel de Manheim, lui avait expliqué l'utilité de la ligne 24, Ethan avait su que Ming prendrait ombrage du moindre frémissement de sourcil dubitatif et deviendrait carrément agressif s'il avait en face de lui un incrédule. Ethan s'était donc débrouillé pour rester d'une impassibilité d'airain.

Seule Mrs. McBee, parmi les gens de maison, et Ming du Lac, parmi les associés de Manheim, avaient le pouvoir de faire renvoyer Ethan. Ethan savait donc qu'avec ces deux-là il valait mieux faire profil bas.

Des appels de l'Au-Delà...

Tout le monde avait un jour ou l'autre décroché le téléphone, entendu le silence et répété « allô ? », en supposant que l'interlocuteur avait été distrait par quelque chose, ou qu'il y avait un problème de liaison. Au troisième « allô ? » sans autre effet, on raccroche en se disant qu'il doit s'agir d'un faux numéro, d'un dingue, ou d'un gremlin faisant des siennes sur la ligne.

Cependant, certaines personnes, dont Manheim, pensent qu'un pourcentage non négligeable de ces appels silencieux provient de personnes défuntes tentant d'établir une communication avec les vivants. Selon cette théorie, les morts peuvent faire sonner votre téléphone, mais ont toutes les difficultés du monde à faire franchir à leur voix le gouffre insondable entre la vie et la mort. Voilà pourquoi on n'entend, sur la ligne, que de l'électricité statique ou du silence, et parfois, mais rarement, des bribes de mots ténus, comme s'ils arrivaient des confins de l'Univers.

Après avoir été briefé par Ming du Lac sur le rôle particulier de la ligne 24, Ethan avait mené sa petite enquête et appris que des chercheurs dans le paranormal avaient effectué des enregistrements sur des lignes laissées ouvertes, arguant que si les morts étaient capables de faire sonner un téléphone, ils pouvaient tirer grand avantage d'une ligne leur étant dédiée.

Ensuite, les chercheurs amplifiaient et filtraient les faibles sons enregistrés. Et ils entendaient, en effet, des voix – le plus souvent anglaises, mais aussi françaises, espagnoles, grecques et autres idiomes.

Ces entités chuchotantes n'offraient que des bouts de phrases, ou des suites aléatoires de mots – trop peu pour en tirer quelque conclusion.

Parfois, des « messages » plus complets parvenaient à être identifiés; on parlait alors de prédictions ou de sinistres mises en garde. Les communiqués étaient toujours lapidaires toutefois, et souvent énigmatiques.

Le bon sens suggérait que les bandes magnétiques avaient capté des échos, des fuites de conversations se déroulant entre gens bel et bien vivants, quelque part sur le réseau.

En effet, les petits soliloques traitaient de sujets si anodins qu'il était difficile de croire qu'un mort se soit donné la peine de contacter les vivants pour cela; il était question de la pluie et du beau temps, des bulletins scolaires des petits-enfants, des bribes telles que : « ... toujours aimé ta tarte aux fraises, la meilleure de toutes... » ou « ... ferais mieux de garder tes sous pour les jours de vaches maigres... », ou encore « ... dans ce café que tu aimes tant, la cuisine est un vrai dépôt d'immondices... »

Et pourtant...

Pourtant certaines de ces voix étaient si chargées de désespoir, de regrets et d'amour qu'elles vous marquaient à vie, en particulier lorsque leurs messages étaient délivrés dans l'urgence : « ... le poêle fuit, ne t'endors pas ce soir, le poêle, le poêle!... » et « ... je ne t'ai jamais dit à quel point je t'aime, je t'aime tellement, alors, je t'en prie, quand tu passeras de l'autre côté, cherche-moi, souviens-toi de moi... » et « ... un homme dans un camion bleu, ne le laisse pas s'approcher de Laura, ne la laisse pas à proximité de lui... »

C'étaient ces messages étranges rapportés par les chercheurs qui avaient convaincu Channing Manheim de laisser la ligne 24 ouverte pour la communication avec l'Au-Delà.

Tous les jours, où qu'ils soient sur la planète, Manheim

et Ming du Lac consacraient une part de leurs séances de méditation à envoyer mentalement vers l'Autre Monde l'indicatif et les sept numéros de la ligne 24 – un hameçon jeté dans la mer de l'immortalité dans l'espoir, un jour, de ferrer un esprit.

Jusqu'à présent, après trois années d'essais, la ligne 24 n'avait reçu que des faux numéros, des appels de société de prospection téléphonique, et une série de canulars dont l'auteur, avant l'arrivée d'Ethan au Palazzo Rospo, s'était révélé être l'un des gardes. Le plaisantin avait été remercié avec une généreuse prime de licenciement et, selon Mrs. McBee, un sermon de Ming du Lac qui lui conseillait de mettre de l'ordre dans ses karmas.

Le voyant s'éteignit. L'appel avait duré une minute et douze secondes.

Parfois Ethan s'interrogeait... Comment Channing Manheim, qui menait sa carrière d'acteur de main de maître, et qui s'était révélé un fin financier, pouvait-il employer un Ming du Lac, ainsi qu'un conseiller feng shui, un moniteur de voyance et un chercheur en réincarnation qui passait quarante heures par semaine à traquer les vies antérieures de l'acteur à travers les siècles ?

À l'inverse, les événements étranges de cette journée avaient mis à rude épreuve l'inexpugnable scepticisme d'Ethan...

Il reporta son attention sur l'écran de l'ordinateur. Il fronça les sourcils ; pourquoi Fric aurait-il inventé cette histoire de pervers haletant ?

Si quelqu'un avait passé des appels obscènes au gamin, les probabilités étaient fortes que cet incident ait un lien avec les boîtes noires envoyées à Manheim. Ou alors c'étaient deux sources de menaces totalement différentes et simultanées... mais Ethan ne croyait guère aux coïncidences.

Le pervers au téléphone était peut-être, dans la vraie vie, le « professeur » auquel Reynerd faisait référence dans son scénario, l'homme qui avait organisé les envois de ces boîtes noires et prévoyait de tuer Manheim. Si tel étaient les cas, cela signifiait qu'il était parvenu à obtenir le numéro personnel de l'un des membres du Palazzo Rospo – une éventualité des plus inquiétantes.

Mais le listing des communications ne gardait nulle trace de ces appels. Même si elles pouvaient avoir des défaillances, les machines ne mentaient pas.

Le dernier appel sur la ligne 24 figurait bel et bien au bas de la liste, comme prévu.

Ethan avait chronométré une minute et douze secondes. Le registre faisait mention d'un appel d'une minute et quatorze secondes. Ethan ne doutait pas que l'erreur lui incombait.

Selon le listing, l'appel avait été passé en mode confidentiel, empêchant le système de donner le numéro d'origine. Ce qui était pour le moins curieux si l'appel provenait de quelque démarcheur, car la loi leur interdisait de masquer leur numéro ; en revanche, cela n'avait rien de bizarre s'il s'agissait d'un simple faux numéro.

La durée, également, n'avait rien d'inhabituel, pour un faux numéro ; l'annonce sur le répondeur de la ligne 24 dédié à l'Au-Delà était un lapidaire « veuillez laisser votre message », mais certains interlocuteurs, ne réalisant pas qu'ils s'étaient trompés de numéro, obéissaient à cette invitation.

Peu importait, au fond, de savoir qui avait appelé sur la ligne 24. La question était de déterminer si le système informatique, jusqu'alors irréprochable, avait bogué et n'avait pas consigné les appels que le garçon prétendait avoir reçus.

En toute logique, Ethan devait conclure que la machine n'avait pas de défaillance. Demain matin, il aurait une conversation avec Fric...

Sur le bureau, à côté de l'ordinateur, se trouvaient les trois clochettes argentées provenant de l'ambulance. Il les fixa un long moment.

À côté des grelots, une enveloppe kraft, déposée à son intention par Mrs. McBee. Elle avait écrit son nom de son écriture inimitable.

Entre autres choses, les pleins et les déliés de Mrs. McBee le faisaient sourire. La gouvernante exigeait élégance et perfection dans tous les domaines, et elle était la première à s'imposer ce principe d'airain.

Ethan ouvrit l'enveloppe et eut la confirmation de ce qu'il savait déjà : Freddie Nielander, la mère de Fric, était définitivement une petite sotte qui parlait à tort et à travers.

42.

Tout de jaune vêtu, Corky Laputa prit, à contrecœur, le sac rose bonbon que lui tendait Mr. Chung.

Il savait déjà que sa tenue canari faisait sourire les autres clients, mais dans sa nouvelle flamboyance bicolore, il était l'anarchiste le plus clownesque de la Terre.

Le sac contenait des boîtes de nourriture chinoise, et Mr. Chung était généreux sur les parts. Il remercia Laputa pour sa fidélité à son échoppe et lui souhaita toutes les joies de la Terre.

Après une journée bien remplie à la poursuite de son grand œuvre de sape de la société, Laputa se sentait rarement la force de se préparer à dîner. Il allait chercher un repas à emporter chez Mr. Chung environ deux ou trois fois par semaine.

Dans un monde meilleur, au lieu de se sustenter dans un fast-food chinois, il serait allé dîner dans un grand restaurant. Même si une maison offrait de la bonne cuisine et un service irréprochable, la seule présence des autres clients suffisait à vous gâcher le plaisir.

À de rares exceptions près, les êtres humains étaient ennuyeux et vains. Laputa pouvait les supporter individuellement, ou en groupe dans une salle de classe, lorsque c'était lui qui imposait sa loi, mais la foule, la populace… cela vous gâtait un bon repas et vous coupait la digestion.

Laputa rentra chez lui sous la pluie avec son petit sac rose, et déposa ses victuailles sur la table de la cuisine. Des senteurs exotiques se répandirent dans la pièce.

Après avoir passé une robe de chambre en cachemire, attribut idéal pour une soirée pluvieuse de décembre, Laputa se prépara un martini – juste un peu de vermouth et deux olives.

Dans la douce félicité qui conclut une saine journée de labeur, Laputa aimait arpenter sa vaste maison, admirer les splendeurs de son architecture et ses ornements d'inspiration victorienne.

Ses parents, tous deux issus de bonnes familles, avaient acquis ce bien peu après leur mariage. S'ils avaient été différents, cette maison serait pleine de souvenirs d'enfance et de traditions familiales.

Voilà pourquoi son seul souvenir agréable, celui qui lui réchauffait le cœur, était associé au salon, et plus précisément à la périphérie immédiate de la cheminée, là où il avait convaincu sa mère de lui faire don de ses biens à coups de tisonnier.

Laputa resta devant l'âtre une ou deux minutes, savourant la tiédeur du feu, avant de monter à l'étage. Son martini à la main, il se rendit dans la chambre d'amis du fond, pour rendre visite à Vieux Fromage Qui Pue.

Il ne se donnait plus la peine de fermer la porte à clé ces derniers temps. Vieux Fromage ne pouvait plus se déplacer et ne risquait pas de se sauver.

La pièce était plongée dans la pénombre, même en plein jour, car les deux fenêtres étaient murées par des planches. L'interrupteur à la porte commandait l'allumage de la lampe sur la table de nuit.

L'ampoule ambrée et l'abat-jour abricot diffusaient dans la chambre une douce lumière tamisée. Même dans cet éclairage aux tons chauds, Vieux Fromage paraissait pâle comme un linge, avec un teint si gris qu'il semblait en cours de pétrification.

Sa tête, ses épaules et ses bras étaient à l'air libre, mais le reste de son corps était dissimulé sous les couvertures. Plus tard, Corky Laputa lèverait le rideau pour profiter du spectacle.

Vieux Fromage avait été, autrefois, un solide gaillard de cent kilos. Aujourd'hui, s'il avait eu la force de monter sur une balance, il n'aurait sans doute pas dépassé les cinquante kilos.

La peau sur les os, meurtri d'escarres, il n'avait plus la force de soulever la tête de l'oreiller, plus question pour lui de sortir du lit, et encore moins d'escalader une balance. Son désespoir immense lui avait ôté, depuis des semaines, toute velléité de résistance.

Vieux Fromage n'était plus sous sédatif. Ses yeux creusés rencontrèrent ceux de son bourreau, sombres et luisant d'une supplique silencieuse.

Sur la potence de la perfusion, la poche de sérum était vide. Le mélange de glucose, de sels minéraux et de vitamines qui maintenaient en vie Vieux Fromage distillait également dans son organisme une drogue qui le plongeait dans une sorte d'hébétude destinée à assurer sa complète docilité.

Laputa posa son martini, alla chercher dans un réfrigérateur une nouvelle poche de soluté en remplacement de l'ancienne. D'une main experte, il retira le sac vide et installa la nouvelle dose.

Le mélange actuel ne contenait aucune drogue. Laputa voulait que son hôte ait les idées claires tout à l'heure...

Il ramassa son cocktail et but une gorgée.

— Je remonterai te voir après dîner.

Et il sortit de la chambre.

De retour dans le salon, Laputa fit une nouvelle halte devant la cheminée pour finir son verre et se remémorer sa chère maman.

Malheureusement, le fameux tisonnier n'était plus là ; il ne pouvait le lustrer, le choyer, l'admirer. Des années plus tôt, la nuit des événements, la police l'avait emporté, ainsi que d'autres objets, dans l'espoir de trouver des indices, et l'on ne le lui avait jamais rendu.

Laputa avait jugé plus sage de ne pas le réclamer, de crainte que la police suspecte qu'il attachait une importance sentimentale à cet objet. Tous les ustensiles actuels du serviteur de cheminée avaient été achetés après la mort de sa mère.

À contrecœur, il avait aussi remplacé le tapis. Si les inspecteurs revenaient sur les lieux et découvraient que le tapis, taché de sang, était toujours là, ils risquaient de trouver ça bizarre.

Dans la cuisine, il fit réchauffer au four à micro-ondes son repas chinois. Nems, porc à la sauce aigre-douce, bœuf pimenté. Riz, bien sûr, et légumes sautés.

Il ne pourrait jamais tout manger. Depuis qu'il affamait méthodiquement Vieux Fromage dans la chambre d'amis, Corky Laputa avait toujours les yeux plus gros que le ventre...

À l'évidence, le dépérissement physique de Vieux Fromage était non seulement jouissif, mais avait des effets pervers sur son subconscient. L'angoisse d'être sous-nourri grandissait en lui.

Pour préserver sa santé mentale, donc, il continuait à acheter des parts gargantuesques... et pour préserver son corps, il en jetait la moitié à la poubelle.

Ce soir, comme cela lui arrivait relativement souvent ces derniers mois, Laputa mangea à la table du séjour, sur laquelle étaient encore étalés les plans du Palazzo Rospo. Ces plans provenaient du cabinet d'architectes qui avait supervisé les six millions de dollars de travaux commandités par Manheim peu après qu'il eut acquis la propriété.

En plus de la réfection de l'électricité, de la plomberie, du chauffage, de l'air conditionné et du réseau de diffusion audio-vidéo, la gigantesque demeure avait été équipée d'un système de sécurité informatisé ultramoderne, pouvant être régulièrement mis à jour pour rester au top de la technologie. Selon l'une de ses sources fiables, le système avait déjà subi une telle réactualisation au moins une fois dans les deux années passées.

La nuit, tel un Léviathan sinistre, sortit de sa léthargie… son souffle mugissant se mit à battre les fenêtres, ses mains crochues, faites de branches d'arbres, se mirent à griffer les murs, et en s'ébrouant, le monstre déversa des trombes d'eau sur le toit.

Dans sa salle de séjour douillette, emmitouflé dans sa robe de chambre de cachemire, son festin chinois devant lui, avec la perspective d'un travail excitant pour s'occuper l'esprit, jamais Corky Laputa ne s'était senti aussi bien et aussi heureux de vivre.

43.

Le rapport de Mrs. McBee était détaillé et précis, comme de coutume, et aussi amical, rédigé dans une calligraphie précieuse qui élevait ce document anodin au rang d'œuvre d'art. Assis à son bureau, Ethan entendait les inflexions mélodiques du léger accent écossais de la gouvernante.

Après une introduction polie où elle espérait qu'Ethan avait passé une bonne journée et que l'esprit de Noël lui ravissait le cœur autant que le sien, Mrs. McBee lui rappelait qu'elle et son mari partaient pour Santa Barbara tôt le lendemain matin. Ils passeraient deux jours chez leur fils et reprendraient leur service à neuf heures précises, le 24 décembre.

Elle rappelait ensuite à Ethan que Santa Barbara se trouvait à une heure de Los Angeles et qu'elle restait joignable au cas où quelqu'un aurait besoin de ses conseils. Elle lui donnait son numéro de téléphone portable, qu'Ethan avait déjà en sa possession, ainsi que le numéro de la ligne fixe de son fils. De surcroît, elle lui indiquait l'adresse de la maison et précisait qu'il y avait un magnifique parc à proximité.

On trouve dans ce parc nombre des célèbres chênes de Californie et bien d'autres essences, écrivait-elle, *mais on y trouve également deux immenses prairies qui peuvent accueillir un hélicoptère au cas où surviendraient des événements, au Palazzo Rospo, si terribles qu'ils exigeassent mon rapatriement d'urgence, à la manière d'un chirurgien en temps de guerre qu'on transporte, par la voie des airs, jusqu'au champ de bataille !*

Ethan ne s'attendait pas à rire après une journée aussi éprouvante que celle qu'il venait de connaître. Et c'est pourtant le petit miracle qu'avait fait naître l'humour pince-sans-rire de Mrs. McBee.

Elle lui rappelait également qu'en son absence, Ethan servait de parent de tutelle, ayant toute responsabilité et autorité sur Fric.

Durant la journée, si Ethan avait besoin de s'absenter de la propriété, ce serait Mr. Hachette, le chef cuisinier, qui assumerait ce rôle. Les portiers et femmes de chambre pouvaient s'occuper du garçon, au besoin.

Passé cinq heures du soir, les domestiques seront partis. Après le dîner, Mr. Hachette s'en ira, lui aussi.

Les cinq autres membres du personnel, d'ordinaire à demeure, étant partis en congés pour les fêtes, Mrs. McBee conseillait à Ethan de veiller à être de retour au Palazzo Rospo avant le départ de Mr. Hachette. Sinon, Fric serait seul à la maison, sans adulte à proximité, hormis les deux vigiles au poste de sécurité tout au fond de la propriété.

Ensuite, Mrs. McBee abordait, dans sa lettre, le sujet crucial des cadeaux de Noël. En effet, plus tôt dans la journée, après avoir parlé avec le garçon dans la bibliothèque, juste avant d'aller rendre visite à Rolf Reynerd à West Hollywood, Ethan avait évoqué le problème des cadeaux de Noël pour Fric.

Tout gamin aurait été extatique à l'idée de pouvoir mettre ce qu'il voulait sur sa liste de commande et de voir tous ses souhaits exaucés, au matin de Noël, dans le menu – pas un cadeau de moins, pas un de plus. Mais pour Ethan, cette certitude réduisait un peu de la magie de ce jour particulier; pas de suspense délicieux, pas de surprises. C'était le premier Noël que Ethan passait au Palazzo Rospo. Il était donc allé consulter Mrs. McBee dans son bureau à côté des cuisines pour s'enquérir de la façon dont il pouvait laisser un petit cadeau sous le sapin, à l'intention de Fric.

— Dieu vous bénisse, monsieur Truman, avait-elle rétorqué, mais c'est une très mauvaise idée. Pas aussi mauvaise que de vous tirer une balle dans le pied pour voir l'effet que ça fait, mais presque.

— Pourquoi donc?

— Tout le personnel reçoit une généreuse prime pour Noël, ainsi qu'un petit cadeau personnalisé de chez Neiman Marcus ou Cartier.

— Oui, j'ai lu ça dans votre « bible » des règles et usages.

— Et il est interdit au personnel de s'offrir mutuellement des cadeaux parce que nous sommes si nombreux que faire les achats serait trop dispendieux en temps comme en argent.

— C'est aussi dans la « bible ».

— Je suis flattée de voir que vous avez aussi bien mémorisé son contenu. Vous savez donc qu'il est aimablement recommandé au personnel de s'abstenir d'offrir des cadeaux aux membres de la famille, ne serait-ce que parce que les membres de ladite famille peuvent se payer tout ce qu'ils veulent, mais aussi parce que Mr. Manheim considère que notre travail méticuleux et notre discrétion sont le plus beau cadeau que nous puissions lui offrir tous les jours que Dieu fait.

— Mais voir ce gamin faire sa liste et savoir que tout sera là au matin de Noël, c'est si... *mathématique*.

— La carrière d'une grande vedette et sa vie privée ne font souvent qu'un, monsieur Truman. Et quand on est une entreprise si grande et complexe que Mr. Manheim, il faut de la rationalité, sinon c'est le chaos assuré.

— Peut-être. Mais c'est un peu triste. Un peu froid.

D'une voix plus douce et du ton de la confidence, Mrs. McBee avait ajouté :

— Oui, c'est triste. Le gamin est un agneau égaré. Mais le mieux que nous puissions faire pour lui c'est d'être à son écoute, lui donner des conseils, des encouragements, quand il le demande ou quand il semble en avoir besoin. Un cadeau surprise pour Noël ferait sans doute plaisir à Fric, mais je crains que son père n'apprécie guère.

— Dois-je comprendre qu'il n'approuverait pas pour d'autres raisons que celles invoquées dans votre « bible » ?

Mrs. McBee avait médité la question un long moment, comme si elle consultait en pensée une version des *Us et coutumes en usage au Palazzo Rospo* bien plus longue que le bréviaire broché qu'elle remettait à chaque nouvel employé.

Finalement, elle avait dit :

— Mr. Manheim n'est pas un mauvais homme, ni sans cœur, il est juste submergé par sa vie... et peut-être en est-il un peu trop amoureux. À un certain niveau, il sait ce qu'il a raté avec Fric, et sans doute regrette-t-il que les choses ne soient pas différentes entre eux, mais il ne sait pas comment corriger ça tout en continuant à garder son statut de vedette planétaire. Alors, il chasse de son esprit son fiasco avec Fric. Mais si vous offrez un cadeau à Fric, la culpabilité de Mr. Manheim remontera à la surface, et il sera blessé par votre geste envers son fils. Même si c'est un homme juste avec ses employés, je ne sais trop comment il risque alors de réagir.

— Parfois, quand je pense à ce pauvre gamin abandonné, j'ai envie de secouer un peu son père, même si...

Mrs. McBee avait levé la main pour l'arrêter.

— Même entre nous, nous n'avons pas à dire du mal de celui qui assure notre pain quotidien, monsieur Truman. Ce serait discourtois et indécent. Ce que je vous ai dit n'était qu'un conseil amical, parce que je considère que vous êtes un membre précieux de l'équipe et un bon exemple pour notre Fric, qui vous observe plus que vous ne pouvez l'imaginer.

Et ce soir, dans sa lettre, Mrs. McBee, revenait sur le sujet du cadeau. Elle avait eu la journée pour reconsidérer sa position : *Quant à votre délicate attention d'offrir un cadeau surprise à Fric, j'aimerais préciser ce que je vous ai dit, ce matin. Un tout petit présent personnel, quelque chose de plus sentimental qu'onéreux, s'il n'est pas laissé sous le sapin, mais ailleurs, et de façon anonyme, pourrait émouvoir notre Fric comme nous nous souvenons l'avoir été nous-mêmes dans notre jeunesse les matins de Noël. Je pense qu'il comprendra d'instinct la nécessité d'une certaine discrétion en la matière et qu'il veillera à taire l'existence de ce cadeau, ne serait-ce que pour le plaisir délicieux d'avoir un tel secret à garder. Mais l'objet devra être réellement spécial, et la prudence s'impose. Aussi, lorsque vous aurez lu cette lettre, je vous demande de la détruire.*

Ethan rit de nouveau.

Au même moment, le voyant de la ligne 24 se mit de nouveau à clignoter. À la troisième sonnerie, le répondeur prit l'appel et le voyant rouge s'illumina de façon constante.

Ethan ne pouvait reprogrammer le logiciel pour recevoir chez lui les appels de la ligne 24. Seul le dispatching des vingt-trois premières lignes lui était accessible. Hormis Manheim, Ming du Lac était l'unique personne à avoir accès à la sacro-sainte ligne 24. Une quelconque demande pour changer cette disposition lui attirerait les foudres du gourou ; autant exciter un serpent à sonnettes avec un bâton et espérer de la compréhension de sa part !

Même si Ethan avait eu accès à la ligne 24, il n'aurait pu écouter les appels une fois que le répondeur prenait la ligne, car la boîte vocale établissait une communication protégée pour garantir la confidentialité.

Ethan ne s'était jamais intéressé à cette ligne 24 ; et cet attrait le mettait soudain mal à l'aise. S'il voulait comprendre ce qui lui était arrivé aujourd'hui, il ferait mieux de chasser toutes les superstitions et de s'attacher à raisonner avec logique.

Pourtant, quand il cessa d'observer le voyant de la ligne 24, son regard se porta de lui-même sur les clochettes argentées. Et il eut toutes les peines du monde à se détacher de cette contemplation.

Le dernier point qu'abordait Mrs. McBee dans sa lettre portait sur le magazine qu'elle avait joint à son courrier, le dernier numéro de *Vanity Fair*.

Elle écrivait : *Cette revue est arrivée par la poste, samedi, avec quelques autres parutions, et était, comme d'habitude, disposée sur la table ad hoc dans la bibliothèque. Ce matin, un peu avant que le jeune maître ne quitte la bibliothèque, j'ai découvert ce magazine ouvert à la page que j'ai marquée à votre intention. Cette découverte a eu un rôle important dans la révision de mon jugement concernant cette affaire de cadeau de Noël.*

Entre la deuxième et la troisième page de la revue, où figurait un article sur Fredericka Nielander, la mère de Fric, Mrs. McBee avait collé un Post-it jaune. À l'aide d'un crayon, elle avait entouré un paragraphe.

Ethan lut l'article depuis le début. Vers le haut de la troisième page, Ethan trouva une référence à Aelfric. Freddie avait dit au journaliste qu'elle et son fils étaient « copains comme cochons » et que même si sa carrière l'emmenait aux quatre coins de la planète, elle restait en contact avec lui « et qu'ils parlaient des heures au téléphone, comme deux camarades de classe, partageant leurs rêves et plus de secrets que deux espions ligués contre le reste du monde ».

En réalité, leurs contacts téléphoniques étaient si secrets que même Fric n'était pas au courant de leur existence.

Freddie disait que Fric était « exubérant, sûr de lui et costaud comme son père; un cavalier hors pair, qui parlait à l'oreille des chevaux ».

Les chevaux ?

Ethan était prêt à parier un an de salaire que Fric n'avait jamais approché un canasson de sa vie... peut-être un cheval de bois d'un manège 1900, mais sûrement pas un de chair et de sang qui laissait du crottin derrière lui.

En inventant ce faux Fric, Freddie laissait entendre que les qualités réelles de son fils la laissaient indifférente, ou pis, l'embarrassaient.

Et Fric était suffisamment intelligent pour tirer lui aussi cette sinistre conclusion.

La pensée de ce garçon lisant ces balivernes infamantes lui donna envie non pas de jeter le magazine dans la corbeille, mais de le lancer dans la cheminée, pour le brûler jusqu'à ce qu'il n'en reste rien.

Freddie aurait probablement soutenu que pour une interview dans *Vanity Fair*, elle devait veiller sur son image... comment un top-model pourrait-il ne pas mettre au monde un fils physiquement au top ?

Brûler ces pages où s'étalait le joli minois de Freddie

aurait été particulièrement satisfaisant. Une sorte de purification vaudoue !

La ligne 24 était toujours occupée.

Ethan reporta son attention sur l'écran, où le registre des communications était toujours affiché. Cet appel aussi était émis en mode confidentiel, sans affichage du numéro.

La connexion étant en cours, le temps dans la colonne « durée de l'appel » continuait de s'incrémenter. Déjà plus de quatre minutes…

C'était un bien long message destiné à un répondeur, si l'interlocuteur était un représentant ou quelqu'un ayant composé un faux numéro. Étrange.

Enfin, le voyant s'éteignit.

44.

Fric s'éveilla, encerclé par une pullulation paternelle – une armée de sentinelles silencieuses où chaque soldat avait le même visage de star.

Le garçon était étendu sur le dos, mais pas dans son lit. Quoiqu'il restât immobile, plaqué par une chape de désespoir sur le sol dur, ses pensées tourbillonnaient, dans un long vortex de confusion.

Ces pères étaient gigantesques... tantôt en pied, tantôt juste une tête énorme comme un ballon publicitaire au défilé de Thanksgiving.

Fric avait l'impression qu'il s'était évanoui par suffocation... la crise d'asthme devait donc avoir été particulièrement sévère. Toutefois, il ne ressentait aucune gêne dans la gorge alors qu'il aurait dû éprouver de grandes difficultés à déglutir...

Souvent, ces visages démesurés arboraient des expressions sévères – une détermination d'airain, de la férocité – mais sur certaines, il y avait un sourire. L'une faisait un clin d'œil, une autre riait en silence. Sur quelques-unes on distinguait de l'amour et de la tendresse, non pas dirigés vers Fric mais vers quelques beautés aux têtes également immenses.

Tandis que son cerveau reprenait lentement son rythme normal, Fric se souvint brusquement de l'homme qui était sorti du miroir. Par réflexe, le garçon se redressa d'un coup sur le sol du grenier.

Pendant un moment, il fut pris de vertige.

La nausée l'envahit. Mais il parvint à résister avec un courage qu'il jugea héroïque.

Fric osa lever la tête vers les chevrons, à la recherche du fantôme. Il s'attendait à percevoir une silhouette fugitive en costume de ville, fendant l'air de ses souliers vernis avec la grâce d'un patineur.

Pas d'inconnu volant. En revanche, des pères gardiens en quadrichromie, en bicolore ou en noir et blanc. Ils avançaient, reculaient, l'encerclaient, dans un ballet immobile.

Des pères de papier, tous autant qu'ils étaient.

En téméraire réfléchi, le garçon se leva et resta immobile un moment pour tester son équilibre, comme s'il était juché sur un fil.

Il tendit l'oreille, mais n'entendit que le tintement de la pluie. Le long et immémorial travail de sape de l'eau.

D'un pas trop rapide pour être prudent, mais trop lent pour être audacieux, Fric sinua dans le dédale dédié à la mémoire paternelle, pour retrouver l'escalier en colimaçon. Comme il aurait dû s'y attendre, le garçon tomba nez à nez avec le miroir au cadre serpentin.

Il comptait passer au large, mais le verre argenté exerçait sur lui une attraction sinistre.

Tantôt, sa rencontre avec l'homme du miroir semblait née d'un rêve, tantôt le souvenir était si réel qu'il percevait de nouveau l'odeur de sa propre sueur rendue âcre par la terreur.

Il lui fallait démêler la réalité de l'illusion, peut-être parce que trop de choses dans sa propre existence étaient irréelles et qu'il ne pouvait souffrir de nouvelles incertitudes. Loin d'être un preux chevalier, mais loin aussi du couard qu'il redoutait d'être, Fric s'approcha du verre défendu par les enchevêtrements de serpents.

Convaincu, à la lumière des derniers événements, que le monde d'Aelfric Manheim et celui d'Harry Potter venaient de fusionner, Fric n'aurait pas été surpris outre mesure de voir les serpents sculptés renaître à la vie et défendre leur trésor de verre avec force sifflements et coups de crochets. Mais les écailles peintes, les corps sinueux restèrent immobiles et les yeux de verre luisant d'une malice inanimée.

Dans la glace, Fric ne vit que son reflet et une image inversée du monde qui se trouvait derrière lui. Pas de vision de l'Au-Delà, aucune fenêtre ouverte sur l'Autre Monde.

Avec précaution, de sa main droite toute tremblante, Fric toucha son reflet. Le verre était lisse et froid – et indiscutablement tangible – sous ses doigts.

Quand il plaqua la paume sur la surface vitrée, le souvenir de Moloch lui semblait déjà moins réel.

C'est alors qu'il s'aperçut que ses yeux dans la glace n'étaient pas verts comme de coutume, ce vert émeraude hérité de maman-bio. Ces yeux-là étaient gris, un gris lumineux et satiné, avec juste quelques échardes de vert.

C'étaient les yeux de l'homme du miroir !

À l'instant où Fric remarqua cette différence terrifiante,

deux mains jaillirent du miroir, l'attrapèrent par le poignet et glissèrent quelque chose dans sa main. Les mains refermèrent les doigts du garçon, écrasant l'objet dans sa paume. Puis disparurent.

Dans un sursaut de terreur, Fric jeta la chose qu'on venait de lui mettre dans la main, réprimant un frisson de dégoût au souvenir de ce contact à la fois huileux et craquant.

Il s'enfuit à toutes jambes vers la sortie et descendit quatre à quatre les marches en colimaçon, ses pas, affolés, claquant si fort que toute la structure métallique de l'escalier se mit à gronder comme un tonnerre.

Fuyant l'aile Est, courant à perdre haleine dans ce couloir désert du deuxième étage, Fric tremblait à chaque fois qu'il dépassait une porte fermée, persuadé qu'un monstre allait en sortir pour fondre sur lui. Il s'efforçait de ne pas regarder les miroirs piqués qui trônaient au-dessus des consoles anciennes.

Il regardait derrière lui, au-dessus, terrorisé. Moloch devait fendre l'air dans son dos, tel un dieu cannibale en costume trois-pièces.

Il atteignit l'escalier principal sans être ni dévoré, ni poursuivi, mais il n'était pas soulagé pour autant. Les tambourinements de son cœur ressemblaient à la galopade de cent cavaliers noirs lancés à ses trousses.

De toute façon, son ennemi n'avait pas besoin de lui courir après comme un renard chassant son lapin. Si Moloch pouvait voyager par les miroirs, pourquoi pas par les fenêtres ? Pourquoi pas via n'importe quelle surface polie, même guère réfléchissante, telles que les parois de cette urne en bronze, ou les portes laquées de noir de ce secrétaire Empire... La liste était sans fin.

Devant lui, la spirale s'enfonçait dans la pénombre de la rotonde. Le grand escalier qui s'enroulait au mur circulaire jusqu'au rez-de-chaussée, deux étages plus bas, se perdait dans l'obscurité.

Le soir était tombé. Les équipes de nettoyage et les décorateurs avaient terminé leur travail et étaient partis, tout comme le personnel régulier. Les McBee étaient allés se coucher.

Il ne pouvait rester tout seul au deuxième étage.

Impossible.

Quand il pressa l'interrupteur, la série de lustres de cristal qui suivaient la spirale des degrés s'illumina. Des centaines de larmes scintillantes projetèrent des couleurs prismatiques sur les murs.

Le garçon descendit au rez-de-chaussée avec une telle vélocité que si Cassandra Limone, l'actrice au mollet d'acier, s'était trouvée sur son chemin à s'entraîner, Fric n'aurait pu l'éviter et lui aurait causé des dommages bien supérieurs qu'une simple cheville cassée.

Il sauta la dernière marche et partit en glissade sur les dalles de marbre du hall. À la fin du mouvement, il découvrit le grand sapin de Noël – cinq ou six mètres de haut, décoré uniquement en rouge et or et d'ornements de cristal. L'arbre était d'une beauté à couper le souffle, même avec ses guirlandes éteintes.

Cette vision de l'arbre, seule, n'aurait suffi à suspendre sa fuite, mais au moment où il leva la tête vers le sapin tout flamboyant, Fric s'aperçut qu'il y avait quelque chose dans sa main droite. En ouvrant les doigts, il découvrit l'objet que l'homme du miroir lui avait glissé dans la main, la chose écrasée qu'il était certain d'avoir jetée sur le sol du grenier.

À la fois huileux et craquant, léger aussi... Ce n'était pas un insecte mort, ni la mue d'un serpent, ni une aile de chauve-souris, ni aucun ingrédient d'une soupe de sorcière. Juste une photographie chiffonnée.

Il déplia le cliché, le lissa entre ses paumes tremblantes.

Déchiqueté sur deux côtés, comme s'il avait été arraché d'un cadre, le portrait montrait le visage d'une jolie femme brune aux yeux d'ébène. Une inconnue.

Fric était bien placé pour savoir que l'apparence des gens sur les photos n'avait rien à voir avec leur véritable personnalité. Et pourtant, le doux sourire de cette femme laissait entrevoir une bonne âme. Il aurait bien aimé pouvoir la compter parmi ses amies.

Une amulette maudite, un philtre destiné à aspirer l'âme de l'infortuné qui tiendra cette photo en main, un envoûtement vaudou, un pentacle de magie noire, un machin-bidule satanique, ou dieu savait quelles horreurs dont était capable un être vivant dans les miroirs, auraient été moins surprenants et moins mystérieux que cette photographie froissée. Fric ignorait tout de cette femme et tout de la signification occulte de cette photo... Devait-il chercher à identifier cette personne ? Avait-il quelque chose à perdre ou à gagner à connaître son nom ?

Sa frayeur avait été apaisée par la vision de ce visage, mais quand il releva la tête vers le sapin, les serres de la peur l'étreignirent de nouveau. Quelque chose bougeait dans l'arbre.

Pas une chose sautant de branche en branche, ou tapie dans les ombres vertes... Le mouvement se manifestait uniquement dans les décorations... La moindre boule argent, la moindre trompette, le moindre pendentif était un miroir en trois dimensions. Une ombre informe passait de l'un à l'autre de ces dioptres, parcourant l'arbre de droite à gauche, de haut en bas.

Seul quelque chose volant dans le grand hall, s'approchant et s'éloignant alternativement du sapin, pouvait engendrer de tels reflets. Et pourtant, aucun oiseau, ni chauve-souris géante avec des ailes grandes comme des drapeaux, ni ange ailé, ni vilain Moloch ne fendait l'air derrière lui... Ces ombres fugitives semblaient donc provenir *de l'intérieur* des décorations, et se déplaçaient en tous sens dans l'arbre.

Quoique moins lumineuses que les ornements argentés, les décorations rouges étaient aussi des miroirs. La même pulsation migrait dans les courbes des pommes d'amour, les volutes des rubans rubis, suggérant un flot d'hémoglobine.

Cette chose qui le suivait, comprit Fric – si tant est que ce ne fût pas le fruit de son imagination –, l'avait déjà suivi dans la cave à vin plus tôt dans la soirée.

Ses cheveux se hérissèrent sur sa tête et un frisson lui donna la chair de poule.

Dans l'un de ses romans fantastiques préférés, on parlait de fantômes qui pouvaient apparaître à leur gré, mais qui étaient incapables de se manifester longtemps si vous ne les regardiez pas, si votre terreur et votre émerveillement ne les alimentaient pas.

Il avait lu des histoires de vampires qui ne pouvaient passer le seuil de votre maison si vous ne les invitiez vous-même à entrer.

Il avait lu aussi qu'une créature maléfique pouvait s'échapper des chaînes de l'Enfer et pénétrer dans l'esprit d'une personne par l'intermédiaire des pieds d'un guéridon, non pas en faisant une simple séance de spiritisme où l'on communique avec les morts, mais si on commettait l'erreur de dire quelque chose du genre : « rejoins-nous » ou « sois avec nous ».

Il avait lu tant de sottises, en réalité, pour la plupart des élucubrations de tâcherons cherchant à arrondir leurs fins de mois en attendant de vendre leurs stupides scénarios à des producteurs crétins.

Toutefois, Fric était convaincu que s'il ne détachait pas son regard du sapin, la créature migrant dans les décorations de Noël allait devenir de plus en plus véloce et puissante, et que les clochettes et les boules allaient exploser comme des guirlandes de grenades, projetant alentour un shrapnel mortel dont chaque éclat, s'enfonçant dans sa chair, instillerait en lui un fragment de cette chose sinistre et palpitante qui prendrait peu à peu possession de tout son être.

Le garçon s'éloigna du sapin et quitta, au pas de course, le grand hall circulaire.

Il alluma la lumière dans le couloir Nord et s'enfuit, dans un concert de couinements de ses baskets sur les dalles polies à neuf. Il dépassa le salon, le boudoir, la salle à manger, la grande salle de réception, la salle du petit déjeuner, l'office, la cuisine, jusqu'à l'extrémité de la maison, sans se retourner une seule fois, ni regarder à droite ou à gauche.

En plus du foyer où le personnel de maison prenait sa pause ou ses repas et de la blanchisserie, équipée comme un pressing professionnel, le rez-de-chaussée de l'aile Ouest abritait les appartements et les chambres des employés.

Les femmes de ménage, Ms. Sanchez et Ms. Norbert, étaient absentes jusqu'au matin du 24. Fric ne serait pas allé les trouver de toute façon. Elles étaient gentilles, mais l'une gloussait tout le temps et l'autre n'arrêtait pas de parler de son Dakota natal, ce qui intéressait encore moins Fric que le peuple des îles Touvalou et leur excitante production de noix de coco.

Mrs. et Mr. McBee avaient eu une journée harassante et devaient dormir du sommeil du juste à présent. Fric n'osait pas les déranger.

Le garçon arriva devant la porte de Mr. Truman ; le chef de la sécurité l'avait invité à venir le trouver en cas de besoin – à toute heure du jour ou de la nuit, avait-il précisé... D'ailleurs, c'était à lui que le garçon comptait se confier depuis qu'il s'était enfui du grenier... Mais au moment de frapper à la porte, le garçon sentit tout son courage s'envoler. Un homme sortant d'un miroir ; le même homme, ensuite, volant entre les chevrons de la charpente ; une sorte d'esprit au don d'ubiquité, qui épiait et pouvait jaillir des boules de Noël... Comment quelqu'un pourrait-il croire une histoire aussi farfelue, en particulier un ex-flic, devenu sans doute d'un scepticisme d'airain après avoir entendu les millions d'élucubrations des tarés et vauriens qu'il mettait sous les verrous ?

Fric allait passer pour un fou. Personne n'avait encore

suggéré que sa place était dans un asile psychiatrique... mais il y avait déjà un dingue dans la famille. Quelqu'un se souviendrait d'un certain séjour en HP de maman-bio, et peut-être qu'on commencerait à regarder Fric d'un drôle d'air en se disant *voilà un client pour la camisole !*

Pis encore, il avait menti à Mr. Truman, et il allait devoir le reconnaître.

Le garçon avait passé sous silence ses conversations bizarres avec son Mystérieux Inconnu parce qu'il pensait que personne ne le croirait. S'il ne mentionnait que les appels du pervers, Mr. Truman pisterait l'appel et retrouverait cette ordure – si tant est que ce ne fût pas son Mystérieux Inconnu – et éclaircirait toutes les zones d'ombre. C'était du moins son raisonnement...

Mr. Truman avait demandé si Fric lui avait tout dit et Fric avait répondu par l'affirmative, et c'était là que le mensonge avait été scellé.

Et maintenant, Fric allait devoir avouer qu'il n'avait pas, comme disent les flics, « joué franc-jeu » et les policiers, à la télé, n'aimaient jamais les petits rigolos qui faisaient de la rétention d'information.

Et pourtant, Fric devait révéler à Mr. Truman l'existence du Mystérieux Inconnu s'il voulait pouvoir lui parler de Robin Goodfellow, qui était en fait un Moloch bis... Il fallait à tout prix lui annoncer la venue prochaine du monstre pour qu'il puisse entendre et accepter l'épisode rocambolesque du grenier.

Cela semblait soudain tellement énorme... Comment raconter ça d'un bloc à quelqu'un, et surtout à un ex-flic qui en avait trop vu et qui détestait les petits cachottiers ? En cachant la vérité, ce soir, Fric était tombé dans son propre piège, comme ces imbéciles dans les séries policières du samedi soir, qui tous faisaient leur propre malheur, les innocents comme les criminels.

Mentir n'apporte rien sinon la souffrance.

C'est ça. C'est ça.

La seule preuve de la véracité de son histoire, c'était la photo froissée de cette femme au gentil sourire, que l'homme du miroir avait glissée dans sa main.

Le garçon fixa des yeux la porte d'Ethan.

Puis la photographie.

Cette photo ne prouvait rien. Il aurait pu la trouver n'importe où.

Si l'homme du miroir lui avait donné un anneau magique qui lui permettait de se transformer en chat, ou confié un crapaud à deux têtes dont l'une parlait anglais et l'autre français, et chantait des chansons de Britney Spears par l'anus, *ça*, ç'aurait été une preuve irréfutable !

La photo ne révélait rien. C'était juste une photo froissée. Rien de plus que le portrait d'une jolie dame avec un sourire à la Mona Lisa – une inconnue.

Si Fric racontait ce qui était arrivé dans le grenier, Mr. Truman penserait qu'il avait fumé un joint. Il perdrait à jamais le peu de crédibilité qu'il avait encore à ses yeux.

Sans toquer à la porte, le garçon s'éloigna.

Tant pis, il serait seul pour mener cette bataille. Être seul n'avait rien de nouveau, mais c'était, chaque jour, plus douloureux…

45.

Après s'être gavé de nourriture et avoir revisité le Palazzo Rospo dans ses moindres recoins, Corky Laputa se prépara un deuxième martini et remonta dans la chambre d'amis où Vieux Fromage Qui Pue était si maigre que le vautour le plus affamé eût dédaigné sa charogne.

Laputa l'appelait Vieux Fromage parce qu'après des semaines passées au lit sans se laver, il émanait de sa personne des senteurs pestilentielles, dont certaines rappelaient celles des fromages les plus corsés.

Cela fait des lustres que Vieux Fromage n'avait plus rien produit de solide. L'odeur associée aux matières fécales n'était donc plus un problème.

Dès les premiers jours de captivité, Laputa avait installé un cathéter à son patient pour préserver la literie des souillures d'urine. Le cathéter se déversait dans un vase à côté du lit, d'une contenance de quatre litres et qui était, pour l'heure, rempli seulement au quart.

L'odeur aigre était due à la peur, aux strates de sueur qui avaient séché les unes sur les autres, et aux autres sécrétions cutanées. Les bains ne faisaient pas partie des services que proposait la maison Laputa.

En pénétrant dans la chambre, Laputa posa son martini et prit, sur la table de nuit, la bombe de désinfectant « senteur pinède ».

Vieux Fromage ferma les yeux, sachant ce qui allait suivre.

Laputa tira la literie au bas du matelas et aspergea, de la tête aux pieds, le corps squelettique de son patient. C'était une méthode simple et efficace de réduire les émanations à un degré acceptable, le temps de leur petite conversation nocturne.

À côté du lit, il y avait un tabouret de bar confortablement rembourré. Laputa se jucha sur ce perchoir.

Un haut trépied en chêne servait de table, à côté du tabouret. Après voir bu une gorgée de son cocktail, Laputa posa son verre sur la tablette.

Il observa Vieux Fromage un moment, en silence.

Bien sûr, Vieux Fromage ne dit rien ; il avait appris à ses dépens qu'il lui était strictement interdit de lancer la conversation.

En outre, sa voix, autrefois robuste, était devenue plus frêle que celle d'un tuberculeux en phase terminale, un crépitement rauque, rocailleux comme du sable roulant sur des pierres, comme le cliquetis de chitine de scarabées affolés. Une voix qui terrifiait désormais Vieux Fromage ; prononcer un mot lui devenait, chaque jour, plus douloureux ; de soir en soir, il était donc moins loquace.

Les premiers temps, pour l'empêcher de crier et d'ameuter le voisinage, Laputa lui avait scotché la bouche. Aucun bâillon n'était désormais nécessaire ; Vieux Fromage n'avait plus la force d'élever la voix.

Au début, malgré les drogues qui le paralysaient à moitié, Vieux Fromage était, par sécurité, enchaîné à son lit. Avec le dépérissement corporel, la perte de tonus musculaire, les chaînes étaient devenues, elles aussi, inutiles.

En l'absence de Laputa, la perfusion de glucose contenait des produits pour le rendre docile – une assurance contre toute velléité de fuite.

Le soir, il lui laissait les idées claires. Pour valoriser leurs séances.

Aujourd'hui, ses yeux chargés de terreur, alternativement, évitaient et cherchaient le regard de Corky Laputa, comme s'ils luttaient contre une attraction maléfique. Vieux Fromage attendait dans l'angoisse, sachant ce qui allait suivre.

Laputa n'avait jamais frappé cet homme, ni employé quelque moyen de torture physique.

Avec des mots, des mots seulement, il avait brisé le cœur de son détenu, avait laminé son amour-propre. Avec des mots, il s'employait à détruire son esprit, si tant est que Vieux Fromage n'eût pas déjà perdu la raison.

Le véritable nom de Vieux Fromage était Maxwell Dalton. Un professeur de littérature de l'université où exerçait encore Laputa.

Laputa enseignait la littérature selon une perspective déconstructionniste, instillant chez ses étudiants le credo que le langage ne peut jamais décrire la réalité, car les mots ne peuvent se référer qu'à d'autres mots, et non à des choses tangibles. Il leur enseignait que devant chaque texte, qu'il soit fictionnel ou de loi, l'être humain est le seul décideur du sens que revêtent ces mots, comme de leur interprétation, et que toute vérité est donc subjective, que tout principe moral est, par suite, une interprétation frauduleuse de textes religieux ou philosophiques qui n'ont d'autre sens, en réalité, que celui que le lecteur veut bien leur donner. C'étaient là des idées délicieusement destructrices, et Corky Laputa tirait une grande satisfaction de son travail de professeur.

Le Pr Maxwell Dalton était un traditionaliste. Il croyait aux mots, au sens, aux idées et aux principes.

Depuis des décennies, des gens, de la même famille intellectuelle que Laputa, avaient la mainmise sur le département de littérature de la Faculté. Il y a quelques années, Dalton avait tenté un coup d'État contre les champions du négativisme sémantique.

Il était une nuisance, un nuisible qui mettait en péril le triomphe du chaos. Dalton admirait Dickens, T.S. Eliot et Mark Twain – le mal personnifié.

Grâce à Rolf Reynerd, Dalton était retenu prisonnier dans cette chambre depuis plus de trois mois.

Lorsque Reynerd et Laputa avaient fait le serment devant l'Univers de lancer un assaut meurtrier sur la citadelle dorée de Channing Manheim, ils avaient aussi accepté, pour se prouver mutuellement le sérieux de leur engagement, de commettre un crime au profit de l'autre. Laputa assassinerait la mère de Reynerd ; en retour l'acteur kidnapperait Dalton pour le lui remettre.

Se souvenant comment son désir premier d'en finir avec sa mère par une simple strangulation avait dégénéré en un massacre frénétique à coups de tisonnier, Laputa s'était procuré un pistolet pour éliminer Mina Reynerd de façon rapide et professionnelle, comptant lui tirer une balle dans le cœur pour qu'il n'y ait pas trop de sang.

Malheureusement, à cette époque, il n'était pas un expert en armes à feu. La première balle n'avait pas atteint le cœur, mais le pied.

Mrs. Reynerd s'était mise à hurler de douleur. Pour des raisons qui lui échappaient encore, au lieu de finir le travail avec le pistolet, il s'était servi d'une lampe au socle de marbre et de bronze, qu'il avait sérieusement endommagée.

Plus tard, il s'était excusé auprès de Reynerd pour avoir abîmé cette jolie pièce de son héritage.

Tenant sa parole, l'acteur avait kidnappé Maxwell Dalton et transporté le professeur, inconscient, jusque dans cette chambre à coucher, où Laputa l'attendait avec un assortiment de poches de perfusion, emplies de sédatifs pour assurer la docilité du détenu durant les premières semaines de captivité, en attendant qu'il ait suffisamment dépéri.

Depuis lors, Laputa avait méthodiquement affamé son collègue, lui fournissant le minimum de nutriments par intraveineuse pour le maintenir en vie. Soir après soir – parfois, aussi le matin – il soumettait Dalton à une séance de torture psychologique.

Le bon professeur croyait que sa femme, Rachel, et sa fille de dix ans, Emily, avaient été kidnappées également. Il pensait qu'elles étaient enfermées dans une autre pièce de la maison.

Jour après jour, Laputa assenait à Dalton la litanie d'abus sexuels et de tortures qu'il infligeait à ces deux êtres chers. Ses récits étaient hauts en couleur, lardés de détails sanglants, violents et délicieusement obscènes…

Il s'ignorait ces talents de conteur pornographe, mais ce qui surprit le plus Laputa, c'est la facilité avec laquelle Dalton accorda crédibilité à ces inventions ; c'était un délice de le voir ainsi au supplice. Si Laputa avait eu à s'occuper de trois captifs, en plus de son travail quotidien, et qu'il leur avait fait subir le quart des atrocités qu'il prétendait avoir perpétrées, c'est lui qui aurait été un mort vivant décharné !

La mère de Corky Laputa, la harpie du monde universitaire, aurait été fière de voir son fils terroriser ainsi l'un de ses collègues et se révéler un guerrier plus âpre encore au combat qu'elle n'avait rêvé de l'être elle-même. Sans compter qu'elle aurait été totalement incapable d'ourdir et de mettre à exécution un plan aussi machiavélique.

Les seuls moteurs chez sa mère étaient l'envie et la haine. Or Corky Laputa n'éprouvait ni haine ni rancœur… il était uniquement motivé par le désir de voir naître un monde meilleur, grâce à l'anarchie. Sa mère voulait détruire ses ennemis, lui voulait *tout* détruire.

Seuls ceux qui étaient animés de grands projets connaissaient de grandes victoires.

À la fin de cette journée particulièrement fructueuse, Laputa, juché sur son tabouret, contemplait le professeur ratatiné, en buvant de petites gorgées de martini, sans rien dire, laissant le suspense s'installer. Malgré toutes ses activités des dernières heures, il avait trouvé le temps de concocter une histoire particulièrement sanglante qui aurait raison pour de bon, espérait-il, de la santé d'esprit de Dalton.

Laputa comptait lui raconter qu'il avait assassiné Rachel, sa femme. Dalton, dans sa condition de faiblesse extrême, risquait d'avoir une crise cardiaque fatale.

Si le professeur survivait à cette sinistre nouvelle, Laputa lui dirait au matin que sa fille était morte aussi. Ce second choc l'achèverait peut-être enfin…

D'une façon ou d'une autre, Laputa avait décidé d'en finir avec Dalton. Il avait tiré tout l'amusement possible de la situation. Le temps était venu de passer à autre chose.

En outre, il avait besoin du lit pour Aelfric Manheim.

46.

La nuit sur la lune, recouvrant ses terres froides et vérolées de cratères, ne saurait être plus solitaire que celle sur le Palazzo Rospo.

Dans la maison, les seuls sons étaient les bruits de pas de Fric, sa respiration, les faibles grincements des gonds quand il ouvrait une porte.

Dehors, le vent lunatique, tantôt menaçant, tantôt mélancolique, bruissait dans les arbres, arrachant de leur feuillage des mélopées plaintives, éreintant les murs, mugissant de frustration d'être ainsi exclu de la maison. La pluie martelait rageusement les vitres, puis ruisselait en longs sanglots sur les montants.

Pendant un moment, Fric pensait être plus en sécurité en mouvement que s'il restait sur place quelque part ; si d'aventure il cessait de bouger, les forces invisibles allaient l'assaillir de toutes parts, il en était sûr. De plus, debout sur ses jambes, aux aguets, il pouvait piquer un sprint à tout instant et échapper plus facilement à un éventuel danger.

Son père considérait qu'un garçon, une fois atteint l'âge de six ans, ne devait plus être envoyé arbitrairement au lit, mais devait trouver tout seul ses propres rythmes biologiques. Par conséquent, depuis des années, Fric allait se coucher quand il le désirait, parfois à neuf heures du soir, parfois à minuit.

Mais à force de déambuler dans la maison, d'allumer toutes les lumières au fil de ses errances, il sentit la fatigue le gagner. Il pensait pourtant que l'existence d'un Moloch, dévoreur d'enfants, pouvant jaillir à tout moment d'un miroir, suffirait à le priver de sommeil pour le restant de sa vie, ou tout au moins jusqu'à ses dix-huit ans, âge auquel il ne pourrait plus être considéré comme une denrée juvénile consommable. Mais la peur était aussi épuisante qu'un travail de force.

Craignant de s'écrouler dans un canapé et de constituer une proie plus facile que nécessaire, Fric songea à retourner dans l'aile Ouest, au rez-de-chaussée, pour se pelotonner devant la porte de Mr. Truman. Mais si Mr. Truman ou les McBee le trouvaient endormi sur le paillasson, il risquait de passer pour une mauviette et un poltron et ferait honte au nom des Manheim.

Aussi décida-t-il que la bibliothèque serait le meilleur refuge. Il s'était toujours senti en sécurité au milieu des livres. Même si la bibliothèque se trouvait au premier étage, qui était aussi désert que le deuxième niveau, au moins il n'y avait pas de miroirs.

Les anges sur leurs branches de sapin le saluèrent à son arrivée.

D'instinct, il recula devant cette multitude ailée.

Puis il s'aperçut que ce sapin-là n'avait aucune décoration avec des surfaces réfléchissantes susceptibles de servir de portail d'entrée à quelque entité d'un Autre Monde.

Ces anges ailés, finalement, semblaient lui confirmer que l'endroit était sûr – un véritable sanctuaire.

Dans la vaste pièce, les urnes, les vases, les amphores et les figurines qui décoraient les rayonnages étaient soit des basaltes de Wedgwood agrémentés de motifs Empire, soit des porcelaines de la dynastie Han. Les basaltes étaient noirs et mats, rien de brillant ; deux mille ans d'Histoire avaient éteint le lustre des porcelaines chinoises ; quant à la statue équestre hellénique ou le vase de jade datant d'avant la naissance du Christ, Fric était certain qu'ils ne pouvaient servir de judas pour quelque créature maléfique venant d'un monde parallèle.

Au fond de la bibliothèque, une porte donnait dans un cabinet de toilette pour dames. Fric coinça le dossier d'une chaise sous la poignée sans oser l'ouvrir. Au-dessus du lavabo, pour que les belles puissent se repoudrer le nez, il y avait un miroir...

Cette précaution présentait un petit inconvénient, toutefois facilement résolvable : il avait envie de faire pipi... il se soulagea donc dans le pot d'un palmier.

Le garçon se lavait toujours les mains après avoir été aux toilettes. Tant pis si, cette fois, il était contaminé par mille vilains germes !

Une vingtaine de palmiers en pots égayaient la grande salle. Il se promit d'uriner toujours dans le même pot, pour éviter de ravager toute la forêt miniature de la bibliothèque.

Fric retourna dans le coin lecture, à proximité du sapin et de ses bataillons de sentinelles ailées. Oui, c'était un endroit sûr.

Parmi les fauteuils et leurs repose-pieds, un canapé. Fric s'apprêtait à s'étendre sur ce lit de fortune quand, dans le silence, tinta un carillon joyeux, digne d'une crèche ou d'une chambre de bébé.

Oudili-oudili-ou !

Le téléphone se trouvait dans un meuble que Mrs. McBee appelait « l'escritoire », mais qui restait aux yeux de Fric un simple secrétaire. Il s'approcha du meuble, examinant le voyant de sa ligne personnelle qui s'illuminait à chaque sonnerie.

Oudili-oudili-ou !

Mr. Truman prendrait sans doute l'appel à la troisième sonnerie.

Oudili-oudili-ou !

Mais Mr. Truman ne décrocha pas.

Le téléphone sonna une quatrième fois. Une cinquième.

La boîte vocale ne prit pas non plus l'appel.

Six sonneries. Sept.

Fric n'osait pas soulever le combiné.

Oudili-oudili-ou !

*
* *

Dans son appartement, Ethan avait sorti les six boîtes d'un placard pour les disposer sur son bureau, par ordre chronologique de réception.

Il avait éteint l'ordinateur.

Le téléphone était à portée de sa main ; il pouvait à tout moment intercepter un appel pour Fric, et surveiller également le voyant de la ligne 24. Le trafic sur cette ligne avec l'Au-Delà, en effet, semblait avoir curieusement augmenté ces derniers temps, ce qui le troublait pour des raisons mystérieuses. Il avait donc décidé d'ouvrir l'œil...

Assis à son bureau, avec une canette de Coca à la main, il méditait sur le rébus qui lui était proposé.

Le petit bocal contenait vingt-deux bêtes à bon Dieu. *Hippodamia convergens*, de la famille des coccinellidés.

Un autre bocal, plus grand, renfermait les dix escargots morts. Une vision particulièrement macabre après cette journée éprouvante.

Un pot à cornichons contenait neuf prépuces dans du formol – le dixième exemplaire ayant été envoyé au labo pour examen.

Les rideaux tirés assourdissaient le bruissement de la pluie, la colère du vent.

Des coccinelles, des escargots, des prépuces...

Pour des raisons qui lui échappaient, Ethan reporta son attention vers le téléphone, bien qu'il fût parfaitement silencieux. Aucun voyant allumé, ni sur la ligne 24, ni sur aucune des vingt-trois autres.

Il but une gorgée de Coca.

Des coccinelles, des escargots, des prépuces...

*
* *

Oudili-oudili-ou!

Peut-être Mr. Truman s'était-il cogné la tête par terre en tombant et gisait-il au sol, inconscient, sans entendre la sonnerie? Ou alors avait-il été emporté de l'autre côté du miroir? Ou encore avait-il simplement oublié de modifier le programme pour recevoir chez lui les appels?

Le type à l'autre bout de la ligne était obstiné. Après vingt et une sonneries de cette mélodie stupide, Fric sut que s'il ne décrochait pas, le téléphone sonnerait toute la nuit.

Le léger trémolo dans sa voix trahissait son émoi, mais il persévéra :

— Ici le Vomitorium Häagen-Dazs, la maison où l'on sert les glaces dans des seaux pour pouvoir dégobiller dedans.

— Salut, Aelfric, déclara le Mystérieux Inconnu.

— Je n'arrive pas à savoir si vous êtes un pervers ou un ami comme vous le prétendez. Mais je commence à pencher pour le premier.

— Tu te trompes de côté. Il suffit de regarder autour de toi pour t'en rendre compte.

— Regarder autour de moi? Où ça?

— Là où tu es... dans la bibliothèque.

— Je suis dans la cuisine.

— Tu devrais savoir, à présent, que cela ne sert à rien de me mentir.

— Ma cachette secrète va être l'un des grands fours. Je me suis glissé à l'intérieur et j'ai fermé la porte.

— Alors dépêche-toi de t'enduire de beurre, car Moloch va ouvrir le gaz!

— Moloch est déjà ici, répliqua Fric.

— Ce n'était pas Moloch, c'était moi.

Sous le choc de cette révélation, Fric faillit raccrocher.

Le Mystérieux Inconnu poursuivit :

— Je t'ai rendu visite parce que je voulais te faire prendre conscience, Aelfric, que tu es réellement en danger, et que, cette fois, le temps presse vraiment. Si j'avais été Moloch, c'en était fini de toi.

— Vous êtes sorti d'un miroir... rétorqua Fric, la curiosité l'emportant sur la peur.

— Et je suis reparti par un autre.

— Comment pouvez-vous faire ça ?

— Si tu veux connaître la réponse, regarde autour de toi, mon petit.

Fric jeta un regard circulaire dans la salle.

— Que vois-tu ?

— Des livres.

— Ah oui ? Il y a des livres dans la cuisine ?

— D'accord, je suis dans la bibliothèque.

— La vérité, enfin ! Finalement, je vais peut-être pouvoir t'éviter des misères. Que vois-tu, hormis les livres ?

— Un secrétaire. Des fauteuils. Un canapé.

— Mais encore...

— Un sapin de Noël.

— Exactement !

— Et alors ?

— Alors ? Qu'est-ce qui est suspendu aux branches ?

— Hein ?

— Et qui est une anagramme de *nage*.

— Des anges, répondit Fric, en observant le rassemblement ailé, brandissant harpes et trompettes.

— Je voyage par les miroirs, par le brouillard, par la fumée, par des portes d'eau, des escaliers d'ombres, des routes de clair de lune, et aussi par l'espoir, le souhait, le souffle d'un désir. Je n'ai plus besoin de voiture.

Stupéfait, Fric serra si fort le combiné que sa main en devint douloureuse, comme s'il s'agissait d'un citron et qu'il espérait en exprimer quelques gouttes encore de secrets.

Le Mystérieux Inconnu resta muet, ajoutant une nouvelle mesure de silence au silence.

Fric tombait des nues. De toutes les bizarreries qu'il avait imaginées, il ne s'attendait pas à celle-là.

Enfin, avec une nouvelle vibration dans la voix, Fric demanda :

— Vous voulez dire que vous êtes un *ange* ?

— Cela te paraît possible ?
— Mon... ange gardien ?
Au lieu de répondre, l'homme du miroir déclara :
— La foi est le mot clé en la matière, Aelfric. En bien des manières, le monde est ce que nous voulons qu'il soit, et c'est nous qui façonnons notre futur.
— Mon père dit que notre avenir est écrit dans les étoiles, que notre destin est scellé dès notre naissance.
— Ton vieux est un sacré bonhomme en bien des domaines, mais en ce qui concerne le destin, c'est une grosse merde !
— Houlà, j'ignorais que les anges pouvaient dire « merde ».
— Faut croire qu'ils le peuvent. Cela dit, je suis nouveau dans le métier ; je peux donc me tromper et commettre encore quelques fautes de conduite.
— Vous avez encore des ailes d'entraînement...
— On peut dire ça comme ça. En attendant, je ne veux pas qu'il t'arrive de malheur, Aelfric. Mais je ne peux assurer tout seul ta sécurité. Tu dois prendre les choses en main et trouver le moyen d'échapper à Moloch quand il va venir.

*
* *

Des coccinelles, des escargots, des prépuces...
Sur le bureau d'Ethan, parmi les autres objets, se trouvait la boîte à gâteaux emplie de cent cinquante-quatre jetons, vingt-deux *A, C, G, H, I, N, R.*
CHAGRIN. A GRINCH, CHAR GIN.
En plus de la boîte à gâteaux, il y avait *Nos amies les bêtes*, le livre de Donald Gainsworth, qui avait dressé des chiens pour aveugles et paraplégiques.
Des coccinelles, des escargots, des prépuces, des jetons dans une boîte à gâteaux, un livre...
À côté du livre, la pomme suturée renfermant son œil de poupée. L'ŒIL DANS LA POMME, LE VER DANS LE FRUIT ? LE PÉCHÉ ORIGINEL ? LES MOTS ONT-ILS D'AUTRE BUT QUE DE SEMER LA CONFUSION ?
Ethan avait mal à la tête. Sans doute était-ce un moindre mal quand on songeait qu'il avait trépassé à deux reprises dans la même journée.
Abandonnant les six colis de Reynerd, Ethan se rendit dans la salle de bains. Il ouvrit le tube d'aspirine et prit deux comprimés.

Il comptait remplir un verre d'eau au robinet du lavabo pour avaler ses cachets, mais quand il regarda dans le miroir au-dessus de la vasque, il se surprit à scruter le reflet à la recherche de l'ombre fugitive qu'il avait aperçue dans la glace de l'appartement de Dunny.

Il préféra aller se servir un verre d'eau dans la cuisine, là où il n'y avait pas de miroirs indiscrets.

Curieusement, son regard fut de nouveau attiré vers le téléphone – cette fois vers l'appareil mural fixé à côté du réfrigérateur. Aucune ligne n'était occupée. Ni la ligne 24, ni celle de Fric.

Il songea de nouveau au pervers haletant. Même si le garçon pouvait raconter des histoires pour attirer l'attention sur lui, cette version était trop falote, trop morne pour valoir la peine de l'inventer. Quand un gamin concoctait un mensonge, d'ordinaire il était haut en couleur.

Après avoir pris ses aspirines, Ethan décrocha le téléphone mural. Un voyant s'illumina sur le boîtier, correspondant à la première de ses deux lignes privées.

Les téléphones de la maison faisaient également office d'interphone. S'il enfonçait le bouton INTERCOM, puis le bouton de la ligne de Fric, il pourrait parler directement au garçon.

Il ne savait ce qu'il allait lui dire, ni pourquoi il était soudain impérieux de parler au garçon à cette heure de la nuit... Il fixa des yeux la ligne 23. Il posa l'index sur le bouton, mais hésita.

Le gamin devait dormir à l'heure qu'il était. Ou du moins ce devrait être le cas pour un garçon de son âge.

Ethan raccrocha.

Il se tourna vers le réfrigérateur. Un peu plus tôt, il avait été incapable d'avaler quoi que ce soit. Les événements de la journée lui avaient vrillé l'estomac. Tout ce qu'il voulait alors, c'était un bon whisky. Mais brusquement, l'idée d'un bon jambon-beurre lui fit monter l'eau à la bouche.

Comme chaque matin, il s'était levé en espérant que tout irait bien, et la vie lui avait fait ce sale coup... une balle dans le ventre, un aller simple pour le Paradis... et puis il s'était retrouvé de nouveau sur ses jambes, bien forcé de continuer à vivre, et la vie, encore une fois, lui avait fait un croc-en-jambe... une voiture folle, un camion qui freine trop tard, et le voilà mort et ressuscité pour la deuxième fois de la journée... et quand il croyait avoir trouvé le courage de surmonter ça, paf! la vie en remettait une louche... alors au fond, c'était pas si étonnant qu'il ait une faim de sumo. Toutes ces émotions creusaient l'estomac.

*
* *

Fric observait les faux anges de diverses factures – verre brossé, plastique, bois sculpté, fer-blanc – suspendus aux branches du sapin, en songeant qu'il en avait un, peut-être, bien réel au bout du fil...

— Comment puis-je trouver une retraite sûre si Moloch peut voyager par les miroirs et les rayons de lune ?

— Il ne le peut pas, répondit le Mystérieux Inconnu. Il n'a pas mes pouvoirs, Aelfric. C'est un simple mortel. Mais cela ne signifie pas pour autant qu'il soit moins dangereux. Un démon, pure souche, ne serait pas plus redoutable.

— Pourquoi ne venez-vous pas ici pour l'attendre ?... et sitôt qu'il pointe son nez, vous lui mettez une pâtée à coups de crucifix !

— Je n'ai pas de crucifix, Aelfric.

— Vous devez bien avoir quelque chose. Une gerbe d'éclairs, un gourdin sacré, une épée magique qui brille toute seule. J'ai lu des trucs sur les anges dans ce roman d'heroic-fantasy. Les créatures de l'éther ne sont pas aussi volatiles que des pets. Ce sont toutes des machines de guerre. Elles combattent les armées de Satan, les chassent du Paradis pour les renvoyer en enfer. C'était d'ailleurs une super-scène dans le bouquin.

— On n'est pas au paradis, fiston. Nous sommes sur Terre. Ici, je n'ai droit d'agir qu'avec discrétion et de façon indirecte.

Reprenant les paroles du Mystérieux Inconnu, lors de leur dernière conversation dans la cave à vin, Fric récita :

— Par l'encouragement, l'incitation, l'intimidation, la cajolerie, le conseil.

— Tu as une bonne mémoire. Je sais ce qui se trame, mais je ne peux influencer le cours des événements que par des moyens détournés...

— ... « furtifs et subliminaux », je sais, termina Fric.

— Je ne peux contrecarrer directement les desseins démoniaques de Moloch. Tout comme je ne peux aider directement un policier héroïque sur le point de sacrifier sa vie pour autrui, et d'élever ainsi encore un peu plus son âme.

— Je peux comprendre ça. Vous êtes comme un metteur en scène qui n'a pas le *final cut*.

— Je suis moins que ça encore. Je serais plutôt l'un des multiples consultants du studio qui propose de retravailler quelques points du scénario.

— Le genre de modifications qui rendent les scénaristes marteau ou ivrognes à vie. Des gars qui vous en voudront à mort d'avoir soulevé un problème qui passera totalement au-dessus des gamins de dix ans pour qui sont faits les films.

— Sauf que mes propositions, répliqua le prétendu ange, sont toujours bien intentionnées, et fondées, uniquement, sur une vision du futur qui peut très bien se réaliser.

Fric resta un moment songeur, puis tira une chaise pour s'asseoir.

— Le métier d'ange gardien doit être assez frustrant.

— Tu n'as pas idée ! C'est toi, Aelfric, qui a le *final cut* de ta propre vie. Cela s'appelle le libre-arbitre. Tu as ce pouvoir. Tout le monde l'a. Et à la fin, c'est toi seul qui peux agir – pas moi. C'est ton rôle ici-bas... faire des choix, qu'ils soient bons ou mauvais, qu'ils soient sages ou non, courageux ou lâches.

— Je veux bien essayer.

— Il faudra faire plus qu'essayer. Qu'as-tu fait de la photo que je t'ai donnée ?

— La jolie dame avec le gentil sourire ? Elle est rangée dans ma poche.

— Elle ne servira pas à grand-chose si elle reste dans cette poche.

— Que voulez-vous que j'en fasse ?

— Réfléchis. Fais fonctionner ta cervelle, Aelfric. Même dans ta famille, c'est possible. Cherche. Trouve.

— Je suis trop crevé pour réfléchir pour l'instant. Qui est cette femme sur la photo ?

— Joue donc au détective. Mène ton enquête.

— C'est justement ce que je fais : qui est cette femme ?

— Pose donc la question autour de toi. Ce n'est pas à moi de te répondre.

— Pourquoi donc ?

— À cause du devoir de discrétion, qui complique parfois beaucoup le travail d'ange gardien.

— D'accord. Oublions ça. Cette nuit, je suis en sécurité ? Trouver cette cachette, ça peut attendre demain matin ?

— Si tu t'en occupes dès le saut du lit, ça ira, répond

l'ange gardien. Mais ne perds pas de temps. Prépare-toi, Fric. Prépare-toi.

— Entendu. Et mes excuses pour vous avoir dit ça, l'autre fois.

— Quoi ? Que j'étais un avocat ?

— Ouais.

— On m'a dit pire, tu sais.

— Ah oui ?

— Bien pire.

— Et pardon aussi pour avoir tenté de vous rappeler.

— Me rappeler ? Comment ça ?

— C'est un truc un peu mesquin à faire à un ange. Je n'aurais pas dû composer *69.

Le Mystérieux Inconnu resta silencieux.

Un silence qui avait une qualité unique et surnaturelle.

Un silence total. Il n'oblitérait pas seulement les bruits parasites sur la ligne, mais aussi tous les sons dans la bibliothèque; tant et si bien que le garçon crut être devenu sourd.

Un silence profond aussi, comme si l'ange gardien appelait du fond d'une fosse abyssale. Un silence profond et *glacial*.

Fric frissonna. Il n'entendait pas ses dents claquer, ni son corps trembler. Il n'entendait pas son souffle, mais il sentait l'air sortir de lui, juste assez chaud pour dessécher ses dents.

Un silence total, profond et glacial, oui... mais d'une nature plus étrange encore.

Un tel silence ne pouvait être engendré par un ange lambda doté de quelques pouvoirs surnaturels; c'était plutôt le silence de l'Ange de la Mort, celui des Ténèbres.

Le Mystérieux Inconnu prit une longue inspiration, avalant le silence et laissant les sons du monde reprendre leur place; puis sa voix se fit entendre, chargée d'inquiétude et d'une sourde menace.

— Quand as-tu composé *69, Aelfric ?

— Après que vous m'avez appelé dans la salle du train.

— Et aussi après notre conversation dans la cave à vin ?

— Oui. Vous n'étiez pas au courant ?... Je pensais qu'un ange gardien savait forcément ce genre de choses...

— Les anges ne savent pas tout, Aelfric. De temps en temps, des choses nous... échappent.

— La première fois, ça a sonné indéfiniment.

— C'est parce que je me servais du téléphone dans mon ancien appartement, là où je vivais avant ma mort. Je n'avais pas composé ton numéro ; j'ai juste pensé à toi et j'ai décroché. J'étais en train d'apprendre... J'ignorais encore tout ce dont j'étais capable. Mais je m'améliore et progresse d'heure en heure.

Fric se demanda s'il n'était pas plus fatigué qu'il ne le pensait. Parfois, le sens de certaines phrases lui échappait totalement.

— Votre ancien appartement ?

— Je suis un ange relativement jeune, fiston. Je suis mort ce matin. J'utilisais le corps que j'occupais autrefois, mais maintenant, j'ai trouvé un moyen de transport plus... souple, grâce à mes nouveaux pouvoirs. Que s'est-il passé la seconde fois que tu as voulu remonter jusqu'à moi ?

— Vous ne le savez pas ?

— Je crois malheureusement le savoir. Mais dis-le-moi quand même.

— Je suis tombé sur ce pervers.

— Que t'a-t-il dit ?

— Rien. Il a juste respiré fort... et puis il a fait des bruits d'animaux.

Le Mystérieux Inconnu resta silencieux, mais c'était un silence qui n'avait rien d'abyssal cette fois. C'était un point de suspension, un soupir où l'on percevait la trépidation des nerfs, le frémissement d'ailes de l'insecte prêt à prendre son envol, la tension des muscles sous la chitine.

— Au début, j'ai cru que c'était vous, expliqua Fric. Alors je lui ai dit que j'avais regardé dans le dico la définition du mot Moloch. En entendant ce nom, ça l'a excité.

— Ne compose plus jamais *69 après que je t'ai appelé, Aelfric. Plus jamais.

— Pourquoi ?

Avec une insistance qui trahissait une angoisse surprenante pour un ange immortel, le Mystérieux Inconnu répéta :

— Plus jamais. Tu m'entends ? Plus jamais.

— Oui.

— Promets-moi de ne plus le faire...

— Oui. Je le promets. Mais pourquoi est-ce si grave ?

— Quand je t'ai appelé dans la cave à vin, je n'ai pas utilisé de téléphone, à l'inverse de la première fois. Je n'ai pas plus besoin d'appareil pour t'appeler que de voiture pour me déplacer. Il me suffit de concevoir *l'idée* d'un téléphone.

— L'idée d'un téléphone ? Comment ça marche ?

— Ma charge actuelle offre quelques avantages pour le moins surprenants.

— Votre charge d'ange gardien vous voulez dire ?

— Mais quand j'utilise simplement l'idée d'un téléphone, *69 te connecte avec un endroit où il t'est interdit d'aller.

— Quel endroit ?

L'ange gardien hésita. Puis répondit :

— L'éternité noire.

— Ça n'a pas l'air très gai comme coin, reconnut Fric, en jetant un regard inquiet dans la bibliothèque.

Dans le labyrinthe de rayonnages, tant de monstres, humains et non-humains, habitaient les royaumes des livres. Peut-être l'un d'entre eux pouvait-il quitter ces territoires de papier pour rejoindre ce monde-ci, pour respirer non pas des vapeurs d'encre de Chine mais de l'air, attendant qu'un petit garçon tombe nez à nez avec lui au détour de ces alignements silencieux ?

— L'éternité noire. L'abîme sans fond, les ténèbres invisibles et tout ce qui les habite, explicita l'ange gardien. Tu as eu de la chance, fiston, que ces choses ne te parlent pas.

— « Ces choses » ?

— Ce que tu appelles le « pervers ». Si ces choses t'avaient parlé, elles auraient pu t'envoûter, te charmer, te donner des ordres.

Fric contempla de nouveau le sapin de Noël. Les anges semblaient le regarder.

— Quand tu as composé *69, expliqua l'ange gardien, tu leur as ouvert la porte.

— À qui ?

— Est-il besoin de prononcer leur nom chargé de soufre ? Tu sais très bien de qui je veux parler.

Fric sut, sans coup férir, de qui l'ange voulait parler. Avec son goût prononcé pour la littérature fantastique, sa salle de projection privée où il pouvait regarder tous les films qu'il voulait – des gentils Walt Disney aux films d'horreur les plus gore – et son imagination que de longues heures de solitude avaient exacerbée, il était parfaitement au faîte de ces notions.

Le Mystérieux Inconnu ajouta :

— Tu as ouvert une porte pour eux et d'une parole, involontaire et malheureuse, tu aurais pu les inviter à entrer.

— Ici ? Au Palazzo Rospo ?

— En toi, Aelfric. *En toi*. Ils peuvent voyager par les lignes téléphoniques, par la fragile chaîne reliant entre eux tous les esprits, à la façon dont, moi, je voyage d'un miroir à l'autre.

— Sans blague ?
— Sans blague. Ne fais plus jamais *69 après mes appels.
— Entendu.
— Plus jamais. En quelques circonstances que ce soit.
— Plus jamais.
— Je suis très sérieux, Aelfric.
— Je n'aurais pas cru qu'un ange gardien puisse faire ça.
— Faire quoi ?
— Me fiche les jetons.
— Encourager, inciter, *intimider*, lui rappela le Mystérieux Inconnu. Maintenant, dors en paix. Profite de ce dernier moment de répit. Au matin, ne lambine pas. Prépare-toi. Prépare-toi à survivre, Aelfric. Parce que quand je regarde l'avenir, quand j'explore la trame des événements... je te vois mort.

47.

Fric se trouvait dans une situation cornélienne; il était allongé sur le ventre, dans le canapé, et fixait du regard le téléphone posé par terre devant lui. Il l'avait déplacé du secrétaire et rapproché de lui jusqu'au maximum de longueur de son cordon.

Une mesure de sécurité, au cas où il lui faudrait passer un appel d'urgence...

Mais ce n'était là qu'une part de la vérité. L'idée de composer *69 lui titillait l'esprit.

Fric n'avait aucune pulsion suicidaire; il ne faisait pas partie de ces fils à papa d'Hollywood qui étaient pressés de grandir et de devenir des junkies qui ne connaîtraient jamais le manque. Il n'avait nulle intention de se tuer, que ce soit avec une voiture de sport, un pistolet, des coupe-faim, de l'alcool, à cause d'un cancer du poumon par abus de marijuana, ou à cause des femmes.

Parfois, au cours d'une fête, lorsque le Palazzo Rospo grouillait de célébrités et d'inconnus brûlant de le devenir, Fric se rendait invisible – il n'y avait pas mieux pour surprendre les conversations. Dans une foule de ce genre, il était facile de se faire oublier, parce que la moitié des invités étaient trop imbus de leur personne pour remarquer la présence d'autrui et que l'autre moitié consacrait toute son attention à la poignée de metteurs en scène, agents, et pontes des studios, qui pouvaient soit faire leur fortune, soit les rendre encore plus obscènement riches qu'ils ne l'étaient déjà.

Pendant qu'il jouait à l'homme invisible, Fric avait entendu dire, à propos de la troisième plus grande star mondiale – ou peut-être la quatrième –, « que les femmes lui seraient fatales et qu'elles le conduiraient dans la tombe ». Fric ignorait comment une femme pouvait être fatale à qui que ce soit. Si l'on voulait mourir, autant acheter un pistolet.

Cette déclaration, quoique énigmatique, était restée gravée dans sa mémoire, et il comptait bien se montrer vigilant avec la gent féminine. Ces derniers temps, lorsqu'il rencontrait des femmes, il les observait sous toutes les coutures afin de déterminer si, oui ou non, elles étaient du genre à vous mener au cimetière.

Jusqu'à cette nuit bizarre, il n'avait jamais imaginé que l'on pouvait appeler la mort en faisant *69.

Peut-être cette chose dans le téléphone ne pouvait-elle pas le tuer, mais juste prendre possession de son âme et de son corps ? Et c'était lui, après, qui aurait envie de se tuer parce qu'il se sentirait trop misérable ?

Ou bien, une fois en possession de son esprit, la chose lui ordonnerait-elle de foncer, tête la première, dans un mur ou une fosse septique (si tant est qu'on pût en trouver une dans Bel Air) ou alors de sauter du toit du Palazzo Rospo ou dans les bras d'une blonde *fatale* (qui étaient légion dans ce quartier, à ce qu'on disait).

Le problème, c'était : devait-il croire ou non la mise en garde du Mystérieux Inconnu ?

D'un côté, son laïus sur son rôle d'ange gardien, sur sa capacité à voyager par les miroirs et les rayons de lune, pouvait être du concentré de foutaises. Un truc encore plus carton-pâte que le film de papa-fantôme sur les licornes.

D'un autre côté – car il y avait toujours un « autre côté » – le Mystérieux Inconnu était *réellement* sorti d'un miroir ; il avait vraiment volé parmi les fermes de la charpente. Sa prestation dans le grenier – et, plus tard, sur les décorations du sapin de Noël – était si extraordinaire qu'elle apportait une certaine crédibilité à ses propos.

Mais avait-on déjà vu un ange gardien se balader en costume cravate tout droit sortis d'une boutique chic de Rodeo Drive, avec un visage d'une pâleur de poisson, un air plus terrifié que touché par la grâce – où était l'auréole, d'abord ? – et des yeux couleur de cendres froides ?

Peut-être le Mystérieux Inconnu, pour des raisons obscures, lui mentait-il, cherchait-il à l'attirer dans un piège ?

Un jour, Fric avait entendu son père dire que tout le monde dans cette ville cherchait à causer la perte de quelqu'un, soit par cupidité, soit par simple jeu.

Le Mystérieux Inconnu avait interdit à Fric d'utiliser encore *69 parce que soi-disant cela le mettait en communication avec l'éternité noire. La vérité, peut-être, c'était qu'il ne voulait pas que Fric retrouve sa trace...

Toujours allongé sur le ventre, le garçon tendit le bras et décrocha le combiné. Il enfonça le bouton de sa ligne privée.

Il écouta la tonalité.

Les anges sur le sapin ressemblaient à des anges. On pouvait faire confiance à un ange portant une harpe, une trompette, vêtu d'une robe blanche, avec une paire d'ailes dans le dos. Ça, c'était un vrai ange.

Fric composa *69.

On décrocha non pas à la quatrième sonnerie, comme la fois précédente, mais dès la première. Personne ne dit « allô ? ». Comme la première fois également, ce fut le silence qui l'accueillit. Puis, après quelques secondes, il entendit une respiration.

Fric voulait jouer avec les nerfs du pervers, le faire parler le premier. Mais après vingt ou trente secondes, le garçon devint si nerveux qu'il lâcha :

— C'est encore moi.

Il n'obtint aucune réponse en récompense de ses efforts.

Le garçon tenta une plaisanterie pour se donner du courage, mais sa voix sonna faux :

— Alors, comment c'est l'éternité noire ? On s'éclate là-bas ?

La respiration se fit plus forte et caverneuse.

— Quoi ? C'est bien comme ça qu'on dit... l'éternité noire... insista Fric, l'air taquin, mais avec une terreur grandissante qui rendait vaines ses bravades. Sur certaines cartes, ça s'appelle aussi l'abîme sans fond. Ou les ténèbres invisibles. Ça vous dit quelque chose ?

L'être continua de respirer dans son oreille.

— Vous n'avez pas l'air en pleine forme. Vous avez une vilaine sinusite qui se prépare.

À force de se tenir la tête en bas, par-dessus le bord du canapé, le garçon commença à avoir le tournis.

— Je vais vous donner le nom de mon toubib. Il vous fera une ordonnance. Ça va vous dégager le nez. Vous respirerez bien mieux et vous me remercierez.

Une voix rocailleuse, résonnant dans une gorge hérissée de lames de rasoir, desséchée par des cendres deux fois brûlées, montant de profondeurs indicibles et cheminant à travers les décombres de mausolées mystérieux, prononça un mot, un seul : « *petit* ».

Fric eut l'impression qu'un insecte avait pénétré en lui... Peut-être l'un de ces pince-oreilles dont on disait qu'ils se faufilaient dans le conduit auditif pour déposer leurs œufs dans le cerveau, vous transformant en zombie transportant des pullulations grouillantes.

En se souvenant de son icône de père, toujours preux et digne sur les affiches, pétri d'une détermination d'airain, Fric serra le téléphone dans sa main de toutes ses forces. Il lui fallut rassembler tout son courage pour chasser de sa voix les ondes de la terreur quand il répondit :

— Vous ne me faites pas peur.

« *Petit* » répéta l'être. « *Petit* » surenchérirent d'autres voix. Au début seulement quatre ou cinq, à un niveau plus faible que la première; des hommes, des femmes, ouvrant et ponctuant leurs soliloques par des « *Petit... petit* ». Leurs voix étaient impatientes, avides. Désespérées. Des voix douces, murmurantes, d'autres plus hargneuses. « ... qui est là ? » « ... le passage. Il est le passage... » « ... de la chair fraîche... » « ... un stupide petit cochon de lait, si facile à attraper... » « fais-moi entrer... appelle-moi » « appelle-moi... » « ... non, *moi*, appelle-moi... ». En l'espace de quelques secondes, ils furent une dizaine, puis une multitude. Comme ils parlaient tous en même temps, leurs paroles avaient quelque chose de bestial; des grognements, des feulements, et de temps à autre des grappes de mots émergeaient, se faisaient intelligibles – suites d'obscénités assemblées en phrases incohérentes. Des lamentations sinistres, vibrantes de peur, de souffrances, de frustration, entrelardées d'accès ardents de colère tissaient l'ensemble, formant une tapisserie sonore au motif univoque : *le désir*.

Fric entendait son cœur cogner contre ses côtes, le sang battre dans son cou, palpiter sous ses tempes. Il prétendait ne pas avoir peur, mais il avait peur... si peur qu'aucune remarque sarcastique ne lui venait à l'esprit. Il était muet de terreur, incapable d'articuler un mot.

Et pourtant, ce concert de voix l'intriguait, le captivait. Il y avait tant d'envie en elles, elles étaient si affamées, si avides, si désespérées. Cette mélancolie insondable éveillait en lui des échos poignants, car lui aussi connaissait les terres désolées de la solitude. Ces voix parlaient à son âme, lui promettaient la fin de la peine, la fin de la douleur, elles lui offraient compagnie et soutien; il lui suffisait de les laisser entrer. L'amour, la plénitude, la joie, tout cela serait pour lui si seulement il se décidait à leur ouvrir son cœur.

Même lorsqu'il ne percevait pas de mots, et qu'il s'agissait d'un torrent ininterrompu d'obscénités, le chœur guttural, vibrant de grognements, de sifflements, inexorablement, apaisait sa terreur. Son cœur continuait de battre la chamade, mais peu à peu, à chaque nouvelle pulsation, l'excitation remplaçait un peu plus la peur. Tout pouvait changer. Du tout au tout. Radicalement. Totalement. Dans l'instant et pour toujours. Il pouvait avoir une autre vie, une vie bien meilleure – elle était là, à portée de main – une vie où la solitude n'aurait plus droit de cité, où l'incertitude n'existerait plus, pas plus que la confusion, le doute, la crainte…

Fric ouvrit la bouche pour proférer une invitation que les adeptes du spiritisme savent qu'il ne faut point prononcer. Mais juste avant de parler, quelque chose, à la périphérie de son champ de vision, attira son regard : le cordon reliant l'écouteur au téléphone.

Le fil torsadé, d'ordinaire lisse et blanc dans sa gaine de caoutchouc, avait quelque chose d'organique, une chose rose et luisante, comme le cordon de chair reliant une mère à son nouveau-né. Des ondes parcouraient ce cordon, lentes et puissantes, montant de l'appareil par vagues, vers le combiné qu'il tenait contre son oreille ; elles frémissaient d'impatience, certaines d'entendre Fric prononcer le sésame tant désiré.

*
* *

Assis derrière son bureau, un sandwich au jambon à la main, Ethan tentait de décoder le rébus que formaient les six colis de Reynerd, mais ses pensées ne cessaient de dériver vers Dunny Whistler.

À la morgue de l'hôpital, lorsqu'il avait appris la disparition de la dépouille de Dunny, il avait su, d'instinct, que l'expérience bizarre dont il avait été victime chez Reynerd avait un lien avec le fait que Dunny, soudain transformé en mort vivant, se soit fait la belle. Plus tard, l'implication apparente de Dunny dans le meurtre de Reynerd, quoique inattendue, n'avait pas été une réelle surprise.

Ce qui l'étonnait vraiment, tout bien considéré, c'était sa rencontre du troisième type avec Dunny dans le bar de l'hôtel…

Ce ne pouvait être une coïncidence. Dunny se trouvait dans ce bar parce que Ethan y était. Il voulait qu'Ethan le voie.

Auquel cas, Dunny voulait aussi qu'Ethan le suive. Et peut-être même qu'il le rattrape.

C'était sur le perron de l'hôtel, sous les trombes d'eau, alors qu'il cherchait à repérer Dunny dans la foule, qu'Ethan avait reçu l'appel de Yancy... S'il n'avait pas été contraint d'abandonner les recherches pour rejoindre son ex-collègue à l'église, se demandait à présent Ethan, que se serait-il passé ? Aurait-il retrouvé Dunny ?

Pris d'une impulsion subite, Ethan demanda aux services de renseignements le numéro de l'hôtel et appela.

— J'aimerais parler à l'un de vos clients. Je ne connais pas le numéro de sa chambre. Il s'appelle Dunny Whistler.

Après consultation du registre informatique, le réceptionniste répondit :

— Je regrette, monsieur, mais nous n'avons aucun Dunny Whistler chez nous.

*
* *

Quelques minutes plus tôt, seulement quelques lampes brillaient sur les tables dans la grande bibliothèque, mais à présent, c'était le plein feu – plafonniers, appliques murales, guirlandes dans le sapin. Fric avait tout allumé, banni, éliminé toute zone sombre dans la grande pièce. On se serait cru dans un bloc opératoire. Et pourtant, le garçon n'était pas encore satisfait.

Il avait reposé le téléphone sur le secrétaire et débranché le cordon.

Sans doute tous les téléphones dans sa suite à l'étage du dessus devaient sonner et faire un raffut de tous les diables. Mais il n'allait pas monter écouter le concert. Quand l'Enfer appelait, cela pouvait durer des heures.

Le garçon avait tiré un fauteuil près de l'arbre de Noël. Près des anges.

C'était peut-être stupide, enfantin, ou simplement superstitieux. Mais il s'en fichait. Toutes ces âmes en peine à l'autre bout du fil, ces choses...

Il s'installa dos à l'arbre, décidant que rien de dangereux ne jaillirait des branches qui ployaient sous les grappes d'angelots.

S'il n'avait pas menti plus tôt à Mr. Truman, il aurait pu aller lui demander de l'aide.

Ici, à Fricland, le train ne sifflera pas trois fois, et le shérif ne risquerait pas de voir les habitants lui prêter main-forte quand le méchant arriverait en gare pour la curée.

*
* *

Ethan raccrocha après sa conversation avec le réceptionniste de l'hôtel et récupéra le reste de son sandwich, mais l'une de ses deux lignes personnelles se mit à tinter avant qu'il n'ait eu le temps de mordre dedans.

Quand il décrocha, c'est le silence qui l'accueillit. Il répéta « allô ? », mais n'obtint aucune réponse.

Était-ce le pervers de Fric ?

Il n'entendait pas de bruits de respiration, naturelle ou suggestive. Juste le vide d'une ligne ouverte et son léger bruit blanc, à peine audible.

Ethan recevait rarement des appels aussi tardifs : il était près de minuit. Après cette journée mouvementée, il trouvait ce silence empreint d'un sens mystérieux.

Était-ce l'instinct ou l'imagination… il percevait une présence à l'autre bout du fil.

Ses années dans la police lui avaient appris la patience. Il écouta, rendant silence pour silence.

Le temps passa. Le sandwich attendait sur le bureau. Toujours aussi affamé, Ethan avait désormais très envie d'une bière.

Finalement, il entendit une lamentation, à trois reprises. La voix était faible… non parce qu'il s'agissait d'un murmure, mais parce que le son provenait d'une très grande distance. Un son si faible qu'il aurait pu être un mirage sonore.

Ensuite, de nouveau le silence, de nouveau l'attente, et puis la voix se fit encore entendre, un son si éphémère qu'Ethan ne put dire s'il s'agissait d'un homme ou d'une femme. Il aurait pu tout aussi bien s'agir de pleurs de bébé, ou d'un gémissement animal. Trois occurrences encore. Et toujours la même atténuation, comme si le son traversait une épaisse couche de brouillard.

Il sut qu'il n'y aurait pas de respiration obscène.

Toujours aussi ténu, le bruit blanc d'électricité statique se fit menaçant, comme si chaque microdécharge était l'impact d'une particule radioactive sur son tympan.

Quand la voix se fit entendre pour la troisième fois, ce ne fut pas une plainte évanescente. Ethan crut percevoir des modulations qui, à n'en pas douter, recelaient un sens. Des mots. Inintelligibles.

À l'image d'une émission radio lointaine, traversant une tempête, ces mots étaient distordus, évanescents, entrelardés de scratches. Une voix, provenant d'un autre temps ou émise depuis la face cachée de Saturne, n'aurait pas été plus indistincte.

Ethan ne se souvenait pas s'être penché sur sa chaise, emporté par la concentration, pas plus qu'il n'avait senti ses bras quitter les accoudoirs pour se poser sur ses genoux. Et pourtant, il était bel et bien recroquevillé sur lui-même, les deux mains sur son visage, l'une tenant le téléphone contre son oreille, l'autre refermée devant sa bouche, comme un pénitent pris de remords ou terrassé par une nouvelle tragique.

Même si Ethan ne parvenait pas à comprendre ce que lui disait son interlocuteur lointain, ses paroles s'insinuaient en lui, légères et furtives, comme une ombre de nuages glissant sous le clair de lune.

À chaque fois qu'il se concentrait pour discerner le sens de ces mots, les paroles se trouvaient noyées dans un crachouillis d'électricité statique. S'il se détendait, peut-être ce flot deviendrait-il intelligible, la voix se ferait-elle plus claire ?... mais il ne pouvait décrisper ses muscles. Même s'il avait l'oreille douloureuse à force de serrer l'écouteur, il ne pouvait relâcher la pression, de crainte qu'à la moindre distraction de sa part il ne manque un passage fort et clair – comme si ces paroles devaient être méritées, qu'elles ne se livreraient qu'à celui qui ferait preuve de suffisamment de ferveur.

La voix avait une modulation plaintive. Bien qu'il fût incapable de distinguer les mots et d'en déduire le sens, Ethan y percevait de l'urgence et de la détresse, peut-être aussi de la tristesse.

Après cinq minutes d'efforts infructueux pour extirper ces paroles de cette mer de parasites, Ethan consulta sa montre. 0 h 26. Cela faisait près d'une demi-heure qu'il était pendu au téléphone.

Son oreille meurtrie était un tison ardent, son cou était tout ankylosé, ses épaules douloureuses.

Désorienté, troublé, Ethan se redressa sur sa chaise. Il n'avait jamais été hypnotisé, mais il imaginait que l'effet devait être similaire. Il avait l'impression de sortir d'une transe mystérieuse.

À contrecœur, il raccrocha.

Cette voix provenant du néant pouvait n'être qu'une

suggestion, une illusion. Et pourtant, il avait traqué ce signal avec l'opiniâtreté d'un opérateur sonar d'un U-boat écoutant les *ping!* d'un bateau ennemi lâchant ses grenades sous-marines.

Ethan ne comprenait pas sa réaction.

La pièce n'était pas anormalement chauffée, et pourtant il dut éponger son front ruisselant de sueur.

Il s'attendait à ce que le téléphone sonne de nouveau. Peut-être serait-il plus sage, cette fois, de ne pas décrocher?

Cette pensée le troubla profondément, car il n'en comprenait pas la raison. Pourquoi ne pas répondre à un téléphone qui sonne?

Son regard courut sur les six « cadeaux » de Reynerd, mais s'arrêta un long moment sur les clochettes provenant de l'ambulance qui devait l'emporter pour son dernier voyage.

Après deux ou trois minutes, voyant que le téléphone ne sonnait toujours pas, il alluma l'ordinateur et ouvrit le registre des communications téléphoniques. La dernière entrée de la liste était l'appel qu'il avait passé à l'hôtel, pour se renseigner sur Dunny Whistler.

L'appel qu'il venait de recevoir, qui avait pourtant duré trente minutes, ne figurait pas sur le registre informatique.

Impossible!

Il fixa l'écran des yeux, en songeant au pervers haletant de Fric. Il avait trop vite conclu que le garçon lui mentait...

Lorsque Ethan reporta son attention sur le téléphone, il s'aperçut que le voyant de la ligne 24 venait de s'allumer.

Un démarcheur. Un faux numéro. Sûrement... et pourtant...

S'il avait pu, il serait monté au deuxième étage où se trouvait le répondeur réservé à la ligne 24. L'appareil était enfermé dans une pièce spéciale, derrière une porte bleue, fermée à clé. Violer cet interdit signifiait se retrouver au chômage.

Pour Ming du Lac et Channing Manheim, la pièce derrière cette porte bleue était un sanctuaire. Il était interdit à quiconque d'y pénétrer.

En cas d'urgence, Ethan possédait un passe pour accéder à toutes les pièces de la maison. La seule porte qu'il n'ouvrait pas, c'était la porte bleue.

*
* *

Le groupe d'anges rassurant, le parfum sucré de la résine,

le moelleux du grand fauteuil... et pourtant Fric ne parvenait pas à trouver le sommeil.

Il se leva, se mit à déambuler parmi les rayonnages et choisit un livre.

Malgré ses dix ans, il lisait des ouvrages réservés aux plus de seize ans. Il n'en tirait aucune fierté : les adolescents d'aujourd'hui n'étaient pas des lumières, peut-être parce que justement personne ne leur demandait de l'être et qu'on les cantonnait dans leurs rôles de crétins.

Même Miss Dowd, son professeur de littérature, ne lui demandait pas d'aimer la lecture; elle doutait, d'ailleurs, que les livres aient une bonne influence pour lui. Elle disait que les livres étaient des reliques, que le futur serait fait d'images, pas de mots. En réalité, elle croyait dans les « memes », qu'elle prononçait *meems* et définissait comme des idées naissant spontanément parmi les « gens éclairés », et se propageant d'esprit en esprit parmi le bas peuple, comme des virus mentaux, engendrant ainsi « de nouveaux modes de pensée »...

Miss Dowd donnait des cours à Fric quatre fois par semaine, et après chaque séance, elle laissait derrière elle des quantités d'un purin mental capable de fertiliser les pelouses et les parterres de toute la propriété pour au moins une année.

De retour dans son fauteuil, Fric s'aperçut qu'il ne parvenait pas à se concentrer sur sa lecture. Non parce que le roman était inintéressant, mais parce qu'il était épuisé, physiquement et nerveusement.

Il resta assis, immobile, espérant qu'un *meme* germe dans son esprit et lui donne un tout nouveau sujet de réflexion pour s'occuper l'esprit, quelque chose pour chasser de sa tête toutes ses pensées concernant Moloch, les sacrifices d'enfants, les étranges voyageurs des miroirs. Malheureusement, ce soir, aucune vague endémique de *memes* ne traversait ces latitudes.

Alors que ses yeux commençaient à le brûler, que ses paupières se faisaient lourdes et rêches comme du papier de verre, Fric sortit de la poche de son jean la photo que l'homme du miroir lui avait confiée. Il déplia le cliché et le lissa sur sa cuisse.

La dame paraissait encore plus jolie que dans son souvenir. Pas une beauté de top-model, mais une vraie beauté – réelle. Douce et gentille.

Qui pouvait-elle être? Qu'aurait été sa vie si cette femme avait été sa mère et si son mari avait été son père? Il s'en voulait un peu d'exclure ainsi maman-bio et papa-fantôme de son imaginaire, mais en pur produit de l'industrie du rêve, ils ne pourraient lui tenir rigueur de s'inventer une famille d'emprunt pour un soir.

À force de regarder cette femme au doux sourire, Fric se mit à sourire à son tour, ce qui était encore mieux que d'attraper un *meme* en maraude.

Plus tard, alors que Fric vivait en pensée avec sa nouvelle maman et son mari (qu'il n'avait pas encore rencontré), dans une petite chaumière de son cher village oublié du Montana, là où personne ne connaissait son passé, l'homme du miroir sortit de la plaque inox du grille-pain, caressa le chien, et lui rappela qu'il était dangereux de composer *69 pour tenter de le joindre. « Si un ange se sert d'un téléphone virtuel pour m'appeler, répliqua Fric, je ne vois pas pourquoi, en lançant le rappel automatique du numéro, je tomberais sur les Enfers et non sur le Paradis ? » Au lieu de répondre à la question, l'homme cracha un jet de feu digne d'Eliot le Dragon et repartit dans le carter du toaster. Les flammes carbonisèrent les vêtements de Fric, des torons de fumées s'élevèrent de son corps, mais le garçon ne fut pas brûlé. Sa nouvelle maman versa sur ses habits un verre de limonade pour éteindre le feu et ils purent reprendre leur conversation – au sujet de ses livres préférés – tout en savourant un bon gâteau au chocolat qu'elle lui avait préparé avec amour.

*
* *

Dans les ténèbres tumultueuses, peuplées d'abord de coups de feu et de rugissements de moteurs, puis bercées de pleurs venant du néant, Ethan tournoyait, rebondissait sur le macadam mouillé. Une dernière révolution et il s'éveilla, en sueur, dans le silence et l'obscurité de ses draps humides.

Il se redressa sur son lit et articula « Hannah » ; dans son sommeil, alors que toutes ses défenses psychologiques étaient tombées, il avait reconnu sa voix... C'était *elle* qu'il avait entendue dans le téléphone.

Au début, elle avait répété le même appel à trois reprises, et puis trois fois encore. Dans le sommeil, il avait enfin compris les mots : « *Ethan... Ethan... Ethan.* »

Que lui avait-elle encore dit ? Quel message urgent avait-elle tenté de lui faire parvenir par-delà le gouffre qui les séparait ? Cela restait toujours indéchiffrable. Même au pays des songes, cette terre pourtant limitrophe des territoires de la mort, Ethan était encore trop loin d'Hannah pour comprendre ses paroles, hormis son nom.

Soudain, alors que les nappes du sommeil achevaient de se déchirer, Ethan se sentit observé...

Tous les enfants, au sortir d'un rêve, ont l'impression que des monstres sanguinaires sont tapis dans tous les recoins sombres de leur chambre à coucher. La présence de démons leur semble si réelle que nombre de petites mains ont hésité à allumer la lampe de chevet de crainte de découvrir une image plus terrifiante encore que celle engendrée par leur imagination enfiévrée; et pourtant, toutes les terreurs, mêmes les plus terribles, finissent par se dissoudre avec la lumière.

Mais Ethan, cette fois, n'était pas certain que les photons parviendraient à chasser l'illusion. Ce qui l'observait, c'étaient des hiboux, des corbeaux, des faucons à l'œil féroce; ils n'étaient pas perchés sur ses meubles, mais accrochés aux murs, dans les photos sous cadre, des images en noir et blanc qui n'étaient pas là quand il était parti se coucher... L'aube pâlissait dans le ciel, annonçant un jour nouveau, mais il n'y avait aucune raison de croire que la journée du mardi serait moins mystérieuse et déstabilisante que ne l'avait été celle du lundi.

Ethan ne chercha pas à atteindre l'interrupteur de la lampe de chevet. Il s'allongea de nouveau, la tête sur l'oreiller, se résignant à accepter la présence de ces créatures tapies dans l'obscurité.

Il ne pensait pas pouvoir se rendormir. Et pourtant, plus vite qu'il ne le supposait, ses paupières se firent lourdes comme du plomb.

Tandis qu'Ethan dérivait mollement sur la frange du vortex menant aux pays des songes, il entendait de temps en temps un *tic-tic-tic*, comme les pas réguliers de ses sentinelles ailées, faisant la relève dans leur cadre. À moins que ce ne fût que le tapotis de la pluie sur les carreaux.

Alors qu'il était aspiré de plus en plus vite dans le trou noir du sommeil, Ethan souleva les paupières, une dernière fois, et remarqua une petite lumière dans la pénombre. Le téléphone. Sans se lever, il ne pouvait savoir avec certitude quel voyant s'était allumé, mais un pressentiment lui disait qu'il s'agissait de celui de la ligne 24.

Le bras spiral acheva de l'emporter dans le tourbillon, vers l'œil noir et profond des songes.

48.

Tout vibrant d'entrain pour une nouvelle journée au service du chaos, Corky Laputa prit au petit déjeuner un roulé noix de pécan-cannelle, quatre tasses de café et deux comprimés de caféine.

Celui qui faisait croisade contre l'ordre social devait se donner les moyens de mener sa quête, quitte à se détruire l'estomac et à souffrir d'inflammations chroniques du côlon. Par chance, Laputa supportait sans encombre l'activité biliaire de sa vésicule, dopée par l'ingestion quotidienne de substances excitantes.

Faisant passer la caféine solide avec des rasades de caféine liquide, Laputa, derrière la fenêtre de sa cuisine, contemplait le ciel de plomb où s'accrochaient des lambeaux de brume nocturne que l'aube morne n'avait pu dissiper. Le mauvais temps serait, aujourd'hui encore, son allié.

Il ne pleuvait pas – mais l'accalmie serait de courte durée. Arrivant dans la traîne de la précédente dépression, de nouvelles nuées allaient doucher la ville et justifier une nouvelle fois, pour Laputa, le port de son vêtement de pluie préféré, même s'il ne passait pas inaperçu.

Laputa avait déjà rechargé les poches de son ciré jaune, qui attendait, suspendu à un crochet dans le garage.

Sa tasse de café à la main, il se rendit dans la chambre d'amis à l'étage. Il acheva de le boire tout en informant Vieux Fromage Qui Pue que sa chère fille, Emily, était morte.

La veille, il lui avait narré la fin atroce de Rachel, sa femme, après de cruelles tortures. L'épouse en question était bien vivante, bien entendu, et nullement la prisonnière de Laputa. Les détails étaient si sanglants que Vieux Fromage s'était mis à pleurer comme une madeleine. Les sanglots s'étaient mués en vagissements étranges, à peine humains – parfaitement répugnants à vrai dire – sortant des tréfonds de son corps ratatiné.

Malgré son désespoir, Vieux Fromage n'avait pas eu de crise cardiaque, au grand regret de Laputa.

Plutôt que d'apaiser sa victime avec un sédatif, Corky avait inséré dans la poche de sa perfusion un puissant hallucinogène. Avec un peu de chance, Vieux Fromage n'avait pu trouver le sommeil et avait passé la nuit hantée par des images de cauchemar, lui montrant les sévices infligés à sa pauvre femme.

À présent, Corky Laputa offrait à son invité un récit encore plus terrible des tortures innommables qu'il avait fait subir à la petite Emily. Mais les larmes, le chagrin, la douleur... tout cela était ennuyeux à mourir. Un infarctus, était-ce vraiment trop demander ? Mais Vieux Fromage résistait, faisait de l'antijeu.

Pour quelqu'un qui prétendait aimer sa femme et sa famille plus que lui-même, la détermination de Vieux Fromage à survivre prouvait qu'il se fichait d'elle comme de sa dernière chemise. Vieux Fromage, comme tous les traditionalistes, avec leur discours pompeux et moraliste sur l'importance des mots et du langage, était un arbre creux.

De temps à autre, Laputa discernait de la colère derrière l'affliction. Dans les yeux de sa victime luisait soudain une haine ardente, comme un laser meurtrier, mais l'éclair était aussitôt noyé par les larmes.

Peut-être Vieux Fromage s'accrochait-il à la vie uniquement dans l'espoir de se venger ? Ce pauvre gars se berçait d'illusions.

En outre, la haine était un poison qui tuait à petit feu son propriétaire. La mère de Laputa en avait été un exemple frappant.

Avec des gestes rapides et précis, Laputa retira l'ancienne poche de la perfusion, et en installa une nouvelle contenant un produit paralysant. Vieux Fromage n'avait plus que la peau sur les os et l'usage d'un quelconque incapacitant était sans doute superflu, mais Laputa détestait les incertitudes, si minimes fussent-elles.

Par une sorte d'ironie du sort, pour servir le chaos, il se devait d'être organisé. Il fallait une stratégie pour atteindre la victoire, et pour édifier une stratégie, l'ordre, la discipline et la rigueur étaient indispensables.

Sans tactique, sans stratégie, on ne pouvait être un véritable agent du chaos. On n'était qu'un psychopathe, comme Jeffrey Dahmer, le tueur nécrophile et cannibale, ou un simple excentrique, comme ces vieilles dames qui avaient cent chats chez elles et vivaient dans une maison transformée en dépotoir, ou encore un guignol sans programme comme le nouveau gouverneur de Californie.

Cinq ans plus tôt, Corky Laputa avait appris à réaliser quelques gestes médicaux de base : faire des injections, insérer une canule dans une veine, installer une perfusion, placer une sonde urinaire chez un homme ou une femme... Depuis lors, il avait pu profiter des opportunités qui s'étaient présentées, comme avec Vieux Fromage Qui Pue, pour exercer ses nouveaux talents ; aujourd'hui, il maîtrisait ces techniques aussi bien qu'une infirmière confirmée.

D'ailleurs, son professeur avait été une infirmière – Mary Noone. Elle avait le visage d'une madone de Botticelli et les yeux d'un furet.

Il avait rencontré Mary lors d'un colloque intitulé « Bioéthique et utilitarisme ». Les adeptes de l'utilitarisme considéraient que chaque être devait recevoir des soins à l'aune de son utilité au sein de la société. Cette doctrine prônait donc l'euthanasie des handicapés moteurs, des enfants trisomiques, des personnes âgées dont la survie dépendait de soins onéreux tels que dialyses et autres techniques chirurgicales lourdes.

La salle bruissait de conversations – des gens d'esprit et intelligents. Mary Noone et lui s'étaient plus dès le premier regard. Ils buvaient du cabernet sauvignon quand on les avait présentés l'un à l'autre. À mesure qu'ils remplissaient leurs verres, leur attirance mutuelle devenait criante.

Des semaines plus tard, lorsque Laputa avait demandé à Mary de lui apprendre l'art de faire des piqûres et de maintenir un patient sous perfusion, il avait expliqué que la santé de sa mère déclinait et déclaré d'un air solennel : « Je redoute plus que tout le jour où elle sera clouée au lit, mais si cela doit arriver, je préfère m'occuper moi-même de maman plutôt que la remettre aux soins de mains étrangères. »

Mary le félicita pour cette abnégation filiale, et Laputa feignit d'accepter le compliment avec humilité – une comédie qui lui était facile à jouer, puisqu'il avait menti sur la santé de sa mère et la nature de ses véritables intentions. La vieille peau était aussi vaillante que Mathusalem, six siècles avant sa mort, et Laputa flirtait, à l'époque, avec l'idée de lui injecter un produit mortel pendant son sommeil.

Il était presque certain que Mary avait deviné la vérité. Mais elle se prêta au jeu de bonne grâce.

Au début, il pensait que Mary acceptait de lui dispenser ses leçons parce qu'elle en pinçait pour lui. Des lapins dans un clapier copulaient moins souvent et avec moins de frénésie que Mary Noone et Corky Laputa durant les quelques mois qu'avait duré leur liaison.

Finalement, il devint clair aux yeux de Laputa que Mary avait compris ses véritables desseins et qu'elle ne les désapprouvait pas... En outre, il découvrit que Mary était, à sa manière, un archange de la mort, une convertie zélée qui suivait à la lettre les préceptes de la bioéthique utilitaire en tuant discrètement les patients dont la vie lui semblait de piètre qualité ou de valeur négligeable pour la société.

Fort de cette constatation, Laputa comprit qu'il ne pouvait plus rester l'objet sexuel de la belle. C'était bien trop dangereux... Tôt ou tard, elle serait arrêtée pour homicide et jugée, comme tous les anges de son espèce. En sa qualité d'amant attitré de Mary, la police allait forcément s'intéresser de près à son cas – ce qui risquait de mettre en péril le grand œuvre de sa vie, et peut-être, également, sa simple liberté de circulation.

De plus, après trois mois de liaison, Laputa commençait à ne plus supporter de dormir dans le même lit que Mary Noone. Même si, en tant qu'amant, Mary pouvait le considérer d'un secours précieux, Laputa ignorait quelle utilité – ou quelle inutilité – elle lui octroyait au regard de la société.

À sa grande surprise, lorsqu'il avança l'éventualité d'une pause dans leur relation, Mary accepta sa proposition avec un soulagement ostensible. De toute évidence, Mary aussi avait du mal à trouver le sommeil...

Finalement, ce n'est pas par une injection létale qu'il choisit d'éliminer sa mère, mais l'enseignement qui lui avait été prodigué dans le domaine médical ne fut pas perdu pour autant.

Depuis, il n'avait croisé Mary qu'à deux reprises, et les deux fois à des rencontres de bioéthique. L'attirance était toujours là, mais la méfiance aussi.

Avec une dextérité et une douceur qui auraient fait la fierté de l'infirmière Mary Noone, Corky Laputa en termina avec son patient Vieux Fromage Qui Pue.

Le produit allait paralyser Vieux Fromage, sans altérer en rien son degré de vigilance. Avec une clarté mentale indemne, il allait passer une journée de souffrance, rongé par la double nouvelle de la mort de sa femme et de sa fille.

— Il faut que je me débarrasse des cadavres de Rachel et d'Emily, annonça Laputa, s'étonnant lui-même de jouer aussi bien la comédie. Je donnerais bien leurs restes aux cochons, si je connaissais une porcherie dans le coin.

Il se souvenait de cette fille blonde qu'on avait retrouvée dans une usine de retraitement des égouts. En empruntant des détails de ce crime, il adapta pour Vieux Fromage une version où la mère et la fillette reprenaient le rôle de la jolie blonde.

Toujours pas d'infarctus en vue.

Plus tard dans la soirée, lorsqu'il reviendrait avec Aelfric Manheim, Corky Laputa présenterait au garçon son cadavre vivant, en avant-goût des horreurs qui l'attendaient. La torture qu'il réservait à Aelfric serait, toutefois, d'une nature différente de celle qu'il avait infligée à ce pompeux amateur de Dickens, Tolstoï et Mark Twain. Si ce crétin n'avait pas une crise cardiaque dans la journée, Laputa devrait le tuer avant minuit.

Laissant Vieux Fromage aux pensées incongrues que pouvait avoir un traditionaliste en ces circonstances, Laputa enfila son grand ciré jaune canari, ferma la maison à clé et se prépara à affronter une nouvelle journée pluvieuse de décembre à bord de sa BMW.

Les nuages se rassemblaient déjà au-dessus de la ville. De grands dragons noirs fermaient le ciel d'un horizon à l'autre, enroulés en une masse menaçante, pleine de rugissements et de flammes qui bientôt allaient être crachés en jets ardents.

Une pluie timide se mit à tomber, mais le pis allait suivre, des trombes verticales, des torrents impétueux, des cataractes – le déluge du Jugement dernier!

49.

Protégé par l'arbre aux anges et la photo de la jolie dame, Fric s'éveilla indemne, son corps et son âme intacts.

Au centre de la bibliothèque, le dôme de verre pâlissait avec l'aube, mais les couleurs étaient encore indistinctes, parce que le jour était d'un gris sale.

Fric observa une nouvelle fois le portrait de sa maman imaginaire, puis il replia la photo et la glissa dans la poche de son jean.

Il se leva du fauteuil et s'étira en bâillant, prenant le temps de savourer le fait d'être encore en vie.

Au fond de la grande salle, il retira la chaise qui coinçait la porte des toilettes. Mais il n'osa pas entrer dans la pièce au miroir.

Après avoir jeté un regard autour de lui pour s'assurer qu'il était bien seul, il urina dans le pot du palmier dont il s'était servi la veille pour le même usage. Un moment agréable pour lui, mais sûrement pas pour l'arbre.

Toutes les cabines WC de la maison se trouvaient au fond de salons de toilettes aux murs décorés de miroirs – par conséquent inaccessibles.

Ce mode d'évacuation serait opérationnel tant que ses besoins pouvaient être satisfaits en station verticale. Lorsque la position assise serait exigée commenceraient alors pour lui les vrais problèmes.

Si la pluie cessait enfin – et même si elle continuait – il pourrait tenter une sortie vers les bosquets de cèdres, derrière la roseraie. Il pourrait alors faire comme les ours dans la forêt... et il ne faisait pas allusion à l'hibernation, ni au pillage des ruches pour le miel.

Les gardes le verraient entrer et sortir du bosquet ; heureusement, aucune caméra ne couvrait cette portion du parc.

Si quelqu'un lui demandait ce qu'il faisait dehors sous la pluie, il répondrait avec aplomb qu'il était venu observer les oiseaux. Il faudrait penser à prendre une paire de jumelles avec lui pour accréditer cette version.

Personne ne mettrait en doute son histoire. Un garçon comme lui était forcément un amoureux de la nature, une tête en maths, un amateur de monstres en Lego, un lecteur inavoué de revues de body-building, et un collectionneur de ses propres crottes de nez entre autres productions.

Maintenant que le problème des besoins naturels était réglé, le garçon rebrancha le téléphone qu'il avait déconnecté la veille par sécurité. Il s'attendait à l'entendre sonner aussitôt, mais l'appareil resta silencieux.

Il éloigna le fauteuil du sapin de Noël pour le remettre à sa place d'origine. Après avoir éteint les lumières, il sortit de la bibliothèque.

Au moment de fermer la porte, quelques anges sur leurs branches se mirent à scintiller doucement dans le clair-obscur, renvoyant la lueur d'un éclair lointain, derrière le dôme de verre.

Moloch arrivait.

Il fallait se préparer.

Il descendit le grand escalier, traversa le grand hall circulaire et emprunta le couloir menant aux cuisines. En chemin, il éteignit les lumières qu'il avait laissées allumées la veille.

L'immobilité de l'aube était encore plus épaisse et plus impressionnante que le silence qui, durant cette longue nuit, avait semblé convier dans la maison tous les spectres possibles et imaginables.

Dans la cuisine, en passant devant une fenêtre, Fric remarqua que l'averse s'était momentanément calmée ; le bosquet de cèdres se profilait au loin. Pour l'instant, il n'y avait aucune urgence à lancer le plan « ornithologue en herbe ».

D'ordinaire, Fric évitait la cuisine quand Mr. Hachette, le chef diabolique, était de service. C'était le repaire de la bête ! Un endroit où les alignements de fours rappelaient les terrifiantes aventures de Hansel et Gretel, où les rouleaux à pâtisserie avaient des airs de gourdins du paléolithique et où l'on n'aurait pas été surpris d'apprendre que couteaux de boucher, fourchettes à viande et couperets provenaient du sinistre hôtel Bates de *Psychose*.

Ce matin, toutefois, ce territoire était sans danger car Mr. Hachette – ex-membre de la célèbre *Cordon Bleu School* et d'un autre établissement non moins prestigieux dans le domaine des arts culinaires – ne serait pas présent pour préparer le petit déjeuner à la famille et aux gens de maison. Il commençait sa journée entre les marchés fermiers et les épiceries fines, pour sélectionner – et organiser la livraison –

des fruits, légumes, viandes, produits exotiques (et sans nul doute quantité de fioles de poison) afin de concocter, dans le plus grand secret comme à son habitude, la série de festins qui allait ponctuer ces vacances de Noël. Mr. Hachette n'arriverait donc pas au Palazzo Rospo avant midi.

Malgré sa petite taille, Fric pouvait atteindre les robinets de l'évier. Il régla la température jusqu'à ce que l'eau atteigne une tiédeur agréable.

Si la cuisine avait été pourvue d'un miroir quelque part, il n'aurait pas osé se laver ici. On était si vulnérable tout nu. Absolument sans défense.

Les façades des six réfrigérateurs et des nombreux fours étaient en acier brossé – aucune surface polie. Elles ne pouvaient servir de moyen de transport rapide et bon marché à quelque esprit, bien ou malintentionné.

Fric retira sa chemise et son maillot, mais rien de plus. Il n'avait aucun goût pour l'exhibition. Et quand bien même eut-il cette inclination, une cuisine était le dernier endroit où se montrer nu.

À l'aide de Sopalin et de savon liquide senteur lavande, il se lava les bras et le torse, en portant une attention particulière à la zone des aisselles. Avec d'autres longueurs de papier absorbant il se rinça, puis se sécha.

Alors qu'il fermait le robinet et achevait de s'essuyer, il entendit des bruits de pas s'approcher. Les pas ne provenaient pas du couloir, mais de l'office où l'on rangeait les services de porcelaine, les verres de cristal et l'argenterie.

Fric saisit sa chemise et son maillot, plongea au sol, vif comme une petite souris, et s'éloigna de la porte de l'office pour se cacher derrière l'un des trois postes de travail, en granit poli.

L'îlot était équipé de quatre grandes friteuses encastrées, d'une plaque de cuisson pouvant accueillir deux douzaines de pancakes, ainsi qu'un vaste plan de travail. Si jamais Mr. Hachette le découvrait ici, il risquait d'être dépecé, éviscéré, découpé en julienne, frit dans l'huile et consommé sur place, au nez et à la barbe des rares personnes présentes dans la maison qui vaquaient tranquillement à leurs affaires, ignorant qu'un chef psychopathe et cannibale se délectait d'une Fric-assée sur le pouce.

Lorsque le garçon osa passer la tête du coin de l'îlot, ce ne fut pas Mr. Hachette qu'il vit, mais Mrs. McBee.

Il était maudit !

Mrs. McBee était habillée pour son voyage matinal à

Santa Barbara. Elle traversa la cuisine, ouvrit la porte de son bureau et disparut, en laissant la porte ouverte derrière elle.

Elle allait sentir son odeur. L'entendre. Percevoir sa présence d'une manière ou d'une autre. Elle allait découvrir l'eau ruisselant dans l'évier, ouvrir le compacteur d'ordures et apercevoir les Sopalins mouillés, et elle *saurait*, aussitôt, ce qu'il avait fait et où il se cachait.

Rien n'échappait à Mrs. McBee ; elle avait un œil de lynx et des pouvoirs de déduction infaillibles.

Elle ne le dépècerait pas, ni ne le plongerait en morceaux dans une friteuse, parce qu'elle était une personne gentille, totalement saine d'esprit. Mais elle insisterait pour savoir pourquoi il s'était déshabillé et lavé à l'évier... Et Fric se sentirait aussi stupide et coupable que Grosminet avec des plumes de Titi dépassant de la bouche.

Certes, en sa qualité d'employée de papa-fantôme, elle était aussi, dans une certaine mesure, l'employée de Fric... et cela lui donnait le droit de ne pas répondre à ses questions. Mais s'il sortait cet argument, il se retrouverait définitivement *dans la merde jusqu'au cou*, comme dirait Mr. Hachette avec une vile satisfaction. Mrs. McBee avait l'autorité parentale en l'absence de ses géniteurs... même si elle ne faisait pas de zèle outrancier à ce propos, elle prenait cette responsabilité très au sérieux.

Si Fric inventait une explication plausible, ou essayait de s'en tirer en lâchant quelques bribes de vérité, Mrs McBee sentirait la duperie à dix pas. Elle pouvait lire dans ses pensées comme à livre ouvert ; d'instinct, elle saurait ce qui s'était passé, du moins depuis son réveil, ce matin, dans la bibliothèque. Dix secondes plus tard, elle le traînerait par l'oreille jusqu'au palmier et lui demanderait pourquoi il avait tenté de tuer cette malheureuse plante par un double arrosage à l'urine.

En quelques minutes, elle lui aurait fait raconter toute l'histoire depuis Moloch à l'homme du miroir, en passant par le coup de fil aux Enfers. Toute machine arrière serait alors impossible.

Même Mrs. McBee, avec son don de prescience pour reconnaître les mensonges ou les omissions, ne porterait aucun crédit à cette histoire. Les événements étaient trop extraordinaires pour que l'on puisse y accorder foi. Fric passerait pour un maboul plus atteint encore que ceux qui hantaient le monde du cinéma et dont le comportement et les propos incohérents, quand ils étaient de passage au Palazzo

Rospo, ne laissaient pas, depuis six ans, d'étonner la gouvernante.

Le garçon ne voulait ni décevoir Mrs. McBee, ni lui laisser penser qu'il avait l'esprit dérangé. Son opinion et son estime avaient une grande importance aux yeux de Fric.

Et maintenant qu'il y réfléchissait, le garçon était certain que s'il disait un mot de cette histoire d'ange gardien voyageant par les miroirs, il serait emmené *manu militari* dans un asile pour suivre une thérapie de groupe – et dans ledit groupe, il y aurait six psychiatres et il serait le seul patient !

Papa-fantôme était presque aussi fan des psys que des conseillers spirituels...

Mrs. McBee sortit de son bureau, ferma la porte et s'arrêta pour jeter un regard circulaire dans la cuisine.

Fric se pelotonna derrière les fourneaux et retint son souffle. Il aurait aimé pouvoir refermer les pores de sa peau pour être sûr qu'elle ne puisse flairer son odeur.

La grande cuisine n'était pas un labyrinthe aussi complexe que le grenier aux souvenirs paternels, même si elle accueillait en plus des six réfrigérateurs, deux congélateurs-armoires, une collection de fours de toutes sortes, comme dans une boulangerie, trois postes de cuisson autonomes offrant au total vingt brûleurs, une zone de dressage, une autre de découpe et de pétrissage, ainsi qu'une de lavage équipée de quatre éviers et autant de lave-vaisselle, sans compter un assortiment de tables, dessertes et ustensiles divers dignes d'un grand restaurant.

Un traiteur de Beverly Hills, avec ses quarante employés, pouvait travailler ici avec Mr. Hachette et le personnel de maison, sans que personne ne se marche sur les pieds. Lorsqu'il y avait une réception, on y préparait des repas de trois cents couverts en un rien de temps. Cela s'était produit à plusieurs reprises, et à chaque fois, Fric n'en revenait pas.

Si deux ou même trois personnes ordinaires se mettaient à fouiller la cuisine à sa recherche, Fric avait de bonnes chances de leur échapper. Mais Mrs. McBee n'était pas une personne *ordinaire*.

Il croyait l'entendre humer l'air à la manière d'un chien limier. *Snif... Snif...*

Par bonheur, Fric n'avait pas allumé les lumières ; mais cela n'empêchait pas Mrs. McBee de flairer l'odeur de l'eau chlorée dans l'évier.

Des pas ! Mrs. McBee s'approchait...

Fric faillit se relever... mieux valait révéler sa présence

que d'être découvert, à moitié nu, recroquevillé dans un coin comme un criminel plein de mauvaises intentions.

Mais les pas, en fait, s'éloignaient.

La porte de la cuisine se referma.

Les pas de Mrs. McBee s'évanouirent dans le couloir.

Soulagé (et aussi stupéfait) de découvrir que Mrs. McBee était finalement faillible, Fric se remit à respirer.

Le temps de reprendre son souffle, le garçon se dirigea vers la porte; il l'entrouvrit. Tendit l'oreille.

Il entendit le bourdonnement lointain de l'ascenseur; Mr et Mrs. McBee descendaient au garage. Ils s'apprêtaient à partir pour Santa Barbara.

Fric attendit quelques minutes avant de s'aventurer dans le couloir pour rejoindre la buanderie qui se trouvait, à proximité, dans l'aile Ouest comme les appartements privés des McBee.

La cuisine était gigantesque, mais la buanderie était juste très grande.

Il aimait l'odeur de cette pièce. Détergent, blanchisseur, amidon, relent du coton chaud sous le fer à repasser...

Fric aurait bien gardé les mêmes habits que la veille, mais Mr. Truman risquait de le remarquer et de poser des questions.

Mrs. McBee l'aurait noté dans l'instant et aurait exigé de connaître les raisons d'un tel laisser-aller vestimentaire.

Mr. Truman serait plus lent que la gouvernante à réagir, mais, en ancien flic, il ne fermerait pas les yeux sur une tenue sale vieille de vingt-quatre heures.

Il y avait peu de chance qu'une créature maléfique et gluante ne l'attende dans sa chambre, mais il n'avait guère envie d'aller vérifier, par lui-même, le bien-fondé de cette estimation probabiliste. Pas question, donc, de remonter là-haut pour se changer!

Lundi était le jour de lessive. Mrs. Carstairs, l'une des femmes de chambre et blanchisseuse de son état, lavait le linge une fois par semaine et le rapportait promptement à leurs propriétaires respectifs dès le lendemain matin.

Fric trouva ses chemises, jeans et autres pantalons repassés sur un chariot comparable à ceux qu'utilisaient les chasseurs des grands hôtels pour transporter les bagages des clients. Ses sous-vêtements et ses chaussettes se trouvaient sous la pile.

Le visage cramoisi – c'était, cette fois, lui le pervers! –, il se déshabilla complètement dans la buanderie. Il changea de sous-vêtements et passa un jean propre et une chemise à carreaux de flanelle qui, grâce à sa coupe droite, pouvait se porter par-dessus le pantalon, à l'hawaïenne.

Il récupéra son portefeuille et la photo de la dame, avant de déposer son ancien jean dans le grand bac qui recevait, par un large conduit, le linge sale des deux étages supérieurs.

Tout revigoré d'avoir pu se laver et se changer en ces conditions difficiles, Fric repartit vers la cuisine.

Il entra dans la pièce avec précaution, craignant de tomber nez à nez avec Mrs. McBee l'attendant pour avoir une explication : *Dis donc, mon garçon, croyais-tu vraiment pouvoir me berner? Tu me prends pour une idiote, c'est ça?*

Mais point de gouvernante.

Dans la réserve, il chipa un petit chariot à deux étages et sillonna la cuisine, prenant tous les objets dont il allait avoir besoin dans sa retraite secrète.

Il songea à ajouter à ses provisions un pack de six canettes de Coca, mais le Coca-Cola chaud... *berk!* Il opta plutôt pour un lot de quatre mini-Danao light à l'orange, qui étaient délicieux, même tièdes, ainsi que six petites bouteilles d'eau.

Après avoir déposé dans le chariot quelques pommes et un sachet de bretzels, Fric réalisa son erreur. Quand on cherche à éviter un tueur psychopathe qui a les sens aussi aiguisés qu'une panthère en chasse, il était aussi fortement déconseillé de manger de la nourriture « bruyante » que de chanter des cantiques de Noël pour passer le temps.

Il reposa les pommes et les bretzels et opta pour des bananes, des beignets au chocolat et des barres Granola.

Il ajouta à sa collection un sac pourvu d'une fermeture à glissière pour déposer les épluchures du fruit. S'il laissait la peau de banane à l'air libre, son parfum allait se propager dans toute la maison, et à en croire les films, les tueurs en série avaient le nez aussi fin qu'un loup. La peau de banane pouvait signer son arrêt de mort s'il ne prenait soin de la conserver dans un récipient étanche.

Un rouleau de papier toilette. Plusieurs lingettes. Même dans sa cachette, il voulait rester propre sur lui.

Dans un placard rempli de Tupperware, il prit deux jarres en plastique équipé de couvercles à vis. Cela remplacerait le pot du palmier.

Mr. Hachette, en déséquilibré qui se respecte, avait acheté, pour sa cuisine, dix fois plus de couteaux que nécessaire, même si tout le personnel de la maison se découvrait soudain une passion dévorante pour les numéros de lancer de couteau et préparait sa reconversion chez Pinder. Trois racks muraux et quatre tiroirs renfermaient suffisamment de lames pour équiper tous les cueilleurs de noix de coco des îles Touvalou.

Fric choisit un solide couteau de boucher. Comparée à la taille du garçon, la lame avait la dimension d'une machette – un objet impressionnant, mais peu maniable.

Il lui préféra une dague plus petite, avec une lame de treize centimètres, pourvue d'une extrémité très pointue et d'un tranchant capable de couper un cheveu humain dans le sens de la longueur. L'idée de planter cette lame dans un corps humain lui donnait déjà toutefois des haut-le-cœur.

Il déposa le couteau dans le chariot et le cacha sous un torchon.

Pour le moment, il pensait avoir pris, dans la cuisine, tout ce dont il avait besoin. Mr. Hachette – tout affairé à ses emplettes et sans nul doute en train de se parer d'une nouvelle peau de serpent toute neuve – ne reviendrait pas semer la terreur dans le Palazzo Rospo avant plusieurs heures... mais Fric ne tenait pas à s'attarder dans le fief du chef cuisinier.

Utiliser l'ascenseur de service était trop dangereux, car les appartements de Mr. Truman étaient tout proches. Mieux valait, pour le moment, éviter de croiser le chef de la sécurité. L'autre ascenseur, au bout du couloir Nord, serait plus sûr.

Dans une précipitation soudaine, teintée de culpabilité, le garçon poussa son chariot à travers les portes battantes de la cuisine, tourna à droite, et tomba nez à nez avec Mr. Truman qui arrivait dans le couloir, manquant de le heurter de plein fouet.

— Tu es bien matinal, Fric !

— Mouais. Des choses à faire... des trucs quoi... marmonna Fric, en se maudissant de se voir aussi mauvais comédien.

On eût dit un Hobbit, pris la main dans le sac.

— C'est quoi tout ça ? demanda Mr. Truman, en désignant le chargement sur le chariot.

— Des trucs pour ma chambre, des trucs dont j'ai besoin...

Fric se sentit rougir. Il était si pathétique, transparent, si godiche.

— Des trucs à boire et à manger, ajouta-t-il en ayant envie de se donner des claques.

— L'une des femmes de chambre aurait pu te l'apporter. Tu vas les mettre au chômage technique !

— Oh non. Ce n'est pas ça que je veux.

Tais-toi ! Tais-toi ! se sermonna Fric, mais il ne put s'empêcher d'ajouter :

— J'aime bien les femmes de chambre.

— Tout va bien, Fric ?

— Bien sûr. Ça va. Et vous, ça va aussi ?

En contemplant d'un air perplexe les objets sur le chariot, Mr. Truman dit :

— J'aimerais parler avec toi de ces appels.

Se félicitant d'avoir caché le couteau sous un torchon, Fric répliqua :

— Quels appels ?

— Ceux de ton pervers haletant.

— Ah oui. Le pervers.

— Tu es sûr qu'il ne t'a rien dit ?

— Non. Il a juste respiré. Rien d'autre.

— Ce qui est curieux, c'est qu'aucun de ces appels n'apparaît dans l'ordinateur.

Maintenant que le garçon savait que ces appels étaient passés par un être venant de l'éther, capable de traverser les miroirs, qui se présentait comme un ange gardien et qui se servait d'un simple téléphone mental, il n'était pas surpris d'apprendre que ces coups de fil ne laissaient aucune trace dans le registre informatique. Fric comprenait également pourquoi Mr. Truman n'avait pas pris l'appel la nuit précédente, même si le téléphone avait sonné pendant des heures. Le Mystérieux Inconnu savait toujours où se trouvait Fric – la salle du train, la cave à vin, la bibliothèque – et en utilisant ses pouvoirs surnaturels et la simple *idée* d'un téléphone, il faisait sonner la ligne de Fric uniquement dans la pièce où séjournait le garçon.

Le garçon brûlait d'expliquer sa situation à Mr. Truman et de lui narrer tous les événements de la veille. Mais il avait beau rassembler son courage, le spectre des six psychiatres se dressa devant lui. Ces vautours de l'âme, avides de gagner des milliers de dollars, le garderaient allongé sur un divan jusqu'à ce que mort s'ensuive et déblatéreraient jusqu'à plus soif sur le stress d'être le fils unique de la plus grande star de cinéma du monde. Son seul espoir d'en finir avec eux serait d'exploser en morceaux sous leurs yeux, ou de s'enfuir dans son cher trou perdu du Montana.

— Ne te méprends pas, Fric. Je ne suis pas en train de dire que tu as inventé ces appels. En fait, je suis convaincu de leur réalité.

Les mains serrées sur la poignée du chariot, Fric sentit ses paumes devenir moites de sueur. Il les essuya sur son pantalon – grossière erreur ! Il s'était trahi... Tous les coupables du monde avaient les mains moites en présence d'un flic.

— Je suis sûr que tu ne les as pas inventés, poursuivait Mr. Truman, parce que la nuit dernière quelqu'un a appelé sur ma ligne privée et l'appel n'est pas apparu non plus sur le registre.

Surpris par cette nouvelle, Fric cessa de s'essuyer les mains et lâcha :

— Vous avez eu le pervers au téléphone ?

— Pas le pervers. Quelqu'un d'autre.

— Qui ?

— C'était sans doute un faux numéro.

Fric regarda les mains du chef de la sécurité. Impossible de dire si elles étaient en sueur ou non.

— À l'évidence, quelque chose débloque dans le programme.

— Sauf si celui qui a appelé était un fantôme ou quelque chose du genre, bredouilla Fric.

L'expression qui s'imprima sur le visage de Mr. Truman fut indéchiffrable.

— Un fantôme ? Qu'est-ce qui te fait dire ça ?

Au moment de tout révéler, Fric se souvint que mamanbio avait fait un séjour chez les dingues. Elle n'y était restée que dix jours, et elle n'avait tenté de tuer personne avec une hache, rien d'aussi terrible que ça.

Pourtant, si Fric racontait les derniers événements, Mr. Truman ne manquerait pas de se rappeler que Freddie Nielander avait fait un séjour dans un asile psychiatrique. Et il se dirait : *Telle mère, tel fils*.

Sans doute avertirait-il sa grande star de père en tournage en Floride. Et papa-fantôme enverrait un bataillon de psychiatres prendre d'assaut la maison !

— Fric, insista Mr. Truman, réponds-moi ; qu'entends-tu par « fantôme » ?

En fertilisant les germes de vérité qu'il venait de prononcer avec de soigneuses fabulations, Fric espéra faire pousser un mensonge à peu près crédible :

— Oh, comme vous savez, mon père garde une ligne ouverte pour les fantômes. Alors je me dis que peut-être l'un d'entre eux s'est trompé de ligne et est tombé sur la mienne. C'est tout.

Mr. Truman fixa le garçon des yeux, comme s'il se demandait s'il fallait prendre cette remarque stupide au sérieux ou non.

N'ayant pas les dons paternels pour jouer la comédie, Fric savait qu'il ne pourrait résister bien longtemps à l'interrogatoire d'un ex-flic. Il devenait tellement nerveux qu'il allait devoir bientôt se soulager dans l'une des jarres en plastique.

— Bon, ce n'est pas que je m'ennuie… mais j'ai des trucs à faire, des trucs dans ma chambre, alors si cela ne vous dérange pas…, marmonna le garçon, avec la force de conviction du plus falot des Hobbits.

Il contourna Mr. Truman avec son chariot et s'éloigna sans se retourner.

50.

Le dôme de lumière au sommet de l'hôpital Notre-Dame-des-Anges luisait comme la lanterne dorée d'un phare. Plus haut encore, à l'extrémité d'un mât, la balise rouge pour avertir les avions clignotait dans les nuées grises, comme si l'orage était un animal vivant et qu'ici se trouvait son œil de cyclope malveillant.

Dans l'ascenseur qui le menait du parking souterrain vers le quatrième étage, Ethan écoutait une version orchestrale d'un vieil Elvis Costello, avec des violons sirupeux et des cors pompeux. Ce cube de métal, qui montait et descendait vingt-quatre heures sur vingt-quatre, semblait un poste avancé des Enfers, animé d'un mouvement perpétuel.

La salle des médecins au quatrième étage était une petite pièce aux murs aveugles, renfermant distributeur de boissons et deux tables de Formica. Les choses orange en plastique disposées autour des tables ne méritaient pas plus l'appellation « chaises » que cette pièce l'écriteau « Foyer » placardé sur la porte.

Ayant cinq minutes d'avance, Ethan glissa des pièces dans la machine à café. En buvant le breuvage infect, il eut un avant-goût de la saveur de la mort, mais il vida néanmoins son gobelet parce qu'il n'avait dormi que quatre heures et qu'il avait besoin d'un coup de fouet.

Le Dr Kevin O'Brien arriva pile à l'heure. Environ quarante-cinq ans, séduisant, il avait l'air hanté et faussement serein de celui qui avait passé les deux tiers de son existence en études ardues pour découvrir au final que les juges, la bureaucratie et les hordes d'avocats cupides, jour après jour, dégradaient un peu plus ses conditions de travail et sapaient un système médical auquel il avait consacré sa vie. Ses yeux étaient plissés et il s'humectait souvent les lèvres. Le stress avait donné à son teint une couleur de cendre. Malheureusement pour sa tranquillité d'esprit, il semblait un type intelligent ; il ne pourrait s'illusionner encore très longtemps. Bientôt, il s'apercevrait qu'il était encerclé par les sables mouvants, sans le moindre terrain stable où prendre pied.

Bien qu'il n'eût pas soigné personnellement Dunny Whistler, le Dr O'Brien était le médecin de garde lorsque Dunny avait trépassé. Il avait supervisé les tentatives de réanimation et avait, en héros des temps modernes, ordonné l'arrêt de l'acharnement thérapeutique. Le certificat de décès portait sa signature.

Le Dr O'Brien avait apporté le dossier complet de Dunny – trois grosses chemises. Durant leur discussion, il allait étaler peu à peu tout leur contenu sur les deux tables.

Ils s'assirent côte à côte pour pouvoir examiner ensemble les documents.

Le coma de Dunny était dû à une hypoxie cérébrale, un manque d'oxygène dans le cerveau pendant un temps prolongé. Les résultats des électroencéphalogrammes et des explorations cérébrales – angiographie, scanner crânien, IRM – indiquaient sans ambiguïté possible que si Dunny se réveillait, il serait gravement handicapé.

— Même chez nos patients, victimes de comas très profonds, expliqua O'Brien, où il n'y a quasiment plus aucune activité cérébrale, le cerveau reptilien reste suffisamment opérationnel pour maintenir certains automatismes. Ils continuent de respirer sans assistance. De temps en temps, ils peuvent tousser, battre des paupières, ou même bâiller.

Durant toute son hospitalisation, Dunny avait respiré tout seul. Trois jours avant sa mort, son état déclinant avait nécessité l'emploi d'un respirateur artificiel. Il ne pouvait plus inspirer ni expirer sans assistance mécanique.

Durant les premières semaines à l'hôpital, bien que dans un coma profond, Dunny parfois toussait, reniflait, bâillait, ouvrait et fermait les paupières. Il avait même bougé les yeux plusieurs fois.

Peu à peu, ces réflexes se firent plus rares, et finirent par cesser totalement. Cela trahissait une interruption d'activité du tronc cérébral.

Hier matin, le cœur de Dunny avait cessé de battre. L'emploi du défibrillateur et des injections d'adrénaline avaient relancé le muscle cardiaque, mais pas pour longtemps.

— Les fonctions automatiques du système sanguin sont commandées par le tronc cérébral, expliqua le Dr O'Brien à Ethan. Si le cœur s'arrête dans ces conditions, c'est le signe que cette zone du cerveau n'est plus opérationnelle. Et dans ce cas, il n'y a pas de rémission possible car les dommages sont trop profonds. La mort est alors inéluctable.

Dans un cas clinique comme celui-ci, le protocole était de ne pas brancher le patient à un système de survie artificielle, assurant la respiration et la circulation sanguine, sauf insistance expresse de la famille. Et ce serait alors à ladite famille de supporter les frais, car les assurances maladie ne financeraient jamais un tel traitement sachant que le patient ne se réveillerait pas.

— En ce qui concerne Mr. Whistler, précisa O'Brien, vous aviez autorité pour décider des soins à suivre.

— Oui.

— Et vous aviez signé, quelque temps plus tôt, une demande de non-réanimation proscrivant tout acharnement thérapeutique, en dehors de l'emploi d'un simple respirateur, pour le maintenir en vie.

— C'est exact. Et je n'ai aucune intention de porter plainte.

Cette déclaration sincère ne sembla soulager en rien le Dr O'Brien. Même si le médecin était certain que les soins prodigués à Dunny Whistler étaient irréprochables, un bataillon d'avocats allait lui tomber dessus, comme la neige en hiver.

— Docteur O'Brien, ce qui a pu arriver à la dépouille de Dunny, une fois confiée à la morgue de l'hôpital, est sans rapport avec vous.

— Mais je ne suis pas moins troublé que vous. La police m'a interrogé deux fois. Je n'en reviens pas. C'est totalement… *inconcevable*.

— Je tiens aussi à vous préciser que, pour ma part, les employés de la morgue ne sont en rien responsables de la disparition de Dunny.

— Ce sont des gens sérieux, répondit O'Brien.

— Je n'en doute pas. Quoi qu'il ait pu se passer, l'hôpital n'est pas fautif. L'explication des événements relève plutôt du domaine de l'extraordinaire.

Timidement, le médecin laissa transparaître son soulagement. Ses joues reprirent quelques couleurs.

— « Du domaine de l'extraordinaire » ? Et quelle est l'explication, selon vous ?

— Je ne sais pas. Mais des choses étranges me sont arrivées durant les dernières vingt-quatre heures, qui ont un certain lien avec Dunny. C'est la raison pour laquelle je voulais vous parler ce matin.

— Oui ?

Ethan se leva, cherchant ses mots... On ne se défaisait pas si facilement de trente-sept années de foi cartésienne.

Dommage qu'il n'y ait pas de fenêtre dans la pièce. Contempler la pluie lui aurait fourni un prétexte pour ne pas regarder O'Brien en face...

— Vous n'étiez pas, docteur, le médecin en charge de Dunny...

Parler en contemplant, d'un air pénétré, le distributeur de friandises paraissait parfaitement incongru.

— ... mais vous lui avez administré des soins.

O'Brien resta silencieux, attendant la suite.

Ethan prit son gobelet de café vide et l'écrasa dans sa main.

— Après ce qui s'est passé hier, je suis prêt à parier que vous connaissez son dossier par le menu.

— En long, en large et en travers, confirma le médecin avec lassitude.

Ethan emporta le gobelet écrabouillé vers la poubelle et demanda :

— Avez-vous remarqué quelque chose d'inhabituel dans son dossier ?

— Non, rien de spécial. Diagnostic, traitement, protocole post mortem, tout a été fait dans les règles.

— Ce n'est pas ce que je veux dire.

Ethan jeta le gobelet dans le réceptacle et marcha de long en large, en regardant le sol.

— Je suis sincère, poursuivit-il, quand je vous dis que je suis convaincu qu'il n'y a eu aucune erreur de la part de l'hôpital. Quand je dis « inhabituel » je veux dire... bizarre, étrange, surnaturel.

— « Surnaturel » ?

— Oui. Je ne vois pas d'autres mots pour qualifier ça.

Le Dr O'Brien resta un long moment silencieux, tant et si bien qu'Ethan cessa de faire les cent pas le nez au plancher.

Le médecin se mordillait la lèvre inférieure en fixant des yeux la pile de documents.

— Il y a quelque chose, n'est-ce pas ? devina Ethan.

Il retourna s'asseoir sur l'instrument de torture orange...

— Quelque chose de *surnaturel*... insista-t-il.

— C'est dans le dossier. Je ne l'ai pas mentionné. Cela paraissait sans importance.

— Et c'est ?

— Cela pourrait laisser entendre qu'il est sorti du coma pendant un moment, mais ce n'est pas le cas. D'autres pensent qu'il s'agit d'un bogue d'une machine. Mais ce n'est pas le cas non plus.

— Un bogue ? Quelle machine ?

— Un bogue de l'EEG.

— La machine qui surveille les ondes cérébrales ?

O'Brien se mordilla de nouveau la lèvre.

— Docteur ?...

Le médecin releva les yeux vers Ethan et poussa un soupir. Il recula sa chaise et se leva.

— Il vaut mieux que vous voyiez ça par vous-même.

51.

Corky Laputa se gara dans une rue voisine et parcourut, sous la pluie, les deux cents mètres pour rallier le domicile du taré aux trois yeux.

Le vent était plus fort que la veille ; les bourrasques torturaient les feuilles des palmiers, emportaient une poubelle en plastique au milieu de la rue, déchiraient un store et faisaient claquer ses lambeaux.

Les melaleucas agitaient leurs fins rameaux comme s'ils cherchaient à se flageller. Les pins étaient dépouillés de leurs épines qui voletaient en nuages véloces dans l'air, donnant au vent des griffes invisibles capables d'écorcher la peau et de crever les yeux.

Un rat mort était emporté dans le flot tumultueux d'un caniveau. Le cadavre tournait sur lui-même révélant une orbite noire et vide et un œil à la blancheur laiteuse.

Devant ce spectacle délicieux, il regrettait de ne pas avoir le temps de se joindre à cette célébration du désordre, en ajoutant sa petite pierre au chemin du Chaos. Il aurait bien empoisonné quelques arbres, empli des boîtes aux lettres de littérature haineuse, placé des clous sous les pneus des voitures, mis le feu à une maison...

C'était une journée de travail certes, mais d'un genre différent, et il avait un planning très chargé. Lundi, la veille, il avait été un archange du mal, un aventurier dans les terres du nihilisme, mais aujourd'hui, il devait être un soldat rigoureux de l'anarchie.

Le quartier était un mélange éclectique de maisons en kit, avec perrons couverts, et de bungalows californiens de plain-pied d'inspirations diverses. Les constructions étaient entretenues avec une fierté évidente, décorées d'allées de briquettes, de clôtures élégantes, de massifs de fleurs.

Par contraste, le bungalow où habitait Trois-yeux se dressait derrière une pelouse pelée, environnée de buissons hirsutes, au bout d'une allée de ciment craquelée et déformée. Sous les tuiles canal, les débris et déjections de vieux nids dégoulinaient le long des murs, l'enduit vérolé se desquamait et avait besoin d'être repeint.

On avait l'impression qu'un troll habitait là, ne supportant plus de vivre dans son bourbier sans confort, mais qui n'avait ni le désir, ni les capacités d'entretenir une maison.

Laputa sonna. Le carillon, loin d'émettre un doux bruit de clochette, lâcha une sorte de borborygme d'engrenages rouillés.

Laputa adorait cet endroit.

Laputa ayant annoncé sa visite, et promis de l'argent, Trois-yeux attendait juste derrière la porte. Il répondit à l'appel asthmatique de la sonnette avant même que le son de crécelle ne se fût évanoui.

La porte s'entrouvrit. Ned Hokenberry apparut ; une parodie d'humain portant un pantalon de survêtement gris et un T-shirt à l'effigie du groupe Megadeth. Il était pieds nus, son ventre comme une outre pleine et molle.

— Tu t'es déguisé en pot de moutarde ? railla Hokenberry.

— Il pleut.

— Tu ressembles à un furoncle, un gros craquos sur le cul de Godzilla !

— Si tu t'inquiètes pour ta moquette, faut le dire…

— Tu parles, dans l'état où elle est, elle ne craint plus rien. Je recevrais une bande d'ivrognes dégueulant et pissant partout que cela ne se verrait même pas.

Hokenberry fit demi-tour et se dirigea vers le salon. Laputa entra et referma la porte derrière lui.

On avait l'impression que la moquette avait servi de litière dans une porcherie.

Lorsque les chineurs et les musées s'amouracheraient des meubles en Formica imitation acajou et des chaises idoines recouvertes de skaï vert à bandes bleues, Hokenberry serait riche ! Les deux plus belles pièces dans le salon de son hôte étaient un fauteuil inclinable, jonché de débris de chips de maïs, et une grosse télévision.

Les petites fenêtres étaient à demi occultées par des rideaux. Pas de lampes ; seul l'écran du téléviseur dispensait un peu de lumière.

Laputa se plaisait dans cette pénombre. Malgré son inclination pour le chaos sous toutes ses formes, il préférait ne pas voir l'intérieur de ce cloaque en pleine lumière.

— Tes dernières infos étaient justes, autant que je puisse le savoir, déclara Laputa. Elles m'ont été fort utiles.

— Je te l'avais dit ! Je connais mieux cette baraque que cette couille molle d'acteur ne connaît le bout de sa queue !

Avant d'être limogé, avec de coquettes indemnités, pour avoir laissé de faux messages sur le répondeur de la ligne 24 réservée aux communications avec l'Au-Delà, Ned Hokenberry était un garde du Palazzo Rospo.

— D'après ce que tu m'as dit, ils ont engagé un nouveau chef de la sécurité... Il a peut-être changé les tours de garde, mis en place des nouvelles procédures... Je ne peux rien garantir là-dessus, déclara l'ex-vigile.

— Je comprends.

— Tu as mes vingt mille dollars ?

— Oui, juste ici...

Laputa sortit la main de sa large manche de ciré et extirpa d'une poche intérieure une grosse liasse de billets – son second paiement pour Hokenberry.

Malgré le col du ciré jaune et les pans de son chapeau assorti qui dissimulait une grande partie de son visage, le mépris de Laputa resta visible.

Les yeux injectés de sang de Hokenberry se voilèrent d'apitoiement ; son visage replet se para de plis disgracieux.

— Je n'ai pas toujours été une épave, tu sais. Je ne me laissais pas aller comme ça, avant. Toujours impeccable, rasé de près et tout. La pelouse était vert pomme. Mais j'ai été viré par ce salaud. Et je me suis retrouvé sur la paille.

— Je croyais que Manheim avait été généreux...

— C'était de l'argent pour acheter mon âme ; maintenant, je m'en rends compte. De toute façon, Manheim n'avait pas les couilles pour me virer lui-même. C'est son gourou de mes deux qui s'en est chargé.

— Ming du Lac.

— Lui-même. Ming m'a convoqué dans la roseraie, m'a offert du thé, que par politesse j'ai bu, alors que ça avait un goût de pisse.

— Tu es un vrai gentleman...

— On était attablés au milieu des roses, avec une belle nappe blanche brodée, un service en porcelaine...

— C'est du James Ivory...

— Et pendant qu'il me racontait ses conneries sur le fait de remettre en ordre mes karmas et tout ça, je me suis rendu compte que ce connard n'était pas du menu fretin au Palazzo Rospo. Après un quart d'heure à l'entendre déblatérer, je me suis aperçu que j'étais viré. S'il me l'avait dit dès le début, je n'aurais pas bu sa pisse de vache !

— Tu as donc été traumatisé depuis cet événement douloureux..., déclara Laputa, feignant la compassion.

— Traumatisé, moi ? Pour qui tu me prends, tête de craquos, pour un pédé qui se fait dessus parce qu'on lui dit quelque chose de travers ? Je n'ai pas été traumatisé, mais envoûté.

— Envoûté ?

— Envoûté, ensorcelé, possédé par l'œil du démon, appelle ça comme tu veux. Ce serpent de Ming du Lac a un sacré pouvoir, et il a bousillé ma vie dans cette roseraie. Depuis, cela a été une descente infernale.

— Pour moi, ce n'est qu'un charlatan comme en regorge Hollywood.

— Je te dis que ce gars a un vrai truc mental dans la tête et qu'il m'a jeté un sort !

Laputa tendit la liasse de billets, mais la recula quand Hokenberry avança la main pour la prendre.

— Une chose encore...

— Ne cherche pas à me baiser, lâcha l'ex-garde, en se penchant vers Laputa comme un coq furieux à qui l'on venait de voler les œufs de sa poule.

— Tu auras ton argent, le rassura Laputa. J'aimerais juste savoir comment tu as eu ton troisième œil.

Hokenberry n'avait que deux yeux sur le front, mais autour de son cou, l'œil d'un inconnu était monté en pendentif.

— Je t'ai déjà raconté l'histoire à deux reprises.

— Mais j'aimerais l'entendre encore, insista Laputa. Tu la racontes si bien. Tu es un conteur hors pair.

Perplexe, Hokenberry enfouit son visage dans ses mains, ce qui lui plissa les joues et le nez comme un sharpei, et médita un moment les paroles de Laputa. Finalement, l'idée d'être un grand conteur lui plut.

— Il y a vingt-cinq ans, je m'occupais du service d'ordre pour des groupes de rock en tournée. C'était un hasard. C'était pas mon genre.

— Tu étais juste là pour impressionner le clampin, anticipa Laputa.

— Ouais, je me posais là, devant la scène pour intimider les fans, tous ces petits cons défoncés au PCP et à la méthadone. C'est comme ça que j'ai tourné avec Megadeth, Metallica, Van Halen, Alice Cooper, Meat Loaf, Pink Floyd...

— Queen, Kiss, poursuivit Laputa. Et même avec Michael Jackson du temps où il était encore vraiment Michael Jackson.

— Si tant est qu'il y ait eu un jour un *vrai* Michael Jackson, reconnut Hokenberry. Bref, j'avais ces trois semaines de concerts avec… je ne sais plus avec qui. Ce devait être les Eagles, à moins que ce ne fût les Peaches & Herb.

— Ou peut-être Captain et Tennille ?

— Oui. Possible. Avec l'un ou l'autre des trois, ça marche. Le public était vraiment très chaud en tout cas ; ça partait en vrille. Trop de mauvaise dope circulait ce soir-là.

— Tu sentais qu'ils étaient prêts à envahir la scène…

— Oui, je le sentais. Il suffit qu'un idiot lobotomisé décide de passer à l'acte, pour que cela déclenche une émeute.

— Alors tu as anticipé… l'encouragea Laputa.

— Oui, j'ai anticipé. J'ai chopé ce taré au moment où il s'élançait… Sinon, deux cents abrutis allaient faire comme lui, tu comprends.

— Alors, le type, un gars aux cheveux bleus, c'est ça ?…

— Qui raconte l'histoire ? grommela Hokenberry. Toi ou moi ?

— Toi. C'est toi qui racontes. Vas-y, continue… J'adore cette histoire…

Pour montrer son agacement d'être ainsi interrompu, Hokenberry cracha sur la moquette.

— Bref, ce connard aux cheveux bleus a voulu monter sur scène, s'approcher des Peaches & Herb…

— Ou du Captain.

— Ou de Tennille. Alors je lui ai crié de descendre, en fonçant sur lui, mais cette tête de nœud m'a fait un doigt, ce qui m'a donné le droit de lui en coller une.

Hokenberry leva un poing de la taille d'un marteau-pilon.

— Je lui ai alors balancé Bullwinkle dans la gueule.

— Tu appelles ton poing droit Bullwinkle ?

— Ouais et mon gauche s'appelle Rocky[1]. Je n'ai même pas eu besoin de son copain Rocky. Bullwinkle a cogné si fort que l'un de ses yeux a sauté de son orbite. Cela m'a surpris, mais je l'ai rattrapé au vol. C'était un œil de verre. L'autre con s'est écroulé… et j'ai gardé l'œil. Et j'en ai fait un collier.

— Un collier effrayant.

— Un œil de verre n'est pas vraiment en verre, tu sais. C'est une coquille de plastique et l'iris est peint à la main à l'intérieur. Cela fait son effet bœuf.

---

1. Rocky et Bullwinkle : personnages de dessins animés loufoques – voir le film *Les Aventures de Rocky et Bullwinkle* de Des McAnuff sorti en 2000. *(N.d.T.)*

— Plutôt, confirma Laputa.

— Un ami à moi a fait cette coque de verre pour mettre l'œil dedans, pour éviter qu'il s'abîme. Voilà ; fin de l'histoire. Maintenant, aboule la tune.

Laputa lui donna la liasse de billets retenue par une bandelette de plastique.

Comme il l'avait fait lors du premier versement, Hokenberry tourna le dos à Laputa pour aller compter, sur la table du coin repas, un à un tous les billets.

Laputa lui tira trois fois entre les omoplates.

Lorsque Hokenberry s'écroula au sol, le bungalow trembla.

La chute du géant fut beaucoup plus bruyante que les balles, car le pistolet était équipé d'un silencieux – un accessoire que Laputa avait acheté à un anarchiste adepte du survivalisme entretenant des liens étroits avec un groupe de végétariens activistes qui fabriquaient ce genre matériel à la fois pour leur usage personnel et pour la vente (afin de financer leur cause). Chaque balle avait émis un simple *tchomp !* étouffé.

C'était avec cette arme que Laputa avait tiré dans le pied de la mère de Rolf Reynerd.

Étant donné la corpulence de Hokenberry, Laputa avait préféré ne pas se risquer à occire Trois-yeux avec un pic à glace.

Il s'approcha du gorille et lui tira trois autres balles, juste pour être certain que Bullwinkle et Rocky avaient bien passé l'arme à gauche.

52.

Deux fenêtres offraient une vue sur un ciel dessiné au lavis et sur une ville se dissolvant derrière un rideau de pluie et de vapeurs.

La salle des archives du Notre-Dame-des-Anges était divisée en allées par de hautes rangées de classeurs. Près des fenêtres, une zone ouverte, équipée de quatre postes de travail. Deux unités étaient occupées.

Le Dr O'Brien s'installa devant l'une des deux restantes et alluma l'ordinateur. Ethan s'assit à côté de lui.

Tout en insérant un DVD dans le lecteur, le médecin déclara :

— Mr. Whistler a commencé à connaître des difficultés respiratoires, il y a trois jours. Il a fallu installer un respirateur, et Mr. Whistler a été placé dans une unité de soins intensifs.

Quand le DVD s'ouvrit, le nom WHISTLER, DUNCAN EUGÈNE, apparut sur l'écran, avec le numéro de son dossier et autres informations importantes collectées par le service des admissions.

— Pendant qu'il était aux soins intensifs, sa respiration, son rythme cardiaque et ses fonctions cérébrales étaient sous monitoring vingt-quatre heures sur vingt-quatre et transmis, par télémétrie, au bureau des infirmières. C'est la procédure standard depuis toujours.

À l'aide de la souris, il ouvrit une série de fenêtres.

— Ce qui est relativement nouveau, reprit-il, c'est que le système enregistre, en temps réel, toutes les mesures effectuées par les appareils durant le séjour du malade en unité de soins intensifs. Pour consultation ultérieure.

Une façon de se protéger, songea Ethan, contre d'éventuelles poursuites judiciaires infondées.

— Voilà l'électroencéphalogramme de Mr. Whistler, à son arrivée au service de soins intensifs, vendredi, à 16 h 20.

Un stylet invisible traçait une ligne sinueuse sur un rouleau de papier virtuel.

— Ce sont les impulsions électriques du cerveau, mesurées en microvolts, expliqua O'Brien.

Une succession monotone de pics et de vallées décrivait l'activité cérébrale de Dunny. Les pics ressemblaient davantage à de molles collines qu'à des aiguilles des Rocheuses et les vallées, par comparaison, étaient des fosses abyssales abruptes.

— Les ondes delta sont typiques du sommeil normal. Ici, ce sont des ondes delta, mais elles n'ont pas le profil d'un patient en sommeil ordinaire. Les pics sont plus larges et moins élevés que dans le tracé classique, avec une oscillation à l'entrée et à la sortie des creux. Les impulsions électriques sont rares, sans amplitudes, anormalement faibles. C'est typique d'un coma profond. Maintenant, avançons jusqu'à la veille de sa mort.

— Dimanche soir ?

— Exactement.

Sur l'écran, pendant que les heures défilaient à toute vitesse, le tracé se brouilla et oscilla légèrement, mais à peine car les variations d'amplitude étaient minuscules. Une heure de données compressées, visionnée en quelques secondes, ressemblait finalement à une minute de tracé observée en temps réel.

Le tracé de la courbe était si régulier qu'Ethan n'aurait pu dire combien d'heures – ou de jours – défilaient sous ses yeux s'il n'y avait eu un compteur horaire dans le coin de l'écran.

— Cela s'est produit une minute avant minuit, dimanche, annonça O'Brien...

Il cliqua sur la touche « défilement vitesse normal » et l'avance rapide s'arrêta à 23 h 23 min 22 s, dimanche soir. En deux clics de souris, il atteignit le temps 23 h 58 min 09 s.

— Cela va se produire dans moins d'une minute...

Ethan, sans s'en rendre compte, s'était penché sur sa chaise, pour approcher son visage de l'écran.

Des éclats de pluie cliquetaient sur les vitres, comme si le vent furieux venait de cracher une volée de dents cassées sur les carreaux.

Un seul autre poste de travail était encore occupé.

La femme au clavier parlait à voix basse dans son téléphone. Sa voix était douce et mélodieuse, presque surnaturelle, comme ces voix de l'Au-Delà qui laissaient des messages sur le répondeur de la ligne 24.

— C'est là, déclara O'Brien.

À 23 h 59, le tracé amolli des ondes delta commença à se hérisser de pics et de creux abrupts et irréguliers.

— Ce sont des ondes bêta, particulièrement puissantes. Ces oscillations rapides indiquent que l'attention du malade se concentre sur un stimulus extérieur.

— Quel stimulus ?

— Quelque chose qu'il voit, qu'il sent ou entend.

— Un stimulus extérieur ? On peut donc voir, sentir ou entendre quelque chose quand on est dans le coma ?

— Ceci n'est pas le tracé d'une personne dans le coma. C'est le profil d'un individu conscient, réveillé et passablement agité.

— C'est ça le bogue dont vous parliez ?

— Deux personnes ici pensent qu'il doit forcément s'agir d'un problème de monitoring. Mais...

— ... mais vous n'êtes pas de cet avis.

O'Brien hésita et fixa l'écran des yeux.

— Eh bien, disons que je n'en mettrais pas ma main à couper. D'abord... quand l'infirmière de garde a vu ce tracé par télémétrie, elle s'est rendue aussitôt dans la chambre du patient, pensant qu'il était sorti du coma. Mais Mr. Whistler était toujours inconscient et dans un état végétatif.

— Un rêve, peut-être ? avança Ethan.

O'Brien secoua la tête d'un air grave.

— Le tracé d'un individu en train de rêver présente une courbe aisément reconnaissable. Les chercheurs ont identifié quatre phases du sommeil, et chacune a son tracé typique. Et cela n'a rien à voir avec ça.

Les ondulations des ondes bêta commencèrent à s'amplifier. Les pics et les creux étaient des pointes d'aiguilles et non plus des plateaux irréguliers entrecoupés de canyons.

— L'infirmière a prévenu un médecin. Et ce médecin en a bipé un autre. À l'auscultation, aucun de mes deux confrères n'a noté de signes prouvant que Mr. Whistler sortait du coma. Le respirateur assurait toujours le travail du diaphragme. La fréquence cardiaque était basse et arythmique. Et pourtant, à en croire l'EEG, son cerveau produisait les ondes bêta d'une personne éveillée.

— Vous avez dit aussi que c'était le tracé d'une personne « agitée ».

La courbe sur l'écran était une succession de pointes de plus en plus grandes et fréquentes, jusqu'à ressembler au tracé d'un sismographe au cours d'une secousse de niveau 7 sur l'échelle de Richter.

— Par moments, on a l'impression que Mr. Whistler est agité, à d'autres qu'il est excité, et dans ce passage qui défile actuellement sous nos yeux, je dirais, sans aucun effet mélodramatique, que c'est le profil exact d'une personne terrifiée.

— Terrifiée ?

— *Totalement* terrifiée.

— Un cauchemar ? avança de nouveau Ethan.

— Un cauchemar est un simple rêve à consonance sinistre. Il peut produire un tracé de forte amplitude, mais le profil du rêve reste parfaitement reconnaissable. On ne voit rien de tel ici.

O'Brien accéléra le défilement, parcourant huit minutes en quelques secondes.

Lorsque l'écran passa de nouveau en vitesse normale, Ethan dit :

— Cela semble pareil et en même temps... différent.

— Ce sont toujours les ondes bêta d'une personne consciente, mais je dirais que la terreur du gars s'est réduite à une grande angoisse.

Le vent à la voix de serpent, tout mugissant et sifflant, et le *tap-tap* de la pluie sur les vitres étaient l'accompagnement parfait pour cette ligne brisée qui défilait à l'écran.

— Bien que le profil général soit celui d'une personne anxieuse et consciente, poursuivit O'Brien, on remarque des sous-ensembles irréguliers de grands pics suivis de pics plus petits.

Il désigna une portion de l'écran pour étayer ses dires.

— Je les vois, répondit Ethan. Cela signifie quoi ?

— Ce sont les signes d'une conversation.

— Une conversation ? Avec lui-même ?

— La première des choses à se souvenir, c'est que Mr. Whistler est incapable de parler *à haute voix*, pas plus à quelqu'un qu'à lui-même. Nous ne devrions donc pas avoir ce genre de tracé.

— Je comprends. Enfin, je crois.

— Mais ce que représente ce signal est indiscutable. Durant ces séries de hauts pics, le sujet est en train de parler. Et durant cette phase d'accalmie, il est en train d'écouter ce qu'un interlocuteur lambda lui dit. Un sujet ayant une conversation *mentale* avec lui-même, même en état de veille, ne produit pas ces courbes. D'abord, quand on s'adresse à soi-même, que l'on devise tout seul, au cours d'une sorte de débat intérieur, techniquement, on ne...

— ...ne cesse de parler... termina Ethan. On fait soi-même les questions et les réponses. On n'est donc jamais en état d'écoute.

— Tout juste. Ces sous-groupes d'ondes indiquent une conversation *réelle*, entre le sujet et une autre personne.

— Quelle autre personne ?

— Je l'ignore.

— Dunny était dans le coma.

— Oui.

— Alors comment pouvait-il parler à une autre personne ? demanda Ethan en fronçant les sourcils. Par télépathie ?

— Vous croyez à la télépathie ?

— Non.

— Moi non plus.

— Alors pourquoi réfutez-vous l'hypothèse d'un ennui technique ?

O'Brien accéléra le défilement jusqu'à ce qu'apparaisse le message TRANSMISSION DES DONNÉES INTERROMPUE.

— Ils ont débranché Mr. Whistler de l'EEG, pensant que le problème provenait de la machine, expliqua le médecin. Et ils l'ont branché à un autre enregistreur. La manip a pris six minutes.

Il dépassa en avance rapide le trou dans l'enregistrement, jusqu'à ce que le tracé réapparaisse.

— Le signal semble le même qu'avec l'autre machine, constata Ethan.

— Il l'est ! Les ondes bêta indiquent un sujet en état de veille, très angoissé, et apparemment en grande discussion.

— Un autre EEG défectueux ?

— J'ai encore un confrère qui le pense. Pas moi. Ce profil d'ondes a duré dix-neuf minutes sur le premier EEG, apparemment durant les six minutes de trou, et encore trente et une minutes sur le second enregistreur. Cinquante-six minutes au total, avant que tout s'arrête brutalement.

— Comme expliquez-vous ça ? s'enquit Ethan.

Ignorant la question, le médecin pianota sur le clavier, demandant le chargement d'un autre relevé, qui s'afficha en surimpression sur le premier tracé : une autre ligne blanche sur un fond bleu, défilant de gauche à droite. Cette fois, tous les pics étaient au-dessus de la ligne médiane. Aucun creux en dessous.

— C'est la fréquence respiratoire de Mr. Whistler synchronisée sur le relevé de l'EEG, expliqua O'Brien. Chaque pointe représente une inhalation. L'expiration se situe entre deux pics.

— C'est très régulier.

— Parce que c'est le ventilateur qui assure la respiration.

Le médecin enfonça quelques touches et une troisième courbe s'afficha.

— C'est le rythme cardiaque. Les trois phases classiques. Diastole, systole auriculaire et systole ventriculaire. C'est lent, mais pas excessivement. Faible mais pas trop. Irrégulier, mais rien de dramatique. Maintenant regardez le tracé de l'EEG.

Les ondes bêta s'affolèrent de nouveau, comme le stylet d'un sismographe lors d'une secousse majeure.

— Une nouvelle frayeur ?

— Oui. C'est aussi mon opinion. Et pourtant il n'y a aucune modification du rythme cardiaque. La même lenteur, la même mollesse, la même légère arythmie ; le profil même d'un sujet en coma profond, comme celui qu'il a présenté depuis son hospitalisation voilà trois mois. Mr. Whistler est terrifié, mais son cœur est calme.

— Ce calme, c'est parce qu'il est dans le coma. C'est ça ?

— Faux. Même dans un coma profond, monsieur Truman, il n'y a pas une telle scission entre le corps et l'esprit. Lorsque vous faites un cauchemar, la terreur est imaginée, fictive, mais le rythme cardiaque est affecté comme si elle était réelle. La fréquence cardiaque augmente toujours pendant un cauchemar...

Pendant un moment, Ethan observa le tracé chaotique des ondes bêta et le compara au rythme régulier des battements du cœur.

— Après cinquante-six minutes de crise, son activité cérébrale est revenue à la normale, des ondes delta bien tranquilles ?

— Exact. Jusqu'à sa mort le lendemain matin.

— Alors si le problème ne provient pas des deux électroencéphalogrammes... comment expliquez-vous ce phénomène, docteur ?

— Je ne sais pas. Je n'ai pas d'explications. Vous m'avez demandé si j'avais remarqué quelque chose d'inhabituel. Quelque chose de bizarre... de surnaturel.

— Certes, mais...

— Je n'ai pas de dictionnaire sous la main, mais je crois me souvenir que surnaturel signifie quelque chose d'anormal, d'extraordinaire, quelque chose qu'on ne peut expliquer. Je peux vous décrire ce qui s'est passé, monsieur Truman, quant au pourquoi, je suis sec.

Des langues de pluie léchaient les vitres.

Derrière les fenêtres, le vent, avec des grognements et des feulements de loup affamé, suppliait pour qu'on le laisse entrer.

De l'autre côté de la ville roula un grondement sourd.

Ethan et O'Brien tournèrent de conserve la tête vers les fenêtres. À voir la pâleur du médecin, Ethan comprit qu'il pensait à un attentat terroriste ; comme lui, il imaginait déjà des femmes et des enfants massacrés par des fanatiques islamistes emplis de haine qui avaient décidé de détruire ce monde avec une détermination satanique.

Les deux hommes écoutèrent le grondement s'évanouir, puis O'Brien articula, avec un soulagement évident :

— C'est le tonnerre.

— Oui, c'est le tonnerre, confirma Ethan.

Les orages, avec des éclairs zébrant le ciel, n'étaient pas courants en Californie du Sud. Ce coup de timbale céleste, au lieu d'une déflagration de bombe, semblait l'augure d'une journée mouvementée.

Les ondes bêta, aussi déchiquetées que des éclairs, traversaient régulièrement l'écran de l'ordinateur.

Au plus profond de son coma, Dunny avait fait une rencontre terrifiante, une rencontre qui n'avait eu lieu ni dans ce monde, ni dans le pays des rêves, mais en quelque royaume mystérieux. Il y avait eu une conversation, sans qu'une seule parole toutefois ne fût prononcée, comme si un fantôme, profitant d'une inspiration, s'était enfoncé dans les poumons de Dunny, puis dans ses artères, puis, en voyageant avec son sang, avait gagné le cerveau et s'était mis, bien lové dans les replis obscurs de son esprit, à hanter son hôte pendant cinquante-six minutes.

53.

Comme un cheik arabe, coiffé d'un keffieh jaune et d'un manteau assorti, téléporté sur le Nouveau Monde par l'entremise d'un génie sorti d'une lampe magique, Corky Laputa était un tourbillon de lumière dans le cloaque lugubre où logeait Trois-yeux.

Tout en chantant « Reunited » et puis « Shake your Groove Thing », deux tubes des Peaches & Herb, Laputa fouilla les pièces, qui se répartissaient en trois catégories – sale, très sale et immonde –, à la recherche des vingt mille dollars qu'il avait remis à Hokenberry quelques semaines plus tôt.

Le gorille avait pu écrire le nom de Laputa quelque part... dans un agenda, un carnet d'adresses – voire sur un mur, puisque les parois étaient aussi couvertes de graffiti que des toilettes publiques – mais Laputa s'en fichait. Il ne lui avait pas donné son véritable patronyme.

Sans doute, avec sa mémoire aussi trouée qu'une passoire, Hokenberry avait-il dû noter, sur un bout de papier, le numéro de téléphone avec lequel il joignait Laputa... Mais Laputa s'en fichait tout autant. Si la police tombait dessus, le numéro ne les conduirait jamais jusqu'à lui.

Toutes les quatre ou six semaines, Corky Laputa achetait un nouveau portable, avec un nouveau numéro et une nouvelle adresse. Il se servait de ces mobiles pour les appels délicats liés à son travail au service du Chaos.

Ces téléphones lui étaient fournis par un pirate informatique hors pair, multimillionnaire et anarchiste, dénommé Mick Sachatone. Sachatone lui vendait l'appareil six cents dollars pièce. Il garantissait leur confidentialité pour trente jours.

D'ordinaire, il fallait deux mois à la compagnie de téléphone pour s'apercevoir du piratage et identifier les faux comptes. Ils coupaient alors la ligne et se mettaient à la recherche du contrevenant. Entre-temps, Laputa s'était déjà débarrassé du mobile dans une poubelle et s'en était procuré un autre.

Son but était moins de pouvoir téléphoner gratuitement que de garantir son anonymat lorsqu'il menait des actions illégales. Mais si, au passage, sa modeste action permettait de précipiter la ruine de la compagnie de téléphone, c'était tant mieux.

Corky Laputa trouva la cachette de Hokenberry dans une chambre à peine moins primitive que la tanière d'un grizzly. Le sol était jonché de chaussettes sales, de magazines, d'emballages de Kentucky Fried Chicken et d'os de poulet. L'argent était dissimulé, sous le lit, dans une boîte de viande séchée.

Il ne restait que quatorze mille dollars. Les six mille, à l'évidence, avaient été dépensés en fast-food et en bière.

Corky prit l'argent et abandonna la boîte.

Dans le coin repas, le garde était toujours mort et aussi répugnant que de son vivant.

Hokenberry avait rompu tous les ponts avec sa famille. Célibataire, il n'avait ni le profil d'un bourreau des cœurs, ni celui d'un joyeux drille chez qui débarquent des bandes de copains à toute heure du jour ou de la nuit. L'ancien gorille des concerts rock ne serait probablement pas retrouvé avant que le FBI toque à sa porte, dans le cadre de l'enquête sur le kidnapping de Manheim junior.

Toutefois, pour éviter qu'un voisin indiscret ne découvre le corps accidentellement, Laputa prit les clés de la maison et verrouilla la porte avant de partir. Puis il jeta le trousseau dans un buisson.

Comme un chien de l'enfer, perdu dans le dédale du Paradis, le tonnerre gronda et aboya dans les cieux gris.

Le cœur de Laputa s'emballa de ravissement.

Il contempla les nuées, cherchant l'éclair, avant de se souvenir que la décharge se produisait avant le son. S'il y avait eu un éclair, celui-ci n'avait pas traversé la couche épaisse de nuages ou alors il était tombé très loin sur une autre partie de la ville.

Le tonnerre ne pouvait qu'être un heureux présage.

Laputa ne croyait ni en dieu ni au diable. Il ne croyait pas plus au surnaturel, sous quelque forme que ce soit. Son seul credo était le Chaos.

Néanmoins, il décida de voir en ce coup de tonnerre un augure favorable, lui annonçant que son expédition de ce soir au Palazzo Rospo serait un succès et qu'il retournerait dans ses pénates avec le garçon sous tranquillisant.

L'Univers était peut-être une machine aveugle et erratique, cliquetant pour aller nulle part, sans autre but que de courir à sa propre fin cataclysmique. Et pourtant, il lui arrivait, de temps en temps, de perdre un boulon ou un morceau d'engrenage grâce auquel l'homme avisé pouvait prédire son prochain changement de direction. Le tonnerre était l'une de ces pièces égarées, et à en croire la richesse des harmoniques et la durée de la résonance, Laputa sut, avec certitude, que son entreprise serait une réussite.

Si le fils unique de la plus grande star de cinéma de tous les temps – vivant derrière ses murs fortifiés et ses caméras, avec un bataillon de vigiles et de gardes du corps à plein-temps – pouvait être enlevé de sa propriété de Bel Air, alors que l'acteur avait été prévenu de ce qui allait arriver par l'envoi de six colis-messages, alors aucune famille au monde n'était à l'abri. Pauvres, comme riches. Inconnues ou célèbres. Athées ou dévotes.

Cet avertissement s'immiscerait dans tous les esprits et serait scandé, heure après heure, jour après jour, tout au long de la longue et douloureuse ordalie de Channing Manheim.

Laputa comptait d'abord torturer son jeune captif émotionnellement, puis psychologiquement, et enfin physiquement. Il filmerait *in extenso* tout le processus, qui pourrait durer des semaines. Il ferait le montage puis sortirait des copies grâce à un équipement qu'il avait acheté à cet effet et, de temps à autre, il enverrait aux télévisions un florilège des sévices subis par Aelfric.

Certaines chaînes seraient réticentes à diffuser de telles images, ou même des photogrammes figés, mais d'autres raisonneraient en termes de parts de marché et, avec un beau discours sur l'éthique journalistique, elles justifieraient de céder ainsi au sensationnel. En peu de temps, toutes les autres chaînes prendraient le train en marche.

Le visage du gamin, pâle de terreur, hanterait tout le pays, et ce nouveau coup ébranlerait encore un peu plus les fondations de la société américaine, déjà fragilisée. Des millions de citoyens vivraient alors dans la peur, leur sérénité perdue à jamais.

Deux cents mètres plus loin, alors que Laputa rejoignait sa BMW, une lance de lumière éventra les nuées, le tonnerre rugit et un déluge se déversa des cieux crevés. Il se mit à pleuvoir des cordes, des masses d'eau suffisantes pour étouffer le vent.

Si le tonnerre seul était un bon présage, un deuxième coup de tonnerre, précédé d'un éclair, était la confirmation explicite qu'il avait bien interprété le premier signe.

Le ciel se déchira de nouveau et gronda. De grosses gouttes sales dégoulinaient des arbres et se mirent à marteler le trottoir dans un rythme entraînant.

Pendant une minute d'un délice absolu, Corky Laputa se prit pour Gene Kelly chantant « Shake Your Groove Thing », sans se soucier du qu'en-dira-t-on.

Puis il monta à bord de sa voiture et quitta le quartier; il avait tant de choses à faire aujourd'hui – c'était le jour le plus important de sa vie.

54.

Ethan attendait l'ascenseur de l'hôpital, se préparant à supporter son irritante musique d'ambiance, lorsque son téléphone sonna.

— Où es-tu ? demanda Hazard Yancy.

— Au Notre-Dame-des-Anges. J'en sors tout juste.

— T'es au parking ?

— Non, j'y descends.

— T'es garé à quel niveau ?

— Au premier sous-sol.

— Quelle bagnole ?

— La Ford Expedition blanche, comme hier.

— Attends-moi. Il faut qu'on parle.

Yancy raccrocha.

Ethan monta dans l'ascenseur curieusement silencieux. Le système de sonorisation était, à l'évidence, défectueux. Les haut-parleurs du plafond diffusaient un concert de craquements et de chuintements.

Il avait descendu un étage quand une voix se fit entendre derrière les parasites. D'instant en instant, elle gagnait en force, bien qu'elle restât trop lointaine pour que les mots soient intelligibles.

Après avoir descendu trois niveaux, Ethan fut persuadé qu'il s'agissait de la même voix qu'il avait écoutée, la veille, pendant une demi-heure au téléphone. Il s'était tant concentré pour comprendre ce que cette voix lui disait qu'il était entré dans une sorte de transe.

Tombant des haut-parleurs, dans une pluie d'électricité statique aussi douce que des flocons de neige, lui parvint son nom. Faible, très lointain, mais distinct.

— *Ethan... Ethan...*

Les jours de brouillard sur la plage ou le port, les mouettes en vol, noyées dans la purée de poix, parfois s'appelaient les unes les autres en lançant des cris bisyllabiques, des appels, entre la lamentation et le cri de détresse, jetés dans le néant dans l'espoir d'être entendu... le son le plus sinistre qu'il lui ait été donné d'entendre. Cet appel *Ethan... Ethan...* qui semblait monter du tréfonds d'un ravin des Rocheuses avait cette même mélancolie, cette même urgence.

Mais jamais, en écoutant les mouettes, il n'avait cru reconnaître son prénom, et encore moins la voix d'Hannah... alors que ces appels, qui résonnaient derrière les parasites, étaient bel et bien ceux de sa défunte femme.

Elle ne prononçait plus son prénom à présent, mais criait quelque chose d'incompréhensible. Le ton était celui d'une mise en garde, comme celle que l'on peut faire à un passant de l'autre côté de la rue, n'ayant pas vu une corniche se détacher au sommet d'un building et fondre sur lui.

Entre le rez-de-chaussée et le premier sous-sol, à un demi-niveau de sa destination, Ethan enfonça le bouton STOP sur le tableau de commande. La cabine s'arrêta, oscillant légèrement au bout de son câble.

Même si cette voix lui parlait – et à lui seul – par l'intermédiaire de ce haut-parleur, et qu'il ne s'agissait pas d'une hallucination auditive, il ne pouvait se permettre de se laisser hypnotiser comme la veille au téléphone.

Il se souvenait des nuits de brume où les marins imprudents entendaient chanter les sirènes. Ils mettaient le cap sur leurs voix, dans l'espoir de comprendre leurs paroles et allaient fracasser leurs navires sur les rochers et se noyaient.

Cette voix semblait davantage provenir d'une Loreleï que de sa chère Hannah. À chercher ce qui est hors de portée, à faire fi de toute raison, c'étaient les récifs d'un brouillard sans fin qui l'attendaient.

Il n'avait pas arrêté l'ascenseur pour tenter de décrypter le sens de cette hypothétique mise en garde. Le cœur battant, il avait appuyé sur STOP parce qu'il avait été, soudain, certain que lorsque les portes s'ouvriraient, ce ne serait pas le parking qu'il trouverait devant lui.

Mais une brume épaisse et des eaux noires. Ou alors un précipice, un abîme béant. La voix serait là, sur l'autre rive, de l'autre côté du ravin, et il n'aurait aucun moyen de la rejoindre.

Dans un autre ascenseur, hier après-midi, en montant chez Dunny, il avait été pris d'une crise de claustrophobie.

Ici encore, la cabine d'acier semblait plus étroite que lorsqu'il y avait pénétré. Le plafond semblait de plus en plus près de sa tête. Il avait l'impression d'être compressé comme une sardine en boîte.

Il plaqua ses mains sur ses oreilles pour ne plus entendre la voix fantomatique.

L'air se fit plus chaud, plus épais. Ethan avait de plus en plus de mal à respirer, chaque inhalation, chaque expiration sifflait dans ses poumons comme un soufflet de forge ; il songea à Fric et à ses crises d'asthme. Au souvenir du garçon, son cœur se mit à battre plus fort. Il leva une main tremblante vers le bouton MARCHE de l'appareil.

Plus les murs comprimaient son corps, plus ils faisaient pénétrer dans son esprit des idées insensées ; au lieu de brumes et d'eaux noires, peut-être allait-il se retrouver dans cet appartement monochrome, avec ses murs décorés d'oiseaux scrutateurs, face à un Rolf Reynerd bien vivant, sortant un pistolet de son sachet de chips. Il lui tirerait de nouveau une balle dans le ventre et cette fois, celle-ci lui serait fatale.

Ethan hésita, le doigt oscillant au-dessus du bouton MARCHE.

Peut-être parce qu'il avait songé au gamin asthmatique, Ethan crut percevoir dans le flot inintelligible tombant du haut-parleur le prénom du garçon. « *Fric...* » Mais à chaque fois qu'il s'arrêtait de respirer pour tendre l'oreille, il ne l'entendait plus. Sitôt qu'il inspirait, il l'entendait à nouveau. Était-ce réel ou une illusion ?

Dans l'autre ascenseur, lundi après-midi, la crise de claustrophobie était la manifestation d'une terreur qu'il n'avait pas voulu admettre : la crainte, irrationnelle certes, mais persistante, que dans l'appartement de Dunny il allait trouver son vieil ami mort mais animé – froid comme un cadavre et en même temps vivant.

Cette fois-ci, la crise de claustrophobie et la peur de voir Reynerd ressuscité dissimulait une autre angoisse qu'il ne voulait pas plus affronter et qu'il ne parvenait pas tout à fait à exhumer de son subconscient.

Fric ? Le garçon était émotionnellement fragile, mais pas en danger physique. Il y avait dix adultes avec lui au Palazzo Rospo, en comptant le chef Hachette et le jardinier, Mr. Yorn. La sécurité de la propriété était optimale. Le vrai danger qui guettait Fric, c'était qu'un dingue tue Channing Manheim et le prive de son père.

Ethan enfonça le bouton MARCHE.

La cabine s'ébranla de nouveau. Un instant plus tard, elle s'immobilisa au premier sous-sol du parking.

Peut-être Ethan allait-il se retrouver dans une rue, sous

la pluie battante, une fois de plus sur le chemin d'une PT Cruiser en perdition ?

Les portes s'escamotèrent, ne révélant rien de plus mystérieux que le dédale classique de piliers d'un parking souterrain, avec ses alignements de véhicules sous les tubes fluorescents.

Marcher lui fit du bien. Tandis qu'il se dirigeait vers sa Ford Expedition, il sentit sa respiration revenir à la normale, les battements de son cœur s'apaiser ; les coups cessèrent de résonner dans tout son corps pour rejoindre sereinement sa cage thoracique.

Une fois installé derrière le volant, Ethan enclencha le verrouillage centralisé des portières.

Derrière le pare-brise, il ne voyait qu'un mur de ciment maculé de traces d'humidité et de scories de fumées d'échappement. Çà et là, avec le temps, des inflorescences de chaux étaient remontées à la surface.

Son imagination cherchait à discerner des motifs dans ces formes, comme, pour tuer le temps, on cherche à voir des animaux fabuleux dans les nuages dérivant dans le ciel. Mais il ne voyait que des visions macabres – visages décomposés, corps mutilés, entremêlés. Il avait l'impression d'être devant une peinture murale morbide, représentant toutes les victimes à qui, du temps où il était inspecteur de police, Ethan avait tenté de faire justice.

Il laissa aller sa tête en arrière et ferma les yeux, tentant de retrouver un semblant de paix intérieure.

Il songea un moment à allumer la radio pour tuer le temps en attendant l'arrivée de Yancy. Sheryl Crow, Barenaked Ladies, Chris Isaak, sans violons ni cors d'harmonie, pourraient lui faire du bien…

Mais il hésitait à actionner l'interrupteur. Au lieu de musique, de bulletins d'informations et de causeries, n'allait-il pas entendre, d'un bout à l'autre de la bande FM, la voix de la pseudo-Hannah, cherchant à lui parler sur toutes les fréquences ?

Des coups sur la vitre – *tap-tap-tap* – le firent sursauter. Arborant une casquette de marin et un air maussade à faire tourner le vin en vinaigre, Hazard Yancy plaqua son visage sur la vitre côté passager pour scruter l'habitacle.

Ethan déverrouilla les portes.

Yancy monta à bord, aussi à l'étroit dans le 4 × 4 que dans une voiture tamponneuse de fête foraine, et referma la portière. Même si ses gros genoux touchaient le tableau de bord, il ne prit pas la peine de reculer son siège. Il semblait préoccupé.

— Ils ont trouvé Dunny ? demanda-t-il.

— Qui ça ?

— L'hosto.

— Non.

— Qu'est-ce que tu fiches ici, dans ce cas ?

— J'ai parlé au médecin qui a signé le certificat de décès, pour tenter d'y voir un peu plus clair.

— Bilan des courses ?

— Retour à la case départ. Je me mords la queue.

— Évite de faire ça en public, railla Yancy. Au fait, Sam Kesselman a la grippe.

Ethan avait besoin de Kesselman. C'était l'inspecteur chargé du meurtre de la mère de Rolf Reynerd. Il voulait lire le scénario inachevé du rejeton dans l'espoir de discerner quelle avait été sa source d'inspiration pour créer le personnage du professeur meurtrier.

— Quand reprend-il le boulot ?

— Sa femme dit qu'il ne peut même pas garder un bouillon de poulet. À mon avis, on ne le reverra pas avant Noël.

— Il a un partenaire ?

— Au début Glo Williams était avec lui, mais l'enquête étant au point mort, il a lâché.

— On peut le faire revenir ?

— Il travaille sur le meurtre de cette gamine de onze ans, qu'on a retrouvé violée et découpée en morceaux et qui fait la une de tous les journaux. Il est débordé.

— Ce monde va de mal en pis.

— Et ça s'aggrave d'heure en heure. Autrement, nous serions au chômage technique. Ils ont baptisé l'affaire de Mina Reynerd, « la vamp et la lampe » parce que sur les photos, dans sa jeunesse, elle ressemblait à ces vamps des vieux films, comme Theda Bara ou Jean Harlow. Le dossier est sur le bureau de Kesselman, avec ses autres enquêtes en cours.

— Autrement dit, même après Noël, rien ne nous prouve que cette affaire sera sa priorité.

Yancy contempla le mur de béton de l'autre côté du pare-brise, comme si lui aussi cherchait à y distinguer son bestiaire personnel. Peut-être voyait-il des gazelles graciles, des kangourous bucoliques. Mais il était plus vraisemblable que son regard embrassait, lui aussi, une litanie d'enfants massacrés, de femmes étranglées, de corps d'hommes déchiquetés par les balles.

Autant de souvenirs de victimes innocentes. Ses fantômes, comme une deuxième famille… Tout aussi réels que la plaque qu'il portait, bien plus tangibles que la retraite promise dont il ne profiterait peut-être pas.

— Après Noël, ce sera peut-être trop tard, marmonna Yancy. J'ai fait un rêve.

Ethan le regarda, attendant la suite.

— Quel rêve?

Yancy releva ses épaules de catcheur et se redressa sur son siège pour gagner un peu de place pour ses jambes, aussi à l'aise qu'un bœuf dans une cage pour canari; puis il fixa des yeux le mur de béton, et articula d'un ton faussement détaché :

— On est tous les deux dans l'appartement de Reynerd. L'autre ordure te tire dans le ventre. Ensuite, on se retrouve dans l'ambulance. Tu es en train de crever. Et il y a ces décorations de Noël dans l'ambulance. Des grappes de petites clochettes. Tu me demandes d'en décrocher une. Je le fais. J'en détache une, mais quand je veux te la donner, tu es mort.

Ethan reporta, une fois de plus, son attention sur le mur du parking souterrain. Parmi les corps en putréfaction que son imagination identifiait dans les souillures et autres textures, il s'attendait à apercevoir son propre visage.

— Et quand je me réveille, poursuivit Yancy en fixant toujours des yeux la paroi de ciment, il y a quelqu'un dans ma chambre - avec moi. Il se tient au-dessus de mon lit. Une forme sombre dans l'obscurité. Un type. Je me redresse pour choper le mec, et *paf!* il n'est plus là. Dans l'instant, il se trouve à l'autre bout de la chambre. Je fonce sur lui. Il a encore bougé. Rapide comme l'éclair. Il ne marche pas, il *glisse*. Mon flingue est dans son étui, sur le dossier de la chaise. Je le prends. Mais l'autre n'arrête pas de bouger. Un vrai feu follet. Il joue au chat et à la souris avec moi, il me nargue. On se balade comme ça dans toute la chambre. Enfin, je trouve l'interrupteur. J'allume. Il est devant l'armoire, dos à moi. Il y a une glace sur la porte. Il fait alors un pas, entre dans le miroir. Et disparaît.

— Tu es encore en train de rêver, avance Ethan.

— J'étais réveillé! Quand j'ai ouvert les yeux, il y avait quelqu'un dans ma chambre, je te dis! s'emporta Yancy. Je ne l'ai pas bien vu, il me tournait le dos, juste son reflet fugitif dans le miroir, mais je crois bien qu'il s'agissait de Dunny Whistler. J'ai ouvert l'armoire. Il n'était pas dedans, bien sûr. Il était où ? Dans ma glace ?

— Parfois, dans un rêve, insista Ethan, on croit se réveiller, mais cela fait partie du cauchemar. Tu es toujours en train de rêver.

— J'ai fouillé tout l'appartement. Rien, personne. Mais en revenant dans la chambre, j'ai trouvé ça.

Ethan entendit le tintement cristallin de petites clochettes. Il quitta des yeux le mur de béton.

Yancy avait dans la main trois clochettes retenues par un même fil, en tout point comparables à celles qui se balançaient au plafond de l'ambulance.

Les deux hommes se regardèrent.

Yancy savait que Ethan lui avait caché des choses, même s'il n'en connaissait pas la nature exacte.

Les événements bizarres de la veille et maintenant ce que lui racontait Yancy, plus l'épisode du cadavre de Dunny quittant l'hôpital à pied et orchestrant peut-être le meurtre de Reynerd... tout cela était lié, d'une manière ou d'une autre, aux six colis envoyés à Manheim. Ethan en était certain.

— Qu'est-ce que tu ne m'as pas dit ? demanda Yancy.

Après un long silence, Ethan répondit :

— J'ai moi aussi un jeu de clochettes.

— Tu les as eues dans un rêve, comme moi ?

— On me les a données, hier après-midi, dans une ambulance, juste avant que je ne meure.

55.

Un escalier – quatre volées de marches, sans sono diffusant de la musique insipide ou des voix venues d'outre-tombe – menait jusqu'au troisième et dernier sous-sol de l'hôpital.

Ethan et Hazard Yancy suivirent le couloir familier, tout blanc et lumineux, qui conduisait aux doubles portes donnant sur le garage des ambulances.

Dans le parc de véhicules de l'hôpital, quatre grosses ambulances fourgonnettes, garées côte à côte, somnolaient dans la pénombre. À en croire les places vacantes, d'autres unités d'intervention étaient en service par cette journée pluvieuse.

Ethan se dirigea vers l'ambulance la plus proche. Il hésita, puis ouvrit le hayon arrière.

À l'intérieur, des guirlandes rouges étaient accrochées au plafond, de part et d'autre de la cabine; six grappes de clochettes y étaient suspendues, une au début des guirlandes, une autre au milieu, et une dernière à leurs extrémités.

En ouvrant la porte de la deuxième ambulance, Yancy lança :

— C'est celle-là !

Ethan le rejoignit devant le hayon.

Deux longueurs de guirlandes rouges. Mais seulement cinq grappes de clochettes – un jeu manquant, au milieu de la guirlande de droite... celui qu'on avait donné à Ethan au moment de sa mort.

Un frisson glacé, une vibration palpable, descendit lentement sa colonne vertébrale, comme si l'extrémité crochue d'une main de squelette courait sur chaque vertèbre, de la nuque au coccyx.

— Il manque *un* jeu de clochettes, mais avec ton jeu plus le mien, ça fait *deux*.

— Peut-être pas. Peut-être s'agit-il des mêmes clochettes.

— Comment ça ?

Derrière eux, une voix se fit entendre :

— Je peux vous aider, messieurs ?

Ethan, en se retournant, reconnut l'infirmier qui s'était occupé de lui dans l'ambulance moins de vingt-quatre heures plus tôt.

La découverte de ces clochettes dans sa main, au sortir du *Forever Roses*, avait été la goutte de surnaturel de trop qui avait fait se briser le vase de sa rationalité. Mais se retrouver face à face avec cet homme, qu'il n'avait vu qu'en rêve, donnait une nouvelle et éprouvante réalité à sa mort dans l'ambulance, même si, présentement, il respirait normalement et que son cœur battait.

Le choc ne fut pas mutuel. L'infirmier n'avait pas reconnu Ethan et le regardait avec une froideur polie.

Yancy sortit sa plaque de policier.

— Quel est votre nom, monsieur ?

— Cameron Sheen.

— Monsieur Sheen, nous avons besoin de savoir à quel appel cette ambulance a répondu, hier, en fin d'après-midi.

— À quelle heure, exactement ?

Yancy se tourna vers Ethan. Après un raclement de gorge, celui-ci répondit :

— C'était entre cinq et six heures.

— Je faisais équipe avec Rick Laslow, expliqua Sheen. Juste avant cinq heures, on a reçu un appel de la police, un onze-quatre-vingts, un AVP avec gros dommages corporels, au coin de Westwood Boulevard et Wilshire.

C'était à des kilomètres de l'endroit où Ethan s'était fait renverser par la PT Cruiser.

— Honda contre Hummer, poursuivit Sheen. On a transporté le type de la voiture. On aurait dit qu'il s'était emplafonné un trente tonnes, pas seulement un Hummer. On l'a emmené en chirurgie en un temps record, vraiment du beau boulot... À ce qu'on m'a dit, il pourra ressortir sur ses deux jambes et aller encore courir la gueuze.

Ethan nomma les deux rues qui se croisaient à côté du *Forever Roses.*

— Vous répondez à des appels si loin à l'ouest ?

— Bien sûr. Si on voit comment éviter les embouteillages, on va où le sang coule.

— Avez-vous reçu, hier, un appel pour ce carrefour ?

L'infirmier secoua la tête.

— Pas moi et Rick. Peut-être une autre unité. Il faudrait vérifier avec le planning.

— Votre visage m'est familier, dit Ethan. On s'est déjà rencontrés ?

Sheen fronça les sourcils, fouillant sa mémoire.

— Pas que je me souvienne. Alors, vous voulez qu'on consulte le registre des sorties ?

— Non, répondit Yancy. Une dernière question...

Il désigna l'une des guirlandes qui décoraient l'habitacle de l'ambulance.

— Il manque des clochettes au milieu. Où sont-elles ?

Sheen jeta un coup d'œil dans le fourgon.

— Il manque des clochettes ? Ah bon ? Peut-être, oui. Et alors ?

— Nous aimerions savoir ce qui leur est arrivé.

L'étonnement fripa le visage de l'infirmier.

— Ah bon ? Ça vous intéresse ? Je ne me souviens pas qu'il leur soit arrivé quelque chose durant ma garde. Peut-être l'un des gars de l'autre équipe pourrait vous renseigner.

Yancy jeta un regard vers Ethan ; celui-ci lui répondit d'un mouvement d'épaules. Yancy claqua la porte du hayon.

L'ambulancier passa de l'étonnement à l'émerveillement :

— Ne me dites pas qu'ils ont envoyé deux inspecteurs de police parce que quelqu'un a volé une déco de Noël à deux dollars ?

Ethan comme Yancy ne savaient que répondre à ça.

Sheen aurait dû changer de sujet, mais comme beaucoup de gens aujourd'hui, son ignorance de la véritable nature du travail de flic lui donnait un sentiment de supériorité sur tout représentant de l'ordre.

— Et si c'était un chaton coincé sur un arbre, c'est le SWAT qui aurait débarqué ?

— Ce n'est pas la valeur de l'objet qui fait la gravité du crime, lança Yancy, n'est-ce pas, inspecteur Truman ?

— Absolument, répondit Ethan, retrouvant ses anciens automatismes avec son ex-partenaire. C'est le principe sous-jacent : la haine.

— Sans conteste, il s'agit d'un crime motivé par la haine, ce qui est hautement répréhensible selon le code pénal de l'État de Californie, renchérit Yancy, avec un sérieux d'airain.

— Pour toute la durée des fêtes, reprit Ethan, nous sommes affectés à la Brigade d'Intervention contre la Dégradation et le Vol de décorations de Noël.

— C'est un département des Forces Spéciales de l'Esprit de Noël, créé depuis la promulgation de la loi contre la haine, en 2001.

Un sourire timide naquit sur le visage de Sheen. Il tourna la tête tour à tour vers Ethan et Yancy.

— Vous me faites marcher, n'est-ce pas ? C'est comme la chasse au dahu...

Avec son regard réprobateur capable de liquéfier sur place la plus téméraire des crapules, Yancy articula :

— Seriez-vous l'un de ces croisés menant une guerre de sape contre Noël, monsieur Sheen ?

Le sourire de Sheen se figea un instant, puis fleurit de plus belle.

— Quoi ?

— Êtes-vous pour la liberté de culte, monsieur Sheen, renchérit Ethan, ou êtes-vous l'une de ces personnes qui pensent que la Constitution des États-Unis vous donne le droit de ne pas respecter les religions ?

En battant des paupières, la bouche sèche, l'infirmier répondit :

— Non, bien sûr que non... Je suis pour la liberté de culte. Qui serait contre ça ?

— Si nous demandons un mandat de perquisition pour fouiller votre domicile, reprit Yancy, allons-nous trouver chez vous une collection de pamphlets haineux contre le christianisme, monsieur Sheen ?

— Quoi ? Moi ? Je ne hais personne. Je suis un type tolérant. Qu'est-ce que vous racontez ?

— Allons-nous trouver de quoi construire des bombes artisanales, monsieur Sheen ? demanda Ethan.

L'air narquois s'était définitivement envolé sous le regard assassin de Yancy. Le visage de l'ambulancier était désormais couleur cendre, aussi gris que les murs du parking.

Il recula d'un pas, levant les bras en l'air, comme un joueur demandant une pause.

— À quoi vous jouez ? Vous êtes sérieux ? C'est de la folie. Quoi !... parce qu'il manque une babiole à deux dollars, je devrais prendre un avocat ?

— Si vous en avez un, répliqua Yancy d'un air solennel, vous feriez peut-être bien de l'appeler.

Ne sachant toujours pas si c'était du lard ou du cochon, Sheen recula encore d'un pas, puis un autre, et finalement s'en alla d'un pas pressé vers la salle de garde des infirmiers.

— Je t'en foutrais des SWAT ! grommela Yancy.

— Tu l'as dit, bouffi.

Ethan avait oublié comme c'était agréable de travailler en équipe, en particulier quand son partenaire avait le sens de l'humour.

— Tu devrais revenir, lança Yancy, alors qu'il poussait les portes pour rejoindre le couloir. On sauverait le monde, et on se marrerait bien.

Arrivé en haut des escaliers menant au premier sous-sol, Ethan dit :

— Même si ce grand délire s'arrête un jour ou l'autre – la balle qui m'a tué, les clochettes qui font de la téléportation, la voix dans le téléphone, ton gars traversant les miroirs... Tu crois qu'il te sera possible de retourner au boulot comme si de rien n'était ?

— Je n'ai pas trop le choix. Je ne vais pas entrer dans les ordres.

— J'ai l'impression que cela risque de changer notre regard sur le monde. Plus rien ne sera comme avant.

— Je suis content comme je suis. On ne peut pas être plus content que moi. Je suis du genre à garder la tête froide en toutes circonstances. J'ai ça dans le sang.

— Tu es un glaçon ambulant.

— Mais je peux voir tout rouge.

— Ça, c'est vrai, reconnu Ethan.

— Vraiment tout rouge.

— D'accord. Tu es un glaçon qui peut s'enflammer.

— Tout juste ! Alors je n'ai aucune raison de changer, à moins de tomber nez à nez avec Jésus et qu'il me donne une tape sur la tête.

Les deux hommes ne se trouvaient pas dans un cimetière, mais leurs paroles résonnaient dans la cage d'escalier comme dans les murs d'une crypte ; en pensée, Ethan revit ces vieux films où des garçons, pour dissimuler leur peur, parlaient haut et fort, tandis qu'ils cheminaient entre les tombes au cœur de la nuit noire.

56.

À force de s'éreinter sur la meule du mépris de soi, avec une opiniâtreté de monomaniaque, Brittina Dowd était devenue sèche et tranchante comme une lame d'acier. Lorsqu'elle marchait, ses vêtements semblaient sur le point d'être lacérés par les mouvements de ciseaux de son corps anguleux.

Ses hanches s'étaient affinées pour devenir aussi frêles que le bassin d'un oiseau. Ses jambes ressemblaient aux pattes d'un flamant rose. Ses bras n'avaient pas plus d'épaisseur que des ailes dépourvues de leurs plumes. Brittina paraissait décidée à se décharner jusqu'à ce qu'une bourrasque l'emporte vers le royaume éthéré des mésanges et des moineaux.

Elle n'était pas une simple lame affûtée, mais plutôt un couteau suisse, hérissé de tous ses accessoires pointus.

Corky Laputa aurait pu l'aimer si elle n'avait pas été aussi vilaine.

Même s'il n'aimait pas Brittina, il lui faisait l'amour. L'état de décrépitude dans lequel elle avait mis son corps squelettique l'excitait. Il avait l'impression de faire l'amour avec la Grande Faucheuse.

Elle n'avait que vingt-six ans, et elle se préparait pour une ostéoporose précoce, comme si elle brûlait de se casser en morceaux, à l'instar d'un vase de cristal tombant sur un sol dallé.

Pendant leurs ébats, Laputa craignait de s'embrocher sur ses genoux ou sur ses coudes pointus, ou d'entendre Brittina se briser sous son poids.

— Vas-y, disait-elle, vas-y...

Et, dans sa bouche, cela ressemblait moins à une invite sexuelle qu'à une demande d'euthanasie.

Son lit était étroit, fait pour une seule personne à condition que celle-ci se tienne immobile comme dans un cercueil – une couche bien trop exiguë pour leurs chevauchées sauvages.

Elle avait un lit solo, car Brittina n'avait jamais eu

d'amant dans sa vie et s'attendait à mourir vierge. Laputa l'avait séduite aussi facilement qu'il aurait pu écraser dans sa paume un colibri.

La petite chambre de Brittina se trouvait au dernier étage d'une petite maison victorienne. La bâtisse, quoique profonde, était bien trop étroite de façade pour qu'on puisse l'imaginer receler des appartements habitables.

Soixante ans plus tôt, juste après la guerre, un amateur de lévriers excentrique avait fait construire cette étrange maison. Il y vivait avec deux greyhounds et deux whippets.

Finalement, une attaque cérébrale le laissa paralysé. Après plusieurs jours sans être nourris par leur maître, les chiens avaient dévoré le malheureux.

Cet événement datait de quarante ans. L'histoire des résidents qui se succédèrent ensuite dans la maison fut bien souvent aussi haute en couleur que la vie du premier propriétaire et parfois presque aussi horrible que sa fin tragique. Inévitablement, les mauvaises vibrations de la maison attirèrent l'attention de Brittina aussi puissamment qu'un sifflet à ultrasons attire l'oreille d'un whippet. Elle l'avait achetée avec une portion de l'héritage de sa grand-mère paternelle.

Brittina fréquentait la même université qui avait assuré la subsistance de deux générations de Laputa. En dix-huit mois, elle avait décroché un doctorat de littérature, un diplôme pour lequel, évidemment, elle n'avait que mépris.

Même si elle n'avait pas dilapidé tout son héritage dans la maison, elle avait besoin de gagner de l'argent. Elle travaillait donc comme maître-assistant pour pouvoir s'acheter ses Slim Fast au chocolat et son sirop vomitif.

Il y a six mois, l'assistant de Channing Manheim avait rendu visite au président du département de littérature de l'université; il était à la recherche d'un nouveau précepteur pour le fils du célèbre acteur. Seul quelqu'un de hautement diplômé pouvait prétendre au poste...

Le président avait consulté Laputa, qui était le vice-président du département, et celui-ci avait chaudement recommandé Mrs. Dowd.

Il était sûr qu'elle serait embauchée parce que, avant toute chose, ce crétin de Manheim serait impressionné par son physique. Sa pâleur cadavérique, son visage émacié, son corps de nonne anorexique, seraient la preuve que Brittina ne goûtait pas les plaisirs terrestres et se consacrait exclusivement à ceux de l'esprit – autrement dit qu'elle était une pure intellectuelle.

Dans le monde du spectacle, l'image fait foi. Manheim, par conséquent, appliquait le même raisonnement à tous les autres corps de métier.

En outre, Brittina Dowd était une snob qui saupoudrait son discours d'un jargon aussi impénétrable que celui d'un microbiologiste. Si la maigreur de la jeune femme ne suffisait pas à convaincre la star de son bagage intellectuel, ses mots compliqués achèveraient de le faire.

La veille de l'entretien de Brittina avec la star, Corky Laputa lui sortit le grand jeu, l'abreuvant de compliments aussi épais qu'une crème chantilly. La maigrelette manquait non seulement de nourriture, mais aussi de flatteries. Ce soir-là, elle s'autorisa à assouvir une autre faim, trop longtemps réprimée elle aussi – celle de la passion – et Laputa coucha avec elle pour la première fois.

Finalement, Brittina devint la préceptrice de Aelfric Manheim en littérature, et se rendit donc régulièrement au Palazzo Rospo.

Depuis un certain temps, Rolf Reynerd et Laputa cherchaient le moyen de porter un grand coup à l'ordre social. Sans conteste, s'attaquer à une célébrité de renommée internationale provoquerait un puissant traumatisme dans les esprits. La population prendrait conscience que personne n'était à l'abri des agents du Chaos. Mais qui choisir? La question restait en suspens. Ce fut lorsque la maîtresse de Laputa fut embauchée chez Channing Manheim qu'ils eurent la réponse.

Grâce à Brittina, Laputa en savait long sur le Palazzo Rospo. Elle lui révéla jusqu'à l'existence de la ligne 24 et – plus important encore – lui parla du vigile, Ned Hokenberry, ardent supporter des Peaches & Herb, qui, aux dires de Fric, avait été limogé pour avoir laissé de faux messages de l'Au-Delà sur le répondeur de la ligne dédiée aux défunts.

Brittina dressa aussi, pour Laputa, le profil psychologique du fils de Manheim. Ce qui lui serait précieux lorsque Laputa s'attaquerait à détruire psychiquement le garçon.

Tous ses sens endormis après chaque copulation bestiale, Brittina ne s'était jamais doutée des véritables intentions de Corky Laputa. Pour elle, les questions de son amant relevaient d'une simple curiosité de fan. Brittina était une complice involontaire, une fille naïve amoureuse.

— Vas-y, l'implorait-elle à présent. Vas-y...

Et Laputa s'exécuta.

Le vent malmenait la maison étroite, la pluie rageuse,

labourait ses flancs squelettiques, et sur le lit étroit, Brittina tremblait comme une mante religieuse en transe.

Cette fois, dans la torpeur post-coïtale, Laputa n'avait aucun renseignement à lui demander sur Manheim. Il maîtrisait désormais son sujet.

Comme cela lui arrivait souvent, Brittina se mit à se lamenter sur l'inutilité, désormais totale, de la littérature… la nature obsolète et poussiéreuse de l'écrit, le triomphe imminent de l'image sur les mots, la prévalence absolue de ces germes d'idées qu'elle appelait des *memes* et qui se propageaient à la manière des virus, d'esprit en esprit, créant ainsi de nouveaux modes de pensée dans la société, de façon parfaitement autonome…

Laputa sentait que sa tête allait exploser si elle ne se taisait pas, que ses soliloques lui grillaient chaque fois un peu plus les neurones. Ce n'était pas d'un nouveau mode de pensée dont il aurait alors besoin, mais d'un cerveau complet de rechange !

Enfin, Brittina se leva de leur nid d'amour pour se diriger, avec son corps de phasme cliquetant, vers la salle de bains.

Laputa plongea la main sous le lit, sortit le pistolet qu'il y avait caché un peu plus tôt.

Lorsqu'il lui tira deux balles dans le dos, il s'attendait presque à voir Brittina se casser en mille morceaux dans un nuage de poussière, à l'instar d'une momie fragilisée par deux millénaires de déshydratation… mais elle se contenta de s'écrouler au sol, en un enchevêtrement osseux et pâle.

57.

Durant les années où ils avaient été partenaires, Ethan et Yancy s'étaient toujours efforcés de suivre les règles *autant que possible*, sachant que ces règles avaient été écrites par des gens qui ignoraient tout du travail de policier.

En ce jour de décembre, toutefois, de nouveau partenaires, ils étaient définitivement passés du côté de l'illégalité. Cela mettait Ethan mal à l'aise, et dans le même temps cela lui donnait l'illusion qu'ils étaient maîtres de la situation.

Un écriteau sur la porte de Rolf Reynerd indiquait que l'appartement était sous scellés et faisait l'objet d'une enquête de police. Les lieux étaient interdits à toute personne non mandatée par le procureur du district.

Les deux hommes ignorèrent l'avertissement.

La serrure de la porte était décorée d'un sceau de la police. Ethan le brisa et l'arracha.

Yancy avait sur lui un passe-partout à cliquets, un modèle réservé aux membres des forces de l'ordre. Normalement, il fallait faire une demande écrite pour obtenir cet accessoire, en précisant en quels lieu et circonstance on comptait l'utiliser, et en sachant que son emploi était quasiment toujours associé à un mandat de perquisition en bonne et due forme.

On était très loin du compte.

Yancy avait mis la main sur ce passe par des voies détournées et non conventionnelles. Il marchait sur le fil du rasoir tant qu'il n'avait pas remis discrètement cet instrument à sa place.

— Quand on court après un gugusse qui traverse les miroirs, expliqua-t-il, on est forcément sur une pente savonneuse.

Yancy introduit la fine âme du passe dans le canon de la serrure, juste sous les crans. Il dut actionner le mécanisme à quatre reprises, jusqu'à ce que les cliquets, mus par des ressorts, accrochent tous les picots de la serrure, avant de pouvoir enfin ouvrir la porte.

Ethan entra dans l'appartement derrière Yancy, et referma

la porte. Ils tentèrent d'éviter de marcher sur les taches – reliques du sang de Reynerd – qui maculaient la moquette blanche juste devant le seuil.

Ethan avait déversé des litres d'hémoglobine sur cette moquette. Il était mort ici lui-même. L'image remonta de sa mémoire, bien trop vive pour être un simple rêve.

Le mobilier et la décoration, dans un camaïeu de noir et de blanc, étaient conformes à son souvenir.

Sur les murs, un envol de pigeons était figé dans un tourbillon immobile. Comme des points de craie sur une ardoise, des oies traversaient un ciel de plomb, et une assemblée de hiboux tenait conseil sur le faîte d'un toit, délibérant sur le sort d'un mulot.

Yancy était présent lors de la première fouille de l'appartement. Il savait les indices qui avaient été collectés et ceux qui avaient été négligés.

Il se dirigea tout de suite vers l'angle du salon, où trônait un bureau laqué anthracite pourvu de tiroirs en ivoire de synthèse.

— Ce qui nous intéresse se trouve sans doute ici, annonça-t-il en ouvrant un à un les tiroirs.

Des corbeaux sur une clôture métallique, un aigle sur un piton rocheux, un héron, l'œil farouche, l'air aussi sauvage et préhistorique qu'un ptérodactyle... tous surveillaient les deux intrus.

Paranoïaque et fataliste, Ethan avait l'impression que les volatiles, lorsqu'il leur tournait le dos, le suivaient du regard, surpris de le voir vivant alors que le propriétaire des lieux, qui avait accroché leurs photos au mur avec amour, lui, était mort.

— Ici ! lança Yancy en sortant une boîte à chaussures d'un tiroir. Les relevés de son compte en banque, avec les récépissés d'émission de chèques...

Les deux hommes s'assirent à la petite table de Formica noir pour examiner les pièces comptables de Reynerd.

À côté de la table, une fenêtre. Derrière la fenêtre, les éléments tumultueux – des rideaux gris de pluie, des bourrasques rageuses, sans tonnerre ni foudre, mais offrant néanmoins un spectacle de mauvais augure, sombre et sinistre.

La lumière venant de l'extérieur était trop chiche. Yancy se leva pour allumer le lustre de céramique noir et blanc qui surplombait le coin repas.

Onze liasses de récépissés, retenues par des élastiques, une pour chaque mois de l'année en cours, de janvier jusqu'à novembre. La banque ne renverrait pas avant mi-janvier les récépissés des chèques du mois de décembre.

Lorsque les deux hommes en auraient terminé avec ces documents, ils devraient tout remettre en place, exactement dans l'état où Yancy les avait trouvés. Sam Kesselman, l'inspecteur chargé de l'enquête sur le meurtre de Mina Reynerd, étudierait, sans nul doute, ces remises de chèques, lorsqu'il reprendrait le travail après Noël et qu'il aurait lu le scénario inachevé de l'acteur.

Mais s'ils attendaient le retour de Kesselman, Channing Manheim serait peut-être mort d'ici-là. Et Ethan aussi.

Ils s'intéressaient en particulier aux chèques émis dans les huit mois de l'année précédant le meurtre de Mina Reynerd.

Yancy prit quatre liasses mensuelles et laissa les quatre autres à Ethan.

Dans le scénario, un acteur, sous-estimé et au chômage, avait rencontré dans un cours de théâtre un professeur avec lequel il avait mis au point un plan pour assassiner la plus grande star de cinéma mondiale. Si le personnage du professeur avait un modèle de chair et de sang dans la vie réelle, le versement d'un chèque à quelque établissement d'enseignement pouvait donner un début de piste.

Les deux hommes découvrirent rapidement que Reynerd était un fan des formations professionnelles. Ses annotations sur les récépissés étaient méticuleuses et fort précieuses. Au cours des huit premiers mois de l'année, il avait suivi deux séminaires de trois jours sur le métier d'acteur, un autre sur l'écriture de scénario, une session de huit heures sur l'art de la communication et de la mise en valeur personnelle, et deux séries de cours de littérature à l'université.

— Six possibilités, conclut Yancy. On a du pain sur la planche. Une journée chargée en perspective.

— Nous n'avons pas de temps à perdre, c'est vrai, reconnut Ethan. Mais Manheim ne revient de Floride que jeudi après-midi.

— Et alors ?

— Alors, cela nous laisse encore demain.

Yancy détourna la tête pour contempler la pluie de l'autre côté de la fenêtre, comme s'il espérait lire l'avenir dans les traces des gouttes sur les carreaux, à l'instar d'un voyant dans le marc de café.

Au bout d'un moment de réflexion, il déclara :

— Je crains que nous ne devions pas trop compter sur demain. J'ai comme l'impression que tout va se précipiter.

58.

Le sac d'os tomba au sol sans lâcher un cri, un gémissement, ou un *meme*.

Pour être sûr que Brittina était bien morte, Laputa voulait lui tirer une nouvelle balle, cette fois dans l'arrière du crâne, mais son pistolet commençait à devenir bruyant... Il dut renoncer à cette précaution.

Même les meilleurs silencieux voyaient leur efficacité se détériorer avec le temps. Quel que soit le matériau utilisé pour étouffer la détonation, les chicanes avaient tendance à se boucher un peu plus à chaque tir, ce qui réduisait leur capacité d'absorption phonique.

En outre, Laputa ne possédait pas un silencieux de la qualité des agents secrets de la CIA. On ne pouvait espérer avoir la qualité d'un produit haut de gamme quand on se fournissait chez des activistes végétariens.

Il avait tiré à six reprises sur Hokenberry, et deux fois sur Brittina. Au bout de huit tirs, le pistolet commençait déjà à retrouver sa voix.

Sans doute la dernière détonation ne pouvait-elle être entendue de la rue, mais le prochain coup serait plus bruyant encore. Et Laputa n'était pas du genre à prendre des risques inutiles.

Dans le coffre de sa voiture, au fond de sa caisse à outils, il avait un silencieux tout neuf, une paire de lunettes de vision nocturne, ainsi qu'un jeu de seringues avec un échantillon de sédatifs et de poisons. Et deux grenades aussi.

Comme de coutume, il s'était garé deux pâtés de maisons plus loin, dans une autre rue. Laputa était un professeur et Brittina une étudiante ; ils avaient toujours veillé à garder secrète leur liaison.

Faire l'aller-retour jusqu'à la BMW pour aller chercher un silencieux neuf semblait une complication inutile. Il s'accroupit au chevet de sa maîtresse criblée de balles et tâta sa gorge, tentant de sentir le pouls dans sa carotide.

Elle était aussi morte que le disco.

Dans la salle de bains, Laputa se lava le sexe, les mains et le visage. Être un archange du Chaos n'interdisait pas une certaine hygiène.

Dans l'armoire à pharmacie, il sortit un flacon de désinfectant buccal. Brittina étant morte, elle ne pourrait s'en formaliser... il prit une rasade, directement au goulot, et se gargarisa.

Ses baisers laissaient un goût désagréable dans la bouche.

Avec sa manie de jeûner, elle était souvent en cétose, une phase durant laquelle son métabolisme était contraint de brûler le peu de réserves de graisse que renfermait son corps. Parmi les symptômes connus de la cétose, il y a la nausée et les vomissements, mais également un effet secondaire plutôt plaisant : une haleine douce au parfum fruité.

Laputa aimait l'odeur de son haleine, mais après de longs échanges de salive, langue contre langue, il avait parfois un arrière-goût aigre dans la bouche. Comme en toute chose en ce bas monde, le plaisir du sexe avait aussi son prix.

En la situation, le prix à payer avait été plus fort pour Brittina que pour lui.

Il s'habilla rapidement. En chaussettes, il descendit l'étroit escalier qui menait à la cuisine étriquée à l'arrière de la maison.

Son ciré jaune et son chapeau de pluie étaient accrochés à une patère, dans la minuscule véranda. Ses bottes noires se trouvaient à côté de l'imperméable.

La pluie martelait le toit de Plexiglas et dévalait la pente à gros bouillons ; on se serait cru en pleine mousson sous les tropiques. Laputa s'attendait presque à voir des crocodiles bayer aux corneilles au fond du jardin et des pythons lovés dans les branches des arbres...

Il rangea son arme dans l'une des grandes poches de son ciré. D'une autre poche, il sortit un tube de caoutchouc flexible et un objet qui ressemblait à une petite bouteille de yaourt à boire, bien que celle-ci fût noire, avec un bouchon rouge, et dépourvue de décorations de fruits.

N'ayant plus aucune raison de respecter le ménage de Brittina, Laputa enfila ses bottes et retourna dans la maison. Ses semelles humides et sales couinaient sur le linoléum de la cuisine.

Il n'avait pas encore tout à fait terminé. Il avait laissé derrière lui suffisamment de preuves pour l'inculper de meurtre dix fois – sperme, cheveux, empreintes digitales… Tout devait disparaître.

À chaque fois qu'il venait dans cette maison tout en hauteur, il ne portait pas de gants en latex comme il le faisait d'ordinaire sur les lieux d'un futur crime. Même si Brittina Dowd était plutôt excentrique, elle aurait tout de même trouvé bizarre que son amant porte des gants de chirurgien à chaque fois qu'il venait l'honorer.

Un escalier encore plus pentu et étroit menait de la cuisine au garage, où trois murs sur quatre étaient enterrés. La pénombre ici prenait ses aises, comme dans un froid donjon ou des catacombes.

Laputa entendait presque les myriades d'araignées tissant leurs toiles de soie.

Les quatre petits hublots de la porte du garage laissaient passer, d'ordinaire, quelques rayons du soleil légendaire de Californie. Mais aujourd'hui, le jour pluvieux ne pouvait traverser les vitres crasseuses.

Laputa alluma l'ampoule nue qui pendait au plafond, dont la lumière parvenait tout juste à éclairer les courbes du dieu du zoroastrisme.

Le dieu du zoroastrisme était Ahura Mazda. La voiture de Brittina était une Mazda, tout court, sans Ahura, mais Laputa ne se lassait pas de cette boutade.

Dans le coffre, il prit quatre bombes anti-crevaison – ces petits miracles de la technologie qui pouvaient regonfler un pneu tout en colmatant la fuite qui l'avait mis à plat – ainsi que deux jerrycans vides de dix litres.

Il avait acheté ces articles de première urgence pour Brittina, en plus d'un jeu de fusées de détresse et un triangle de signalisation jaune fluo, avec écrit en grosses lettres noires DANGER ; il avait beaucoup insisté pour que Brittina ait ces accessoires, en toutes circonstances, dans le coffre du dieu du zoroastrisme.

La jeune femme avait été tout émue devant tant de sollicitude ; « le plus beau des diamants, avait-elle dit, n'aurait pu être un meilleur gage d'amour que ces humbles présents ». L'objet de ces cadeaux, en réalité, était de permettre à Laputa de se débarrasser du corps de la dulcinée en question, quand son heure viendrait.

Laputa se reconnaissait un certain talent pour le romantisme quand il fallait en faire usage… mais plus impressionnant encore était son don d'organisation ! Qu'il cuisine une dinde pour Thanksgiving, assassine une amante encombrante, ou prépare le kidnapping du rejeton de la plus grande star de cinéma de tous les temps, il abordait le travail avec la même méthode et minutie, prenait toujours le temps d'élaborer une stratégie infaillible qui garantirait le succès complet de l'opération.

Brittina n'avait jamais demandé pourquoi il lui avait offert *deux* jerrycans, alors qu'elle n'était capable d'en transporter qu'un, et encore avec difficulté. Mais Laputa savait qu'elle s'abstiendrait de lui poser la question, qu'elle ne s'interrogerait même pas à ce propos, car Brittina était une femme d'images, de *memes* et de rêves utopiques... Elle ne versait ni dans les mathématiques, ni dans la logique.

Il posa les deux bidons par terre, puis introduisit une petite portion du tuyau de caoutchouc dans le conduit du réservoir et aspira à l'autre extrémité, du côté de la plus grande longueur, pour amorcer le siphon.

De cette manière, Laputa inhala un minimum de vapeur d'essence, et pas une goutte du sans-plomb de la Shell Oil ne pénétra dans sa bouche. Le flot vint rapidement... Aussitôt, Laputa glissa le bout du tuyau dans le premier jerrycan.

Lorsqu'il eut ses vingt litres de 95, Laputa remonta les deux jerrycans à la cuisine et laissa l'embout du siphon déverser sur le sol du garage son flot d'essence.

Il fit un autre voyage pour récupérer les quatre bombes aérosol. Une fois dans la cuisine, il en plaça deux dans le four du bas et deux autres dans le four du haut.

En grimpant au premier avec l'un des jerrycans, il coupa le thermostat du rez-de-chaussée, puis celui de l'étage. Il aurait été trop bête que le commutateur électrique, en se déclenchant, produise une étincelle et fasse exploser les vapeurs d'essence avant que Laputa n'ait eu le temps de quitter la maison !

Il fit sauter le bouchon et aspergea de carburant le corps pâle de Brittina Dowd. Ses longs cheveux feraient une jolie mèche, mais le reste de son corps était trop maigre pour brûler convenablement tout seul.

Après avoir versé un litre dans la salle de bains, il en répandit deux autres sur le lit. Inutile de traiter les deux autres pièces de l'étage, car il n'y avait jamais mis les pieds... Et pour ce qu'il voulait faire, il n'était pas nécessaire d'asperger d'essence toute la maison.

Depuis la chambre à coucher, il fit couler un chemin

ininterrompu d'essence dans le couloir, puis dans l'escalier, jusqu'au rez-de-chaussée. Arrivé au bas des marches, il jeta le jerrycan vide et prit l'autre, encore plein.

Il continua, comme le Petit Poucet, à laisser derrière lui une sente de liquide, sinuant par le salon, la salle à manger, en direction de la porte de la cuisine. Il posa le jerrycan sur le seuil et retira le bouchon verseur.

D'une poche de sa veste, il sortit l'objet rouge et noir qui ressemblait à une petite bouteille de Yop : un détonateur chimique.

L'emballage du détonateur était relativement malléable. Il le plia pour pouvoir le coincer dans l'ouverture du jerrycan où il restait environ deux litres d'essence.

Il arracha la languette de sécurité scellant le bouchon rouge. Cela lançait la réaction chimique ; dans quatre minutes, la chaleur serait si intense qu'il se produirait une explosion qui embraserait alors les deux litres d'essence et tracerait un chemin de feu jusqu'à la chambre à l'étage, jusqu'au cadavre de Brittina.

Ce n'était pas le moment que quelqu'un vienne sonner à la porte !

Aucun carillon ne retentit, bien sûr. Parce que Laputa n'était pas seulement un fin stratège, un homme méticuleux et prévoyant, il avait aussi la chance de son côté. Son ange gardien était le Chaos, et en apôtre de l'apocalypse, son protecteur lui réservait toujours une place dans l'œil de son cyclone destructeur.

Laputa retourna auprès des fours. Il verrouilla les deux portes, comme il était recommandé quand on lançait un nettoyage par pyrolyse. Sur les deux appareils, il enfonça le bouton « NETTOYAGE ».

La chaleur allait rapidement gagner les bombes aérosol qui allaient, elles aussi, exploser. Les portes étant verrouillées, la déflagration ne pourrait se propager vers l'extérieur. Les dommages à l'intérieur des appareils seraient importants, engendrant une fuite de gaz qui, à son tour, produirait une détonation encore plus puissante…

Le coup de la fuite de gaz n'était pas nécessaire à la destruction complète de la maison. Les dix litres d'essence qu'il avait répandus dans les pièces ainsi que les litres qui se déversaient du réservoir de la voiture et inondaient le sol du garage suffiraient à détruire toute trace de son ADN et toutes les empreintes digitales qu'il avait pu laisser. Mais deux précautions valaient mieux qu'une. Toujours.

Sur le perron, côté jardin, Corky Laputa enfila son grand ciré jaune et vissa, sur sa tête, son chapeau de pluie.

Il poussa la porte moustiquaire et descendit le petit escalier. Au fond du jardin, il ouvrit le portail et s'éloigna dans l'allée, sans jeter un seul regard derrière lui.

Cette pluie était vraiment une bénédiction.

Des cascades tombaient du ciel. Des torrents impétueux débordaient des caniveaux, inondaient les trottoirs...

Toute cette eau ne pourrait éteindre l'incendie qu'il avait préparé. Les flammes avides, suralimentées au sans-plomb, auraient dévoré l'ossature de bois de la maison, avant que les murs ne s'écroulent et ne laissent pénétrer la pluie.

En fait, le déluge était son allié. Tous ces carrefours inondés, toutes ces rues encombrées de voitures retarderaient l'arrivée des pompiers.

Laputa venait de tourner au coin de la rue où il avait garé sa BMW quand il entendit la première explosion au loin. Le son était faible, étouffé, mais à la fois terrible.

Bientôt il aurait effacé toute trace, tout indice susceptibles de mettre la police sur sa piste; il pourrait alors attaquer le Palazzo Rospo en toute sérénité.

59.

Dans les tréfonds du Palazzo Rospo, Fric avait récupéré des lampes de survie « spécial tremblement de terre ».

L'infrastructure de la demeure principale et de ses bâtiments annexes avait été aménagée et renforcée pour résister à des séismes d'amplitude 8 sur l'échelle de Richter.

Un séisme de niveau 8 était considéré comme un super *big-one*. Un tremblement de terre comme on n'en voyait qu'au cinéma.

Si une vilaine secousse détruisait le réseau électrique de la ville, le Palazzo Rospo pouvait compter sur ses groupes électrogènes, installés dans un bunker enterré aux murs de béton armé, épais de soixante centimètres. Même si toute la région était rasée, la maison resterait debout et éclairée, les ordinateurs continueraient à tourner, les ascenseurs à fonctionner, et il y aurait encore des bières fraîches dans les réfrigérateurs.

Dans la roseraie, les chérubins dodus de la fontaine continueraient à uriner dans le bassin.

Certes, ces aménagements seraient inutiles si un volcan, sorti de nulle part, se mettait à déverser sur Los Angeles des torrents de lave en fusion pour transformer des centaines de kilomètres carrés urbains en plaines de cendres fumantes ou si un gros astéroïde s'écrasait sur Bel Air. Même une star aussi riche et célèbre que papa-fantôme ne pouvait se protéger contre de tels cataclysmes planétaires.

Si les générateurs suisses dans le bunker tombaient en panne, alors la tour de batteries, haute comme le donjon de Frankenstein, prendrait dans l'instant le relais. Celles-ci permettraient l'alimentation d'un éclairage de secours, des ordinateurs, du système de sécurité et quelques autres dispositifs vitaux de la maison pendant quatre-vingt-seize heures.

Si la centrale électrique de la ville était HS, si les groupes électrogènes étaient en panne, si les batteries se révélaient à plat, il restait encore les lampes de survie disséminées un peu partout dans la maison. Ce cas de figure, selon Fric, ne pouvait se produire qu'en cas d'invasion extraterrestre au moyen d'armes à champ magnétique.

À en croire Mrs. McBee, le nombre de lampes de survie disponibles au Palazzo Rospo était de deux cent quatorze; connaissant la précision légendaire de la gouvernante, on pouvait être sûr que ce n'était ni deux cent treize, ni deux cent quinze!

Ces petites lampes, étonnamment puissantes, étaient tout le temps branchées sur le secteur, en charge permanente. Si le courant était coupé, ces lumières de secours s'allumaient instantanément, dispensant une clarté suffisante pour permettre à quiconque d'évacuer la maison en toute sécurité, même au cœur de la plus noire des nuits sans lune. En outre, les lampes pouvaient être retirées de leur socle et transportées comme des torches électriques ordinaires.

Les lampes, comme leur support mural, étaient d'une couleur qui se mariait avec la décoration de la pièce où elles se trouvaient – beige pour les murs de tuffeau, brou de noix pour les lambris d'acajou, noir pour le marbre anthracite... En temps ordinaire, elles devaient passer inaperçues. À force de vivre avec elles, jour après jour, on ne les voyait plus.

Personne, sauf Mrs. McBee, s'apercevrait qu'il en manquait une dizaine sur les deux cent quatorze... Par chance, Mrs. McBee ne revenait au Palazzo Rospo que jeudi matin.

Toutefois, Fric préféra chiper des lampes dans les pièces les plus reculées de la maison, là où leur disparition avait le moins de chance d'être remarquée. Fric avait besoin de lumière pour son séjour dans sa cachette secrète.

Il plaça les lampes dans un panier de pique-nique. Le panier étant pourvu d'un couvercle, personne ne pouvait savoir ce qu'il transportait, même si, d'aventure, il croisait un membre du personnel.

Si on lui demandait pourquoi il se promenait avec un panier de pique-nique en plein hiver, il répondrait qu'il emmenait des sandwiches dans le tipi qu'il avait construit avec une couverture dans la salle de billard et qu'il était désormais le grand chef indien pied-noir vivant en 1880.

Jouer aux Indiens dans la salle de billard était parfaitement ridicule, bien sûr. Mais pour les adultes, les petits garçons solitaires jouaient forcément à ce genre de choses; ils n'iraient pas chercher plus loin. Tout au plus éprouveraient-ils une vague pitié pour lui.

Mieux valait passer pour Cosette plutôt que pour le chat à deux têtes de Barbra Streisand!

C'était l'une des expressions favorites de papa-fantôme. Quand il pensait que quelqu'un n'avait pas toute sa tête, il disait : « Il est aussi loufdingue que le chat à deux têtes de Barbra Streisand ! »

Des années plus tôt, papa-fantôme avait signé pour tourner un film réalisé par Barbra Streisand. Cela s'était très mal passé et finalement, il s'était retiré du projet.

Il n'avait jamais prononcé une parole négative à l'encontre de Mrs. Streisand. Mais de là à croire qu'ils étaient aussi impatients de partager de nouvelles aventures que les petites bêtes du *Vent dans les saules*... il fallait vraiment être naïf.

Dans la grande famille du cinéma, tout le monde feignait de s'aimer, même si on était les pires ennemis. Ils étaient tous la bouche en chou-fleur, à se faire des bisous, à se tomber dans les bras, à se taper sur le ventre, vantant les mérites de tel ou tel avec tant de conviction que Sherlock Holmes en personne n'aurait pu se douter qu'en réalité, chacun rêvait d'égorger son prochain.

Selon papa-fantôme, personne, dans le métier, n'osait dire la vérité sur personne, parce que chacun savait que l'autre pouvait mener contre soi une vendetta à faire pâlir le plus teigneux des mafiosi.

Barbra Streisand n'avait pas de chat et encore moins à deux têtes. C'était une « métaphore », comme son père disait à fort mauvais escient ; le chat à deux têtes était un « personnage » qu'avait voulu ajouter Barbra Streisand dans le film, après que papa-fantôme eut signé pour un scénario où ne figurait aucun félin bicéphale.

Papa-fantôme considérait que ce chat à deux têtes était une idée totalement loufoque tandis que Barbra Streisand pensait que cette bête lui ferait gagner une cargaison d'Oscars. Ils se mirent donc d'accord sur le fait qu'ils ne l'étaient pas, se firent des gros bisous d'amour, se serrèrent dans les bras, s'abreuvèrent d'éloges mutuels, et les deux jouteurs sortirent de l'arène indemnes.

Ce matin, dans le couloir menant à la cuisine, lorsque Fric avait failli parler à Mr. Truman de l'Homme du miroir, de Moloch et de tout le reste, il avait été à deux doigts de passer pour un fou aussi gravement atteint que le chat à deux têtes de Barbra Streisand. Et cela lui avait servi de leçon...

Sa mère avait connu les camisoles et les chambres capitonnées.

Telle mère, tel fils, dirait-on.

Sa mère avait quitté l'établissement psychiatrique au bout de dix jours.

Si Fric commençait à parler de l'Homme du miroir, ce ne serait pas au bout de dix jours, ni au bout de dix ans, qu'il sortirait de l'HP. Il y resterait enfermé à vie !

Pis encore, s'il se trouvait coincé dans un établissement psychiatrique, Moloch le retrouverait sans coup férir. Et dans une cellule capitonnée, il n'y avait nulle part où se cacher.

Son panier de pique-nique sous le bras, comme s'il partait à la chasse aux œufs de Pâques, Fric faisait ses emplettes, ramassant ses lampes de survie... une dans l'escalier de service, une dans le couloir du fond, une autre dans le salon de thé, une autre encore dans la salle de méditation. « Des sandwiches, des sandwiches », ne cessait-il de répéter dans sa tête, de crainte que s'il tombait sur une femme de chambre ou un portier, il ne sache plus quel mensonge il devait raconter.

Par nature, Fric était un piètre menteur ; ce qui était déjà très handicapant à une époque et dans un milieu où seuls les fabulateurs paraissaient normaux... mais aujourd'hui, mentir était une question de survie... Cette carence comportementale risquait de signer définitivement son arrêt de mort.

— Des sandwiches, des sandwiches.

Il était pire que mauvais ; il était lamentable !

Et il était tout seul. Même avec son apprenti ange gardien, il était seul.

Chaque fenêtre qu'il croisait lui rappelait que ce jour de grisaille et de pluie allait vite décliner et que la venue de Moloch était pour ce soir.

Petit pour son âge, maigrelet, mauvais menteur, seul... et le temps qui filait. Décidément, il n'avait rien pour lui.

Il voulut s'entraîner, histoire de se mettre le mensonge en bouche :

— Des candwiches, s'entendit-il bredouiller. Des candwiches au beurre de sacahuètes et conchiture pour mon tipi...

Il était maudit !

60.

Palmiers royaux, palmiers phœnix, palmiers nains, tous agitaient leurs couronnes de feuilles sous les bourrasques, comme dans *Key Largo*. Les bus, les camions et les voitures encombraient les rues, leurs essuie-glaces impuissants sous ce déluge, les vitres embuées par la condensation... dans un concert de klaxons asthmatiques et de couinements de freins humides, les véhicules jouaient des coudes pour gagner une place, avançaient par petits sauts de puce ; des visages fermés des conducteurs émanait une frustration palpable, presque aussi sauvage et intense que celle de la scène d'ouverture de *Chute libre*... Il ne manquait au tableau que la touffeur de l'été et l'aura d'un Michael Douglas – il était d'ailleurs possible que le vrai Michael Douglas se trouvât en ce moment même dans ces encombrements, supposait Ethan, en train de péter silencieusement les plombs comme son personnage dans le film. Devant une librairie, s'abritant sous le store, se tenait un groupe de punks, coiffés à l'iroquoise, avec des piercings un peu partout sur le visage. L'un d'entre eux, vêtu de noir, portait un chapeau melon, comme l'un des vilains garçons d'*Orange mécanique*. Sur le trottoir, un groupe d'écolières, toutes mignonnes et joyeuses d'être en vacances, marchaient sans parapluie, leurs cheveux collés sur leurs fronts ; elles riaient aux éclats, faisaient les fofolles devant les vitrines, jouant à qui serait la Holly Golightly la plus sémillante, dans un remake imaginaire de *Diamants sur canapé*, tourné cette fois à cinq mille kilomètres de la Cinquième Avenue du film original, sur une côte Ouest battue par les éléments en furie. Les nuées transformaient midi en crépuscule, comme si le réalisateur tournait en « nuit américaine ». Les lumières des magasins, les enseignes néon, les tubes fluorescents, les lanternes colorées d'inspiration orientale qui décoraient la rue (sans signes ostensiblement religieux pour ne choquer la sensibilité de personne), les feux et les phares des voitures, toutes ces lumières se miraient sur les vitrines, les fenêtres des immeubles qui se dressaient fièrement en défiant le prochain *Big One*, se reflétaient sur le macadam mouillé et pailletaient d'argent la fumée des gaz d'échappement... Pour un peu, Ethan se serait pris pour Harrison Ford dans *Blade Runner*.

La journée était à la fois trop réelle et trop fantastique. Hollywood et ses mirages avaient éclairé la ville en certains endroits, mais en avaient assombri bien d'autres, tant et si bien que chaque rue avait des airs de décor de carton-pâte.

Yancy et Ethan se trouvaient dans la Ford Expedition ; ils avaient laissé la vieille voiture de service de Yancy sur le parking de l'hôpital. Ethan, n'étant plus de la police, n'avait aucune autorité légale pour extirper quelque information à qui que ce soit ; il conduirait donc et c'est son ex-partenaire qui mènerait l'enquête.

Pour suivre leurs six pistes, ils allaient devoir pénétrer dans des secteurs qui n'étaient plus sous la juridiction de la police de Los Angeles. N'ayant pas de mandat officiel, Hazard Yancy serait à la lisière de la légalité. Mais ils n'avaient plus le temps de se soucier du protocole.

Yancy faisait le copilote et se chargeait des coups de fil. Sa voix passait du murmure cajoleur, presque suave, au tonnerre rugissant, mais le plus souvent, il lui suffisait d'annoncer, d'un ton faussement détaché, sa qualité d'officier de police pour obtenir la coopération immédiate des secrétaires d'universités et autres gratte-papier pédants qu'il avait en ligne.

Toutes les facultés de Los Angeles avaient fermé leurs portes pour les deux dernières semaines de l'année. Un personnel, réduit à sa plus simple expression, était encore présent pour servir les rares étudiants qui ne rentraient pas chez eux pour les fêtes.

À chaque nouvel établissement qu'il contactait, Yancy essayait le charme, faisait appel au sens civique de son interlocuteur, ou usait de la menace directe, mais ne raccrochait jamais sans avoir eu le renseignement qu'il désirait.

Ils avaient déjà appris que le professeur d'art dramatique – le Pr Jonathan Spez-Mogg – avait organisé les deux séminaires sur le travail de l'acteur auxquels s'était rendu Reynerd. Yancy et Ethan avaient rendez-vous avec Spetz-Mogg, chez lui à Westwood. C'était la destination vers laquelle ils se dirigeaient, mais sans l'aide des sirènes et des gyrophares pour fendre la circulation.

Lorsqu'il tenta de retrouver le Pr Gerald Fitzmartin, qui avait animé les trois week-ends de colloques sur l'écriture de films, Yancy commença à voir tout rouge, à force de se faire mener en bateau par ces employés pompeux et condescendants ; ils tergiversaient, tournaient autour du pot, mais ne donnaient jamais la moindre information... Fou de rage, il dut faire une pause dans ses recherches, pour ne pas écraser de frustration son téléphone de service sur son front.

— Tous ces profs de fac qui se la pètent avec leur fromage qui pue... ils détestent tous les flics.

— Jusqu'à ce qu'ils aient besoin de toi.

— Ouais. Alors là, ils sont tout sourire...

— Ils te méprisent tout autant, mais s'ils ont besoin de toi pour se sauver la mise, ils s'abaisseront à te parler.

— Tu connais la citation de Shakespeare ? demanda Yancy.

— Laquelle ? Il n'y en a pas qu'une.

— Sur la façon de rendre le monde meilleur...

— Tuons tous les avocats[1] ?

— Dans le mille ! Mais Shakespeare ne s'est pas demandé *qui* formait les avocats...

— Les profs de fac amateurs de fromage !

— Ouais. Si tu veux un monde meilleur, faut frapper le mal à la source.

Les rues ne désemplissaient pas. La Ford Expedition alla flirter avec une Mercedes noire ML500 ; l'éraflure fut évitée de justesse, grâce au lustre lubrifiant de la pluie sur les carrosseries.

L'espace d'un instant, Ethan crut apercevoir Fric sur le trottoir, déambulant seul parmi les passants. Mais ce n'était pas lui. Le garçon en question était plus jeune que le rejeton de Manheim et suivait ses parents.

Ce n'était pas le premier faux Fric qu'Ethan apercevait depuis qu'il avait quitté l'hôpital. Ses nerfs, en pelote, lui jouaient des tours.

— Et la Sirène des égouts ? s'enquit-il. Tu as eu le rapport du labo, ce matin ?

— Je n'ai pas appelé. Si j'ai vu juste pour mon conseiller municipal, cela va être une torture de devoir le laisser filer, et le voir parader en ville, fier comme un paon... l'élu du peuple, le seigneur intouchable... Ce qui est encore plus énervant quand on sait le nombre d'urnes que cette crapule a bourrées de bulletins à son nom. J'appellerai le labo demain, ou après-demain, dès qu'on en aura fini avec cette histoire.

1. *Henry VI*, acte IV, scène 2. *(N.d.T.)*

— Je suis désolé.

— À part pour ton nez, il n'y a pas de quoi être désolé.

— T'avoir invité au resto ne compense pas tous les ennuis que je t'ai causés.

— Tu n'y es pour rien. Ce n'est pas toi qui as mis ma petite vie sens dessus dessous. Un type m'a filé une clochette dans un cauchemar et s'est volatilisé dans un miroir. Même sans toi, cela m'aurait causé un choc.

Yancy passa les deux mains sous sa veste et tira sur son polo.

— Tu as grossi depuis hier ? railla Ethan.

— C'est ça. J'ai pris du kevlar au petit déj.

— Je ne savais pas que tu portais un gilet pare-balles.

— Vu le nombre de bastos que j'ai failli me prendre dans le buffet, je me suis dit qu'une petite précaution s'imposait. Mais cela ne veut pas dire pour autant que je vais me débiner.

— Loin de moi cette pensée.

— Pour tout dire, je fais dans mon froc, mais je compte faire front.

— Excellente philosophie.

— C'est une question de survie, répliqua Yancy. Il n'y a pas de kevlar dans le dos !

— Au fait, tu lui reproches quoi à mon nez ?

— Demande à ton miroir !

La pluie se mit à tomber plus fort encore. Ethan régla les essuie-glaces sur la vitesse maximale. Un vrai déluge.

— On dirait la fin du monde, lâcha Yancy.

61.

Après avoir reçu un appel affolé du capitaine Queeg von Hindenbourg, Corky Laputa se vit contraint de faire le voyage jusqu'aux confins de Malibu. Un contretemps imprévu.

L'homme à Malibu se faisait appeler ces derniers temps Jack Trotter. Trotter avait une maison, un permis de conduire en règle, et payait des impôts (le moins possible) sous le nom de Felix Greene. Greene, alias Trotter, s'était déjà appelé auparavant Lewis Motherwell, Jason Barnes, Bobby Domino et autres patronymes.

À la naissance de Jack-Felix-Lewis-Jason-Bobby, quarante-deux ans plus tôt, ses parents, fiers de leur rejeton, l'avaient baptisé Norbert James Creezel. Ils avaient aimé leur enfant et, en simples fermiers de l'Iowa, ils ne pouvaient soupçonner que leur petit Norbert deviendrait un jour ce personnage déjanté répondant au doux nom de capitaine Queeg von Hindenbourg.

Laputa le surnommait capitaine Queeg en hommage au héros paranoïaque et mégalomane du roman de Herman Wouk *Ouragan sur le Caine*. La particule von Hindenbourg lui seyait à merveille parce que le quidam était un amateur de bonbonnes de gaz volantes et qu'un jour il finirait par se scratcher et périrait dans un incendie gigantesque, à l'instar des trente-six occupants du célèbre zeppelin allemand en 1937.

En chemin pour Malibu, Laputa s'arrêta dans un garage qu'il louait à Santa Monica – un double-box, parmi une enfilade de quarante unités –, au fin fond d'une zone industrielle.

Le loyer était au nom de Moriarity et payé, une fois par mois, en liquide.

Une Land Rover noire occupait l'autre place. Le véhicule appartenait officiellement à la société Kurtz Ivory International, une entreprise fictive mais parfaitement légale.

Il gara sa BMW à côté du 4×4, descendit la porte du box et alluma la lumière.

Cet endroit, où se mêlaient l'odeur citronnée du ciment froid, le parfum aigre-doux de l'huile de moteur et celui, encore astringent, de l'insecticide répandu le mois précédent lors de la dernière campagne antitermites était, pour Corky Laputa, le berceau même de la magie et de l'aventure. C'était ici, à l'instar de Bruce Wayne dans sa Batcave, que Laputa devenait un héros de la nuit, même si ses activités rappelaient davantage celle du Joker que de Batman, avec sa cape et ses collants noirs.

Dans la guerre qui opposait le Ciel et la Terre, des armées liquides martelaient, au pas cadencé, le toit de tôle ondulée ; le raffut de la bataille était si assourdissant que Laputa aurait eu du mal à s'entendre chanter « Shake Your Groove Thing », si l'envie lui en avait pris.

Après avoir allumé un convecteur, il retira son ciré et son chapeau jaunes et les accrocha à un portemanteau.

Sur la paroi de gauche, vers le fond, se trouvaient quatre armoires métalliques, fermées à clé et boulonnées au mur. Laputa ouvrit la première de la rangée.

Deux sacs de blanchisserie étaient pendus à une tringle, protégeant un rechange complet. Sur l'étagère, au-dessus des vêtements, une grande boîte Tupperware abritait chaussettes, cravates, quelques bijoux bon marché pour homme, une montre, ainsi que d'autres accessoires pour parfaire son personnage. Dans le bas, Laputa avait rangé un assortiment de chaussures.

Il retira ses bottes de caoutchouc, ses deux paires de chaussettes, et se déshabilla jusqu'aux sous-vêtements. Laputa choisit un pantalon de velours gris, un pull noir à col roulé, des chaussettes noires et des chaussures Rockports, noires également.

Le combiné établi/armoire à outils, qui trônait au fond du garage, était équipé d'un tiroir secret – un dispositif que Laputa avait personnellement conçu. Ce logement renfermait une collection de pistolets et six jeux complets de faux papiers.

Penché au-dessus de l'étau, Laputa enfila un holster d'épaule et y glissa un Glock 9 mm.

Il déposa son portefeuille pour en prendre un garni de tous les papiers nécessaires pour poursuivre son voyage sous une fausse identité : permis de conduire, carte d'assuré social, deux cartes de crédit ainsi qu'une photo de ses prétendus femme et enfants. Il y avait même cinq cents dollars en liquide.

La panoplie comprenait également un certificat de naissance, un passeport et un porte-cartes pliable, en cuir, avec une fausse carte d'agent du FBI. Mais pour le travail qui l'attendait, il n'aurait nul besoin de toutes ces pièces.

Il choisit, toutefois, un autre porte-cartes contenant des documents, parfaitement falsifiés, l'accréditant comme un membre en opération de la National Security Agency – la fabulation à laquelle croyait le capitaine Queeg von Hindenbourg.

Ces papiers, au nom de la NSA, suffisaient, certes, à transformer le citoyen moyen en mouton coopératif, mais ne résisteraient pas à l'examen minutieux des autorités. Laputa ne devait pas les brandir sous le nez d'un flic.

En revanche, le permis de conduire étant authentique, il ne risquait rien s'il se faisait arrêter sur la route. Cerise sur le gâteau : ce document le déclarait comme un conducteur modèle, avec tous ses points indemnes !

Des années plus tôt, l'État de Californie avait perdu le contrôle de nombreux services administratifs, dont celui des cartes grises et des permis de conduire. Certains employés peu scrupuleux s'étaient mis à vendre, chaque année, des milliers de permis en bonne et due forme à des gens comme Mick Sachatone, le milliardaire anarchiste, qui, régulièrement, fournissait à Laputa ses téléphones portables.

Mick – et d'autres gens du milieu – se faisaient de jolis bénéfices en revendant ces permis à des immigrés clandestins, à des repris de justice qui avaient fait leur peine de prison et qui voulaient recommencer à zéro une vie de criminel sans le boulet d'un casier judiciaire chargé, ainsi qu'à des activistes du chaos comme Corky Laputa et ses frères d'armes.

Dûment équipé en papiers d'identité, son précieux Glock sous l'aisselle, Laputa enfila une veste de cuir, spécialement coupée pour dissimuler le renflement de l'arme et glissa dans ses poches deux chargeurs de rechange.

Il ferma l'armoire, ainsi que le tiroir secret, et éteignit le radiateur électrique.

Une fois installé au volant de la Land Rover, Laputa télécommanda l'ouverture de la porte du box et recula sous la pluie battante.

Corky Laputa était arrivé à Santa Monica. Robin Goodfellow, fidèle et preux agent de la NSA, en repartait.

Après s'être assuré que la porte du garage s'était totalement refermée, il pressa le deuxième bouton de la télécommande, engageant la serrure électrique qui renforçait la protection de la serrure classique de la porte.

Le distributeur CD de la Land Rover était chargé de symphonies et d'opéras de Wagner – sa musique préférée quand il jouait Robin Goodfellow. Il lança *Le Crépuscule des dieux* et s'enfonça sous les trombes d'eau, en route pour Malibu, dans l'intention d'avoir une explication sérieuse avec l'homme qui, ce soir, allait le faire pénétrer incognito au Palazzo Rospo.

Laputa adorait sa vie. Vraiment.

62.

— Des sandwiches, ânonna Fric.

N'importe quoi ! Ridicule !

Après avoir déposé sa dizaine de lampes de survie dans sa cachette, le garçon avait décidé de rapporter le panier de pique-nique dans la remise où il l'avait trouvé. Quelques minutes plus tôt, cela lui paraissait une bonne idée, mais à présent, la raison de ce geste lui échappait totalement.

Mr. Devonshire, l'un des portiers – celui avec l'accent anglais, des sourcils épais comme des buissons, et cet œil qui divergeait obstinément vers sa tempe –, avait croisé Fric dans le couloir de l'aile Ouest, au bout duquel se trouvait la remise où l'on rangeait les accessoires de jardin. Pour se montrer sympathique, Mr. Devonshire lui avait demandé :

— Qu'est-ce que tu transportes là-dedans, Fric ?

— Des sandwiches, avait répondu Fric.

Et il l'avait répété...

— Des sandwiches.

Comment pouvait-on dire une chose aussi idiote ? Et à deux reprises, qui plus est ! Quand Mr. Devonshire l'avait aperçu, Fric balançait son panier d'avant en arrière, en marchant dans le hall... À l'évidence, léger comme une plume... donc vide. Ce détail n'avait pu échapper au portier.

— Quel genre de sandwiches ? avait demandé Devonshire.

— Au jambon.

Il avait préféré répondre cela plutôt que de se lancer dans un tour de force phonétique tel que *beurre de cacahuètes et confiture*, où il avait mille occasions de bafouiller.

— Alors comme ça, tu t'organises un pique-nique ?

L'œil gauche de Devonshire commença à s'écarter lentement de l'axe optique, comme si l'employé, gardant son œil droit rivé sur le garçon, comptait regarder simultanément derrière lui.

Quand Mr. Devonshire était arrivé la première fois au Palazzo Rospo, Fric avait cru que cet œil baladeur était un œil enchanté, un appendice magique capable de lancer des sorts d'un clignement de paupières. Mrs. McBee, pour contrecarrer cette peur infantile, lui avait suggéré de se documenter sur le sujet.

Fric savait désormais que Mr. Devonshire souffrait d'amblyopie. C'était un terme savant. Fric aimait savoir ce que les autres ignoraient.

Depuis longtemps, Fric avait appris à regarder l'œil valide de Devonshire quand il lui parlait. Mais cette fois, pourtant, il en fut incapable, se sentant trop coupable de mentir ; il se trouvait donc, bêtement, à fixer cet iris divagant.

Pour éviter d'embarrasser Devonshire, le garçon baissa la tête et articula en regardant le sol à ses pieds :

— Oui, un pique-nique. Juste pour moi. Histoire de faire quelque chose de différent, vous voyez ce que je veux dire... sortir de la routine, quoi...

— Quel endroit as-tu choisi pour ton pique-nique ?

— La roseraie.

Devonshire haussa les sourcils.

— Sous cette pluie ?

Crétin ! Double crétin !

Fric avait oublié ce détail.

— Enfin, je veux dire la salle des roses...

La salle des roses, comme la surnommait le personnel, était en fait une petite salle de réception de plain-pied, dont les fenêtres donnaient sur le site de l'ancienne roseraie.

Quelques années plus tôt, sous l'insistance de leur conseiller en feng shui, la roseraie avait été éloignée de la maison. À la place de l'ancienne roseraie s'étendait une grande pelouse, nombrilée d'une sculpture contemporaine que maman-bio avait offerte à papa-fantôme pour leur neuvième anniversaire de mariage, bien que, paradoxalement, ils fussent déjà divorcés depuis huit ans.

Aux dires de maman-bio, l'œuvre était du « zen organique futuriste ». Pour Fric, cela ressemblait à un gros tas de crottin produit par une harde de chevaux de trait.

— La salle des roses est un endroit bizarre pour un pique-nique, lança Mr. Devonshire en songeant sans doute au tas de déjections zen que l'on voyait par les fenêtres.

— C'est-à-dire que dans cette pièce, je me sens plus proche de maman, répondit Fric.

L'explication était si bancale qu'elle en paraissait crédible.

Mr. Devonshire resta silencieux un moment, puis il demanda :

— Tu es sûr que tout va bien, Fric ?

— Oui, bien sûr. Tout va bien. Je suis juste un peu déconfit à cause de la pluie.

Il y eut un autre silence puis, enfin, le portier se décida à clore la conversation :

— Eh bien, Fric, je te souhaite bon appétit avec tes sandwiches au jambon.

— Merci, monsieur Devonshire. Je les ai faits moi-même. Avec ce que j'avais sous la main. Avec du jambon, quoi.

Il était décidément le plus mauvais menteur de la Terre.

Mr. Devonshire se dirigea vers le couloir Nord, et Fric resta planté sur place, en tenant son panier comme s'il était soudain lourd et plein de victuailles.

Lorsque le portier eut tourné à l'angle du couloir, Fric continua de fixer des yeux l'endroit où l'employé avait disparu. Mr. Devonshire devait se trouver juste au coin et son œil divagant allait sortir de son orbite pour l'épier.

La remise du jardin, où se dirigeait Fric, n'abritait, en fait, aucun outil *de jardin*, mais les coussins pour la centaine de chaises longues et de transats de la propriété – et parfois, le mobilier lui-même, en cas de fortes intempéries. La grande pièce accueillait également les parasols, les maillets de croquet, et autres jeux de plein air, ainsi qu'un assortiment d'accessoires, dont ce panier de pique-nique.

Après sa conversation avec le portier, Fric ne pouvait plus rapporter le panier dans la remise. Si Devonshire le voyait sans cet objet, Fric se retrouverait sous le feu de ses questions. Et sachant le piètre menteur qu'il était, il ne pourrait rien en résulter de bon.

S'il éveillait les soupçons, le personnel de maison allait se mettre à le surveiller, même si les effectifs étaient réduits en ce moment. Il risquait alors de leur révéler, involontairement, l'endroit de sa cachette secrète.

Maintenant qu'il s'était lancé dans cette histoire de pique-nique, il fallait aller au bout. Il irait poser son panier dans la salle des roses et s'installerait derrière les fenêtres, pour feindre d'admirer la roseraie qui n'existait plus et manger un sandwich au jambon imaginaire.

Le Mystérieux Inconnu l'avait prévenu ; mentir compliquait toujours les choses...

S'il ne pouvait berner le gentil Mr. Devonshire, comment espérait-il abuser l'infâme Moloch ?

De guerre lasse, Fric décida que le portier n'était pas tapi derrière l'angle du mur pour l'épier.

Avec une mine bien trop sinistre pour un futur pique-niqueur, Fric, avec son maudit panier à la main, traversa toute la maison, de l'angle Sud-Ouest à l'angle Nord-Est, pour rejoindre la salle des roses.

63.

Jack Trotter, l'homme aux nombreux alias, mais connu de Corky sous le nom de capitaine Queeg von Hindenbourg, n'habitait pas les quartiers chics de Malibu. Il vivait loin des collines et des plages où acteurs, stars du rock et jeunes milliardaires de start-up peaufinaient leur bronzage, faisaient la fête et s'échangeaient des recettes de brownies au cannabis.

Trotter résidait dans les terres, derrière les collines, sans la moindre vue sur l'océan, dans l'un des canyons désolés qu'affectionnaient certes les amateurs d'équitation et de vie au grand air, mais aussi une panoplie d'illuminés – junkies de tout poil, cultivateurs d'herbe faisant pousser de la marijuana sous des lampes UV au fond des granges et des caves, éco-terroristes rêvant de faire sauter tous les concessionnaires General Motors pour sauver les écureuils ainsi que diverses communautés d'adorateurs d'OVNI.

Une clôture de ranch délabrée ceignait le petit terrain de Trotter. Pour décourager les importuns, le portail restait toujours fermé.

Aujourd'hui, Trotter avait ouvert les doubles portes en grand, de crainte que Laputa – alias Robin Goodfellow, agent fédéral colérique et très susceptible – les fasse voler en éclats, en passant au travers en voiture, comme il l'avait fait lors de sa visite précédente.

Au bout de l'allée gravillonnée se dressait la maison d'inspiration hispanique, en stuc jaune pâle et colombages. Pas tout à fait une ruine, pas assez sale pour parler de taudis… mais la bâtisse souffrait d'un savant laisser-aller.

Trotter ne faisait aucun frais d'entretien, sachant que d'un jour à l'autre il risquait de devoir s'enfuir. Un homme ayant la tête sous la guillotine vivait moins dans le stress que Jack Trotter dans son hacienda.

En spécialiste de la conspiration, il croyait que le pays était sous le joug d'un complot, qui allait bientôt se débarrasser de la démocratie et imposer un régime totalitaire. Il guettait, fébrile, le moindre signe annonciateur de l'effondrement.

Ces derniers temps, Trotter était persuadé que les employés des postes étaient l'avant-garde de la vague de répression. Les postiers n'étaient, selon lui, pas de simples fonctionnaires, mais des commandos surentraînés déguisés en innocents facteurs.

Trotter s'était préparé des cachettes, à chaque fois plus éloignées les unes que les autres... Il espérait ainsi pouvoir échapper à la civilisation par sauts de puce, quand le bain de sang commencerait.

Il s'y serait sans doute réfugié dès la première visite de Laputa s'il n'avait été persuadé que l'agent Robin Goodfellow connaissait tous les emplacements de ses refuges et qu'il viendrait le descendre avec une compagnie de préposés-égorgeurs sans foi ni loi.

Vers l'extrémité Est du domaine, au plus loin de la maison, se dressait une grange délabrée et un hangar en acier de facture plus récente. Laputa ne connaissait qu'une infime partie des activités que menait Trotter dans ces bâtiments, mais il feignait de tout savoir.

Dans la fournaise de l'été, le seul et véritable danger qui menaçait Trotter, c'était le feu de forêt et non un coup d'État. Les pentes abruptes au fond du terrain, comme la moitié de la vallée, étaient parsemées de broussailles qui, en plein mois d'août, ne demandaient qu'à s'embraser aussi facilement que la maison de Brittina Dowd avec l'aide de quelques litres d'essence.

Aujourd'hui, bien entendu, les versants étaient détrempés et c'était plutôt les glissements de terrain qui étaient à redouter. Dans cette région, une paroi de canyon pouvait se détacher et se transformer en une vague de boue si soudaine que le plus vigilant des paranoïaques se ferait surprendre. Même s'il piquait un sprint au premier grondement, Trotter se retrouverait enseveli vivant – *vivant*, mais pas pour longtemps – en compagnie d'une collection d'animaux digne de l'arche de Noé.

Corky Laputa adorait la Californie du Sud.

Pour l'instant indemne, Trotter attendait son visiteur sous l'auvent. Dans la mesure du possible, il préférait recevoir Laputa hors de la maison.

Lors d'une précédente visite, totalement immergé dans son rôle d'agent fédéral arrogant qui considérait les droits du citoyen comme du papier toilette, Corky Laputa s'était laissé emporter. Il n'avait montré aucun respect pour les biens de Trotter et s'était comporté en véritable rustre.

En ce 22 décembre, Laputa ne se sentait nullement concerné par la trêve de Noël. Il était un méchant lutin, tout teigneux.

Bien qu'il se fût garé à dix pas du perron, il ne pressa pas l'allure, malgré le déluge, pour rejoindre l'auvent, parce que Robin Goodfellow, trop élégant pour porter des bottes de caoutchouc mais les ayant chaussées en pensée, était forcément insensible aux intempéries quand il était d'une humeur de dogue.

Laputa grimpa les trois marches du perron, sortit son Glock de son étui d'épaule et plaqua le canon sur le front de Trotter.

— Répète ce que tu m'as dit au téléphone...

— Nom de Dieu, bredouilla Trotter, vous savez bien que c'est vrai.

— Non, c'est des conneries.

Les cheveux de Trotter étaient aussi orange que le Chat de Chester d'*Alice au Pays des merveilles*. Il avait les yeux protubérants du Chapelier fou. Son nez, qui se tordait nerveusement, rappelait le museau du Lapin blanc. Son visage bouffi et sa grosse moustache étaient un hommage silencieux au célèbre Morse... D'une manière générale, Trotter était un condensé des quatre-vingt-dix personnages fantasques et étranges inventés par Lewis Carroll.

— Bon sang, Goodfellow, bredouilla encore Trotter, il pleut comme vache qui pisse ! On ne peut pas faire le travail dans ces conditions. C'est du suicide !

Pressant toujours l'arme sur le crâne de Trotter, Laputa demanda :

— Il va arrêter de pleuvoir vers six heures du soir. Le vent va tomber. Les conditions seront alors idéales.

— Il va arrêter de pleuvoir ?... Qu'est-ce qu'ils en savent ? Les gars de la météo se plantent tout le temps.

— Je ne te parle pas des bulletins météo de la télé, crétin. Mes infos proviennent des satellites ultra-secrets du département de la Défense. Ces gars-là ne surveillent pas seulement les conditions atmosphériques de la planète, ils les modèlent grâce à leurs canons à micro-ondes. Nous pouvons arrêter cette pluie au moment de notre choix.

Cette déclaration fit mouche dans l'esprit paranoïde de Trotter. Ses yeux protubérants s'agrandirent un peu plus.

— Vous pouvez influencer le temps ? murmura-t-il d'une

voix blanche. Les ouragans, les tornades, les blizzards, les inondations, c'est vous ? Des armes invisibles, aussi redoutables que des bombes atomiques...

En réalité, Corky Laputa comptait sur l'aide de son ami le Chaos pour apaiser les cieux au moment où il en aurait besoin.

Jusqu'ici, son allié ne l'avait jamais trahi.

— Pluie ou pas pluie, vent ou pas, expliqua-t-il à Trotter, je veux te voir à Bel Air, au point de rendez-vous, à sept heures tapantes, comme prévu.

— Vous avez le contrôle du temps, marmonna Trotter d'un ton sinistre.

— Tu as intérêt à être là. As-tu la moindre idée du nombre de paires d'yeux qui nous observent en ce moment même, là-haut, sur ces collines, et là-bas, dans cette prairie ?

— Beaucoup, avança Trotter.

— Mes hommes sont partout, prêts à te faire tenir tes engagements ou te faire sauter ta cervelle, à toi de choisir.

En réalité, les seuls témoins de leur rencontre étaient les corbeaux, les faucons, les moineaux et quelques autres représentants de la gent ailée, rassemblée dans le grand chêne qui surplombait la maison.

Jack Trotter gobait ces sornettes non pas à cause de la plaque de membre de la NSA de Robin Goodfellow, ni à cause des talents de comédien de Corky Laputa en agent fédéral brutal et sans scrupules, mais parce que Laputa connaissait tous les noms d'emprunt de Trotter, et quelques petites choses sur sa carrière, jusqu'ici sans faille, de dévaliseur de banque et de distributeur d'ecstasy. Trotter pensait que Laputa avait appris toutes ces choses par les services de renseignements omnipotents qui œuvraient, en secret, pour le complot des postiers.

En réalité, ce que Laputa savait sur Trotter, il l'avait appris de la bouche de Mick Sachatone, le milliardaire anarchiste qui faisait le commerce de faux papiers, de téléphones portables intraçables et autres trafics délictueux – documents administratifs, biens de consommation, produits stupéfiants et informations diverses. C'était Sachatone qui avait fourni à Trotter ses fausses identités...

D'ordinaire, Sachatone ne trahissait jamais ses clients. Le secret professionnel était un commandement sacré dans ce secteur d'activité. Sachant le genre de personnes avec qui il faisait des affaires, le moindre manque de discrétion signifiait pour lui, s'il avait de la chance, sa mise à mort brutale, et s'il était moins en veine, l'ablation d'un œil à vif, l'extraction de la langue, le saucissonnage des pouces et/ou une longue castration à la paire de tenailles.

Mais Mick Sachatone ne portait pas Jack Trotter dans son cœur... il désirait même ardemment sa mort. Il avait donc lâché l'information à Corky Laputa. À cause d'une jalousie dévorante et obsessionnelle, le milliardaire avait décidé de violer la clause de confidentialité, quels qu'en fussent les risques pour lui.

Trotter avait piqué la petite amie de Mick Sachatone... Il savait que Sachatone était, depuis lors, son ennemi juré, mais il ne semblait pas se rendre compte de l'ampleur du problème...

La fille en question était une actrice de porno, célèbre, dans les cercles d'initiés, pour l'extrême souplesse de son corps.

Peut-être Trotter ne pouvait-il imaginer que l'on puisse s'attacher à une femme, en la voyant le soir et le week-end, sachant que pendant les heures de bureau, elles s'envoyaient deux, six et parfois dix hommes en même temps devant la caméra.

Depuis l'âge de treize ans, le rêve le plus cher de Sachatone était d'avoir pour petite amie une star du porno. Trotter lui avait non seulement volé l'élue de son cœur mais l'avait privé de son rêve.

Après quatre mois passés avec Trotter, la fille avait disparu. Pour Mick Sachatone, Trotter, une fois lassé d'elle, l'avait tuée, soit parce qu'elle en savait trop sur ses activités illicites, soit simplement pour le plaisir, et l'avait enterrée quelque part dans le canyon.

À présent, la belle contorsionniste n'était plus d'aucune utilité pour personne, et ce gâchis rendait Mick Sachatone fou de rage.

Corky Laputa baissa son arme et lâcha :

— Allons à l'intérieur.

— Non, je vous en prie, le supplia Trotter.

— Ai-je besoin de te rappeler, répliqua Laputa, en mentant avec superbe, que ta coopération dans cette opération fera de toi un homme neuf ? Plus de casier judiciaire à traîner, plus d'impôts à payer. *Un homme totalement inconnu de l'État*. Libre comme l'air.

— Je serai là ce soir. Sept heures précises. Qu'il pleuve ou qu'il vente. Je le jure.

— Je veux quand même aller à l'intérieur, insista Laputa.

J'ai l'impression que je dois encore mettre les points sur les « i ».

Un voile de tristesse assombrit les yeux de Trotter. Son visage de morse s'affaissa ostensiblement.

Résigné, il fit entrer Laputa dans la maison.

Les impacts de balles parsemant les murs étaient les reliques de la précédente leçon qu'avait donnée Laputa à Trotter. Les trous n'avaient toujours pas été rebouchés. Mais les étagères du salon avaient été décorées avec une nouvelle collection de statuettes de porcelaine de chez Lladro – des ballerines, des princesses dansant avec des princes, des enfants batifolant avec un chien, une jolie fermière avec un troupeau d'oies à ses pieds...

Qu'un paranoïaque, obsédé par la conspiration planétaire, dévaliseur de banque, trafiquant de drogue, ayant des cachettes disséminées sur toute la côte Ouest jusqu'à la frontière du Canada, ait un faible pour les statues de porcelaine ne surprenait pas Laputa outre mesure. Quelle que soit la dureté que l'on montrait au-dehors, tout le monde, au-dedans, avait un cœur.

Laputa avait bien, quant à lui, un faible pour les vieux films de Shirley Temple, qu'il revoyait *in extenso* une ou deux fois par an. Sans la moindre honte.

Sous les yeux écarquillés de Trotter, Laputa vida son chargeur sur les délicates statuettes, faisant mouche à chaque tir.

Depuis qu'il avait tiré involontairement dans le pied de Mina Reynerd, Laputa avait fait de grands progrès dans le maniement du pistolet. Jusqu'à récemment, il n'usait guère des armes à feu pour sa croisade du Chaos ; cela lui semblait un peu trop froid, trop impersonnel. Mais maintenant, il y prenait de plus en plus goût.

Il changea de chargeur et acheva les dernières statuettes. L'air humide était saturé de poussière et de nuages de poudre.

— Sept heures, rappela Laputa.

— J'y serai, confirma Trotter, tout humble.

— Et on fera un tour en tapis volant.

Après avoir engagé le troisième chargeur, Laputa rangea le Glock dans son étui et sortit sur le perron.

Il regagna lentement la Land Rover, tournant le dos crânement à Trotter.

Et quitta les canyons de Malibu pour rejoindre la côte.

Le ciel était un calice percé, déversant non pas de l'eau mais le solvant universel que des générations d'alchimistes avaient cherché en vain au fil des siècles. Autour de lui, les collines ruisselaient, les terres se dissolvaient, le bord du continent s'effritait et coulait dans l'océan tumultueux.

64.

Fric, assis derrière une fenêtre de la salle des roses, regardait la pile de pommes de bronze que sa mère avait offertes à son père en signe d'amour.

Le panier à pique-nique se trouvait par terre, au pied de sa chaise, le couvercle fermé.

Même s'il se trouvait dans cette pièce pour accréditer l'histoire ridicule qu'il avait racontée à Mr. Devonshire, il ne poussa pas la comédie au point de feindre de manger des sandwiches... D'abord si quelqu'un le voyait manger de la nourriture invisible, on dirait *telle mère, tel fils*, mais surtout parce qu'il avait oublié de mettre des cornichons dans ses sandwiches imaginaires.

Ah! Ah! Ah!

À l'époque de l'internement de maman-bio, deux ans plus tôt, son agent avait expliqué aux vautours de la presse que Freddie Nielander avait été hospitalisée dans une clinique privée en Floride. Pour cause de surmenage.

À une fréquence surprenante, les mannequins étaient souvent hospitalisés pour cette raison. Apparemment, être belle et sexy vingt-quatre heures sur vingt-quatre était aussi épuisant que le travail de laboureur et aussi éprouvant nerveusement que d'avoir un cancer en phase terminale.

Maman-bio avait fait une couverture de *Vanity Fair* de trop, une photo dans *Vogue* plus que de raison; le corps ne pouvant plus suivre, la malheureuse avait perdu tout tonus musculaire. C'était apparemment la version officielle.

Personne n'y croyait. Journalistes de presse et présentateurs TV d'émissions *people* parlaient, d'un air sinistre, de « dépression nerveuse », d'« effondrement émotionnel ». Certains prononcèrent même les mots « crise psychotique »; on aurait dit le titre d'un épisode du *Manège enchanté* où Pollux et Zébulon, pris d'un coup de folie, se seraient mis à tirer sur tout le monde à la mitrailleuse. L'hôpital où Freddie Nielander avait été admise, disaient-ils, était un « sanatorium de luxe » ou « une clinique psychiatrique très sélecte » et

Howard Stern, dans sa chronique satirique à la radio, aurait dit qu'il s'agissait d'une « maison de fous pour gonzesses ayant plus de nichons que de cervelle ».

Fric avait feint de ne pas savoir ce que les médias disaient sur sa mère, mais en secret, il avait tout lu, tout entendu sur le sujet, jusqu'aux plus infâmes ragots. Et il avait été terrifié. Il se sentait impuissant et inutile. Les journalistes débattaient à n'en plus finir pour déterminer dans quelle clinique se trouvait la belle Freddie Nielander. Deux établissements étaient en lice... et Fric n'avait l'adresse ni de l'un ni de l'autre. Il ne pouvait pas même lui envoyer un petit mot de réconfort.

Finalement, son père l'avait emmené dans la roseraie, qui avait déjà été déplacée loin de la maison, pour demander à Fric s'il avait entendu des propos bizarres que des gens auraient pu tenir sur sa mère... Fric avait prétendu n'être au courant de rien.

— Tôt ou tard, tu entendras des choses, lui avait dit son père, et je veux que tu saches que rien de tout cela n'est vrai. C'est le revers de la célébrité. Ils disent que ta maman a fait une dépression nerveuse ou des choses de ce genre, mais ce n'est pas le cas. La vérité n'est pas jolie, mais elle est bien moins horrible que tout ce que tu vas entendre comme infamies. Alors Ming et le Dr Rudy vont t'apprendre des techniques de relaxation pour garder ta sérénité d'esprit le temps que les choses se calment.

Le Dr Rudy était Rudolph Kroog, le célèbre psychiatre à Hollywood, renommé pour son approche thérapeutique non conventionnelle, basée sur les vies antérieures. Il avait eu un petit entretien avec Fric, durant lequel il avait tenté de déterminer si, dans une réincarnation précédente, Fric n'avait pas été un enfant roi dans l'Égypte ancienne, et lui avait laissé une boîte de gélules à prendre au déjeuner et au coucher.

Les enfants rois étaient parfois empoisonnés par leur conseiller... Fric l'avait vu à la télé, dans l'un des dessins animés du samedi matin. Aussi avait-il jugé plus raisonnable de vider la boîte de comprimés dans les toilettes de ses appartements privés. Si le monstre vert vivait réellement dans ses toilettes, il était mort, ce jour-là, d'une overdose.

Si le Dr Rudy avait été facile à berner, il en fut tout autrement de Ming du Lac. Après deux jours de « partage émotionnel » avec du Lac, Fric préférait encore être remis aux mains de Mr. Hachette, le cuisinier psychopathe, quitte à être rôti au four avec des pommes et servi au repas de bienfaisance pour Thanksgiving.

Et puis, au bout de quelque temps, tout le monde l'avait laissé tranquille.

Aujourd'hui Fric ne savait toujours pas si maman-bio avait été internée dans un hôpital conventionnel, un sanatorium ou un asile de fous.

Sa mère, depuis, n'était venue qu'une seule fois au Palazzo Rospo, et elle n'avait fait aucune allusion à cet incident. C'était durant cette visite, d'ailleurs, qu'elle avait comparé Fric à une petite souris invisible.

Et puis ils étaient partis faire une promenade sur deux étalons pur-sang et Fric avait été magnifique, sûr de lui, athlétique comme son père et un cavalier hors pair.

Ah! Ah! Ah!

Assis derrière la fenêtre de la salle des roses, le garçon était tellement perdu dans ses pensées qu'il ne remarqua pas l'arrivée de Mr. Yorn, le jardinier. Avec son ciré vert et ses bottes de caoutchouc, Mr. Yorn était sorti inspecter les caniveaux ou déboucher un regard. Il observait à présent Fric, derrière sa fenêtre, à deux mètres de là, l'air étonné, ou vaguement inquiet.

Peut-être Mr. Yorn lui avait-il fait signe et Fric, abîmé dans ses pensées, n'avait pas répondu à son geste? Mr. Yorn avait peut-être fait une nouvelle tentative sans plus de succès et à présent, il était persuadé que Fric avait perdu pied avec la réalité.

Pour prouver au jardinier qu'il n'était ni un fils à papa mal élevé, ni victime d'un envoûtement vaudou, Fric lui fit un salut de la main... Cela semblait la meilleure des choses à faire, que Mr. Yorn soit planté devant lui depuis dix secondes ou cinq minutes.

Mais le geste de Fric ne dut être guère convaincant car le jardinier s'approcha et demanda :

— Tout va bien, Fric?

— Oui, monsieur Yorn. Je mange des sandwiches.

Apparemment, les vitres étouffaient les sons, et le bruit de la pluie mangea les paroles de Fric...

— Quoi? Qu'est-ce que tu dis?

— Des sandwiches! Des sandwiches au jambon! expliqua Fric en haussant la voix.

Pendant un moment, Mr. Yorn continua à l'observer comme s'il avait affaire à une étrange bestiole piégée dans une bouteille. Puis il secoua la tête, ce qui fit voleter les pans de son chapeau de pluie de façon comique, et il lui tourna le dos...

Fric regarda le jardinier passer devant l'étron de bronze. Il s'éloigna sous les trombes d'eau, traversant l'immense pelouse comme un nain de jardin solitaire, puis disparut tout à fait derrière le rideau de pluie, à la manière d'un fantôme.

Fric savait exactement ce que pensait Mr. Yorn : *Telle mère, tel fils*.

Le garçon se leva de sa chaise, s'étira et secoua ses jambes engourdies. Dans son mouvement, il heurta accidentellement le panier qui se renversa.

Le couvercle s'ouvrit, révélant quelque chose à l'intérieur… une chose blanche.

Le panier était vide à son arrivée – pas de lampes de survie, pas de sandwiches au jambon, rien de rien.

Fric regarda autour de lui. Nulle cachette possible pour un intrus. La porte donnant sur le couloir était fermée, comme il l'avait laissée.

Il s'accroupit avec précaution et plongea la main lentement dans le panier.

C'était un journal. Avec des gestes tremblants, il l'ouvrit. Un exemplaire du *Los Angeles Times*.

Le gros titre était en caractères trop grands, trop noirs pour ne pas accrocher le regard : LE FBI ENQUÊTE SUR LE KIDNAPPING DU FILS DE L'ACTEUR CHANNING MANHEIM.

Un frisson lui traversa la colonne vertébrale.

Ses mains devinrent moites, comme s'il avait reçu les embruns salés d'un océan improbable, et ses doigts poisseux étaient collés au papier.

Il vérifia la date de l'exemplaire. 24 décembre. L'édition d'après-demain.

Sur la première page, sous le titre, deux photos : un cliché officiel de papa-fantôme et une vue du portail du Palazzo Rospo.

Fric n'osait lire l'article, de peur de rendre réels les événements qu'il narrait. En bas de la colonne, on annonçait *suite en page 8*. Fric s'y rendit à la recherche de la photo qu'il redoutait le plus…

Et elle était là.

Sous son portrait, cette légende : *Aelfric Manheim, 10 ans, enlevé depuis mardi soir*.

Avec effroi, il vit son visage en noir et blanc se métamorphoser en son Mystérieux Inconnu, l'homme du miroir, son ange gardien : ce teint pâle, ces yeux gris.

Fric voulut jeter le journal par terre, mais il n'y parvint pas – non à cause de la moiteur de ses mains qui adhéraient au papier, mais parce que les feuilles semblaient soudain chargées d'électricité statique et s'accrochaient à ses doigts comme des aimants.

Sur la photo, le visage de Mystérieux Inconnu s'anima, comme s'il avait sous les yeux un écran de télévision miniature. Et l'ange parla dans le *Los Angeles Times* :

— *Moloch arrive.*

Sans s'en être rendu compte, Fric avait marché vers la porte.

Il haletait, le souffle court; ce n'était pas une crise d'asthme, juste la terreur. Son cœur cognait plus fort dans sa poitrine que le tonnerre qui avait déchiré les cieux plus tôt.

Le *Los Angeles Times* gisait par terre, à côté du panier renversé.

Sous les yeux de Fric, le journal décolla du tapis persan, comme si un coup de vent l'emportait, bien qu'il n'y eût aucun mouvement d'air dans la pièce. Les pages du *Times* s'ouvrirent, s'égaillèrent comme un essaim d'oiseaux. En quelques instants, elles s'assemblèrent dans un bruissement d'ailes pour former une haute silhouette humaine, comme si un homme invisible s'était tenu là depuis le début et que les pages du journal étaient venues se coller à son corps.

Cela ne ressemblait pas à un tour de son ange gardien, même si ce ne pouvait être que lui - il y avait cette fois... quelque chose de menaçant.

L'homme de papier tourna le dos à Fric et se précipita vers les baies vitrées. Quand l'être rencontra le verre, il se transforma en ombre, un reflet mouvant migrant dans les carreaux, à la manière dont il avait hanté les décorations du sapin la nuit précédente.

Le fantôme s'évanouit, et disparut dans l'épaisseur du verre pour se fondre dans la pluie, ou en chevaucher chacune des gouttes vers des territoires inconcevables.

Fric était de nouveau seul. Du moins, c'était l'impression qu'il avait.

65.

Le Dr Jonathan Spetz-Mogg habitait un quartier huppé de Westwood, dans une maison de style Nouvelle-Angleterre, avec un garage couvert de bardeaux de cèdre faussement décolorés par le temps, car même la pluie ne parvenait à assombrir le bois vif-argent. Sans doute une patine à la lasure...

L'accent anglais de Spetz-Mogg était suffisamment marqué pour attirer l'attention de son interlocuteur mais trop inconstant pour être de naissance ; une simple affectation, sans doute travaillée lors d'un séjour sur le Vieux Continent.

Le professeur fit entrer dans sa maison Ethan et Yancy, moins par gentillesse qu'obséquiosité, et répondit à leurs questions non dans un esprit de saine coopération mais dans une angoisse verbeuse.

Il portait un sweat-shirt Fubu, et un pantalon baggy taille basse avec de grandes poches safari sur les côtés à la manière des gangsta-rap noirs – une tenue déjà ridicule quand elle était portée par un jeune Blanc des beaux quartiers, mais l'effet virait au pathétique absolu sur quelqu'un de quarante-huit ans passés ! À chaque fois que Spetz-Mogg croisait et décroisait les jambes, ce qu'il faisait fréquemment, le baggy faisait un tel barouf qu'il fallait interrompre la conversation.

Peut-être avait-il l'habitude de porter des lunettes de soleil chez lui, à toute heure de la journée, pour parfaire son déguisement... En tout cas, il les avait sur le nez quand il reçut Ethan et Yancy.

Spetz-Mogg passait son temps à les mettre et à les retirer... un tic presque aussi fréquent que ses croisements de jambes intempestifs. Il paraissait incapable de décider si, pour survivre à cet interrogatoire, il valait mieux se montrer à visage découvert ou se cacher derrière ses Ray Ban.

Même si le professeur était persuadé que chaque flic était une brute épaisse et un tortionnaire en puissance, il n'était pas du genre à monter sur les barricades pour dénoncer cette atteinte à la société de droit. Il n'était pas courroucé de voir débarquer chez lui deux agents de la police répressive de Californie. Il était juste terrifié.

Pour répondre à chaque question, il vomissait un flot d'informations dans l'espoir qu'en submergeant les deux policiers de détails ils repartiraient en ayant oublié de lui passer les menottes ou de le rouer de coups de matraque.

Ce n'était pas le professeur que les deux hommes recherchaient. Spetz-Mogg pouvait encourager d'autres gens à commettre des crimes au nom de leurs idées, mais il était trop pleutre pour en commettre un lui-même.

En outre, il n'avait guère de temps à consacrer au crime. Il avait écrit dix essais et huit romans. En plus d'enseigner, il animait des séminaires, des colloques, des conférences. Et il était auteur de pièces de théâtre à ses heures.

Par expérience, Ethan savait que les gens débordés de travail, quelle que soit la qualité dudit travail, commettaient rarement des crimes violents. Ce n'était qu'au cinéma que l'on voyait des hommes d'affaires s'adonner aux meurtres et autres brutalités en plus de leurs responsabilités au sein de leurs entreprises.

Les criminels n'étaient pas faits pour le monde du travail ou simplement trop fainéants pour s'y intégrer. Leurs richesses et possessions matérielles leur venaient d'héritages ou par des voies ne nécessitant aucun effort notable. Leur oisiveté leur laissait alors tout le temps de préparer leurs mauvais coups.

Le Pr Spetz-Mogg ne se souvenait pas de Rolf Reynerd. En moyenne, trois cents acteurs suivaient ses conférences le week-end. Peu d'entre eux lui laissaient un souvenir impérissable.

Voyant qu'Ethan et Yancy s'apprêtaient à s'en aller sans lui brancher de fils électriques sur les testicules, Spetz-Mogg, tout sourire et tout soulagé, les raccompagna à la porte. Sitôt la porte refermée derrière eux, il allait sans doute foncer aux toilettes, son faux flegme britannique totalement mis en pièce par ses intestins douloureux.

De retour dans la Ford Expedition, Yancy déclara :

— J'aurais dû cogner ce connard pour le principe.

— Tu deviens teigneux avec l'âge.

— C'était quoi cet accent à la con ?

— Casimir jouant James Bond ?

— Ouais. Avec un zeste de Schwarzy.

Après avoir quitté la maison de Spetz-Mogg, les deux hommes passèrent un temps précieux à remonter la piste du Pr Gerald Fitzmartin, qui avait tenu une conférence sur l'écriture de scénario, à laquelle avait assisté Reynerd.

Selon l'université où il enseignait, Fitzmartin était chez lui pendant les vacances, et non en voyage. Mais lorsque Yancy appela, il tomba sur un répondeur.

Fizmartin habitait Pacific Palisades. Ils roulèrent sur des voies inondées qui semblaient plutôt faites pour des gondoles que pour des 4×4.

Personne ne répondit quand ils sonnèrent à la porte de Fitzmartin. Peut-être était-il parti faire ses achats de Noël ? Ou alors était-il trop occupé pour venir ouvrir, abîmé qu'il était dans la confection d'un nouveau colis noir destiné à Channing Manheim ?

Le voisin, à qui les deux hommes rendirent visite, avait, cependant, une version différente à proposer : Fitzmartin avait été emmené d'urgence à l'hôpital Cedars-Sinaï ce matin même. Il ignorait pourquoi.

Quand Yancy téléphona à l'hôpital en question, il découvrit que, pour l'établissement, respecter la vie privée des patients importait plus que d'entretenir de bonnes relations avec la police.

Sous un ciel aussi torturé que le visage d'un boxeur, Ethan repartit vers le centre-ville. Le vent agitait les arbres, et parfois des branches mortes s'écroulaient sur la route, arrêtant la circulation.

Les rues imitaient la turbulence des cieux. À un carrefour, une voiture s'était encastrée dans une autre. Cinq pâtés de maisons plus loin, un camion avait couché une camionnette sur le flanc.

La prudence d'Ethan se mua en inquiétude... Il ne pouvait s'empêcher de penser qu'il était déjà mort une fois, renversé par une voiture ; cela pouvait se reproduire et, cette fois, il n'aurait peut-être pas la chance d'être ressuscité.

Pendant le trajet, Yancy passait des appels, traquant un autre professeur qui avait animé un séminaire d'une journée sur l'art de la communication et la mise en valeur personnelle.

Sans jamais lâcher le volant, Ethan consultait sa montre. Le temps s'écoulait encore plus vite que l'eau dans les caniveaux.

Il devait être rentré au Palazzo Rospo pour dix-sept heures, Fric ne pouvait être laissé seul dans cette grande maison, en particulier aujourd'hui.

Le Cedars-Sinaï se trouvait sur Beverly Boulevard, dans

ce quartier de Los Angeles qui cherchait à ressembler au prestigieux Beverly Hills. Ils arrivèrent à 14 h 18.

Les deux hommes apprirent que le Pr Gerald Fitzmartin se trouvait au service des soins intensifs, mais on ne leur donna pas l'autorisation de monter dans sa chambre. Dans la salle d'attente, ils firent la connaissance du fils du professeur, ravi d'avoir une distraction, même s'il ne comprenait pas pourquoi la police tenait tant à parler à son père.

Le Pr Fitzmartin avait soixante-huit ans. Après une vie honorable, les hommes du troisième âge devenaient rarement de dangereux criminels pendant leur retraite. Ils passaient plutôt leur temps à jardiner et à éliminer des calculs rénaux.

En outre, ce matin même, Fitzmartin avait subi un quadruple pontage coronarien. S'il était le compère de Reynerd, il n'était pas près de tuer qui que ce soit dans un futur immédiat.

Ethan regarda sa montre. 14 h 34. *Tic-tac, tic-tac.*

66.

Mick Sachatone, le milliardaire anarchiste, ne vivait pas dans un quartier de milliardaire, parce qu'il n'avait aucune envie d'expliquer au fisc la provenance de sa fortune. Quand on paie tout en liquide, on a la sagesse de vivre sans ostentation.

Il blanchissait suffisamment d'argent pour justifier d'habiter une maison spacieuse de six chambres dans un quartier propret de Sherman Oaks.

Seuls ses clients les plus fidèles connaissaient son adresse. La plupart du temps, Sachatone concluait ses affaires dans un jardin public, un café ou une église.

Sans faire halte à son box de Santa Monica pour troquer sa tenue de Robin Goodfellow contre son ciré jaune canari, Laputa fonça tout droit à Sherman Oaks. À cause de Queeg von Hindenbourg, l'amateur de porcelaine, Corky Laputa était en retard sur son emploi du temps ! Il avait une foule de choses à faire en ce grand jour de sa vie – et celui-ci s'écoulait bien trop vite à son goût.

Il se gara dans l'allée et monta les quelques marches du perron sous la pluie battante.

La voix de Mick Sachatone se fit entendre dans l'interphone.

— J'arrive.

Ce fut Sachatone en personne qui vint l'accueillir, avec une rapidité qui ne lui était guère coutumière. Un visiteur pouvait parfois attendre plus de trois minutes avant que le propriétaire vienne ouvrir la porte, tellement l'homme était occupé par ses affaires et faisait dix choses à la fois.

Comme d'habitude, Sachatone était pieds nus et en pyjama. Aujourd'hui, l'ensemble était rouge, décoré à l'effigie de Bart Simpson. Sachatone achetait quelques pyjamas dans le commerce, mais la plupart étaient faits sur mesure.

Avant même que Sachatone eût atteint l'âge de la puberté, la vie de Hugh Hefner, le fondateur de *Playboy*, le faisait déjà fantasmer. Hef avait trouvé le moyen de faire fortune tout en restant un grand enfant, en s'offrant tout ce dont il avait envie, en cédant à tous ses caprices, faisant de son existence une fête continuelle, et passant le plus clair de ses journées en pyjama.

Mick Sachatone, qui travaillait chez lui la majeure partie du temps, possédait plus de cent cinquante pyjamas. Il dormait nu, mais portait, la journée, des vêtements de nuit.

Il se considérait comme un disciple de Hefner. Un « petit Hef », plaisantait-il. Mick Sachatone avait quarante-deux ans, mais, à certains égards, il en avait treize d'âge mental.

— Salut, Cork, supertopclass le costard ! lança Sachatone en ouvrant la porte et voyant Laputa déguisé en Robin Goodfellow.

La remarque, dans la bouche de quelqu'un d'autre, aurait pu passer pour de la moquerie ; mais Sachatone avait cessé, en matière de langage, de se mettre à la page depuis les années soixante-dix, pour être plus près du personnage d'Hefner, son idole.

— Désolé pour le retard, lâcha Laputa en franchissant le seuil.

— Pas de problème, mon petit vieux. Je jetterais bien, moi, ma montre à la poubelle si je pouvais...

Le salon était meublé avec parcimonie. Le canapé moelleux, les gros fauteuils, les tabourets de bar, la table basse, la desserte et les lampes provenaient d'un magasin d'usine. La qualité était bonne, mais choisie uniquement pour des critères de confort, pas esthétiques.

Mick Sachatone n'avait pas des goûts de luxe. Malgré sa fortune, il restait un homme simple, ayant des désirs simples, quoique parfois obsessionnels...

Le principal élément de décoration de la Casa Sachatone n'était ni les meubles, ni les sculptures ou les tableaux de maîtres. Hormis ses ateliers, que Sachatone avait fait ajouter à la construction originale, tous les murs de la maison, à l'exception de deux, étaient tapissés de rayonnages contenant une multitude de cassettes et de DVD de films pornographiques. Les étagères couraient même dans les couloirs et la cage d'escalier.

Mick préférait les cassettes parce que les boîtes étaient larges, avec des dorsales colorées qui scandaient leur titre obscène en gros caractères, parfois agrémentées d'une photographie suggestive. L'ensemble formait une mosaïque érotique ininterrompue qui couvrait toute la maison, de la cave au grenier, produisant un effet vertigineux et psychédélique.

Seule l'aile réservée au travail, ce salon et la chambre principale étaient meublés normalement. Les autres pièces, dont la salle à manger, ne voyaient pas seulement leurs murs couverts de cassettes porno, mais tout leur espace occupé par des rayonnages dessinant un dédale d'allées, comme dans une bibliothèque universitaire qui aurait été uniquement dévolue au film X.

Sachatone prenait ses repas soit derrière son ordinateur, soit dans son lit... Beaucoup de plats cuisinés à réchauffer au micro-ondes, des pizzas, des repas chinois livrés à domicile.

L'un des deux murs non recouverts du sol au plafond de productions pornographiques se trouvait ici, dans le salon. L'endroit était réservé à quatre grands téléviseurs à écran plasma et à leurs cohortes d'appareils audio-vidéo. L'autre mur exempt de cassettes se trouvait dans la chambre à coucher.

Les télévisions étaient accrochées à la paroi en carré, deux au-dessus, deux en dessous. Un lecteur de DVD et un magnétoscope étaient reliés à chaque écran. Cet équipement, plus les huit enceintes et amplificateurs *ad hoc*, étaient dissimulés dans un petit placard sous les téléviseurs.

Sachatone pouvait visionner quatre films simultanément, et passer d'une bande-son à une autre. Ou encore – et cela se produisait assez souvent – diffuser les quatre pistes sonores en même temps.

D'ordinaire, quand on pénétrait dans le salon de Mick Sachatone, on était accueilli par une symphonie de soupirs, de râles, de cris et de gémissements de plaisirs, entrelardés de mots obscènes, le tout rythmé par des ahanements plus ou moins fébriles suivant le moment des ébats. En fermant les yeux, on avait l'impression de se trouver dans une sorte de jungle en folie, où toutes les bestioles avaient décidé de copuler au même moment.

Cet après-midi, toutefois, pas le moindre halètement n'accompagnait les quatre films porno sur le mur. Sachatone avait coupé le son.

— Janelle était si unique, susurra Sachatone en désignant le mur d'écrans où se contorsionnait son ex-petite amie. Elle bougeait comme une déesse.

Malgré la mine enjouée de Bart Simpson sur le pyjama, Sachatone était d'une humeur sombre et nostalgique. Les quatre écrans plasma diffusaient des grands classiques de Janelle.

En pointant le doigt vers l'écran supérieur droit, Sachatone lança :

— Ce truc qu'elle fait là, personne, je dis bien *personne*, n'a pu le refaire.

— Et à mon avis, c'est pas demain la veille qu'il y aura une prétendante au titre, répondit Laputa en regardant la contorsionniste engagée dans une posture totalement improbable.

Il fallait effectivement avoir des gènes différents du reste de l'humanité pour faire preuve d'une telle souplesse. Janelle la Mutante.

En désignant ses quatre partenaires masculins, Sachatone ajouta :

— Ces gars-là l'adorent. Tu vois ça ? Tous ces types aimaient bosser avec elle. Ils étaient tous fans de Janelle. Elle était irrésistible.

De frustration, sa voix se brisa. Malgré son mode de vie tout rose à la Hefner, Mick Sachatone avait un coup de blues.

— Je reviens de chez Trotter, annonça Laputa.

— Tu n'as pas encore tué ce fils de pute ?

— Pas encore. Vous savez que j'ai encore besoin de lui.

— Oh... regarde ça...

— C'est vrai qu'elle est surprenante...

— On pourrait croire que ça fait mal...

— Ça fait peut-être réellement mal..., pondéra Laputa.

— Non, non. Janelle disait que c'était rigolo.

— Elle faisait beaucoup d'exercices d'étirements et d'assouplissements ?

— Son travail était une séance de gym pour elle... Dis-moi que tu vas le tuer.

— Je vous l'ai promis. Je tiendrai parole.

— Je voulais vieillir avec elle.

— Vraiment ?

— Enfin, passer un long moment avec elle.

— J'ai tiré sur sa collection de porcelaines.

— Il y en avait pour cher ?

— Cela venait de chez Lladro.

— Tu vas le torturer avant de le tuer, le faire souffrir, n'est-ce pas ?

— Bien sûr.

— Tu es un ami, Cork. Un vrai pote.

— On a fait une longue route ensemble...

— Ça fait plus de vingt ans, reconnut Sachatone.

— Le monde était terrible alors, renchérit Laputa, en se plaçant du point de vue d'un activiste du Chaos.

— Bien des bastions sont tombés. Mais beaucoup moins vite que nous le pensions lorsque nous étions encore de jeunes chiens fous.

Les deux hommes échangèrent un sourire.

En d'autres temps, d'autres circonstances, ils seraient tombés dans les bras l'un de l'autre.

Mais à la place de toute effusion, Sachatone déclara calmement :

— Le paquet cadeau pour Manheim est prêt. On peut l'envoyer.

Et il conduisit Laputa vers ses ateliers.

Dans cette partie de la maison, au lieu de vidéos porno, les murs abritaient une collection d'ordinateurs, une petite chaîne d'imprimerie, des massicots, des imprimantes laser et autres appareils high-tech nécessaires à la fabrication de faux papiers de première qualité.

Sur son poste de travail, Sachatone avait déjà approché une chaise supplémentaire pour son invité. Il s'installa derrière le clavier.

Laputa tomba sa veste de cuir et la suspendit au dossier de sa chaise et s'assit à son tour.

En voyant le Glock dans son étui d'épaule, Sachatone demanda :

— C'est le flingue avec lequel tu vas éliminer Trotter ?

— Oui.

— Je pourrai l'avoir après ?

— Quoi ? Le pistolet ?

— Je serai discret, promit Sachatone. Je ne m'en servirai jamais. Et j'abraserai le canon pour que les gars de la balistique ne puissent plus comparer les rayures et faire le lien avec Trotter. Je n'en veux pas comme arme. Mais comme relique – une relique sacrée. Pour agrandir le mémorial dédié à Janelle ; je le mettrai sur les étagères où je garde tous ses films.

— C'est entendu. Il sera à vous quand j'en aurai fini avec lui.

— Tu es un chou, Cork.

Puis, désignant l'écran de l'ordinateur, le gardien du temple de Janelle la Mutante déclara :

— Ce n'était pas une mince affaire, tu sais. Du travail de haut niveau, très pointu.

Mick Sachatone était un hacker réellement exceptionnel ; il le savait et ne se privait pas de le rappeler en toute occasion. Il s'était même proclamé Maître Absolu des Données

Numériques et Roi de l'Univers Virtuel; avec lui, tout était facile... il piratait les réseaux avec autant d'aisance qu'une abeille butinant une fleur; l'entendre dire que, pour mener à bien sa mission, il avait dû faire appel à tous ses talents d'informaticien, prouvait, qu'effectivement, la tâche que lui avait demandée Laputa était *très* ardue.

— À 20 h 30 précises, ce soir, poursuivit Sachatone, le central téléphonique va couper les vingt-quatre lignes du Palazzo Rospo.

— Cela ne va pas alerter la Paladin Patrol, la société de gardiennage? L'une des lignes est connectée vingt-quatre heures sur vingt-quatre entre Paladin et la propriété, pour les transmissions des signaux d'alarme.

— Bien sûr. Si la liaison est coupée, tous les signaux d'alarme chez Paladin vont passer au rouge. Ce sera, alors, le branle-bas de combat général. Mais ils n'en sauront rien.

— Ces gars-là sont armés jusqu'aux dents, s'inquiéta Laputa. Ce ne sont pas des miliciens de quartier équipés de bombes au poivre! Ils vont réagir vite et ils sont chatouilleux sur la détente.

— Une partie du joli paquet cadeau que j'ai préparé pour toi c'est une panne du système informatique de la société Paladin juste avant qu'on ne coupe les lignes chez Manheim. Cela va planter tout leur réseau.

— Ils ont sûrement un système de secours.

— Bien sûr qu'ils en ont un! Je le connais comme le fond de ma culotte! répliqua Sachatone avec impatience. Lui aussi, il va planter.

— C'est impressionnant.

— Inutile, donc, de t'inquiéter pour les vigiles extérieurs. C'est réglé. En revanche, il reste les gardes *intra-muros*. Les petits soldats de Manheim.

— Ils seront au nombre de deux ce soir, expliqua Laputa. Je connais leur emploi du temps, l'horaire de leurs rondes. On m'a renseigné. Mais il reste les téléphones portables...

— Cela fait aussi partie du cadeau. J'ai vérifié l'info que t'a donnée Ned Hokenberry. Manheim est toujours chez le même opérateur.

— Les gardes ont chacun un téléphone portable. Le troisième, c'est le chef de la sécurité qui l'a – Ethan Truman.

Sachatone hocha la tête.

— Ils seront coupés à 20 h 30, en même temps que les lignes fixes. Le couple qui dirige le domaine a, lui aussi, des portables...

— Les McBee.

— Ouais. Et Hachette, le chef cuisinier, et aussi William Horn...

— Le jardinier. Aucun d'entre eux ne sera là ce soir, fit remarquer Laputa. Juste Truman et le gamin.

— Il ne faut prendre aucun risque. Quelqu'un peut toujours travailler plus tard que prévu ou rentrer plus tôt de congés. Si je coupe tous les téléphones, aucun membre du personnel du domaine ne pourra composer le 911 et appeler les secours. Dans le même temps, tous les bipers des employés, pour ceux qui en ont, seront HS.

Plus tôt, Laputa avait évoqué le problème d'Internet et de la façon dont le web pouvait être utilisé pour appeler à l'aide...

Pressentant la question de Laputa, Sachatone annonça :

— L'accès Internet par câble du Palazzo Rospo sera interrompu à 20 h 30.

— Et les gardes ne se rendront compte de rien ?

— Sauf s'ils essaient de téléphoner ou d'aller sur Internet.

— Il n'y a pas une alarme sur leur ordinateur ?

— Je m'en suis occupé. Mais attention, je n'ai pas pu couper les caméras, ni les capteurs infrarouges, ni les radars volumétriques. Si j'avais fait ça, en voyant tout leur système de surveillance devenir aveugle, ils auraient senti le coup venir.

Laputa haussa les épaules.

— Une fois que je serai dans la maison, je préfère que les détecteurs de mouvement soient en fonction. Ils peuvent m'être utiles. Idem pour les caméras et les capteurs infrarouges. Trotter me fera passer tout ça.

— Et puis tu le tueras.

— Pas juste après. Plus tard. Que reste-t-il à faire, maintenant ?

Sachatone leva sa main droite d'un air solennel.

— Juste ceci...

Lentement, avec des talents de tragédien, il approcha son index du clavier et enfonça la touche ENTER du clavier.

Tout s'éteignit. L'écran, dans un clic, passa à un fond bleu.

— Que se passe-t-il ? demanda Laputa, inquiet.

— Rien du tout. J'ai envoyé le paquet cadeau.

— Cela va prendre longtemps ?

Sachatone désigna l'icône qui venait d'apparaître sur l'écran : EXÉCUTION EN COURS.

— Quand le message changera, ce sera fait. Tu veux un Coca en attendant ?

— Non merci.

Corky Laputa ne buvait ni ne mangeait jamais rien chez Mick Sachatone, et veillait à toucher le moins de choses possible. Il ne fallait pas oublier que Sachatone avait posé ses mains partout dans la maison, à un moment ou à un autre, et on ne savait jamais où il avait fourré ses doigts juste avant... Ou plutôt, on ne le savait que trop, et c'était bien là le problème...

Tous ceux qui connaissaient Sachatone préféraient ne pas lui serrer la main ; et leur hôte, par une sorte de sixième sens, semblait percevoir leur gêne, et se contentait toujours de les saluer de loin, d'une simple parole, sans contact.

Bart Simpson courut sur les plis du pyjama, sautant d'une fronce à l'autre, avec force grimaces, tandis que Sachatone sortait un Coca d'un réfrigérateur et revenait s'installer derrière son clavier.

Les deux hommes parlèrent d'un film pour adultes très rare, tourné au Japon, qui était une légende pour les aficionados du genre. Le film mettait en scène deux hommes, deux femmes et un hermaphrodite, tous habillés en Hitler. Cela faisait douze ans que Mick Sachatone tentait de mettre la main dessus.

Cette vidéo n'éveillait guère l'intérêt de Laputa, mais la conversation n'eut pas le temps de le lasser, car au bout de seulement quatre minutes, un nouveau message apparut sur l'écran : EXÉCUTION RÉUSSIE.

— Le colis est envoyé, conclut Sachatone.

— C'est fait ?

— Oui. Les graines sont parties dans les réseaux téléphoniques, chez le fournisseur Internet et dans les ordinateurs des vigiles de Paladin. Ce soir, à l'heure « H », tout s'éteindra.

— Automatiquement ? Sans que vous ayez besoin de faire quoi que ce soit ?

Mick Sachatone esquissa un grand sourire.

— Ça t'en bouche un coin, pas vrai ?

— Étonnant.

Sachatone se pencha en arrière pour avaler une longue goulée de Coca. Laputa sortit le Glock de son étui et quand Sachatone redressa la tête à la verticale, il lui tira une balle dans le crâne.

67.

Le professeur qui avait organisé le séminaire sur la communication et la mise en valeur personnelle s'appelait Robert Vebbler. Il préférait se faire appeler Maître Bob – son pseudo dans le circuit du développement personnel, où il promettait de transformer des hommes et des femmes ordinaires et pétris de doute en des super-héros de la réussite.

Ethan et Yancy trouvèrent le professeur dans son bureau d'un campus quasiment désert, occupé à préparer sa tournée de conférences de janvier. Les murs de la pièce étaient couverts de portraits de Maître Bob de la taille de ceux de Staline et de Mao Tsé-toung à leur âge d'or.

Il avait le crâne rasé, une moustache retroussée, un teint cuivré aux UV (qui traduisait son mépris total des mélanomes) et des dents blanchies au laser, plus éclatantes encore que les touches d'un Steinway. Hormis ses bottes rouges en peau de serpent, tout ce qu'il portait était blanc (comme sur les affiches), jusqu'à sa montre – un bracelet et un cadran blancs sans chiffres ni repères horaires.

Maître Bob avait le don de faire de chacune de ses réponses un mini-cours sur l'estime de soi et la pensée positive. Il était tellement agaçant qu'Ethan brûlait que Yancy l'arrête pour pratique illégale de la philosophie et abus de clichés frelatés.

Un charlatan patenté, aussi crédible dans sa fonction que Donald Duck… mais, à l'instar du personnage gouailleur de Walt Disney, il ne pouvait être un meurtrier. Maître Bob rêvait d'être idolâtré, non d'être honni. Donald avait certes, à une occasion, tenté d'occire Chip et Dale, les deux pestes d'écureuils, mais Maître Bob aurait, lui, choisi de révéler leur potentiel intime et les aurait convaincus de devenir des chefs d'entreprise.

Vebbler offrit à Ethan et Yancy deux exemplaires dédicacés du dernier recueil de ses conférences et déclara qu'il serait le premier à recevoir le prix Nobel de littérature pour des essais sur la motivation personnelle.

Lorsque les deux hommes purent enfin échapper à Maître Bob, ils jetèrent leurs exemplaires dans la première poubelle venue et rejoignirent la Ford Expedition. L'horloge du tableau de bord, comme la montre d'Ethan, indiquaient 15 h 41.

À dix-sept heures, le dernier employé quitterait le Palazzo Rospo. Fric serait alors livré à lui-même.

Ethan songea à appeler les gardes au poste de sécurité, au fond de la propriété. L'un d'entre eux pourrait aller dans la maison pour tenir compagnie au garçon...

Cela laisserait un seul homme pour surveiller la batterie de caméras et les autres systèmes de détection, et personne pour faire les rondes. Ethan hésita à disséminer ses effectifs déjà si minces, en la situation présente.

Il continuait à croire que le partenaire inconnu de Reynerd, s'il était toujours décidé à passer aux actes, ne tenterait rien avant jeudi après-midi, jour du retour de Manheim de Floride. Les allées et venues de la star étaient connues de tout le monde ; la presse *people* en donnait tous les détails. Quelqu'un de suffisamment obsédé par une vedette au point de vouloir le supprimer était forcément au courant de la date de son retour à Bel Air. C'était donc pour jeudi...

Probable... mais pas *absolument* certain.

Cet élément de doute, associé au pressentiment de Yancy lui disant que le temps leur était compté, troublait Ethan. Et si quelqu'un trouvait le moyen de percer les défenses de la propriété, et de se cacher *intra muros* jusqu'au retour de Manheim ?

Même le plus moderne des systèmes de sécurité était l'œuvre de la main de l'homme et, comme toute entreprise humaine – par essence – imparfaite. Un dingue suffisamment futé, totalement obsédé par une pulsion meurtrière, pouvait trouver une brèche dans n'importe quels remparts, même ceux protégeant le président des États-Unis...

Autant qu'Ethan pouvait en juger, Reynerd n'était pas très intelligent, mais la personne qui avait inspiré son personnage de professeur, elle, devait être rusée comme un renard.

— Rentre chez Manheim, insista Yancy en quittant le campus de l'université. Dépose-moi au Notre-Dame, que je puisse récupérer ma voiture. Je vérifierai les deux autres gugusses tout seul.

— Cela m'embête que tu te tapes seul tout le boulot.

— De toute façon, tu n'es plus flic, que je sache ? railla Yancy. Tu as abandonné le métier pour faire fortune et être célèbre !

— Mais tu es ici à cause de moi.

— Faux ! Pas à cause de toi, à cause de *ça*, rectifia Hazard Yancy en brandissant son jeu de clochettes.

Leur tintement glaça le sang d'Ethan.

— Pas question de passer le reste de ma vie à avoir les pétoches ! rétorqua Yancy. À me demander si quelqu'un va encore traverser un miroir. Je veux une explication, chasser toutes ces idées farfelues de ma tête et redevenir celui que j'étais.

Leurs deux dernières pistes étaient des professeurs de littérature américaine d'une autre université. Ils les avaient mis en bas de la liste parce que le scénario de Reynerd laissait entendre que son acolyte était un professeur de théâtre ou du moins que ses cours étaient associés, d'une manière ou d'une autre, au monde du spectacle. Les professeurs de littérature poussiéreux, déambulant en veste de tweed, avec des ronds de cuir aux coudes, la pipe à la bouche et devisant sur le participe passé, avaient peu de chance d'être des ravisseurs de stars et des meurtriers.

Yancy consulta ses notes compilées grâce aux coups de fil qu'il avait passés durant le voyage entre le Cedars-Sinaï, où était hospitalisé le Pr Fitzmartin, et le campus du grand Maître Bob.

— De toute façon, reprit Yancy, je crois qu'on va faire chou blanc aussi avec ces deux-là.

La tempête s'était un peu calmée. Le vent, qui avait renversé des arbres, se contentait, à présent, de les tourmenter. On les entendait grincer et trembler de toutes leurs branches, craignant que le répit ne soit que de courte durée.

La pluie tombait avec une belle énergie, mais sans rage destructrice, comme si les cieux, changeant de politique, avaient rappelé ses soldats pour envoyer ses armées de chefs d'entreprise.

— Maxwell Dalton..., annonça Yancy en relisant ses notes. Apparemment, il a quitté l'université ou a pris un congé sabbatique, ce n'est pas très clair... La femme que j'ai eue en ligne était une intérimaire pas très au courant... Je comptais donc aller voir sa femme. L'autre est un dénommé Vladimir Laputa.

68.

Corky Laputa contemplait avec regret le visage en charpie de sa victime. Mick Sachatone était un bon ami et aurait mérité une mort plus digne.

Le Glock, n'étant plus équipé d'un silencieux, devrait faire mouche dès la première balle : des voisins pouvaient entendre la déflagration. Le bruit de la pluie dissimulerait suffisamment une détonation et n'éveillerait pas leur curiosité, mais une fusillade en règle était proscrite.

À Malibu, Laputa n'avait pas voulu museler la douce voix du Glock. Le *bang!* de chaque coup de feu, ponctuant le tintement des bris de porcelaine, ajoutait à la terreur de Jack Trotter.

Laputa avait le silencieux dans une poche, mais une fois monté sur le canon de l'arme, le pistolet ne rentrait plus parfaitement dans l'étui. Et il ne pouvait plus le sortir avec la dextérité qu'il affectionnait.

En outre, si le pauvre Mick avait vu l'arme équipée de cet accessoire, il aurait pu avoir des doutes, malgré la bonhomie apparente de Laputa.

Après avoir remisé le Glock dans son étui, Laputa enfila sa veste de cuir et sortit de sa poche une paire de gants en latex. Il fallait éviter de laisser des empreintes, bien entendu, mais dans ce mausolée de l'onanisme, il redoutait moins ce qu'il pouvait laisser derrière lui que ce qu'il pouvait toucher.

Partout ailleurs, les rayonnages de films porno occultaient les fenêtres, donnant à la maison des airs de caveau, mais ici, dans les ateliers, la lumière du jour déclinant filtrait à travers les carreaux détrempés. Laputa s'empressa de fermer les rideaux.

Il avait besoin de temps pour fouiller la maison à la recherche de l'endroit où Mick Sachatone cachait ses billets (qui devaient être nombreux selon toute vraisemblance) et aussi pour déconnecter les ordinateurs et les charger dans la Land Rover, afin d'être sûr qu'aucune information contenue dans les disques durs ne tomberait entre de mauvaises mains.

Il enroulerait le cadavre dans une bâche et le sortirait de la maison, et il faudrait aussi nettoyer le sang.

Pour éviter qu'une enquête pour homicide, malgré toutes ses précautions, ne puisse remonter jusqu'à lui, Laputa comptait faire disparaître le corps de Sachatone.

Il aurait pu répandre de l'essence dans la maison et y mettre le feu pour détruire toute trace de son passage, comme il l'avait fait chez Brittina Dowd. Les milliers de cassettes vidéo ne demandaient qu'à s'embraser dans un joli feu de joie, en dégageant un nuage de fumée toxique qui tiendrait les pompiers au large pendant un bon moment. Aucun indice compromettant, alors, n'aurait subsisté dans les cendres.

Mais Laputa détestait l'idée de détruire les archives de Sachatone ; à sa manière, cet endroit était un temple dédié au Chaos, l'un des plus beaux qu'il lui ait été donné de voir. Cette masse de luxure émettait de sourdes vibrations capables de semer le désordre dans les esprits aussi sûrement qu'un tas de plutonium, avec ses radiations mortelles, finit par semer l'anarchie dans tout organisme vivant.

Trouver la cachette de Sachatone, démonter ses ordinateurs et faire disparaître le cadavre en pyjama pouvait attendre un peu. Il s'en occuperait lorsqu'il aurait kidnappé Aelfric Manheim et que le garçon serait enfermé dans la chambre qu'occupait actuellement Vieux Fromage Qui Pue. Il reviendrait demain faire le ménage chez le milliardaire.

En attendant, il éteignit les ordinateurs et les autres machines en activité dans la pièce. Puis il visita toute la maison, de la cave au grenier, afin de s'assurer qu'aucun appareil électrique n'était branché et ne risquait de déclencher un départ de feu ; il ne fallait pas que les pompiers viennent sur les lieux avant que Laputa ait trouvé la cache d'argent de Sachatone et qu'il se soit débarrassé de son cadavre.

De retour dans le salon, Laputa s'arrêta une minute pour contempler, sur les écrans plasma, les quadruples contorsions de l'incomparable Janelle, avant d'éteindre le mur d'images. Trotter avait-il profité de la souplesse de Janelle pour la mettre dans une tombe deux fois plus petite que la normale afin de s'économiser l'effort de creuser ?

Mick Sachatone désormais défunt, les Roméo et Juliette du porno n'étaient plus. Misère...

Laputa aurait préféré laisser Mick Sachatone en vie, mais le pauvre homme avait signé son arrêt de mort quand il avait vendu Trotter. Dans un accès de jalousie, dévoré par la soif de vengeance, il avait révélé à Laputa les nombreuses identités que Trotter avait concoctées au fil des années. Si Sachatone pouvait trahir un client, un jour ou l'autre il trahirait Laputa...

Détruire l'ordre social était un travail solitaire.

Laputa sortit sur le perron et referma la porte avec les clés de Sachatone, qu'il avait trouvées suspendues à un crochet dans la cuisine.

Le froid était plus mordant.

Après les trombes déchaînées qu'il avait déversées, le ciel était un lavis gris, plus épais que ce matin, d'où ne filtrait aucun rayon, mais une clarté sale et morne.

Tant de choses s'étaient produites depuis que Laputa s'était levé ce matin. Mais le meilleur restait encore à venir.

69.

Ethan vint trouver Mr. Hachette dans la cuisine afin d'organiser le repas du soir, mais le chef n'était guère d'humeur à parler, tout empourpré de colère pour une raison, toutefois, qu'il refusa d'expliciter.

— L'affaire est dans mon mail, inspecteur Truman, déclara-t-il en ne détaillant pas la nature de l'« affaire » en question. Écrit noir sur blanc ; c'est honteux. Je ne suis pas un vulgaire cuistot. Je suis *chef cuisinier*, moi, monsieur ! Et mon mépris je ne le crache pas à la figure des gens, je l'écris, comme un gentleman, avec le stylo électronique !

L'anglais de Hachette était moins saccadé lorsqu'il n'était pas en colère ou sur les nerfs, mais cet état de grâce restait rarissime.

En dix mois, Ethan avait appris à ne jamais remettre en question l'autorité du chef dans le domaine culinaire. La cuisine était son fief, sa chasse privée. On ne contredisait jamais le chef sur ses terres. La qualité de sa cuisine justifiait ses caprices de diva. Tout au long de la journée, ses coups de gueule ébranlaient les murs, mais ne causaient jamais de réels dommages.

Ethan quitta le chef dans un haussement d'épaules et partit à la recherche de Fric.

Mrs. McBee détestait qu'on utilise les interphones de la maison. C'était inconvenant dans une maison majestueuse comme celle-ci, un affront pour la famille et cela dérangeait le personnel. « Nous ne travaillons pas dans un immeuble de bureaux ou dans un magasin discount », expliquait-elle.

Les chefs de service avaient des bipers personnels grâce auxquels on pouvait les joindre n'importe où dans la vaste propriété. Beugler dans les interphones de la maison pour les avoir en ligne était rarement utile.

Si on avait besoin d'appeler un membre d'une équipe, ou si votre statut vous autorisait à contacter directement un membre de la famille – ce qui était le cas uniquement pour le couple McBee et pour Ethan –, alors il fallait procéder pièce par pièce. On commençait par sonner aux trois endroits où la personne visée avait le plus de chances de se trouver.

À l'approche de dix-sept heures, on ne risquait pas de déranger grand-monde dans ses activités, tout le personnel devant partir d'ici cinq minutes. Fric était le seul membre de la famille à être présent. Et les McBee étaient à Santa Barbara... Toutefois, Ethan se sentit obligé de suivre la procédure normale par respect de la tradition, eu égard aux préceptes de Mrs. McBee et aussi par crainte que, s'il se mettait à faire carillonner tous les interphones de la maison à la recherche de Fric, la brave gouvernante en soit alertée par son sixième sens et écourte ses brèves vacances pour connaître les raisons de cette agitation. Inutile donc de l'inquiéter pour rien.

En se servant de l'interphone de la cuisine, Ethan appela d'abord les appartements de Fric au deuxième étage. Puis il chercha à le joindre dans la salle du train. « Fric, tu es là ? c'est monsieur Truman », puis dans la salle de projection, puis encore dans la bibliothèque. Pas de réponse.

Même si Fric était un petit garçon poli et guère boudeur, il pouvait avoir quelque raison pour ne pas répondre...

Ethan choisit de visiter toute la maison, en premier lieu pour trouver le garçon, mais aussi pour s'assurer que tout était en ordre.

Il commença par le deuxième étage. Il ne se rendit pas dans toutes les pièces, mais il ouvrit toutes les portes, en appelant le garçon à plusieurs reprises.

La porte de la suite de Fric était ouverte. Après s'être annoncé deux fois sans résultat, Ethan décida de laisser, pour ce soir, les convenances et le respect de l'intimité des maîtres, et entra dans les appartements de Fric ; il ne trouva ni le garçon, ni quoi que ce soit d'anormal.

En traversant l'aile Est pour rejoindre l'escalier principal, Ethan s'arrêta à trois reprises et se retourna, aux aguets, alerté par un frisson dans sa nuque. Tout n'était pas aussi tranquille qu'il y paraissait.

Aussi silencieux. Aussi immobile...

Mais Ethan avait beau retenir son souffle, il n'entendait que les battements de son cœur.

En occultant cette cadence interne, il ne distinguait rien de réel ; il avait été, encore une fois, victime de son imagination : chimère encore, cette ombre mouvante dans le vieux miroir au-dessus de la desserte, chimère cette faible voix, semblable à celle qu'il avait entendue la veille dans le téléphone, mais plus frêle, plus lointaine encore, l'appelant non pas d'un recoin du deuxième étage, mais des confins de l'autoroute vers l'éternité.

Dans le miroir, évidemment, rien sinon son propre reflet ; pas de forme trouble, pas d'ami d'enfance.

Quand il respira de nouveau, la voix lointaine, qui n'avait existé que dans sa tête, se tut aussi.

Il descendit le grand escalier et trouva Fric dans la bibliothèque du premier étage.

Le garçon lisait un livre, installé dans un fauteuil qu'il avait déplacé pour coller le dossier contre l'arbre de Noël.

Quand Ethan ouvrit la porte, Fric eut un sursaut qu'il tenta de dissimuler en feignant de changer de position dans le fauteuil. La peur avait agrandi ses yeux et ses mâchoires s'étaient crispées l'espace d'un instant, avant qu'il ne s'aperçoive qu'il s'agissait simplement d'Ethan.

— Salut Fric. Tout va bien ? Je t'ai appelé sur l'interphone, il y a une minute.

— Je n'ai pas entendu. Dans l'interphone, vous dites ? Non, je n'ai rien entendu, répondit le garçon, en mentant si mal que s'il avait été branché à un détecteur de mensonge la machine aurait explosé.

— Tu as déplacé ton fauteuil ?

— Mon fauteuil ? Heu, non, je l'ai trouvé comme ça... ici même, dans cette position exactement.

Ethan se percha sur l'accoudoir du fauteuil voisin.

— Quelque chose ne va pas, Fric ? Des soucis ?

— Des soucis ? demanda le garçon comme si le sens de la question lui échappait. Non, tout va bien.

— Tu veux me parler ? Quelque chose te tracasse ? Tu n'as pas l'air dans ton assiette.

Le garçon détourna la tête ; il reporta son attention sur le livre, puis le ferma et le posa à plat sur ses cuisses.

En ex-flic, Ethan avait appris les vertus innombrables de la patience.

Fric le regarda de nouveau, se pencha vers lui ; il semblait prêt à lui confier un secret, mais il se ravisa et se redressa. Ce ne serait pas pour cette fois. Feignant le détachement, le garçon haussa les épaules :

— Je ne sais pas. C'est peut-être le retour de mon père, jeudi, qui m'inquiète.

— C'est pourtant une bonne nouvelle...

— Oui. Mais c'est stressant, en même temps.

— Pourquoi ?

— Il va y avoir tous ses copains avec lui. C'est toujours comme ça.

— Tu n'aimes pas ses amis ?

— Ils sont sympas. C'est tous des golfeurs, des mordus de sport. Papa adore parler de golf, de football et de ce genre de trucs. C'est comme ça qu'il se détend. Ses copains et lui, c'est un club.

Un club qui t'est fermé et auquel tu n'auras jamais accès, mon pauvre petit, songea Ethan, surpris par la compassion qui lui étreignait la gorge.

Il voulait prendre le gamin dans ses bras pour le réconforter, l'emmener voir un film, non pas dans la salle de projection privée du Palazzo Rospo, mais dans un vrai cinéma bondé de monde, plein de familles braillardes, l'air sentant le graillon et le mauvais pop-corn cuit dans l'huile de canola pour remplacer le beurre, un endroit sale où il fallait examiner son siège pour ne pas s'asseoir sur un chewing-gum oublié ou une barre chocolatée, mais surtout un endroit où, durant les passages amusants, on n'était pas le seul à rire, mais une *foule*.

— Et il y aura une fille aussi, poursuivit Fric. Il y a toujours une fille pendue à son bras. Il a rompu avec la dernière avant de partir tourner en Floride. Je ne sais pas qui il va ramener aujourd'hui. Elle sera peut-être gentille. Ça arrive, quelquefois. Mais ce sera encore une nouvelle et il faudra que je fasse connaissance, ce qui n'est pas facile.

Ils abordaient un terrain glissant, pour une conversation entre un membre de la famille et un employé de maison. Par respect, Ethan ne pouvait dire ce qu'il pensait de Channing Manheim en tant que père, ni même laisser entendre que la star, dans sa vie personnelle, se trompait trop souvent de priorité.

— Fric, quelle que soit la nouvelle amie de ton père, faire sa connaissance sera facile parce qu'elle t'appréciera. Tout le monde t'aime bien, Fric, ajouta Ethan sachant que pour ce garçon solitaire et timoré, ces paroles seraient une révélation tellement énorme qu'il refuserait d'y croire.

Fric resta bouche ouverte, comme si Ethan venait de lui avouer qu'il était un singe travesti en humain. Une rougeur empourpra ses joues et il baissa les yeux vers son livre, déconcerté.

Un mouvement attira soudain le regard d'Ethan. Les

décorations dans les branches du sapin bougeaient : les anges tournaient, se balançaient, dodelinaient du chef.

L'air dans la bibliothèque était pourtant aussi immobile que les livres dans leurs rayonnages. Une secousse sismique ? Peut-être... en tout cas, bien trop faible pour qu'Ethan puisse la ressentir.

Les mouvements des anges s'apaisèrent, comme s'ils avaient été animés par un courant d'air fugace, engendré par le passage d'un spectre invisible.

Un étrange sentiment envahit Ethan, l'impression que la porte d'une nouvelle compréhension s'entrouvrait en lui. Il s'aperçut qu'il retenait son souffle et que ses cheveux s'étaient dressés dans sa nuque comme sous l'effet d'un bâton d'ébonite électrisée.

— Il y a Mr. Hachette..., articula Fric.

Les angelots s'immobilisèrent et le moment passa sans autre manifestation.

— Pardon ?

— Mr. Hachette, lui, ne m'aime pas, dit Fric pour réfuter l'assertion d'Ethan.

Ethan esquissa un sourire.

— Je crains que Mr. Hachette n'aime personne, du moins pas grand-monde. Mais c'est un excellent cuisinier, n'est-ce pas ?

— C'est Hannibal Lecter avec une toque !

Bien qu'il fût particulièrement malséant de la part d'Ethan de se moquer d'un autre membre du personnel, Ethan éclata de rire.

— Tu es en droit de penser cela, mais je suis sûr que lorsqu'il sert de la cervelle de mouton, c'est bien de la cervelle de *mouton*.

Ethan se redressa.

— Il y a deux raisons qui m'amènent ici, poursuivit-il. D'abord, je suis venu te demander de n'ouvrir aucune porte donnant sur l'extérieur ce soir. Dès que le dernier membre du personnel aura quitté la maison, je vais mettre toute la propriété sous alarme.

Encore une fois, Fric se redressa sur son siège. S'il avait été un chien, il aurait dressé les oreilles, mesurant toutes les implications de ce changement soudain de programme.

Quand le père de Fric était dans la maison, c'était lui qui décidait quand enclencher l'alarme. En son absence, Ethan activait le système de sécurité au moment d'aller se coucher, entre vingt-deux heures et minuit.

— Pourquoi si tôt ? s'enquit Fric.

— Je veux faire un contrôle sur les ordinateurs. Je crois qu'il y a des pertes de tension sur certaines portes et fenêtres. Rien qui ne puisse provoquer de fausse alerte, mais il faut réparer ça.

Même si Ethan était plus expert en mensonge que le garçon, Fric avait l'air aussi dubitatif que face à la prétendue cervelle de mouton de Mr. Hachette.

Ethan s'empressa d'enchaîner :

— Mais je suis venu aussi pour savoir si tu ne voulais pas dîner avec moi ce soir, puisque nous sommes tous les deux les seuls occupants de la maison.

La *Bible des us et coutumes* n'interdisait pas à un chef du personnel de maison de dîner avec le fils du patron quand ce dernier était absent. La plupart du temps, Fric prenait ses repas seul, soit parce qu'il appréciait la tranquillité, soit – et c'était plus vraisemblable – parce qu'il craignait de gêner s'il demandait à se joindre au personnel. Quelquefois, Mrs. McBee convainquait le garçon de rester souper avec eux, mais avec Ethan Truman, ce serait une première.

— Vraiment ? demanda Fric. Vous ne serez pas trop occupé à surveiller les fluctuations du courant électrique ?

Ethan perçut la pointe de raillerie dans cette question ; il eut envie de rire, mais feignit de croire que Fric avait avalé son mensonge quant à l'heure précoce de mise en activité du système d'alarme.

— Non, Mr. Hachette a tout préparé. Il nous suffit de faire réchauffer le repas au four, en suivant ses instructions. À quelle heure veux-tu manger ?

— Le plus tôt sera le mieux. 18 h 30 ?

— Va pour 18 h 30. Où dois-je mettre la table ?

Fric haussa les épaules.

— Vous avez une préférence ?

— Si c'est moi qui choisis, ce sera dans le foyer, répondit Ethan. Les autres salles à manger sont réservées aux membres de la famille.

— Alors c'est moi qui choisis ! répliqua le garçon.

Il se mordilla la lèvre inférieure puis déclara :

— Je réfléchis et je viens vous dire ça tout à l'heure.

— Entendu. Je serai chez moi un petit moment, puis tu pourras me trouver dans la cuisine.

— Nous pourrions peut-être ouvrir une bouteille ce soir, qu'en pensez-vous ? Un bon merlot ?

— Tu crois ? Alors je suis bon pour faire mes valises, appeler un taxi et rédiger moi-même ma lettre de licenciement pour faute professionnelle grave dès que tu seras tombé ivre mort.

— Mon père ne le saura pas. Et quand bien même l'apprendrait-il, ce serait un truc classique d'enfant de star d'Hollywood. Mieux vaut l'alcool que la cocaïne, non ? Il me demandera d'aller voir le Dr Rudy pour voir si, par hasard, je n'ai pas été le fils d'un empereur romain dans une vie antérieure de débauche... Qui sait, voir des lions dévorer des chrétiens dans le Colosseum m'a peut-être traumatisé pour cent réincarnations ?

Cette petite tirade aurait pu être drôle si Ethan n'avait su que Manheim, face à un éventuel problème d'alcool chez son fils, pouvait bien avoir exactement cette réaction.

— Peut-être ton père ne le saura-t-il jamais. Mais tu oublies *Celle qui sait tout*.

— Mrs. McBee..., murmura Fric.

— Elle-même.

— Je vais prendre du Pepsi, je crois...

— Avec ou sans glace ?

— Sans.

— Voilà qui est beaucoup plus sage.

70.

Rachel Dalton, malgré l'angoisse, la rancœur et le désespoir qui la minaient, restait une femme charmante, avec de beaux cheveux châtains et des yeux bleus aux profondeurs mystérieuses.

Elle était aussi, découvrit Yancy, la personne la plus affable de la Terre. Ayant accepté au téléphone de le recevoir, elle avait préparé du café pour son arrivée. Elle le servit dans le salon, accompagné de petits-fours et de gâteaux secs.

Dans l'exercice de leur fonction, les inspecteurs de la criminelle ne se voyaient guère proposer de rafraîchissements, et plus rarement encore leur offrait-on le café dans de la jolie vaisselle avec des serviettes brodées. En particulier quand ils avaient affaire à une épouse dont le mari avait disparu et qui voyait la police consacrer bien peu d'efforts pour le retrouver.

Maxwell Dalton, ainsi que Yancy l'apprit, s'était évanoui dans la nature depuis trois mois. Rachel avait déclaré sa disparition dès le premier soir, ne le voyant pas revenir après ses cours.

La police, bien entendu, faisait peu de cas d'un adulte qui ne rentrait pas chez lui un soir. Qu'il fût absent le lendemain et le surlendemain ne les intrigua pas outre mesure non plus.

— Apparemment, expliqua Rachel, on vit à une époque où les maris partent faire la nouba sans crier gare, décident de passer une semaine de vacances à Puerto Vallarta avec une donzelle rencontrée au Starbucks dix minutes plus tôt, ou plaquent femme et enfants sur un coup de tête. Quand j'ai essayé de leur expliquer que ce n'était pas le genre de Maxwell, ils n'ont rien voulu entendre. Ils étaient certains qu'il allait réapparaître, les yeux bouffis, l'air penaud, avec une chaude-pisse.

Finalement, quand l'absence de Maxwell Dalton atteignit une durée qui ne pouvait paraître naturelle même auprès des autorités, la police consentit à ouvrir une enquête pour disparition. Les recherches s'étaient limitées à leur plus simple expression, ce qui avait rendu Rachel folle de frustration... Naïvement, elle croyait que les enquêtes pour personnes disparues arrivaient, dans l'ordre d'importance, juste derrière celles pour homicide.

— Pas quand il s'agit d'un adulte, expliqua Yancy, en particulier quand il n'y a pas de traces de violence. S'ils avaient trouvé sa voiture abandonnée quelque part...

Son véhicule n'avait pas été retrouvé, ni son portefeuille (vidé de ses billets), ni aucun objet pouvant laisser croire à quelque voie de faits. Maxwell Dalton s'était volatilisé sans laisser plus d'indices qu'un navire disparaissant dans le triangle des Bermudes.

— Je suis sûr que l'on vous a déjà posé cette question, dit Yancy, mais votre mari a-t-il des ennemis ?

— C'est un brave homme, répondit Rachel, comme Yancy le prévoyait.

Mais ce qu'elle ajouta était moins prévisible :

— Et comme tout le monde, en cette Terre imparfaite, bien sûr qu'il avait des ennemis...

— Qui ?

— Une bande de voyous dans ce cloaque qu'ils osent appeler université ! Je ne devrais pas être si acerbe. De braves gens travaillent là-bas, mais le département de littérature est aux mains d'illuminés et de scélérats.

— Vous pensez que quelqu'un de là-bas ait pu...

— Cela paraît peu probable, reconnut Rachel. Ce sont surtout des poseurs, de beaux parleurs.

Elle proposa à Yancy une nouvelle tasse de café ; voyant qu'il déclinait l'offre, elle demanda :

— Sur la mort de qui enquêtez-vous exactement ?

Hazard Yancy en avait révélé le minimum, juste assez pour convaincre Rachel Dalton de lui ouvrir sa porte ; il n'avait aucune intention d'en dire davantage...

— Un certain Rolf Reynerd, répondit-il.

Il n'avait évidemment pas précisé qu'il avait déjà traqué et abattu l'assassin de Reynerd.

— Il a été tué à West Hollywood, hier.

— Vous croyez que cela puisse avoir un rapport avec mon mari ? Je veux dire, en plus du simple fait que cette personne ait assisté à ses cours ?

— C'est possible, mais peu probable. Je ne voudrais pas...

Curieusement, son sourire triste la rendit plus charmante encore.

— Ne vous inquiétez pas, inspecteur, répondit-elle pour conclure la phrase que Yancy avait laissée en suspens. Je ne fonde pas tous mes espoirs là-dessus. Mais l'espoir fait vivre. C'est tout ce qu'il me reste.

Au moment où Yancy se levait pour prendre congé, la sonnette retentit. La visiteuse était une vieille femme noire, avec des cheveux blancs et les mains les plus élégantes qu'il lui ait été donné de voir - des doigts longs et fins, souples comme ceux d'une jeune fille. La professeur de piano de la fille de Dalton, âgée de dix ans.

En entendant la voix mélodieuse de son professeur, Emily, la fillette, descendit l'escalier. On lui présenta Yancy, sur le seuil de la porte. Elle avait le joli minois de sa mère, mais pas encore sa force de caractère... car sa voix se mit à trembler et ses yeux se voilèrent, lorsqu'elle articula :

— Vous allez retrouver mon papa, pas vrai ?

— On va faire tout notre possible, promit Yancy, au nom du département tout entier, en priant pour que ces paroles ne soient pas un pieux mensonge.

Une fois sorti sur le perron, il se retourna vers Rachel Dalton.

— Le nom suivant sur ma liste est un collègue de votre mari, un professeur au département de littérature. Peut-être le connaissez-vous ? Vladimir Laputa.

Un voile sinistre atténua la beauté de Rachel, mais pas sa colère.

— Celui-là, c'est le pire de tous ! Une vraie hyène. Max le détestait. Il y a six semaines, Laputa m'a rendu visite, pour m'exprimer sa sympathie et son inquiétude face à la disparition de Max. Ce chacal m'a demandé si je ne commençais pas à me sentir un peu seule dans mon lit, je vous le jure...

— Seigneur...

— La grossièreté, inspecteur Yancy, est une qualité très répandue dans le milieu universitaire, ce n'est plus l'apanage des gens de la rue. Le temps des gentils professeurs dans leur tour d'ivoire, ne s'intéressant qu'à l'art et à la vérité, est révolu.

— Je m'en suis aperçu récemment, répondit-il sans aller plus loin dans les détails, car faute d'un meilleur candidat, le mari de Rachel figurait en haut de la liste de ses suspects.

Il avait du mal à croire qu'une femme comme Rachel et une fillette comme Emily puissent aimer un homme qui n'était pas ce qu'il prétendait être.

Cependant, la disparition de Maxwell Dalton pouvait,

effectivement, signifier qu'il avait commencé une nouvelle vie, une vie hors normes où les menaces à l'encontre des célébrités étaient inscrites au registre des us et coutumes, soit avec la réelle intention de causer de la souffrance, soit dans l'espoir naïf que l'intimidation seule pouvait être un moyen d'extorsion.

Mis à part les clochettes sortant d'un rêve et les hommes traversant les miroirs, Hazard Yancy avait vu, au cours de sa carrière, des choses plus inconcevables qu'un brave professeur sombrant dans la folie par désir ou cupidité.

Les Dalton habitaient un quartier agréable, mais Laputa vivait dans plus chic encore, à moins d'un quart d'heure de chez eux.

Le crépuscule hivernal avait éteint les nuées pendant que Yancy prenait le café avec Rachel. Le soir acheva de phagocyter les dernières lueurs du jour durant le trajet jusqu'au domicile du Pr Laputa. Les nuages n'étaient plus gris et rétroéclairés, mais d'un jaune sale, frappé par-dessous par les premiers feux de la ville.

Yancy se gara en face de la maison où habitait la plus vile hyène, selon Mrs. Dalton, du département de littérature ; il éteignit les phares, coupa les essuie-glaces, mais laissa le moteur tourner pour garder le chauffage en marche. Les gamins ne pourraient pas encore construire des bonhommes de neige, mais la nuit apportait un froid quasiment polaire, selon les normes californiennes.

Yancy n'avait pu joindre le professeur au téléphone. Il fit une nouvelle tentative, bien que toutes les lumières de la maison fussent éteintes.

Tandis qu'il laissait sonner, Yancy aperçut un piéton tourner au coin et remonter la rue dans sa direction.

Il y avait quelque chose de bizarre chez ce type. Il n'avait ni parapluie, ni imperméable. Les trombes d'eau avaient perdu de leur puissance, mais il pleuvait toujours à verse ; ce n'était pas un temps pour se promener... Et c'était là l'autre point curieux du personnage : le type en question ne se pressait pas le moins du monde.

Mais ce fut surtout l'attitude de ce gars qui fit passer au rouge tous les signaux d'alerte de Yancy. Tout sonnait faux chez ce quidam. Il était tellement imprégné de posture et de faux-semblant qu'il semblait croire que la pluie ne pouvait le mouiller.

Il passait sous les réverbères en roulant des épaules, pas comme un vrai méchant, mais comme un acteur interprétant un méchant. Son pantalon gris, son col roulé noir, sa veste de cuir, étaient trempés, mais il semblait défier du regard chaque goutte de pluie de le toucher.

Du mauvais théâtre. Avec ce temps, aucun autre passant n'était en vue. Et pour l'instant, aucune voiture ne dérangeait la tranquillité de la rue. Pourtant, le type semblait prendre beaucoup de plaisir à jouer ce rôle de composition malgré l'absence de tout public, comme s'il était le premier spectateur de sa performance d'acteur.

Lassé d'entendre le téléphone sonner à l'autre bout de la ligne, Yancy coupa la communication.

Le piéton paraissait en grande conversation avec lui-même mais, de l'endroit où Yancy se trouvait, il ne pouvait en être certain.

Il voulut descendre sa vitre et tendre l'oreille, mais le vacarme de la pluie mangeait tous les sons. Il distingua quelques bribes, comme si le type chantonnait, mais il ne put reconnaître la chanson.

À la surprise de Yancy, le rouleur d'épaules quitta le trottoir et s'engagea dans l'allée de la maison de Laputa. Il devait avoir une télécommande dans la poche, car la porte du garage s'ouvrit à son arrivée et se referma derrière lui.

Yancy remonta la vitre et observa la maison.

Au bout de deux minutes, une lumière tamisée apparut derrière la maison. La cuisine peut-être... Trente secondes plus tard, une autre lumière s'alluma à l'étage.

Était-ce Vladimir Laputa ? En tout cas, il se promenait dans la maison du professeur comme chez lui.

71.

Ethan aperçut, par une fenêtre du hall d'entrée, la voiture de Mr. Hachette s'éloigner dans l'allée, et disparaître sous les rideaux de pluie et le soir tombant. Le chef cuisinier était le dernier membre du personnel à quitter la maison.

Encastré dans un mur, savamment dissimulé dans un angle, un moniteur de contrôle s'illumina quand Ethan le toucha du doigt. Grâce à ce système à écran tactile, il pouvait avoir accès à tous les dispositifs de la maison gérés par ordinateur : le chauffage, l'air conditionné, la diffusion de la musique, la chaudière à gaz pour l'eau de la piscine et des spas, l'éclairage, à la fois intérieur et extérieur, le central téléphonique, et bien d'autres postes automatisés.

Les moniteurs de contrôle étaient disséminés un peu partout dans la maison, mais le système pouvait être également piloté à partir de n'importe quel ordinateur de la propriété, à l'instar de celui installé chez Ethan.

Une fois activé par la pression du doigt, l'écran afficha trois colonnes d'icônes. Ethan toucha celle représentant les caméras de surveillance extérieures.

Quatre-vingt-six caméras étant disséminées dans la propriété, le système lui présenta quatre-vingt-six cases numérotées. Dans la plupart des cas de figure, pour avoir une vue rapide d'une portion du parc, il fallait mémoriser une série de numéros – du moins ceux dont on se servait le plus souvent, selon votre fonction dans le personnel de maison.

Il toucha la case « 03 » et l'appareil afficha, en plein écran, une vue du portail d'entrée de la propriété, filmé depuis l'autre côté de la rue. C'était cette caméra qui avait enregistré Rolf Reynerd venant livrer son colis contenant l'œil de poupée dans la pomme.

La porte de fer roula sur ses rails. La voiture de Mr. Hachette quitta le domaine et s'engagea dans la rue, tourna à droite et sortit du champ.

Tandis que le portail se refermait, Ethan toucha l'écran

et sortit du menu des caméras extérieures. Il pressa l'icône du système d'alarme de la maison.

Seule une poignée de personnes, parmi les gens de maison, pouvait activer et désactiver le système d'alarme ; l'ordinateur lui demanda donc son mot de passe. Il l'entra ; l'accès lui fut accordé.

Tout le Palazzo Rospo était équipé de radars volumétriques – à l'exception des chambres à coucher, des salles de bains et des appartements du personnel. Ces appareils relevaient les allées et venues de toutes les personnes présentes dans la maison, qu'elles se déplacent dans les pièces ou dans les couloirs. Les détecteurs étaient branchés sept jours sur sept, vingt-quatre heures sur vingt-quatre, mais étaient reliés au système d'alarme uniquement quand la centrale était en mode « absence », c'est-à-dire quand la maison était totalement déserte, ce qui était très rare.

Fric et Ethan étant en résidence, si les radars volumétriques étaient reliés au système d'alarme, la sirène se serait déclenchée à tout instant, à chaque fois que l'un ou l'autre traversait une zone couverte par les détecteurs de mouvements ou bougeait ne serait-ce que le petit doigt dans le champ des capteurs.

Ethan avait simplement besoin que la sirène se mette à retentir si une fenêtre ou une porte *donnant sur l'extérieur* était ouverte. Cette précaution, couplée avec l'équipe des gardes surveillant les systèmes d'alarme du parc, lui assurait que ni lui ni Fric ne seraient pris de court.

Cependant, Ethan ne voulait pas que Fric dorme seul ce soir au deuxième étage. Pas cette nuit, ni demain. Pas avant longtemps, d'ailleurs.

Soit il trouvait le moyen de coucher le garçon au rez-de-chaussée, soit Ethan dormirait dans le salon privé de Fric au deuxième étage, à côté de sa chambre. Il comptait lui en parler après le dîner.

En attendant l'heure du repas, Ethan retourna à son appartement qu'il avait quitté depuis le matin. En entrant dans son bureau, il se figea de stupeur : sur sa table de travail, à côté de l'ordinateur, les clochettes avaient disparu !

Dans les profondeurs du parking souterrain de l'hôpital Notre-Dame-des-Anges, quand Ethan avait vu qu'il ne manquait qu'un seul jeu de clochettes dans l'ambulance, il s'était douté que le jeu que Yancy avait en sa possession était le même que celui qu'il avait trouvé dans sa main après avoir été renversé devant la boutique de fleurs.

Le fantôme qu'il avait entr'aperçu dans le miroir de la salle de bains de Dunny, le même fantôme qui avait disparu dans l'armoire à glace de Yancy, était venu cette nuit chez Ethan, pendant qu'il dormait; il avait repris les clochettes pour les confier, pour une raison mystérieuse, à Hazard Yancy. Et ce fantôme-là n'était autre que celui de Dunny Whistler.

Ethan s'étonna de pouvoir concevoir – et accepter – ce genre de pensée et, dans le même temps, rester sain d'esprit. Du moins croyait-il être encore « sain d'esprit ». Mais il pouvait s'agir d'une illusion...

Les clochettes avaient, certes, disparu, mais les objets des colis noirs étaient toujours à l'endroit où il les avait laissés. Ethan s'assit derrière son bureau et examina, encore une fois, les six pièces du rébus, espérant avoir enfin l'illumination.

Des coccinelles, des escargots, un pot contenant dix prépuces, un autre empli de pièces de Scrabble formant le mot CHAGRIN, un livre sur les chiens d'aveugle, un œil dans une pomme...

En des jours plus sereins, il aurait été incapable de trouver un sens à ce message. Mais peut-être dans son état de tension et d'épuisement mental, ses barrières intellectuelles pourraient-elles tomber et lui laisser entrevoir une explication jusqu'alors hors de vue ?

Mais la chance ne lui sourit pas.

Il décrocha son téléphone et appela les vigiles, au poste de sécurité installé dans la maison du jardinier au fond de la propriété. De garde de seize heures à minuit, ils savaient déjà qu'Ethan avait mis le périmètre de la maison sous alarme plus tôt que d'habitude, son action s'étant affichée sur leur écran de contrôle.

Sans leur donner d'explications, il leur demanda d'être particulièrement vigilants ce soir.

— Et passez le mot aux gars de l'équipe de nuit quand ils arriveront.

Il appela ensuite Carl Shorter, le chef des gardes du corps qui protégeaient Manheim en Floride. Shorter n'avait aucun incident à lui rapporter.

— Je vous appelle demain, annonça Ethan. Nous devrons mettre au point de nouveaux arrangements pour votre retour à Los Angeles, jeudi. Sécurité renforcée à l'aéroport et sur tout le trajet jusqu'à la maison. Une nouvelle procédure, un nouvel itinéraire, au cas où quelqu'un ait eu vent de notre programme habituel.

— Un problème ? demanda Shorter.

— Pas que je sache.

— Que se passe-t-il alors ?

— Je vous ai parlé de ces colis noirs bizarres. On a une piste, c'est tout. Mais on peut gérer.

Après avoir raccroché, Ethan se rendit dans la salle de bains pour se raser et faire un brin de toilette. Il retira son pull et enfila une chemise propre.

Quelques minutes plus tard, debout devant son bureau, il contempla de nouveau les six objets énigmatiques.

Un témoin, s'allumant sur le téléphone, attira son attention. La ligne 24. D'abord un clignotement, puis le voyant passa au rouge continu.

72.

Propriété de la Kurtz Ivory International et véhicule favori de Robin Goodfellow, la Land Rover ne devait jamais être aperçue au domicile de Corky Laputa. On pourrait trop facilement faire le lien entre lui et les activités illicites perpétrées par son alter ego colérique.

Laputa, donc, se gara au coin de la rue et rentra à pied chez lui, sous la pluie, en chantonnant *L'Or du Rhin* de Wagner – pas très juste, mais avec sentiment.

Une fois dans le garage, il se déshabilla complètement et laissa ses affaires mouillées par terre. Il emporta dans la maison le portefeuille, sa plaque d'agent de la NSA et le Glock, parce qu'il avait encore une mission pour Robin Goodfellow.

Il se sécha avec une serviette dans sa chambre et enfila des sous-vêtements en fibre Thermolactyl.

Dans un placard, il passa une combinaison de ski en Gore-Tex. Imperméable, chaude et confortable, laissant une grande liberté de mouvement, le vêtement serait idéal pour l'assaut sur le Palazzo Rospo.

*
* *

Yancy aurait pu téléphoner de nouveau, dans l'espoir que Vladimir Laputa, ou l'inconnu qui venait d'entrer dans la maison du professeur, réponde. Mais après avoir réfléchi à la meilleure approche, il jugea plus judicieux de sonner à l'improviste. La panique, ou, au contraire, une impassibilité suspecte, quand le rouleur d'épaules verrait la plaque de Yancy, pouvait être riche d'enseignements.

Yancy coupa le moteur, sortit de la voiture et tomba nez à nez avec Dunny Whistler.

Le visage aussi pâle qu'un crâne blanchi au soleil, relique de son séjour en coma profond, Whistler se tenait sous la pluie et pourtant il était aussi sec que de la poudre d'os ou un tas de sel.

— N'allez pas là-bas.

Yancy sursauta et se vit, avec honte, reculer de terreur. Mais il ne put aller bien loin car la voiture était juste derrière lui ; pourtant ses pieds, devenus autonomes, ne cessaient de glisser sur le macadam, comme s'ils pensaient pouvoir le faire traverser la berline.

— Si, *vous*, vous mourez, poursuivit Whistler, je ne pourrai pas vous faire revenir. Je ne suis pas *votre* ange gardien.

Bien que solide comme de la chair, Dunny Whistler s'effondra l'instant d'après en une cataracte dans la flaque d'eau au milieu de laquelle il se tenait, sans soulever une éclaboussure, comme s'il avait été une apparition formée par des molécules d'eau et qu'il s'était évanoui, en l'espace d'une seconde, dans une myriade de rus verticaux, encore plus rapidement que lorsqu'il avait disparu dans le miroir.

*
* *

La combinaison était équipée d'une capuche escamotable, de genouillères renforcées, et d'une collection de poches à faire pâlir d'envie un kleptomane, toutes pourvues de fermetures à glissière étanches. Deux paires de chaussettes, une paire d'après-ski et des gants cuir et nylon – presque aussi flexibles que des gants de chirurgien, mais beaucoup plus discrets – parachevaient sa tenue de combat.

Satisfait par l'image que lui renvoya le miroir, Laputa longea le couloir vers la chambre d'amis, pour savoir si Vieux Fromage était mort, ou s'il fallait lui porter un nouveau coup pour précipiter sa fin.

Laputa prit avec lui le .9 mm et un silencieux tout neuf.

On sentait l'odeur du captif à dix pas. Passé le seuil de la porte, l'odeur se transforma en véritable puanteur. Même Laputa, pourtant ardent défenseur du Chaos sous toutes ses formes, même les moins ragoûtantes, trouvait cette pestilence des plus répugnantes.

Il alluma la lumière et se dirigea vers le lit.

Aussi entêté que puant, Vieux Fromage était toujours en vie, bien qu'il pensât que sa femme et sa fille étaient mortes, après avoir été torturées et violées.

— Tu as vraiment un cœur de pierre ! lâcha Laputa d'une voix chargée de mépris.

Trop faible, n'ayant plus reçu le moindre liquide autrement

que par intraveineuse, et maintenu en vie juste en deçà du seuil de déshydratation mortel, Maxwell Dalton ne pouvait plus émettre qu'un filet de voix éraillé ridiculement faible. Il préféra donc répondre à Laputa par son seul regard empli de haine.

Laputa plaqua le canon de l'arme sur les lèvres craquelées de Dalton.

Au lieu de détourner la tête, l'amateur de Dickens et de Mark Twain ouvrit la bouche et mordit la gueule de l'arme – un geste, toutefois, plutôt dans le style d'Hemingway. Ses yeux étincelaient de défiance.

*

* *

Derrière le volant de sa voiture, garée en face de la maison de Laputa, Yancy tentait de se remettre de ses émotions; il songeait à mamie Rose, sa grand-mère paternelle, qui croyait en la magie noire, sans avoir jamais rencontré de sorcières, aux esprits frappeurs, sans qu'un seul ait osé passer le seuil de sa maison proprette, et qui pouvait vous narrer des milliers d'histoires de revenants à vous faire dresser les cheveux sur la tête, alors qu'elle n'avait jamais vu le moindre spectre de sa vie... qu'il s'agisse d'esprits gentils, malins ou du simple fantôme d'Elvis. Aujourd'hui âgée de quatre-vingt-huit ans, mamie Rose – Rose la sorcière, comme la mère de Yancy la surnommait affectueusement – était respectée et aimée, mais restait un sujet d'amusement dans la famille parce qu'elle avait la conviction que le monde ne se limitait pas à la description qu'en donnaient la science et nos cinq sens.

Malgré ce qu'il venait de se produire dans la rue, Hazard Yancy n'arrivait pas encore à admettre que mamie Rose en savait plus long que le simple mortel sur la réalité du monde.

Il n'était pas homme à se poser beaucoup de questions existentielles, que ce soit dans sa vie de tous les jours ou dans les moments critiques tels que celui-ci, mais assis dans cette voiture, battue par la pluie, dans l'obscurité, tout frigorifié et frissonnant, Yancy resta un long moment prostré avant de songer à démarrer le moteur pour mettre le chauffage. Sonner ou ne pas sonner à la porte de ce Vladimir Laputa, telle était l'épineuse question.

— *Si,* vous, *vous mourez, je ne pourrai pas vous faire*

revenir, avait dit Dunny Whistler, en insistant sur le « vous ».

Un flic ne pouvait faire marche arrière pour la seule raison qu'il avait peur de mourir. Autant rendre sa plaque tout de suite et se reconvertir dans la vente par correspondance et faire du macramé pour occuper son temps libre.

— *Je ne suis pas* votre *ange gardien*, avait dit Whistler en insistant encore sur le « votre » – une mise en garde, à l'évidence, mais dont les implications dépassaient l'entendement.

Yancy avait brusquement envie de rendre visite à mamie Rose, de poser sa tête sur ses genoux et la laisser lui caresser le front avec une compresse froide. Peut-être aurait-elle fait ses délicieux cookies au citron ? Ou lui préparerait-elle un bon chocolat bien chaud ?

De l'autre côté de la rue, derrière le rideau de pluie, la maison paraissait soudain différente. Elle avait eu l'air, jusqu'alors, d'une élégante bâtisse victorienne, sur un joli terrain accueillant, le genre de grande demeure abritant des grandes familles où les enfants devenaient médecins, avocats ou astronautes, où tout le monde aimait tout le monde. Mais à présent, Yancy était persuadé que dans l'une des chambres se trouvait une jeune fille sanglée sur un lit en lévitation, vomissant des flots de bile, maudissant Jésus et parlant avec la voix du démon.

En sa qualité de policier, il ne pouvait laisser la peur prendre le pas ; en tant qu'ami d'Ethan, il ne pouvait tourner les talons et abandonner Ethan à son sort. Deux raisons d'aller de l'avant…

L'information était le nerf de la guerre. Par expérience, Yancy savait que le doute survenait quand on manquait d'informations pour prendre une décision. Il lui fallait, à tout prix, trouver quelques éléments de réponse à ses nombreuses questions.

Le problème, c'était qu'il n'avait aucune raison officielle de suivre ces pistes… Si ce dandy amateur de fromage avait un seul lien avec une enquête en cours, c'était avec le meurtre de Mina Reynerd, or le dossier se trouvait sur le bureau de Kesselman, pas sur celui de Yancy. Il ne pouvait obtenir les renseignements qui lui faisaient défaut par les voies conventionnelles.

Il téléphona à Laura Moonves, au service de documentation de la division. Elle avait eu une liaison avec Ethan ; elle l'estimait toujours, et elle l'avait aidé à retrouver Rolf Reynerd grâce au numéro d'immatriculation de la Honda filmée par l'une des caméras du Palazzo Rospo.

Il était tard... peut-être était-elle rentrée chez elle ? Mais Laura décrocha.

— Génial, tu es encore là ! lança Yancy avec soulagement.

— Ah bon ? C'est bizarre, je croyais être partie. Que j'arrivais à la maison avec un seau d'ailes de poulet de KFC et deux salades bio, pour retrouver mon chéri. Oui, je suis encore là, espèce de connard ! Mais tout le monde trouve ça normal, puisque je n'ai pas de vie personnelle !

— J'ai déjà dit à Ethan qu'il était un crétin de t'avoir laissé partir.

— Je le lui ai dit aussi, figure-toi.

— Tout le monde lui dit qu'il est un crétin.

— Ah oui ? Alors on ferait peut-être bien de faire une AG du club et trouver une nouvelle stratégie, parce que le dis-lui-qu'il-est-un-crétin, visiblement, ça ne marche pas terrible. Il me manque tellement, cet idiot. Je n'en peux plus, Hazard.

— Laisse-lui faire le deuil de Hannah.

— Ça fait cinq ans !

— Quand elle est morte, ce n'est pas simplement une compagne qu'il a perdue, mais un être qui donnait un sens à sa vie. Maintenant qu'elle n'est plus là, les choses sont soudain redevenues plates et insipides. Il faut qu'Ethan retrouve une nouvelle raison de se dépasser... il ne peut pas vivre sans ça.

— Le monde regorge de gars sexy et intelligents qui ne chercheraient pas un sens supérieur aux choses de ce monde, même si Dieu leur mettait un pain dans la figure, en laissant les initiales de Sa chevalière imprimées sur leur front !

— Voilà une version toute personnelle de la colère divine de l'Ancien Testament !

— Pourquoi faut-il que je tombe amoureuse d'un gars qui cherche un sens transcendantal à sa vie ?

— Peut-être parce que, toi aussi, tu en as besoin.

Cette pensée plongea Laura dans un silence perplexe. Profitant de l'aubaine, Yancy enchaîna :

— Tu te souviens de ce type sur lequel tu l'as rancardé hier matin – ce Rolf Reynerd ?

— Le loup célèbre ? Rolf, en vieil allemand signifie « loup célèbre ».

— En américain moderne, Rolf signifie « macchabée » ! Tu ne regardes jamais les infos ?

— Je ne suis pas encore masochiste.

— Si tu veux des détails, consulte le registre des homicides de la nuit. Mais plus tard... Pour l'instant, j'aurais besoin que tu me rendes un service, pour moi, pour Ethan aussi, mais officieusement.

— De quoi s'agit-il ?

Yancy regarda la maison. La demeure rayonnait d'une aura trouble, ambiguë, comme si la famille Ingalls avait décidé de construire sa maison non pas dans la prairie mais sur le seuil des portes de l'Enfer.

— Vladimir Laputa, annonça Yancy, en épelant le patronyme pour Laura. Je voudrais savoir le plus vite possible si quelqu'un de ce nom a un casier, ou même le moindre dossier chez nous... excès de vitesse, contraventions impayées, n'importe quoi.

*
* *

Au lieu d'appuyer sur la détente, Laputa retira le canon de la bouche de Dalton, en le faisant frotter contre les dents déchaussées par la malnutrition.

— Une balle serait une mort trop douce pour toi, déclara-t-il. Quand j'aurai décidé d'en finir avec toi, ce sera long, très long... et *inoubliable*.

Laputa posa le pistolet et commença à raconter à Dalton de délicieux mensonges sur la façon dont il s'était débarrassé des cadavres de Rachel et d'Emily, puis termina la séance par l'installation d'une nouvelle poche de sérum qu'il sortit du réfrigérateur.

— Je vais revenir avec quelqu'un ce soir, expliqua-t-il, tout en arrimant la poche à la potence. Un jeune public pour ta souffrance finale.

Au milieu du visage émacié, au fond de leurs cernes noirs de raton laveur, les yeux de Dalton suivaient les faits et gestes de Laputa, non plus étincelant de haine, mais d'une terreur indicible, beaucoup plus gratifiante – le regard de celui qui croyait enfin en la Toute-Puissance du Chaos et en mesurait la magnificence.

— C'est un petit garçon de dix ans. Mon nouveau projet. Tu seras surpris en apprenant son identité.

Après avoir changé la poche de perfusion, Laputa se dirigea vers l'armoire à pharmacie pour prendre une seringue hypodermique sous cellophane et deux petits flacons.

— Je vais l'attacher sur une chaise à côté de ton lit. Et s'il ne veut pas voir ce que je te fais, je lui collerai les paupières sur le front à la colle cyanolite pour qu'il ne puisse fermer les yeux.

*

* *

Laura Moonves ne trouva aucune accusation sur le casier de Vladimir Laputa, pas même une amende impayée. Toutefois, quand elle rappela Yancy, un quart d'heure plus tard, elle avait des informations intéressantes pour lui.

La division vol et homicide avait un dossier au nom de Laputa. L'enquête était en sommeil, faute d'indices et de pistes.

Quatre ans plus tôt, une certaine Justine Laputa, âgée de soixante-huit ans, avait été assassinée à son domicile. L'adresse était celle de la maison que surveillait Yancy.

Tout en contemplant la bâtisse, il demanda à Laura :

— Comment est-elle morte ?

— Le dossier complet n'est pas accessible. Je n'ai sur mon ordinateur qu'un résumé. Il semblerait que la femme ait été frappée à mort avec un tisonnier.

Mina Reynerd avait reçu une balle dans le pied, mais la cause du décès était due à des coups portés avec un pied de lampe en marbre.

Un tisonnier, un pied de lampe... Dans les deux affaires, le tueur avait utilisé un objet contondant, trouvé à portée de main. On ne pouvait pas en conclure même *modus operandi*, même tueur, mais c'était un point de départ.

— Le meurtre de Justine Laputa était sauvage, ultra-violent, poursuivit Laura. La médico-légale estime que le tueur a donné entre quarante et cinquante coups de tisonnier.

Mina Reynerd était morte dans les mêmes conditions de brutalité aveugle.

— Quels étaient les inspecteurs chargés de l'enquête ? demanda Yancy.

— L'un d'entre eux était Walt Sunderland.

— Je le connais.

— J'ai eu de la chance, reprit Laura. J'ai pu le joindre sur son portable, il y a cinq minutes à peine. Je lui ai dit que je ne pouvais pas lui expliquer, pour l'instant, pourquoi j'avais besoin de ces renseignements, mais que je voulais savoir s'il avait suspecté quelqu'un. Il n'a pas hésité. Il a répondu le fils héritier de la vieille. Walt, d'ailleurs, dit que c'est une petite ordure.

— Le petit nom du rejeton est Vladimir, devina Yancy.

— Vladimir Ilitch Laputa. Il est prof dans la même université où enseignait sa mère, lorsqu'elle était encore en activité.

— Pourquoi alors n'est-il pas à l'ombre, en train te troquer son petit cul contre des clopes ?

— Walt dit que le fils Laputa avait un alibi en béton, confirmé par six personnes différentes. Un truc plus solide que l'abri anti-atomique de la Maison-Blanche.

La perfection n'existait pas en ce monde... Un alibi impeccable, avec triples coutures de sécurité, allumait tous les signaux d'alarme des flics, la couverture paraissant trop taillée sur mesure pour être authentique.

La maison attendait sous les trombes d'eau, comme un Léviathan en veille, ses fenêtres s'illuminant tour à tour comme autant d'yeux malveillants.

*
* *

Dans la seringue, Corky Laputa prépara un cocktail de drogues pour garder son captif silencieux, docile, mais parfaitement conscient.

— À l'aube, tu seras aussi mort que Rachel et Emily; ce sera alors au tour du garçon de prendre ta place dans ce lit.

Le mélange ne contenait ni sédatif, ni hallucinogène. Quand Laputa serait de retour, bien avant minuit, il ne voulait pas que Dalton soit dans les bras de Morphée ou égaré dans des visions chimériques. Vieux Fromage devait avoir les idées claires pour apprécier toutes les nuances du savant programme que Laputa lui avait concocté pour son passage à trépas.

— J'ai beaucoup appris grâce à toi, tu sais.

Laputa introduisit la seringue dans le port d'injection sur la canule de la perfusion.

— Cela m'a donné d'autres idées, des idées bien meilleures...

Avec son pouce, il pressa lentement le piston, propulsant le contenu de la seringue dans le sérum qui passait au goutte-à-goutte dans la veine de Dalton.

— Ce que tu as connu dans cette chambre n'est qu'une

pâle copie de ce que va endurer le garçon. Je lui réserve un programme plus haut en couleur, plus délicieusement révoltant.

Une fois tout le liquide injecté, il retira l'aiguille du clapet et jeta la seringue dans la poubelle.

— Bientôt, le monde entier va pouvoir regarder les films de mes œuvres. Ces vidéos se vendront à prix d'or puisque je tiendrai dans l'effroi des millions de gens.

Déjà, Vieux Fromage Qui Pue commençait à claquer des dents. Pour des raisons mystérieuses, ce mélange de produits incapacitants engendrait des frissons spasmodiques.

— Je suis certain que le garçon sera ravi de voir que, pour son premier rôle, il rassemblera un public bien plus nombreux que n'en a jamais eu sa star de père.

*
* *

La tempête mourut et se mua en simple crachin. Le brouillard courait dans les rues, comme une haleine froide soufflée par la lune invisible.

Sachant maintenant quel type d'individu se trouvait derrière ces murs, Yancy, derrière le volant, se mit à réfléchir à la meilleure façon d'approcher ce Vladimir Laputa. Son téléphone sonna. Quand il décrocha, il reconnut la voix du spectre, qui s'était matérialisé, quelques minutes plus tôt, dans la rue.

— Je suis le gardien d'Ethan, pas le vôtre, ni celui d'Aelfric. Mais si je sauve Ethan - si j'y parviens - tout sera gâché si vous ou le petit mourez.

De nature pourtant loquace, Yancy resta sans voix. La banqueroute verbale ! Il ne s'était jamais entretenu avec un fantôme auparavant. Et n'avait aucune intention d'ouvrir les débats.

— Il s'en voudra tellement si l'un ou l'autre meurt, poursuivit Whistler. Et cette ombre dans son cœur commencera à le dévorer tout entier. Alors, je vous le répète, n'allez pas dans cette maison.

Yancy parvint à articuler, d'une voix moins chevrotante qu'il ne s'y attendait :

— Vous êtes mort ou vivant ?

— Je suis mort *et* vivant. N'allez pas dans cette maison. Votre gilet en kevlar ne vous servira à rien. Il vous tirera dans la tête. Deux balles dans le crâne. Et je ne suis pas en mesure de vous ressusciter.

Dunny Whistler raccrocha.

*
* *

Corky Laputa, dans la cuisine, impeccable dans sa tenue de commando, était fin prêt pour attaquer le fort du roi de Hollywood; il regarda l'horloge murale. Dans moins d'une heure, il devait retrouver Jack Trotter à Bel Air.

Le meurtre et la violence ouvraient l'appétit. En faisant la navette entre les placards à provisions et le réfrigérateur, il mangea sur le pouce – au menu : fromage, fruits secs, reste de beignets, une cuillère de sauce caramel, un morceau de ceci, un bout de cela.

Un dîner chaotique pour le champion du Chaos ! La collation du héros qui a semé le désordre tout le jour et qui a encore bien de l'ouvrage avant de pouvoir profiter du sommeil du juste.

Le Glock, avec son silencieux flambant neuf, était posé sur la table de la cuisine. Il trouvait sa place à merveille dans la grande poche de sa combinaison.

Dans les autres poches, il avait rangé les chargeurs de rechange; il avait bien plus de munitions qu'il n'en aurait besoin, puisqu'il ne comptait tuer personne ce soir, à l'exception bien sûr d'Ethan Truman.

*
* *

Si Hazard Yancy avait été un simple mortel tenant, comme tout à chacun, à la vie, il aurait passé la première et aurait quitté le quartier, sans avoir traversé la rue et encore moins sonné à la porte.

Mais il était flic – un bon flic – et l'ami d'Ethan. Il considérait que le travail de policier n'était pas un simple travail, mais un sacerdoce, et que l'amitié exigeait des sacrifices quand, justement, ils étaient les plus durs à consentir.

Hazard Yancy ouvrit donc la portière et sortit de la voiture.

73.

Sitôt après avoir reçu l'appel, Dunny Whistler se rend à l'endroit convenu, non en voiture cette fois, mais par les autoroutes des brumes et de l'eau, et par l'*idée* de San Francisco.

Sur le parking de Los Angeles, il tire à lui une couverture de nuages, et près de deux cents kilomètres plus au nord, il arrive dans les replis d'un autre brouillard, pour rejoindre, comme prévu, les planches d'un ponton.

En sa qualité de mort n'ayant pas encore rejoint l'Au-Delà, il habite son propre cadavre – une situation des plus inconfortables. Après sa mort, son esprit a séjourné un court moment dans une sorte de salle d'attente de médecin, mais sans les magazines ni espoir de guérison. Puis il a été renvoyé en ce bas monde, celui des mortels. Il n'est pas un simple fantôme, ni un ange gardien au sens conventionnel du terme. Il est un mort vivant, mais sa chair désormais est soumise tout entière à sa volonté.

Dans cette ville plus au septentrion, il ne pleut pas. Les vagues lèchent mollement les piles du ponton, en émettant des gloussements déplaisants, telle une armée de conspirateurs invisibles et affamés.

C'est ça le plus surprenant dans sa nouvelle condition de trépassé : pouvoir encore ressentir de la peur. Il pensait que la mort délivrait de tout, même de l'angoisse.

Il tremble en entendant le clapotis de l'eau sous le ponton, les bruits de succion à chacun de ses pas sur les planches gorgées d'eau, en sentant l'odeur musquée de l'océan, en voyant les rectangles de lumière laiteuse que découpent dans la nuit les baies vitrées du restaurant où l'attend Typhon. Durant le plus clair de son existence, il a rarement discerné une signification cachée dans quoi que ce soit, mais maintenant qu'il est mort, tout fait sens, tout est signe, jusqu'au moindre détail, et la plupart du temps l'augure est sinistre.

Une passerelle mène devant les baies du restaurant; à l'une des meilleures tables se trouve Typhon, venu à San

Francisco pour affaires. Il est, pour l'heure, seul à table, élégamment vêtu ; il y a quelque chose de hiératique dans sa posture, mais rien d'arrogant. De part et d'autre de la vitre, leurs regards se rencontrent.

L'espace d'un instant, Typhon le considère d'un air sinistre, même sévère, comme s'il anticipait des conséquences guère réjouissantes à leur conversation imminente – des conséquences que Whistler n'ose imaginer. Puis son visage poupon s'éclaire et un sourire radieux apparaît. Il mime un pistolet avec le pouce et l'index tendu et le pointe sur Whistler comme pour dire *pan ! tu es mort*.

En voyageant par la brume, le verre et la lumière des chandelles posées sur la table, Whistler pourrait se retrouver, en un clin d'œil, assis en face de Typhon. Mais faire une entrée aussi peu conventionnelle dans un restaurant bondé ne passerait pas inaperçu.

Il décide plutôt de faire le tour du bâtiment pour emprunter la porte d'entrée et suivre le maître d'hôtel à travers le dédale des tables.

Typhon se lève à son arrivée pour le saluer, lui serre la main et dit :

— Mon cher garçon, je suis désolé de t'avoir convoqué en un moment aussi critique, en cette nuit la plus importante d'entre toutes.

Whistler s'installe à table et indique poliment au maître d'hôtel qu'il ne veut pas d'apéritif ; il sait que jouer l'innocent ne marcherait pas plus ici – voire moins – que, la veille, dans le bar d'hôtel de Beverly Hills. Lors de leur dernière rencontre, Typhon lui a fait savoir, de la façon la plus explicite, qu'il exigeait intégrité, honnêteté et franchise.

— Monsieur, avant que vous ne commenciez, je veux vous dire que je sais que j'ai largement outrepassé mes prérogatives en approchant Hazard Yancy.

— Ce n'est pas le fait de l'avoir approché qui pose problème, Dunny. Mais la manière, la façon par trop directe, répond Typhon, en buvant une gorgée de son martini.

Whistler veut se justifier, mais le seigneur aux cheveux blancs l'arrête en levant la main. Ses yeux bleus pétillent de malice en buvant une autre gorgée de son cocktail.

Quand Typhon prend la parole, c'est d'abord pour un rappel des convenances :

— Fiston, tu hausses bien trop la voix et cette pointe d'anxiété qui y vibre risque d'attirer l'attention de nos voisins de table.

Le tintement des couverts, les notes feutrées d'un piano et le murmure des conversations couvrent moins les paroles de Typhon et Whistler que le brouhaha anarchique du bar d'hôtel.

— Veuillez me pardonner, articule Whistler.

— Que tu veuilles veiller non seulement sur l'intégrité physique de Mr. Truman mais aussi sur son bien-être mental et émotionnel est tout à ton honneur. Et cela entre, *de facto*, dans tes prérogatives. Mais dans l'intérêt de son client, un gardien, comme toi, doit agir avec discrétion et de façon indirecte. Par l'encouragement, l'incitation, l'intimidation, la cajolerie, le conseil...

— ... et ne peut influencer le cours des événements que par des moyens détournés, furtifs et subliminaux, termine Whistler.

— Tout juste. Tu as flirté avec la ligne rouge, la dernière fois, dans ta façon d'agir avec Aelfric. Mais tu ne l'as pas franchie.

Typhon a l'air d'un professeur voulant remettre un étudiant dans le droit chemin. Il n'est ni courroucé, ni agacé – ce dont Whistler lui est reconnaissant.

— Mais en disant à Mr. Yancy de ne pas entrer dans cette maison, poursuit Typhon, en lui disant qu'il va recevoir deux balles dans la tête, tu as modifié sa destinée la plus probable en ce point de la trame du temps.

— Oui, monsieur.

— Yancy risque à présent de survivre, non par ses choix et ses actions, ni par l'exercice de son libre-arbitre, mais parce que tu lui as révélé son futur immédiat.

Typhon pousse un soupir et secoue la tête. Il a l'air triste, comme si ses prochaines paroles vont le peiner.

— Ce n'est pas bien, mon garçon. Pas bien pour toi.

Un instant plus tôt, Whistler était soulagé de voir son mentor exempt de colère. Mais à présent, le calme de Typhon et le regret dans son regard l'angoissent au plus haut point, car cela laisse présager que le jugement est déjà rendu et sans appel.

— Tu avais moult autres moyens de dissuader Mr. Yancy d'entrer dans cette maison, des moyens contournés.

Mais la nature joviale de Typhon ne peut être étouffée bien longtemps. Un grand sourire naît à nouveau sur sa bouche, ses yeux pétillent si fort de joie de vivre qu'avec une barbe blanche assortie à ses cheveux blancs, et un costume rouge moins élégant, il pourrait prendre les rênes du traîneau qui, dans deux nuits, va sillonner le ciel, tiré par un attelage de rennes volants.

Il se penche vers Whistler, d'un air de conspirateur :

— Fiston, des milliers de tours de fantômes ou d'esprits frappeurs auraient pu lui faire fuir cette baraque ventre à terre, et courir se réfugier chez sa mamie Rose ou dans un bar. Il n'était pas utile d'être si direct. Et si tu continues sur cette pente, tu vas rater ta mission, et tu pourrais bien être la cause de la mort de ton ami Ethan et de celle du garçon.

Les deux hommes échangent un regard.

Whistler hésite à demander si on lui laisse encore l'affaire, de peur de voir ses craintes confirmées.

Typhon savoure une nouvelle gorgée de son martini puis lâche :

— Tu es une vraie tête brûlée, Dunny. Tu es têtu, impétueux, agaçant au possible. Mais tu es aussi un sacré numéro. Tu me fais rire. Avec toi, on ne s'ennuie pas.

Whistler attend, silencieux, ne sachant trop comment interpréter ces paroles.

— Je ne veux pas me montrer grossier, reprend Typhon, mais mes invités vont arriver d'un instant à l'autre. Avec ton air maigre et famélique – pour citer le barde[1] – et tes manières de vilain, tu risques de leur faire peur. C'est un groupe timide et peureux. Un politicien et deux de ses lieutenants.

Whistler ose finalement demander :

— Je peux continuer à protéger Ethan ?

— Après tes infractions répétées, je serais en droit de te retirer l'affaire. Il y a des règles pour les anges gardiens. Il ne suffit pas d'être animé de bonnes intentions. La fonction exige une éthique autrement plus rigoureuse que celle que l'on demande aux sénateurs et aux tricheurs aux cartes.

Typhon se lève de sa chaise. Dunny Whistler l'imite aussitôt.

— Cependant, mon garçon, je suis prêt à te laisser une dernière chance.

Le maître et l'élève se serrent la main.

— Je vous remercie, monsieur.

— Mais souviens-toi que ça chauffe pour ton matricule. Si tu ne peux suivre les termes du contrat, alors ton autorité et tes pouvoirs te seront retirés, et tu partiras illico pour l'éternité.

— Je serai fidèle à notre accord.

1. *Jules César*, Shakespeare, acte I, scène 2. (*N.d.T.*)

— Et si tu pars pour l'éternité, Ethan se retrouvera livré à lui-même.

— Je vais rester dans le droit chemin.

Une main posée sur son épaule, Typhon secoue Whistler comme un père à l'affection bourrue.

— Mon petit, tu as suivi si longtemps le mauvais que rester sur le bon ne te sera pas aisé. À présent, tu n'as plus le droit à l'erreur... alors regarde bien, à chaque pas, où tu mets les pieds.

Pour bien commencer, c'est à pied, justement, que Dunny Whistler quitte le restaurant avant de remonter le ponton vers la brume, où résonnent les coups de corne de bateaux invisibles. En conjurant le brouillard, puis le clair de lune au-dessus, et enfin l'idée du Palazzo Rospo à Bel Air, Whistler quitte San Francisco, parcourt les deux cents kilomètres qui le séparent de Los Angeles et arrive à destination au même instant.

74.

Deux balles dans le crâne.

Malgré son gilet pare-balles en kevlar, Yancy songea que sa grosse tête léonine faisait une cible bien facile, lorsqu'il claqua la portière et traversa la rue.

La maison du fils matricide semblait attirer le brouillard, qui se déplaçait non pas en nappes oisives, mais en étranges ondulations. À voir se succéder les vagues blanches et duveteuses, hérissées de toupets vaporeux, on avait l'impression qu'une mer de chats angora fondait sur la maison, attirés par l'odeur du thon en boîte.

L'aura de la maison était si forte et envoûtante que Yancy traversa la rue et s'engagea dans l'allée sans même remarquer la pluie battante. Ce n'est qu'une fois devant les marches du perron qu'il s'aperçut qu'il était trempé de la tête aux pieds.

En montant le petit escalier, il sentit quelque chose dans sa main – le téléphone avec lequel il avait conversé avec Dunny Whistler.

Je suis mort et *vivant*, avait dit Whistler. Et Yancy, à cet instant, avait la même sensation.

Une fois sur le perron, au lieu de se diriger vers la porte pour sonner, Yancy marqua un temps d'arrêt, prenant conscience qu'il n'avait pas tenté de pister l'appel de Whistler. C'était pourtant un réflexe élémentaire lorsqu'on recevait une mise en garde mystérieuse de la part de quelqu'un qui n'était pas censé avoir votre numéro de portable... Yancy composa donc *69.

On décrocha à la deuxième sonnerie, mais la personne au bout du fil ne se présenta pas.

— Il y a quelqu'un ? demanda Yancy.

Une voix rauque lui répondit.

— Ouais, il y a quelqu'un. Sûr qu'il y a quelqu'un, gros enculé. Je suis là. Tu m'as allumé, moi, un frère ! Tu ne te souviens pas ? Deux bastos dans le caisson... je sens encore la poudre !

Yancy n'avait jamais entendu cette voix, et pourtant il savait à qui elle appartenait. Il était muet de stupeur.

— Quand tu vas venir, tu vas déguster, sale vendu de nègre. Je vais m'occuper de toi perso. Moi et mes potes. C'est qu'il y a des lascars ici.

— Je n'y suis pas encore, s'entendit répondre Yancy.

C'était une mauvaise idée, c'était une invitation à poursuivre, de la *provocation*.

— On est tous là, on t'attend. Moi le premier. Il y aura le comité d'accueil, à ton arrivée.

Yancy voulait couper la communication, raccrocher l'appareil à sa ceinture, mais une fascination morbide l'en empêchait.

Il se trouvait devant la porte de Vladimir Laputa. Ce n'était pas le bon endroit pour avoir une conversation téléphonique avec un mort en colère.

— Tu te souviens de mon .45 que j'aurais dû défourailler sur ta sale gueule l'autre soir ?

En pensée, Yancy vit Calvin Roosevelt, alias Hector X, sur la pelouse devant l'immeuble de Reynerd, les deux mains refermées sur un Colt .45, pressant la détente, le canon crachant des flammes.

— Sache que j'ai beaucoup mieux ici pour te trouer le cul. Beaucoup plus gros. Ça va être la folie avec mes potes. On a hâte de te voir. Ramène ton cul, enculé de nègre. On t'attend.

Yancy coupa enfin la communication.

Aussitôt le téléphone se mit à sonner. Inutile de décrocher. Pas question ! Il savait qui c'était.

Hazard Yancy était trempé, transi de froid et de terreur.

Le téléphone sonnait toujours.

Que faire ? Réfléchir à ce qui venait de se produire ou définitivement chasser cet incident de sa mémoire ?... Comment savoir ce qui était le mieux ? Yancy était incapable de prendre une décision, seul sur le perron de Laputa le matricide.

Finalement, Yancy fourra son portable dans une poche de sa veste, tourna les talons et s'éloigna sous la pluie battante.

75.

La circulation d'eau dans la piscine déformait les rayons lumineux qui la traversaient, faisant naître des halos et des reflets mouvants sur les murs de pierre et le plafond voûté.

Fric plaça une nappe de lin sur l'une des tables et disposa avec soin de jolies assiettes en porcelaine et des couverts en argent.

Il faillit mettre des bougies, mais c'eût été déplacé pour deux garçons dînant en tête à tête. La lumière d'une cheminée passait encore, ou de torches, ou encore d'un feu de camp dans une forêt infestée de loups, mais des chandelles, définitivement non.

À l'aide du variateur, il régla l'intensité lumineuse des vasques fixées sur les colonnes, pour obtenir un joli éclairage doré.

Par beau temps, Fric adorait manger au bord de la piscine, lorsqu'il était le seul membre de la famille en résidence dans la maison, quand les petites amies de papa-fantôme ne se prélassaient pas en bikini sur les transats, le corps enduit de crème solaire indice 50, toutes suintantes et dégoulinantes comme des canards dans une marinade à l'huile d'olive.

La piscine intérieure était plus petite que celle en plein air : seulement quinze mètres par vingt-cinq – pas de quoi faire des ronds dans l'eau avec un hors-bord. La pièce était chaude en hiver, et avec son assortiment de palmiers en pots, il y régnait une sorte d'atmosphère tropicale.

Sur trois côtés s'ouvraient de grandes baies vitrées donnant sur le parc. Le quatrième mur, commun avec la serre, offrait une vue sur sa jungle luxuriante.

Un dîner au bord du bassin lui paraissait une bonne idée, car c'était justement dans la serre adjacente qu'il avait préparé sa cachette secrète. Au cas où Moloch débarquait, le garçon pourrait se mettre à couvert en un clin d'œil et disparaître dans la végétation comme un lapin.

Bizarrement, Fric avait l'impression que Mr. Truman, lui aussi, attendait la venue de Moloch. Cette histoire de fluctuation de courant n'était que balivernes. Il se tramait quelque chose.

Pourvu que Mr. Truman ne cherche pas à le joindre par l'interphone, comme il l'avait fait précédemment dans la bibliothèque ! Même sous la torture, Fric n'appuierait pas sur le bouton PRISE D'APPEL, de crainte de se retrouver, comme cela s'était produit en composant *69, en communication directe avec cet endroit mystérieux où vivaient ces choses qui avaient tenté de pénétrer en lui via le cordon téléphonique.

Le garçon termina de dresser la table plus vite que prévu et jeta un coup d'œil sur sa montre. Mr. Truman n'arriverait, avec le repas, que dans dix minutes.

Le parc, détrempé par la pluie et nimbé de brouillard, se profilait derrière les baies ; il était éclairé par un jeu de projecteurs, mais le thème retenu pour cette illumination était le merveilleux et le romantisme, ce qui signifiait que les zones d'ombre prédominaient. Si Moloch avait sauté le mur de la propriété sans être détecté, il pouvait déjà être là, tapi dans la brume, en train de l'observer.

Un moment, Fric envisagea la possibilité de se réfugier en cuisine, sous le faux prétexte de donner un coup de main à Mr. Truman, mais il risquait de passer pour un poltron, un pauvre gosse qui ne pouvait supporter de rester cinq minutes tout seul.

Si, un jour, il quittait la maison pour s'engager dans les Marines, au lieu d'aller se terrer au fin fond du Montana, il devait commencer à penser comme un soldat et à se comporter comme tel – et c'était le jour idéal pour débuter l'entraînement... Un Marine n'avait pas peur quand il faisait noir dehors. Un Marine lui ferait un bras d'honneur à cette obscurité, il lui pisserait dessus. Bien sûr, il aurait ouvert la fenêtre avant pour ne pas asperger la vitre !

Mais Fric n'avait pas encore atteint ce niveau de sérénité. Il se contenta de s'asseoir à la table, en espérant que les minutes d'attente passeraient vite.

Il sortit la photo de sa poche, la déplia et regarda la jolie dame avec ce sourire si particulier, pour ne plus penser à la nuit qui se pressait aux carreaux. Sa mère imaginaire.

Il n'avait pas encore suivi les instructions de son

Mystérieux Inconnu : demander autour de lui si quelqu'un connaissait cette femme.

D'abord, il n'avait pas encore trouvé d'explication convaincante pour justifier l'origine de cette photographie ainsi que l'intérêt qu'il y portait. Il était tellement nul comme menteur !

En outre, tant qu'il ne révélait pas l'existence de cette photographie, la dame restait son jardin secret, pour lui seul. Dès que quelqu'un mettrait un nom sur ce visage, elle ne pourrait plus être sa mère imaginaire.

Quelqu'un frappa au carreau.

Fric bondit de sa chaise, lâchant la photo.

Le visage derrière la fenêtre était hideux et encapuchonné, mais la capuche était celle d'un simple imperméable, et le visage celui de l'un des gardes – Mr. Roma. Doté par la nature d'une grande bouche et d'un nez minuscule, Mr. Roma pouvait faire passer sa lèvre supérieure par-dessus ses narines. Dans cette pose, son visage devenait monstrueux et ses dents paraissaient gigantesques ; la lampe électrique qu'il tenait sous son menton en accentuait l'effet.

— 'Ouh ! 'Ouh ! fit Mr. Roma, ne pouvant prononcer le « b » de « bouh ! » à cause de sa bouche retroussée.

Lorsque Fric s'approcha de la fenêtre, Mr. Roma reprit son visage normal.

— Alors, Fric, ça gaze ? demanda le garde.

— On fait aller, répondit Fric en élevant la voix pour se faire entendre derrière la vitre. Pendant un moment, j'ai cru que c'était Ming !

— Ming est en Floride avec ton père.

— Il est revenu plus tôt. Il est quelque part dans le parc, à se balader sous la pluie.

Le sourire de Mr. Roma se figea.

— Il voulait que je sorte avec lui, expliqua Fric, pour m'expliquer comment les averses lavent le karma des planètes ou un truc comme ça.

Le sourire acheva de s'effacer sur le visage de Mr. Roma. Il baissa sa lampe et se retourna pour sonder les alentours de son faisceau.

— À mon avis, vous allez forcément le croiser, poursuivit Fric.

Réalisant que la lampe annonçait dangereusement sa position, Mr. Roma s'empressa de l'éteindre.

— À plus tard, Fric. Faut que j'y aille, lâcha le garde avant de s'évanouir dans le manteau de brume.

Bien que Fric fût un piètre menteur, Mr. Roma préféra ne pas tenter le diable ; s'il y avait une chance sur un million que Ming soit dans le parc et d'humeur loquace, mieux valait ne pas traîner dans les parages.

76.

Dans la voiture fouettée par la pluie, Yancy frissonnait malgré le souffle chaud du chauffage, encore hanté par le fantôme de Hector X. Son téléphone n'arrêtait pas de sonner... Il ouvrit la fenêtre et jeta son portable dans la rue.

Au moment où les sonneries cessèrent, il remarqua une nouvelle activité dans la maison de Laputa. Un homme sortit sur le perron, ferma la porte à clé et descendit les marches.

Malgré la pluie et le brouillard, Yancy reconnut le type qui était entré plus tôt par le garage. Selon toute vraisemblance, il s'agissait de Vladimir Laputa.

À la jonction de l'allée privée et du trottoir, Laputa tourna à droite et reprit le chemin par lequel il était arrivé. Il roulait toujours des épaules, mais ne semblait plus parler tout seul.

Il avait passé une combinaison noire molletonnée, comme s'il s'apprêtait à partir pour le pôle Nord ou pour une station dc sports d'hiver.

Comme un signe annonciateur de neige, de grandes nappes de brume blanche le nimbèrent juste avant qu'il tourne au coin de la rue et disparaisse de la vue de Yancy.

Ayant déjà lâché le frein à main et passé la première, Yancy alluma ses phares et roula jusqu'au carrefour, où le flot de voitures vrombissait dans la rue transversale en soulevant des gerbes d'eau. Il repéra Laputa sur sa droite, remontant l'avenue. Lorsque le professeur fut presque hors de vue, Yancy tourna et commença à le filer.

À chaque fois qu'il s'approchait à cinquante mètres de Laputa, Yancy se garait et laissait sa proie prendre du champ – jusqu'à ce que le brouillard commence à noyer sa silhouette – puis il reprenait sa traque.

Ainsi, à petits sauts de puce, Yancy suivit le professeur sur trois cents mètres. Puis Laputa, sans jeter un regard derrière lui, monta dans une Land Rover noire.

Yancy suivit le véhicule à distance prudente, laissant la circulation faire écran entre lui et sa cible; il était trop loin pour pouvoir lire la plaque d'immatriculation. Laputa se rendit au Beverly Center, au croisement de Beverly Boulevard et de La Cienega. Malgré son accoutrement incongru, Laputa semblait partir faire du shopping.

Filer une voiture dans un parking sans se faire repérer était autrement plus risqué qu'en plein air. Rampe après rampe, niveau après niveau, à travers le dédale des rangées de véhicules, Yancy suivit Laputa qui cherchait une place libre. Il en trouva enfin une.

Yancy poursuivit son chemin, et trouva à son tour un emplacement au bout de la même allée. Il se gara, coupa le moteur et descendit de voiture, en surveillant sa cible par-delà l'enfilade des capots.

Le policier s'attendait à ce que Laputa se dirige vers les accès piétons du centre commercial, mais celui-ci prit la direction des rampes par lesquelles il venait d'arriver.

Même si d'autres piétons allaient et venaient dans le parking, et que de nombreux véhicules tournaient à la recherche d'une place promise, Yancy jugea plus prudent de laisser le plus de distance possible entre lui et sa proie. Si jamais Laputa le repérait, il était grillé.

Laputa descendit à pied un étage, puis un autre encore. Deux niveaux plus bas, il se dirigea vers un coupé Acura, qui émit un bip lorsqu'il déverrouilla les portières avec sa télécommande.

Yancy se figea de surprise en regardant le professeur s'installer au volant.

Le type n'était pas venu faire des emplettes... mais changer de voiture !

La Land Rover ou, plus vraisemblablement, l'Acura, était une voiture kleenex, destinée à être jetée après usage. Peut-être même était-ce le cas des deux véhicules...

Yancy songea un instant à arrêter son quidam sur la base de ce comportement suspect.

Mais c'était une mauvaise idée. Trop risqué avec un respectable professeur d'université. En particulier avec son enquête sur la Sirène des égouts qui allait faire de lui l'ennemi numéro 1 d'un conseiller municipal. Sans compter qu'il était déjà dans le collimateur de l'inspection interne pour avoir descendu Hector X... En ces circonstances, chaque erreur serait un brin de plus à la corde qu'on allait tisser pour le pendre.

Yancy n'avait aucun motif officiel pour suivre Laputa. Il n'était pas en charge de l'enquête sur le meurtre de Mina Reynerd. Toute la journée, il avait utilisé son autorité de policier et l'argent du contribuable pour tenter de rendre service à un ami. Il avait passé tout seul la tête dans le nœud coulant et resserré la corde. À présent, au moindre faux pas avec Laputa, c'était la culbute fatale.

Dans l'Acura, le professeur, ne se sachant pas épié, referma la portière et démarra le moteur. Il sembla tripoter un moment sa radio.

Yancy piqua un sprint pour rejoindre sa voiture, deux étages plus haut.

Mais lorsqu'il sortit du parking, espérant se retrouver derrière le coupé, l'oiseau s'était envolé.

77.

— Vous connaissez les boissons au chocolat Yoo-hoo ? demanda Fric.

— J'en ai bu plusieurs fois, répondit Ethan.

— C'est super-bon. Vous savez que vous pouvez les garder pendant une éternité sans que ça devienne aigre.

— J'ignorais ce détail.

— Ils ont un procédé spécial de stérilisation à la vapeur. Tant que la bouteille n'est pas ouverte, c'est aussi stérile qu'un flacon de sérum phy.

— Je n'ai jamais bu de sérum phy.

— Vous saviez que la civette intervient dans la composition de nombreux parfums ?

— Je ne sais déjà pas ce qu'est la civette...

Le visage de Fric s'éclaira.

— C'est une substance jaune et épaisse sécrétée par les glandes anales de l'animal éponyme.

— C'est bien gentil de leur part.

— Ce sont de petits mammifères d'Asie et d'Afrique. Ils produisent d'autant plus de civette qu'ils sont agités.

— Autant dire qu'on doit les secouer tout le temps comme des pruniers.

— La civette est une puanteur à l'état brut, précisa Fric, mais quand on la dilue dans la bonne proportion, cela sent divinement bon. Vous saviez que lorsque vous éternuez, toutes vos fonctions corporelles s'arrêtent ?

— Même le cœur ?

— Même le cerveau. C'est comme une petite mort.

— Dans ce cas, j'arrête le poivre dans mes salades.

— Un éternuement génère une puissante onde de choc à travers le corps, en particulier dans les yeux.

— On éternue toujours les yeux fermés, d'ailleurs ?

— Tout juste. Si vous éternuez les yeux ouverts, vous risquez de les faire sauter de leur orbite !

— Fric, tu es une vraie encyclopédie vivante.

Tout fier et tout sourire, Fric déclara :

— Je sais des choses que les autres ignorent.

Le dîner s'était déroulé beaucoup mieux que Fric ne le supposait. Les blancs de poulet à la sauce citronnée, le riz avec des champignons forestiers, les pointes d'asperges, tout était délicieux, et ni lui ni Mr. Truman n'étaient morts empoisonné... mais le Chef Hachette pouvait encore avoir caché l'arsenic dans le dessert...

Au début, la conversation était un peu empruntée parce qu'ils avaient commencé à parler de cinéma et, inévitablement, ils en étaient venus à évoquer les films paternels. Ni l'un ni l'autre n'étaient à l'aise en parlant de papa-fantôme. Même s'ils ne disaient que des choses gracieuses sur lui, ils avaient l'impression de cancaner dans son dos.

Fric demanda à Ethan de lui raconter son expérience d'inspecteur à la section criminelle. Il voulait qu'il lui décrive les meurtres les plus sanglants auxquels il avait été confronté, les corps mutilés, les psychopathes les plus terribles qu'il avait rencontrés dans sa carrière. Ethan lui répondit que ce n'était pas l'endroit pour évoquer ces horreurs et que nombre d'entre elles ne sont pas faites pour les oreilles d'un enfant de dix ans. Il lui narra quelques anecdotes toutefois, cocasses pour la plupart; quelques-unes étaient répugnantes, mais pas au point de lui faire rendre sa sauce, juste de quoi pimenter la soirée et faire de ce dîner le plus agréable que Fric ait jamais connu dans sa jeune vie.

Lorsque Ethan annonça que Mr. Hachette avait préparé un gâteau à la noix de coco, Fric déballa ses connaissances sur les îles Touvalou, grande nation exportatrice de noix de coco, pour alimenter la conversation.

Les îles Touvalou les menèrent à d'autres sujets de son savoir encyclopédique; quelle était, par exemple, la plus grande taille de chaussures jamais fabriquées. Du quatre-vingt-quatre, conçu pour un géant de Floride nommé Harley Davidson, qui n'avait rien à voir avec le constructeur de motocyclettes. Une taille quatre-vingt-quatre équivalait à une chaussure longue de cinquante-six centimètres. Ethan en resta bouche bée.

Les chaussures géantes menèrent naturellement au chocolat au lait Yoo-hoo, à la civette et à l'éternuement. Lorsqu'ils terminèrent le dessert – sans montrer nul signe d'empoisonnement –, Fric demanda :

— Vous savez que ma mère a fait un séjour chez les dingues?

— Tu ne devrais pas faire attention à ce genre de rumeur. C'est très exagéré.

— N'empêche que ma mère n'a poursuivi personne en justice.

— Dans ce pays, les célébrités ne peuvent lancer un procès pour diffamation parce qu'un journaliste raconte des mensonges. Faut-il encore prouver que ledit mensonge a été prononcé dans l'intention patente de nuire. Ce qui est difficile. Ta maman n'avait aucune envie de passer son temps dans une salle de tribunal.

— Sans doute. Mais vous savez ce que les gens disent...

— Non, pas très bien. Que disent les gens ?

— Telle mère, tel fils.

Mr. Truman parut amusé.

— Fric, quiconque te connaît sait que tu n'as jamais été dans un hôpital psychiatrique et que tu n'y mettras jamais les pieds.

Fric repoussa son assiette vide.

— Pas si je commence à dire que j'ai vu une soucoupe volante. Je veux dire, *vraiment vu*, et aussi une bande de gros ET tout visqueux, vous voyez le genre...

— De gros ET tout visqueux... répéta Ethan, tout ouïe, en acquiesçant.

— Si je raconte ça à quelqu'un, la première chose qu'il va penser, c'est *Pas étonnant, sa mère s'est fait enfermer chez les dingues*.

— Qu'on se souvienne ou non ce qui est arrivé à ta mère, beaucoup de gens refuseront de croire à tes ET visqueux même si tu en tiens un en laisse sous leur nez.

— Un ET en laisse, ce serait cool pourtant, murmura le garçon.

— Ils ne me croiraient pas non plus, si c'était moi qui en avais attrapé un.

— Mais vous êtes un flic quand même... enfin, un ancien flic.

— Beaucoup de gens refusent de reconnaître des évidences qui sont pourtant juste sous leurs yeux. Inutile de perdre du temps sur leur cas. C'est sans espoir.

— Sans espoir, confirma Fric, mais il pensait moins à l'incrédulité des gens qu'à sa propre situation.

— En revanche, si tu venais me trouver, moi ou Mrs. McBee, on laisserait tout tomber pour aller voir ce gros monstre tout gluant, parce qu'elle et moi, on sait que tu ne racontes pas d'histoires.

Cette déclaration émut Fric. Le garçon se redressa sur sa chaise. Dans sa tête se bousculaient toutes les choses qu'il brûlait de raconter à Mr. Truman : le Mystérieux Inconnu sortant des miroirs et voletant entre les chevrons de la charpente, les esprits qui tentaient de remonter par le fil du téléphone pour pénétrer dans son cerveau quand on composait *69, les anges gardiens avec leurs règles étranges, le Moloch dévoreur d'enfants, le *Los Angeles Times* avec le récit de son kidnapping... mais Fric hésita trop longtemps, cherchant la meilleure façon de présenter les choses, tant et si bien qu'il resta muet, incapable de tout déballer d'un trait.

Ce fut finalement Ethan qui parla le premier :

— Fric, tant que je n'ai pas localisé et réparé la panne, ce problème de perte de tension dans le système d'alarme m'inquiète.

Les paroles du chef de la sécurité étaient sans doute un leurre, mais il était tellement bien lancé, qu'il ferra toute l'attention de Fric dans l'instant. Encore cette histoire de courant...

— Il ne va rien se passer, mais je suis un inquiet de nature. Ton père, d'ailleurs, me paye pour que je m'inquiète de tout. Bref, tant que le problème ne sera pas réglé, je préférerais que tu ne dormes pas seul au deuxième étage.

Il y avait une lueur dans les yeux de Mr. Truman, suggérant que, lui aussi, avait vu de gros ET visqueux, ou qu'il s'attendait à en voir sous peu.

— J'aimerais camper cette nuit dans ton salon, poursuivit-il. Ou alors, c'est toi qui viens dormir dans mon appartement. Tu prendras mon lit et moi je coucherai sur le canapé. Tu as une préférence ?

— Je peux aussi dormir sur le canapé et vous, garder votre lit.

— C'est très aimable de ta part, Fric, mais j'ai déjà changé les draps au cas où tu choisirais la deuxième option. Maintenant, si on apprend que j'ai changé les draps sans raison et utilisé un nouveau jeu de literie sans autorisation, je vais passer en conseil de discipline devant Mrs. McBee. Ne m'inflige pas ça, je t'en supplie.

Fric savait pourquoi Mr. Truman voulait dormir dans le canapé. Il y avait une seule et unique raison : il voulait se trouver entre la porte d'entrée de son appartement et la chambre où coucherait Fric, non parce qu'il craignait que le garçon tombe dans l'escalier s'il était victime d'une crise de somnambulisme, mais parce qu'il redoutait que des malfrats tentent de s'introduire chez lui pour kidnapper Fric, auquel cas il voulait se trouver sur leur chemin.

Il se passait quelque chose, c'était une évidence.

— Entendu, répondit Fric, inquiet mais aussi délicieusement excité. Je viendrai chez vous et vous pourrez prendre le canapé. Cela va être génial. Je n'ai jamais passé une nuit hors de chez moi.

— Tu ne seras pas exactement *hors* de chez toi.

— Non, monsieur Truman, mais je ne suis jamais venu dans votre appartement. Même avant votre arrivée. C'est pour moi un territoire inconnu, comme la face cachée de la lune. C'est donc exactement comme si je partais au bout du monde.

Ethan consulta sa montre :

— Il est presque huit heures.

Il se leva et commença à rassembler les assiettes sur le chariot roulant qui avait servi à transporter le repas.

— Je vais rapporter tout ça en cuisine, poursuivit-il, et ensuite on s'installe chez moi.

— J'aimerais aller à la bibliothèque chercher un livre, annonça Fric, alors qu'en réalité, il voulait faire pipi dans son palmier en pot.

Même chez le chef de la sécurité, le garçon n'était pas très chaud pour utiliser les toilettes – à cause des miroirs. On était par trop vulnérable quand on urinait.

Mr. Truman hésita, jeta un coup d'œil vers les fenêtres, où se pressaient la nuit, la pluie et le brouillard.

— Je m'endors toujours plus vite quand je lis un peu au lit, insista Fric.

— D'accord, mais fais vite. Dès que tu as trouvé ton bouquin, tu me rejoins aussitôt.

— Oui, monsieur.

Le garçon se dirigea vers la porte, mais se retourna après avoir fait deux pas.

— Peut-être qu'après on pourrait se raconter des histoires de fantômes ?

Ethan fronça les sourcils, comme si Fric venait de révéler que des spectres avaient envahi l'aile Ouest de la maison... il sembla pâlir aussi.

— Des histoires de fantômes ? Pourquoi *de fantômes* ?

— Eh bien, parce que c'est ce que les grands font avant de dormir, parfois... C'est du moins ce qu'on m'a dit.

Stupide ! Mais il ne pouvait s'empêcher de parler...

— Ils s'assoient par terre, avec des bougies, et ils se racontent des histoires à donner la chair de poule, en mangeant des shamallow.

Tais-toi, crétin! Tais-toi!

— Ou alors du pop-corn, c'est bien aussi, et on pourra se raconter nos secrets.

Triple crétin!

Un sourire naquit sur le visage de Mr. Truman, chassant son air renfrogné.

— Ne me dis pas qu'après tout ce qu'on a mangé au dîner tu as encore faim?

— Pas tout de suite, mais dans une heure pourquoi pas…

— Et tu as de grands secrets à raconter?

— Des trucs, oui, des trucs bizarres qui me sont arrivés.

— Des trucs bizarres? Quoi? Tu as vu des gros ET visqueux?

— Non, monsieur, rien d'aussi simple.

— Entendu, je rapporterai de la cuisine une grosse pile de shamallow. Tu as piqué ma curiosité.

L'esprit peut-être soulagé, mais point sa vessie, Fric se dirigea vers la bibliothèque pour continuer à empoisonner le palmier agonisant.

78.

Dans sa voiture de service, Yancy se sentait aussi perdu qu'un fantôme de marin sur une épave refusant de quitter sa prison flottante par la simple force de l'habitude. Il errait, désorienté, sans but, sans idée, telle une âme en peine.

Dans leur écrin de pluie et de brouillard, les rues ressemblaient à des sillages de navires improbables sillonnant une mer hantée, et il était facile d'imaginer – et même de croire – que les véhicules évanescents qui les parcouraient dans la nuit étaient pilotés par des esprits qui avaient abandonné leur enveloppe de chair, mais qui ne parvenaient pas à quitter la ville.

Yancy avait relevé le numéro de la Land Rover et avait appris qu'elle appartenait à une société, la Kurtz Ivory International... autant dire qu'il n'était guère plus avancé... Selon les archives du service des immatriculations, le seul véhicule appartenant à Vladimir Laputa était une BMW 2002, et non une Acura.

Fort de cette information, Yancy ne savait que faire. Et il détestait perdre l'initiative.

À chaque fois qu'il tentait de trouver la prochaine action à mener, l'image de Dunny Whistler revenait le hanter ; il revoyait son corps de chair se métamorphoser en une cascade d'eau et disparaître, en un battement de paupières, dans la flaque qui se trouvait sous ses pieds, sans projeter la moindre éclaboussure.

Dans la traîne de cette vision, où résonnaient les échos de sa conversation avec Hector X, Yancy ne parvenait plus à raisonner avec logique. Ses pensées tournaient en spirale dans un dédale noir, fondant vers le vortex d'un cauchemar.

Bien qu'il eût sauté le déjeuner, il n'avait pas faim. Malgré son manque d'appétit, il fit une halte dans un fast-food et commanda, au drive-in, un plateau royal cheeseburgers-frites.

Le « plateau royal » était en fait un vulgaire sac en papier et le calice, qui devait contenir le café, un gobelet en polystyrène empli d'un jus de chaussettes infâme fait avec une marinade d'écorce d'arbre, à fort pourcentage, sans doute, de ciguë.

Yancy était trop sur les nerfs pour dîner sur le parking. Il préféra manger tout en conduisant.

Il avait besoin de bouger. Comme un requin, il avait l'impression qu'il allait mourir asphyxié s'il arrêtait d'avancer.

Finalement, Yancy retourna dans le quartier où habitait le professeur et se gara en face de la maison.

Les paroles de Whistler lui revinrent en mémoire. *Deux balles dans le crâne.* Il sut, sans l'ombre d'un doute, que c'était exactement le sort qui lui aurait été réservé s'il s'était avisé, plus tôt, de sonner à la porte de Laputa.

Pour le moment, la hyène, ainsi que l'avait appelé Rachel Dalton, se baladait en ville à bord d'une Acura. Sans son propriétaire dans les murs, la maison n'était qu'une maison, pas le théâtre d'un crime annoncé.

Yancy appela le service vols et homicides et obtint le numéro personnel de Sam Kesselman.

Une fois en possession de ce numéro, il songea aux implications de ce qu'il s'apprêtait à faire. Il allait donner à ses ennemis le bâton pour le battre.

Mamie Rose lui avait dit, un jour, que la trame sur laquelle était tissé le monde était traversée par la toile invisible du Malin et que, sur ce dédale, des araignées mortelles frémissaient au son des mêmes vibrations noires et poursuivaient le même sinistre ouvrage, chacune à sa manière. Si on ne s'arrachait pas à ces fils poisseux à chaque fois que l'un d'entre eux vous attrapait un bras ou une jambe, on devenait rapidement l'une de ces aberrations à huit pattes qui dansaient sur la toile. Et si les araignées empoisonnées n'étaient pas écrasées à la première occasion, elles deviendraient innombrables. Les araignées alors règneraient sur Terre et l'humanité disparaîtrait.

Yancy composa le numéro.

Kesselman répondit, d'abord une quinte de toux, un éternuement suivi d'un juron... puis une voix rauque et éraillée se fit entendre, comme celle d'un homme-crapaud conçu par la biogénétique.

— Dis donc, t'as pas l'air en forme. Tu as vu un toubib ?

— Ouais. La grippe est un virus. Les antibios ne servent à rien. Le toubib m'a passé un sirop pour la toux. Il m'a dit de me reposer et de boire beaucoup. J'en suis à dix bières par jour, à l'horizontale sur le canapé, mais je suis toujours malade comme un chien !

— Passe à douze...

Kesselman savait que Hector X avait descendu Rolf Reynerd, qui lui-même avait été descendu par Yancy.

— Comment ça se passe avec l'enquête interne ?

— J'en sortirai sans tache, je crois. Ils semblent prêts à tirer un trait sur l'affaire. En fait, je crois qu'il y a un lien entre cette histoire et le meurtre de la mère de Reynerd, mais je ne veux pas marcher sur tes plates-bandes.

— Tu vas me dire que Reynerd est impliqué dans l'assassinat.

— Tu as flairé le truc louche depuis le début, pas vrai ?

— Son alibi était trop en béton.

— C'est une manie en ce moment.

Yancy parla à Kesselman du scénario inachevé, mais il fit certaines coupes dans son récit. Il narra la partie concernant l'échange de crimes, comme dans *L'Inconnu du Nord Express* d'Hitchcock, mais il passa sous silence le plan visant à assassiner une star de cinéma.

— Alors tu crois que... *keuf! keuf!*... Reynerd a... *keuf! keuf!*... un complice ? lâcha Kesselman entre deux quintes.

— J'en suis certain. Je suis même à peu près sûr que c'est Vladimir Laputa qui a fait le coup. Je sais que la Vamp à la lampe, c'est ton affaire, Sam, mais j'aimerais fouiller un peu, coincer ce Laputa si je le peux.

Une quinte interminable secoua Kesselman.

— Pourquoi tu t'intéresses à ça ? Finit-il par articuler. T'as pourtant du pain sur la planche, en ce moment, à ce qu'on m'a dit ?

— Je crois que cette affaire-là devrait être sur nos deux bureaux depuis hier soir.

Jusque-là, Yancy n'avait pas menti directement à Kesselman... maintenant, il commençait :

— Je pense, poursuivit-il, que Laputa n'a pas seulement tué Mina Reynerd, il a aussi engagé le tueur à gages, Hector X, pour descendre Rolf Reynerd.

— Même si le dossier est sur mon bureau, c'est *de facto* ton affaire, aussi. Vu mon état, je suis bon pour rester dans les parages immédiats des toilettes pendant au moins une semaine, alors vas-y. Fais comme chez toi.

— Merci, Sam. Une dernière chose. Si on te pose des questions pour toi et moi, pourrais-tu dire que je suis venu te trouver chez toi, et non que je t'ai téléphoné, et aussi qu'on a eu cette conversation un peu plus tôt dans la journée, disons ce matin ?

Kesselman resta un moment silencieux.

— Autrement dit, tu vas encore nous mettre dans la merde… À quoi dois-je m'attendre cette fois ?

— Quand j'aurai fini, répondit Yancy, ils te vireront du service à coups de pied au cul, te priveront de ta retraite et passeront ta réputation au sanibroyeur, mais je ne pense pas qu'ils te demanderont de te convertir. Tu pourras rester juif. Chômeur mais juif !

Kesselman éclata de rire et le rire se mua en affreuse quinte. Puis la quinte cessa, le rire aussi…

— Si on est dans le même caniveau, au moins on se fendra la gueule.

Après avoir raccroché, Yancy resta un moment songeur dans sa voiture, à contempler la maison de Laputa, cherchant toujours le meilleur coup à jouer. Il allait accomplir une action hardie, mais il ne voulait pas agir de façon totalement inconsidérée.

Entrer dans la place était enfantin – sinon légal. Il avait toujours son passe-partout à cliquets qu'il avait utilisé pour pénétrer dans l'appartement de Reynerd.

Mais fouiller les lieux sans laisser trace de son passage, et ressortir incognito, aussi furtif qu'une apparition traversant le monde des vivants avant de s'évanouir dans les limbes… *Ça*, c'était compliqué.

Bon an, mal an, il s'était toujours efforcé de suivre les lois, malgré toutes leurs incohérences. Cette fois, Yancy devait se convaincre que cette manœuvre de bandit était la seule envisageable.

Il sortit de la poche de sa veste le jeu de clochettes. Il les fit tourner pensivement dans sa main, comme un talisman magique.

À 20 h 10, Hazard Yancy descendit de sa voiture.

79.

Après un court arrêt dans la cuisine, Ethan retourna chez lui, dans l'intention de cacher les pièces du rébus livrées dans les six colis noirs. Si Fric voyait ces objets, il allait poser des questions, des questions auxquelles Ethan ne pouvait répondre sans inquiéter le garçon plus que nécessaire.

Dans son bureau, l'écran de l'ordinateur était allumé. Il était pourtant certain de l'avoir éteint en quittant le Palazzo Rospo.

Il fit un rapide tour d'inspection de l'appartement. Personne. Quelqu'un était pourtant venu ici. Peut-être quelqu'un voyageant à travers les miroirs ?

En revenant à sa table de travail, Ethan vit qu'un message avait été laissé à son intention : IL Y A DU COURRIER DANS LA BOÎTE AUX LETTRES INTERNE.

Le réseau d'e-mail interne – l'intramail, par contraction – reliait tous les ordinateurs du Palazzo Rospo, ceux installés dans l'enceinte de la propriété, comme ceux que Channing Manheim ou ses gardes du corps avaient emportés en Floride, sur le plateau de tournage. L'intramail arrivait dans une boîte de réception spécifique, différente de celle des mails communs.

Ethan avait seulement trois messages dans sa boîte. Le premier émanait de Archie Devonshire, l'un des portiers :

MR. TRUMAN, COMME VOUS SAVEZ, JE NE CONSIDÈRE PAS QU'IL FASSE PARTIE DE MES PRÉROGATIVES DE SURVEILLER AELFRIC ET DE RAPPORTER SES FAITS ET GESTES. D'AUTANT PLUS QUE C'EST UN GARÇON QUI SE COMPORTE NI PLUS MAL NI MIEUX QUE N'IMPORTE QUEL GAMIN DE SON ÂGE ET QUE D'ORDINAIRE, IL PASSE TOTALEMENT INAPERÇU. CET APRÈS-MIDI, TOUTEFOIS, IL S'EST LANCÉ DANS UNE ÉTRANGE ENTREPRISE QUE J'AURAIS RAPPORTÉE À MRS. MCBEE SI ELLE S'ÉTAIT TROUVÉE DANS LA MAISON. MR. WHISTLER, VOTRE AMI VENU VOUS RENDRE VISITE, A ATTIRÉ MON ATTENTION SUR LE FAIT QUE…

Ethan s'arrêta et relut cette phrase inconcevable…

MR. WHISTLER, VOTRE AMI VENU VOUS RENDRE VISITE, A ATTIRÉ MON ATTENTION SUR LE FAIT QUE…

Un revenant, ou un mort vivant, voire les deux, avait cessé de réaliser ses œuvres mystérieuses à la lisière du monde réel, et venait à présent se balader dans les allées du Palazzo Rospo, et parler au personnel de maison.

...A ATTIRÉ MON ATTENTION SUR LE FAIT QUE AELFRIC AVAIT PRIS DES LAMPES DE SURVIE EN DIVERS ENDROITS RECULÉS DE LA MAISON, ET LES AVAIT EMPORTÉES DANS UN PANIER À PIQUE-NIQUE. MRS. MCBEE DÉSAPPROUVERA SANS DOUTE CETTE LUBIE, PARCE QU'EN CAS D'URGENCE, DES MEMBRES DU PERSONNEL OU DE LA FAMILLE POURRAIENT NE PAS TROUVER LA SORTIE ET RESTER PIÉGÉS DANS LA MAISON DU FAIT DE L'ABSENCE DE CES LAMPES POUR LES GUIDER.

Là-haut, à Santa Barbara, Mrs. McBee, sans nul doute, *savait* qu'il se passait quelque chose.

Le courrier d'Archie Devonshire se poursuivait :

PLUS TARD, QUAND J'AI RENCONTRÉ AELFRIC AVEC LE PANIER EN QUESTION, IL M'A DIT QU'IL CONTENAIT DES SANDWICHES AU JAMBON, QU'IL PRÉTENDAIT AVOIR FAIT LUI-MÊME ; IL AVAIT L'INTENTION, DISAIT-IL, DE PIQUE-NIQUER DANS LA SALLE DES ROSES. PLUS TARD ENCORE, J'AI TROUVÉ LE PANIER VIDE DANS CETTE MÊME PIÈCE, SANS LA MOINDRE MIETTE DE PAIN OU DE RESTES D'EMBALLAGE DE SANDWICHES. TOUT CELA ME PARAÎT TRÈS ÉTRANGE, D'AUTANT QUE AELFRIC N'EST PAS DU GENRE À MENTIR. MR. YORN, DE SON CÔTÉ, A EU ÉGALEMENT UNE RENCONTRE QUELQUE PEU BIZARRE AVEC AELFRIC. IL VA VOUS LA RAPPORTER DANS UN MAIL. BIEN À VOUS AU SERVICE DE LA FAMILLE. A.F. DEVONSHIRE.

L'intramail de William Yorn, le jardinier, se révéla d'un ton très différent.

FRIC S'EST FAIT UNE CACHETTE DANS LA SERRE, AVEC DE LA NOURRITURE. DES BOISSONS ET QUATRE LAMPES DE SURVIE. C'EST VOTRE AMI WHISTLER QUI M'EN A INFORMÉ. CE NE SONT PAS MES AFFAIRES. NI CELLES DE VOTRE AMI. QUE FRIC VEUILLE JOUER À ROBINSON CRUSOÉ, C'EST DE SON ÂGE. FRANCHEMENT, VOTRE AMI M'A AGACÉ. S'IL VOUS DIT QUE J'AI ÉTÉ SEC AVEC LUI, SACHEZ QUE C'ÉTAIT PARFAITEMENT VOLONTAIRE. PLUS TARD, J'AI VU FRIC DERRIÈRE LES FENÊTRES DE LA SALLE DES ROSES. IL SEMBLAIT VICTIME D'UNE SORTE DE TRANSE. PUIS IL M'A CRIÉ QUELQUE CHOSE À PROPOS DE SANDWICHES AU JAMBON. PLUS TARD, EN VÊTEMENTS DE PLUIE, IL EST ALLÉ DANS LE PETIT BOIS DERRIÈRE LA ROSERAIE. IL AVAIT DES JUMELLES. IL A DIT QU'IL REGARDAIT LES OISEAUX... SOUS LA PLUIE ! IL EST RESTÉ DEHORS AU MOINS DIX MINUTES. IL A BIEN LE DROIT D'ÊTRE UN PEU EXCENTRIQUE. BON SANG, SI J'ÉTAIS À SA PLACE, JE DEVIENDRAIS DINGUE. JE VOUS ÉCRIS UNIQUEMENT PARCE QUE ARCHIE A INSISTÉ POUR QUE JE LE FASSE. ARCHIE M'AGACE AUSSI. JE SUIS BIEN CONTENT DE TRAVAILLER DEHORS, AU GRAND AIR. YORN.

L'idée de savoir Duncan Whistler, mort ou vivant, rôdant dans le Palazzo Rospo, épiant Fric en secret, donnait le frisson à Ethan.

L'esprit cartésien d'un inspecteur ne pouvait résoudre ce puzzle de plus en plus complexe. La déduction, la logique étaient de bien piètres armes pour affronter ce qui allait se passer ce soir.

80.

Avant de commettre un acte totalement illégal, Yancy jugea plus judicieux de sonner à la porte. Voyant que personne ne répondait, il sonna une seconde fois.

L'obscurité qui régnait chez Laputa ne signifiait pas pour autant qu'il n'y avait personne dans la maison.

Plutôt que de se faufiler derrière la bâtisse, où il avait toutes les chances d'attirer l'attention d'un voisin, Yancy préféra entrer par la porte d'entrée. Avec le passe-partout, il crocheta les deux verrous.

Au moment d'ouvrir la porte, il appela :

— Il y a quelqu'un ou je suis tout seul ?

C'était de la prudence, pas de la comédie. Malgré le silence total qui lui répondit, Yancy passa le seuil avec précaution.

Aussitôt après avoir franchi le seuil, il alluma la lumière du hall d'entrée. Malgré la pluie et la brume, un motocycliste ou un piéton pouvait l'avoir vu entrer. L'usage immédiat et généreux des lumières tuerait dans l'œuf toute suspicion naissante.

En outre, si Laputa rentrait chez lui inopinément, il serait instantanément sur le qui-vive s'il voyait une seule lampe allumée alors qu'il avait quitté la maison tous feux éteints, ou pis encore le faisceau d'une torche électrique fouillant les ténèbres... mais découvrir toutes les lumières brillant aux fenêtres le prendrait de court et le désorienterait totalement. Le succès d'une opération comme celle-ci était une question d'audace et de rapidité.

Yancy ferma la porte, sans la verrouiller. Il voulait une voie de repli facile en cas de confrontation imprévue.

Il n'y avait sans doute rien d'incriminant au rez-de-chaussée. Le plus souvent les meurtriers gardaient le journal de bord de leurs méfaits, ou autres reliques sinistres, dans leur chambre à coucher.

La seconde pièce la plus fréquemment choisie comme sanctuaire était une pièce en sous-sol, souvent dissimulée et fermée à clé. Un musée des horreurs que le psychopathe pouvait visiter à loisir sans craindre d'être découvert. Dans cette atmosphère de folie mesurée, le criminel pouvait revivre ses exploits sanglants en toute quiétude.

À cause des risques de tremblements de terre et de glissements de terrain, les maisons en Californie du Sud étaient rarement équipées de sous-sol. Celle-ci, pour ne pas déroger à la règle, était donc de plain-pied et nulle porte ne s'ouvrait vers des territoires souterrains.

Yancy fit le tour des pièces, ne perdant pas de temps à fouiller les placards et les tiroirs. S'il ne trouvait rien à l'étage, il reviendrait faire une inspection plus fine du rez-de-chaussée.

Pour le moment, sa priorité, c'était de s'assurer qu'il était seul dans les murs. Il laissait toutes les lumières allumées derrière lui, l'obscurité étant son pire ennemi.

Dans la cuisine, il ouvrit la porte du jardin et la laissa entrouverte – une autre issue de secours.

Des tentacules de brouillard s'insinuaient par l'interstice, attirées par la chaleur.

Le moindre recoin de la maison semblait briqué et lustré avec un soin maladif. Des collections de bibelots – des flacons de cristal Lalique, des boîtes en céramique, de petites figurines de bronze – étaient disposées non avec goût mais avec la rationalité spatiale d'un plateau de fromages. Tous les livres sur les étagères se dressaient à exactement un centimètre et demi du bord.

La maison semblait un refuge contre le chaos du monde extérieur. Cependant, malgré les équipements nombreux, les meubles confortables, l'ordre et la propreté, l'endroit n'avait rien d'accueillant. On était à mille lieues d'un foyer chaleureux où l'on avait envie de s'installer au coin du feu. Et cela n'avait rien à voir avec le fait que Yancy était entré dans cette maison illégalement... Il flottait dans l'air une tension persistante, une sorte d'aura de désespoir.

Les seuls éléments de désordre dans cet ordonnancement immaculé se trouvaient sur la table de la salle à manger : un jeu de plans, roulés et retenus par un élastique, une grosse loupe, un bloc-notes jaune et deux feutres-billes – un rouge, un noir. Même si ces objets n'étaient pas rangés à leur place, ils étaient disposés les uns à côté des autres, avec un soin et une précision géométriques.

Certain que le rez-de-chaussée ne renfermait aucune mauvaise surprise, Yancy décida de monter au premier étage.

Selon toute probabilité, ses activités auraient attiré l'attention s'il y avait eu quelqu'un au premier... Yancy avança donc sans précaution, allumant la lumière sur le palier.

La chambre parentale se trouvait juste en haut de l'escalier. Cette pièce aussi était d'une propreté et d'un ordre aseptisés.

Si Laputa avait tué sa mère et Mina Reynerd, et s'il était du genre à conserver des souvenirs de ses exploits barbares, il devait avoir récupéré sur les corps quelques bijoux, des bracelets, un médaillon, des bagues... L'idéal aurait été de trouver un bout de vêtement taché de sang ou une mèche de leurs cheveux, mais il ne fallait pas rêver.

Un homme dans la position sociale de Laputa, jouissant d'un travail prestigieux et d'un grand confort matériel, gardait rarement des reliques de ses crimes. Sa motivation n'étant pas la folie meurtrière, mais l'appât du gain ou la jalousie, ce genre de tueur n'avait nul besoin de revivre ses crimes régulièrement par l'intermédiaire de fétiches et autres stimulateurs des sens.

Mais Yancy avait le pressentiment que Laputa serait l'exception à la règle. La sauvagerie avec laquelle il avait massacré Justine Laputa et Mina Reynerd suggérait que derrière le citoyen au-dessus de tout soupçon se tenait, tapie, une bête plus immonde qu'une simple hyène, un Mr. Hyde qui tirait plaisir de ses crimes, pour ne pas dire une jouissance orgasmique.

Le contenu du grand débarras était organisé avec une rigueur toute militaire. Plusieurs boîtes, sur les étagères au-dessus de la section penderie, attirèrent son attention. Il nota la position de chacune d'entre elles avant de les prendre, espérant pouvoir les remettre exactement en place.

Tout en fouillant, Yancy écoutait les bruits de la maison. Il regardait aussi sa montre, trop souvent.

Il avait l'impression de ne pas être seul. Peut-être parce que le fond du débarras était couvert d'un grand miroir, et que son reflet ne cessait d'attirer son attention. Peut-être aussi y avait-il une autre raison...

81.

Vues à travers la pluie et le brouillard, les ruines évoquaient celles de Manderley, la grande demeure de *Rebecca*, qui, à la fin du livre, se dressait en flammes dans la nuit, au milieu des nuages de cendres emportés par le vent, devant un ciel d'encre taché de pourpre, « comme éclaboussé de sang », ainsi que l'écrivait Daphné du Maurier.

Aucun feu n'avait ravagé ces ruines au sommet de Bel Air, et, pour l'heure, il n'y avait ni vent, ni nuages de cendres, mais la scène excitait néanmoins l'imagination de Laputa. Dans ces restes, il voyait la promesse d'un Chaos encore plus grand dans les prochaines années.

C'était autrefois une luxueuse demeure, où se tenaient de grandes fêtes, fréquentées par le gratin d'Hollywood. La bâtisse, de style Renaissance, avait des proportions harmonieuses, construite avec un souci méticuleux du détail; elle se voulait un monument dédié au raffinement et à la tradition, un hommage à une perfection architecturale héritée de plusieurs siècles de civilisation.

De nos jours, parmi les nouveaux princes et princesses d'Hollywood, l'architecture à la française était tombée en désuétude, comme, d'une manière générale, tout ce qui appartenait au passé et à l'Histoire. Le passé n'était pas à la mode – trop obscur, trop incompréhensible... Les propriétaires actuels de cette bâtisse avaient décrété que la maison existante serait démolie et remplacée par un assemblage futuriste de verre et d'acier, beaucoup plus en accord avec les goûts de l'époque, plus *in*.

Pour cette communauté, après tout, ce qui comptait c'était la taille du terrain, pas ce qu'il y avait dessus. Tous les agents immobiliers pouvaient vous le confirmer.

La demeure avait été vidée de tous ses matériaux de valeur. L'architrave en tuffeau au-dessus de la porte d'entrée, les linteaux de fenêtres sculptés, les nombreuses colonnes, tout avait été récupéré.

Puis les équipes de démolition étaient arrivées. Elles

avaient achevé la moitié de leur travail. Des orfèvres de la destruction. Des artistes.

Quelques minutes avant sept heures, Laputa était arrivé à pied sur les lieux, après avoir garé, quelques pâtés de maisons plus loin, sa petite Acura. Il avait acheté, sous une fausse identité, cette voiture d'occasion, âgée de quatre ans, en prévision de cette opération. Il en aurait encore besoin pour un dernier travail, puis il l'abandonnerait quelque part, avec les clés sur le contact.

À l'entrée de la propriété, des portes de chantier, retenues par une chaîne, interdisaient l'accès au site. Les maillons étaient passés dans les barreaux des deux montants et bouclés par un gros cadenas, quasiment indestructible, fait dans un alliage de titane résistant aux plus gros coupe-boulons.

Laputa ignora le cadenas et se contenta de couper la chaîne.

Peu après, devant les portes ouvertes, se tenait le redoutable agent de la NSA, Robin Goodfellow, un petit sac à dos sur les épaules, récupéré dans le coffre du coupé. Il accueillit Jack Trotter et ses deux acolytes qui arrivèrent à bord d'un gros camion. Laputa les guida le long de l'allée circulaire et les fit se garer devant la maison.

— C'est de la folie ! déclara Trotter en sautant de la cabine.

— Pas le moins du monde, rectifia Laputa. Le vent est totalement tombé.

— Mais il pleut toujours.

— Un petit crachin de rien du tout. Et le bruit des gouttes nous couvrira. Une vraie aubaine.

Trotter, en pur Queeg von Hindenbourg, répandait le pessimisme avec l'autorité d'un Nostradamus dans ses plus mauvais jours. Son visage bouffi s'effondrait comme un ballon dégonflé, et ses yeux protubérants étincelaient devant une collection de visions toutes plus cauchemardesques les unes que les autres.

— On va se scratcher dans ce brouillard.

— Il est en train de se dissiper. Encore une fois, il nous offre un couvert imprévu. Le trajet est court, la cible facilement reconnaissable, même dans une purée de pois.

— On va se faire repérer avant même qu'on soit prêts à partir.

— La propriété est sur une butte. Aucun vis-à-vis avec d'autres maisons. Nous sommes entourés d'arbres. Impossible de nous voir de la rue.

Trotter ne voulut pas se laisser convaincre :

— Mais quelqu'un nous verra forcément, pendant le vol, entre ici et là-bas.

— Possible, concéda Laputa. Mais quelle valeur accorder à ce qu'ils auront cru voir entre deux suaires de brume.

— Des « suaires » de brume ?

— J'ai un certain goût pour la littérature, pour la beauté des mots, répliqua Laputa. De toute façon, ta mission complète n'excédera pas sept ou huit minutes. Tu seras alors de retour ici, et tu auras déjà repris la route avant que quiconque n'ait eu le temps de comprendre. De plus, j'ai des agents sur tout le secteur, et ils ont ordre de ne pas laisser les flics s'approcher.

— Et après, quand je me tire de Malibu, je disparais de tous les fichiers. Moi et tous mes pseudos.

— C'est notre accord. Mais tu as intérêt à te bouger le cul. L'heure tourne.

Grimaçant comme un personnage d'une publicité vendant un remède antidiarrhéique, Trotter regarda Laputa de la tête aux pieds, puis lâcha :

— Où diable avez-vous trouvé cet accoutrement ?

— C'est chaud et imperméable.

Moins d'une heure plus tard, Trotter et son équipe avaient terminé les préparatifs.

Pendant l'attente, Laputa avait trompé le temps en regardant le château à moitié démoli sous divers angles.

Cela allait sans dire, Robin Goodfellow n'avait pas donné le moindre coup de main à Trotter et ses hommes. L'agent Goodfellow était un combattant surentraîné, un champion précieux du gouvernement. Il s'était engagé à la NSA pour défendre la vérité et la justice, par goût de l'aventure aussi, mais certainement pas pour accomplir de basses besognes. Demandait-on à James Bond d'épousseter les meubles ou de faire la vaisselle ?

Finalement, sans son assistance, le dirigeable fut prêt à décoller.

82.

Le troisième intramail provenait de Mr. Hachette :

INSPECTEUR TRUMAN : JE TIENS À VOUS FAIRE SAVOIR MON EXTRÊME MÉCONTENTEMENT. IL EST EN EFFET TRÈS DÉPLAISANT DE DEVOIR FAIRE DES PRODIGES CULINAIRES POUR UN INVITÉ AFFAMÉ DONT LA PRÉSENCE NE M'EST CONNUE QUE LORSQU'IL SURGIT SOUDAIN DANS LA CUISINE, ME SURPRENANT COMME UN CHARANÇON DANS UN SAC DE FARINE. LE GOÛT DE MR. WHISTLER POUR LA BONNE CUISINE ET SES ÉLOGES POUR MES COQUILLES SAINT-JACQUES, COMME POUR TOUS LES PLATS QUE JE LUI AI SERVIS, SONT CERTES GRATIFIANTS, MAIS CELA NE SUFFIT PAS À APAISER MES NERFS, CAR EN UN MOT COMME EN CENT, VOUS M'AVEZ MIS RÉELLEMENT HORS DE MOI. SI VOUS ME REFAITES CE COUP-LÀ, JE SERAIS CONTRAINT DE DONNER MA DÉMISSION, CE QUI AURA DES CONSÉQUENCES FÂCHEUSES POUR TOUT LE MONDE. JE SUIS AUSSI FORTEMENT AGACÉ D'APPENDRE QUE LE GARÇON PRÉTEND S'ÊTRE PRÉPARÉ DES SANDWICHES AU JAMBON DANS MA CUISINE, SANS MA PERMISSION. ET JE SUIS À PRÉSENT OBLIGÉ DE PROCÉDER À UN INVENTAIRE MINUTIEUX DE L'OFFICE POUR MESURER L'ÉTENDUE DES DÉGÂTS. EN ESPÉRANT QU'À L'AVENIR, JE N'AURAIS PLUS À SOUFFRIR D'UN TEL MÉPRIS POUR MON TRAVAIL ET MA PERSONNE... BIEN À VOUS, CHEF HACHETTE.

Feu Dunny avait pris ses quartiers ici. Et avec un appétit d'ogre !

C'était dingue. Ethan avait envie de rire, mais il ne parvint pas même à esquisser un sourire. Sa bouche était trop sèche, ses paumes trop moites.

Il relut le message de Yorn : FRIC S'EST FAIT UNE CACHETTE DANS LA SERRE... C'EST VOTRE AMI WHISTLER QUI M'EN A INFORMÉ.... QUE FRIC VEUILLE JOUER À ROBINSON CRUSOÉ, C'EST DE SON ÂGE... FRANCHEMENT VOTRE AMI M'A AGACÉ...

Pendant qu'Hannah luttait contre le cancer, jamais Ethan ne s'était senti aussi impuissant. Depuis toujours, il avait l'habitude de prendre soin des personnes qu'il chérissait, de faire ce qu'il fallait. Mais il ne pouvait sauver Hannah, elle, la plus chère d'entre toutes.

Une fois de plus, il perdait le contrôle de la situation. Avec un système de surveillance ultra-perfectionné, des patrouilles de gardes, et toutes sortes de protocoles de sécurité, il n'était pas fichu d'empêcher Dunny de se balader impunément dans la maison ! Qu'il soit homme, fantôme, ou quelque chose pour lequel il n'existait pas encore de nom, Dunny était lié à Reynerd et probablement au professeur dont l'acteur s'était inspiré dans son scénario. Dunny devait faire partie du complot, et chacune de ses intrusions ici était un pied de nez railleur à Ethan, pour lui montrer que personne au Palazzo Rospo n'était à l'abri.

Si Ethan échouait dans sa mission, si quelqu'un parvenait à atteindre la star malgré toutes ses précautions, il aurait failli, non seulement envers son patron, mais aussi envers le garçon, en le privant de son père. Fric se retrouverait confié à sa mère, qui était totalement obnubilée par sa propre personne, et se sentirait plus abandonné, condamné à une solitude pis encore que celle qu'il endurait aujourd'hui.

Ethan s'était mis debout sans s'en rendre compte. Il était dans un état d'agitation extrême ; il lui fallait agir, reprendre l'initiative... mais que faire ? Que faire ?

Il enfonça, sur le téléphone, la touche de l'interphone et composa le numéro de la bibliothèque.

— Fric, tu es là ?

Il attendit.

— Fric ? Tu m'entends ?

Le garçon répondit enfin, d'une voix étrangement méfiante.

— Qui est là ?

— Il n'y a que nous ici, et quelques vieux flics à la retraite. Tu as trouvé ton livre ?

— Pas encore.

— Dépêche-toi.

— Donnez-moi deux minutes.

Au moment où Ethan coupa la communication, un voyant s'alluma sur le téléphone : celui de la ligne 24. Il clignota puis s'illumina de façon continue.

Ethan observa les objets étalés sur son bureau entre l'ordinateur et le téléphone. Des coccinelles, des escargots, des prépuces...

Son attention se reporta sur le téléphone. Sur le voyant lumineux. La ligne *24*.

La voix lointaine, provenant de la face cachée de la lune, qu'il avait écoutée pendant une demi-heure la veille au soir, résonnait encore dans ses oreilles et dans tout son être. Cette voix ne le quittait plus. Tout comme celle qu'il avait entendue dans les haut-parleurs grésillants de l'ascenseur de l'hôpital…

Une boîte à gâteaux pleine de pièces de Scrabble, un livre sur les chiens d'aveugles *Nos amies les bêtes*, une pomme recousue avec un œil de poupée à l'intérieur…

Dans l'ascenseur, il avait appuyé sur le bouton STOP, non seulement pour écouter la voix, mais aussi parce qu'il était persuadé qu'il n'y aurait plus de parking lorsque les portes de la cabine s'ouvriraient – mais un océan noir, ou un abîme sans fond.

Sur le moment, il avait pressenti que cette réaction phobique absurde devait être la sublimation d'une crainte beaucoup plus réaliste à laquelle il ne voulait pas faire face. À présent, il était au bord d'entrevoir la véritable nature de cette terreur.

Soudain, Ethan sut que la réalité qu'il percevait était comme ces images démultipliées que renvoyaient les miroirs d'un kaléidoscope. La réalité, telle qu'il l'avait toujours vue, était sur le point de se métamorphoser sous ses yeux, de présenter un motif plus étonnant, plus inquiétant.

Des coccinelles, des escargots, des prépuces…

La ligne 24 occupée.

La voix lointaine qui résonnait dans sa mémoire, comme les cris des mouettes, des appels mélancoliques dans la brume : *Ethan ? Ethan…*

Le voyant de la ligne 24 – réplique minuscule du dôme sur le toit du Notre-Dame-des-Anges –, la dernière ligne sur le tableau du téléphone, la dernière chance, le dernier espoir.

Ethan sentit flotter un parfum de rose. Il n'y avait pas de roses dans l'appartement.

En pensée, il revit le bouquet de Broadway sur la tombe d'Hannah, leurs pétales rouge et or chatoyants sur l'herbe mouillée.

Le parfum se fit plus fort, plus intense. L'odeur était réelle, pas imaginaire, plus capiteuse encore qu'au *Forever Roses*.

Un frisson remonta sa nuque, ses cheveux se dressèrent sur sa tête… C'était moins le signe d'une frayeur ordinaire que la manifestation d'une humilité devant l'inconcevable. Au fond de son estomac, un bloc de glace se cristallisa dans un fourmillement.

Ethan n'avait pas la clé de la porte bleue, protégeant la chambre interdite, là où aboutissait la ligne 24. Mais l'absence de clés lui parut soudain futile et dérisoire.

Pétri d'un sentiment d'urgence qui lui restait mystérieux, Ethan sortit en courant de son appartement et grimpa quatre à quatre l'escalier de service pour rejoindre le deuxième étage.

83.

Arrimé à bâbord et tribord à deux grosses branches et, en proue, au pare-chocs du camion, le dirigeable, retenu au bout de ses cordes, ressemblait à un gros poisson ferré dans le ciel, rêvant de replonger dans les profondeurs des cieux.

Avec sa robe grise et ses courbes de rorqual, long de dix mètres, pour un diamètre de quatre, le ballon était un petit baleineau comparé au dirigeable Goodyear. Mais de près, il paraissait gigantesque.

Le Léviathan flottait au-dessus de leur tête, éclairé par-dessous par deux lampes-tempête. La pluie argentée ruisselait de ses flancs rebondis. Si l'aérostat était si impressionnant, c'était moins à cause de ses dimensions que du fait qu'ici, à Bel Air, dans la première décennie du troisième millénaire, la présence d'un dirigeable était à la fois incongrue et fantastique, comme un mirage venu d'un autre temps.

Non content d'être un survivaliste convaincu, un obsédé de la théorie du complot et un dingue dangereux en bien des domaines, Jack Trotter était aussi un amateur de vol en ballon. Il ne trouvait la paix intérieure que dans le ciel, surfant sur les vagues du vent. Tant qu'il était en l'air, les agents du mal ne pouvaient l'attraper et l'envoyer dans un cachot obscur avec, pour seule lumière, la lueur rouge des yeux des rats.

Il possédait un aérostat traditionnel, un joli ballon avec des bandes de couleurs, avec brûleur au propane et nacelle d'osier pour accueillir pilote et passagers. Il affectionnait les vols en solo; parfois, il était le seul aéronaute dans le clair azur d'un matin de printemps ou dans l'or d'un couchant. Il participait également à des rassemblements de « navigateurs célestes », où l'on pouvait alors admirer vingt ou trente ballons dans le ciel, dérivant de conserve sur les courants thermiques.

Un ballon à air chaud était à la merci du vent. Le pilote ne pouvait décider à l'avance de la destination, ni estimer l'heure exacte d'arrivée, pas même au quart d'heure près.

L'assaut sur le Palazzo Rospo exigeait l'emploi d'un engin

manœuvrable, qui pouvait tenir un cap, du moins dans des conditions de vent relativement clémentes. En outre, l'appareil devait pouvoir s'élever sans le rugissement du brûleur, qui déclenchait un concert d'aboiements à trois kilomètres à la ronde. Il devait aussi pouvoir descendre des cieux aussi discrètement qu'une colombe, voire davantage, et faire du surplace, comme un colibri.

Trotter adorait voir la mine étonnée de ses collègues aéronautes quand il laissait son gros ballon chez lui et qu'il prenait son petit dirigeable. De nature guère loquace, d'un abord plutôt fruste, Trotter était sûr d'être la coqueluche d'un rassemblement s'il sortait son zeppelin miniature.

Connaissant la paranoïa obsessionnelle de Trotter, le dirigeable représentait sans doute, à ses yeux, le véhicule du dernier espoir dans le cas où la dictature nouvellement au pouvoir décide de bloquer les autoroutes et toutes les voies de communication autour de Los Angeles. Trotter se voyait sans doute échapper aux despotes sous un croissant de lune, passant par-dessus les barrages et les camps de concentration, pour survoler les plaines du Nord jusqu'aux contreforts de la Sierra, là où il pourrait alors atterrir et rejoindre à pied l'une de ses tanières secrètes.

Après avoir arraché Laputa à la contemplation des ruines du château, Trotter annonça :

— On décolle dans moins de cinq minutes.

Les deux hommes d'équipage terminèrent la check-list du vaisseau.

C'étaient des hommes de main impliqués dans le trafic d'ecstasy avec Trotter. Lorsqu'il aurait déposé, en dirigeable, Laputa au Palazzo Rospo et serait de retour au camion, Trotter tuerait ces deux hommes.

— Je ne t'ai pas vu charger les batteries, lâcha Laputa.

— Elles étaient pleines avant qu'on parte.

— En l'air, nous ne pourrons pas utiliser le moteur. C'est absolument hors de question.

— Je sais, je sais. Vous me l'avez répété cent fois ! On n'aura pas besoin du moteur pour un trajet aussi court, d'autant plus qu'il n'y a pas de vent.

Les deux hélices de propulsion, dans leur carter, en forme de boîte de conserve, monté en proue de nacelle, étaient, d'ordinaire, alimentées par un moteur de tondeuse à gazon. Le bruit des lames en rotation restait acceptable, mais celui du moteur annihilait tout espoir de discrétion.

— Même avec une petite brise, poursuivit Trotter, je peux

tenir deux heures sur accus, peut-être plus longtemps encore. Mais cette pluie ne me dit rien qui vaille.

— C'est un petit crachin.

— Et s'il y a des éclairs ? répliqua Trotter. Rien que d'y penser, cela me fiche les jetons. Et ça devrait être pareil pour vous.

— C'est de l'hélium, non ? lâcha Laputa en désignant les trois grosses bonbonnes vides de gaz comprimé, chacune de la taille d'une citerne d'oxygène d'hôpital. Le Hindenbourg était gonflé à l'hydrogène. Je croyais que l'hélium n'explosait pas ?

— Ce n'est pas une explosion que je redoute. *C'est d'être frappé par la foudre !* Même si la décharge ne déchire pas l'enveloppe et ne l'embrase pas, elle peut nous rôtir dans la nacelle.

— L'orage est loin. Il n'y a pas d'éclairs, précisa Laputa.

— Il y a eu des éclairs plus tôt dans la journée.

— Juste quelques-uns. Je te l'ai déjà dit, Trotter, nous autres, à la NSA, nous contrôlons les éléments. Si nous voulons des éclairs, la foudre tombe là où on en a besoin, et si nous ne voulons pas d'éclairs, pas la moindre étincelle ne sortira du carquois de Zeus.

Non seulement l'enveloppe était gonflée avec un gaz ininflammable et non avec de l'hydrogène, mais le dirigeable différait d'un zeppelin classique en ce sens qu'il n'avait pas de structure rigide interne. La peau de l'Hindenburg – un vaisseau long comme la tour Eiffel, près de quatre Boeing 747 mis bout à bout – était tendue sur une ossature d'acier, renfermant seize poches de gaz géantes (de grands sacs de coton rendus étanches par une couche de caoutchouc) ainsi qu'un hôtel de luxe grandeur nature. Le dirigeable de Trotter, une fois dégonflé, était tout plat.

Sans faire rouler des billes d'acier dans sa paume, de façon compulsive, comme Bogart dans *Ouragan sur le Caine*, le capitaine Queeg von Hindenbourg contempla longuement les cieux où s'effilochaient les nappes de brouillard, plissant les yeux pour scruter les entrailles des nuages au-dessus. Il paraissait inquiet. En colère aussi. Avec ses cheveux orange, plaqués sur son crâne par la pluie, ses yeux protubérants et sa moustache de morse, il ressemblait à un personnage de dessins animés.

— Je n'aime pas ça, marmonna-t-il. Pas ça du tout.

84.

Au deuxième étage, au fond de l'aile Ouest, en face de la suite de trois cents mètres carrés où se trouvait la chambre de Channing Manheim, se dressait la fameuse porte bleue – unique exemplaire dans toute la maison.

Ming du Lac avait vu en rêve la nuance exacte du bleu. Selon Mrs. McBee, le décorateur avait fait quarante-six mélanges de peintures avant d'avoir le feu vert du conseiller spirituel, jugeant que la réalité rejoignait enfin sa vision onirique.

En fait, on trouvait le même bleu sur les paquets de pâtes Lustucru.

Une ligne spécialement dédiée aux morts, reliée en permanence à un répondeur, ne pouvait suffire au duo Ming-Manheim, qui se piquait de vouloir mener une investigation en profondeur sur les communications possibles avec l'Au-Delà. Un espace devait être exclusivement réservé pour abriter les appareils nécessaires à cette noble entreprise – un équipement qui, originellement, se limitait à un simple répondeur et qui n'avait cessé, depuis, de se complexifier. En toute logique, Ming et Manheim décrétèrent que l'ambiance de cette pièce devait être particulièrement sereine, d'où l'importance de la couleur de la porte d'entrée.

Un sanctuaire, disait Ming. Un lieu *interdit*, précisait Channing Manheim.

Une simple serrure en défendait l'accès – pas de verrous. Si Ethan ne parvenait à la crocheter, il la ferait sauter à coups de pied.

Une carte de crédit, glissée entre la porte et le chambranle, suffit à repousser le pêne et la barrière azur s'ouvrit, révélant une pièce de cinq mètres de long pour quatre de large, où les fenêtres avaient été bouchées. Le plafond et les murs étaient tendus de soie blanche. La moquette était blanche aussi. Comme la face interne de la porte.

Au centre de cet espace se trouvaient deux chaises et une

grande table blanche. Sur la table, et dessous, « des tas de trucs high-tech », comme aurait dit Fric, dont un ordinateur aux capacités titanesques. Tout cet équipement était présenté habillé de carters blancs ; les logos des marques étaient dissimulés par du vernis à ongles blanc. Même les câbles de connexion étaient couleur neige.

On aurait été aveuglé dans un tel décor si l'éclairage n'avait été fortement tamisé. Des tubes fluorescents, dissimulés dans des niches près du plafond, s'allumaient automatiquement quand quelqu'un entrait ; leur intensité était réglée pour dispenser une douce lumière qui faisait miroiter les murs tendus de soie comme des névés en hiver.

Ethan était déjà venu une fois dans cette pièce, lorsqu'on lui avait fait visiter la maison à son arrivée.

L'ordinateur et les appareils tournaient vingt-quatre heures sur vingt-quatre, sept jours sur sept.

Ethan s'assit sur l'une des chaises blanches.

Sur le répondeur blanc, le voyant était éteint. La ligne 24 n'était plus occupée.

L'écran bleu, d'un ton différent du bleu de la porte, était la seule touche de couleur de toute la pièce. Les icônes étaient blanches.

Ethan n'avait jamais utilisé l'ordinateur auparavant. Le logiciel qui gérait les appels entrants, toutefois, était le même que celui qui faisait fonctionner le reste du réseau téléphonique de la maison.

Heureusement, les lettres, les chiffres et les symboles sur le clavier n'étaient pas peints en blanc et restaient parfaitement lisibles. Les touches ombrées de gris brillaient comme des sous neufs. Par comparaison avec ce blanc uniforme, le clavier était un chatoiement de chromatisme !

Ethan ouvrit le registre de la ligne 24, aussi facilement qu'il ouvrait ceux de la ligne 1 à 23 depuis l'ordinateur de son bureau. Il voulait savoir combien d'appels avait reçu la ligne ces dernières quarante-huit heures.

D'ordinaire, la ligne 24 recevait cinq à six messages par semaine – des faux numéros, pour la plupart, ou de la prospection téléphonique.

Les appels de lundi et de mardi figuraient en haut de la liste : cinquante-six. Dix semaines d'appel en deux jours !

Ethan savait que la ligne était plus sollicitée que d'habitude, mais il n'avait pas réalisé à quel point – plus d'un appel par heure !

La température de ce parloir avec l'Au-Delà, à grands renforts de technologie, était maintenue à dix-sept degrés Celsius – encore un commandement que Ming avait reçu en rêve. Mais ce soir, il semblait faire beaucoup plus froid.

En parcourant le registre, Ethan s'aperçut qu'aucun numéro de correspondant ne figurait sur les cinquante-six entrées. Aucun des appels, par conséquent, ne provenait de quelque démarchage téléphonique, car la nouvelle législation interdisait à ces sociétés de prospection de masquer leur numéro.

Peut-être y avait-il eu quelques faux numéros dont le mode confidentiel était activé ? Possible. Mais Ethan était prêt à mettre sa main à couper que ce n'était pas la bonne explication. Ces appels provenaient d'un territoire inconnu des télécom.

Il surligna la dernière entrée, l'appel qui était arrivé pendant qu'il se trouvait dans son bureau, occupé à chercher un sens au triptyque coccinelles-escargots-prépuces.

Une fenêtre d'option s'ouvrit dans le coin supérieur droit de l'écran : on lui proposait d'imprimer la transcription de l'appel, de le lire sur l'écran, ou de l'écouter en audio.

Il choisit l'écoute.

Si l'appel était de la même nature que celui qu'il avait reçu la nuit précédente – une faible voix, à peine audible, perdue dans un crachouillis de parasites –, cet équipement high-tech lui assurerait sans doute une meilleure réception. Le filtre audio de l'ordinateur éliminerait les bruits d'électricité statique, trouverait le meilleur échantillonnage pour clarifier les mots, éliminerait les silences pour ne garder que l'essence sémantique de la communication.

L'appel numéro 56 restait un cri lancé du fin fond de l'Univers, à travers un abîme insondable. En entendant cette voix fragile, Ethan se pencha instinctivement vers les haut-parleurs, de crainte de perdre le contact. Mais grâce au traitement numérique du signal, il entendit chaque mot distinctement, malgré son état de stupeur.

C'était Hannah.

85.

Dans sa tête, Corky Laputa entendait jouer *La Walkyrie*, et plus particulièrement le passage de la célèbre charge.

Sous la pluie et le brouillard, dans l'air immobile de Bel Air, le mini-dirigeable du capitaine Queeg se déplaçait aussi silencieusement qu'un rêve s'immisçant dans un autre.

Le chuintement des gouttes masquait le peu de bruit qu'émettaient les moteurs électriques. Laputa et son pilote semblaient voyager dans un silence absolu, sans laisser le moindre remous dans leur sillage. Ni le soleil, ni la lune n'étaient aussi silencieux dans leur périple à travers les cieux.

Suspendue sous le ballon, la nacelle ouverte ressemblait à une chaloupe, mais avec une proue et une poupe arrondies. Les deux bancs pouvaient accueillir quatre personnes.

Trotter, assis à l'arrière, regardait devant lui. Il se tenait juste devant les moteurs, les manettes d'admission de l'hélium et autres leviers de commandes à portée de main.

Au début, Laputa était assis face à lui, dos au sens de la marche. Puis il se tourna vers l'avant, en jetant de temps en temps des coups d'œil à bâbord et tribord pour se repérer dans le brouillard.

Le faîte des arbres glissait sous eux en silence, à seulement quelques pieds de la coque. Progressant sans projeter la moindre ombre par cette nuit sans lune, ils frôlaient les oiseaux venus se protéger de la pluie dans les hautes branches, sans même les effrayer.

Ce quartier pour nantis avait été édifié dans une forêt mixte de chênes, de ficus, de pins et de poivriers d'Amérique. En réalité, cette végétation avait été plantée pour habiller les monts et les vaux alentour, qui autrefois n'étaient qu'un maquis de broussailles.

Pour passer inaperçu dans le ciel de Bel Air, il fallait rester le plus bas possible. Dans ces collines, les rues étaient sinueuses et étroites, bordées le plus souvent de grands arbres, ne laissant visible qu'une fine bande de ciel. Tant que le dirigeable ne croisait pas de rue et restait à l'aplomb de la végétation, ils pourraient faire le voyage aller-retour jusqu'au Palazzo Rospo sans être repérés. Il y avait peu de chance, voire aucune, pour qu'un résident mette le nez dehors par cette nuit pluvieuse et les aperçoive.

À vol d'oiseau ou à vol de dirigeable, ce qui revenait au même, sept cents mètres séparaient le château en ruine du Palazzo Rospo. En l'absence de vents contraires, avec les moteurs fonctionnant sur batterie, la vitesse de pointe de l'aérostat était de vingt-cinq kilomètres par heure. Pour ne pas trop agiter les nappes de brouillard qui les dissimulaient, ils ne dépassaient pas les quinze kilomètres par heure. À cette vitesse, le trajet durerait environ trois minutes.

Grâce à Internet, Laputa avait eu accès non seulement aux plans de la ville mais aussi à des photos aériennes éditées par l'institut géographique de Californie, qui offraient des vues imprenables sur ces enclaves surprotégées. La plupart des maisons de ce quartier étaient de véritables manoirs, en particulier dans le secteur qu'ils survolaient. Laputa avait mémorisé chaque ligne de toit, chaque tour et clocheton qui allaient ponctuer leur périple.

Trotter avait préparé son vol, également. Il regardait moins les repères au sol que Laputa, se fiant davantage à son compas pour se diriger.

La seule lumière dans la nacelle provenait des écrans verts du compas, de l'altimètre, et de quelques autres appareils de mesure. Ils étaient montés sur pivots sur le panneau de commande, ce qui permettait à Trotter de les orienter à son gré. Leur lueur cumulée ne parvenait pas à atteindre l'enveloppe du dirigeable juste au-dessus de leur tête.

Des lumières plus vives montaient des grandes demeures qu'ils survolaient. Des reflets d'or et d'argent glissaient par intermittence sur le ventre rond du dirigeable, comme si une mousse phosphorescente s'y était incrustée.

Ils rasaient les cheminées, les toits luisants d'eau. Ils étaient si près que Laputa pouvait distinguer chaque tuile malgré la nuit et le brouillard.

Quelque bambin impatient, derrière la fenêtre d'une chambre, contemplant le ciel en rêvant de traîneaux volants et de rennes, aurait pu apercevoir le vaisseau improbable de Trotter et croire que le père Noël arrivait avec deux jours d'avance par un moyen de transport non conventionnel…

Enfin, après tant de travail et d'efforts, la propriété de Manheim était en vue !

Sans se faire repérer, ils passèrent dix mètres au-dessus du mur d'enceinte.

Ils survolèrent les radars volumétriques réglés pour détecter toute intrusion terrestre.

Ils franchirent les lignes de caméras-sentinelles, dont aucune n'était dirigée vers le ciel.

Laputa ne voulait pas être déposé devant le perron du Palazzo Rospo, mais sur le toit de la maison du jardinier, au fond de la propriété.

Jusqu'à présent, les qualités de pilote de Trotter n'avaient guère été sollicitées, car ils avaient volé en ligne droite. Mais à présent, il devait manœuvrer le dirigeable vers l'objectif, l'aligner précisément au-dessus de la portion du toit *ad hoc* et le maintenir en vol stationnaire avec le moins de roulis et de tangage possible.

Les quatre ailerons à l'arrière du dirigeable étaient équipés d'une gouverne, commandée par relais électriques, depuis le tableau de bord.

Trotter pouvait perdre de l'altitude en laissant échapper de l'hélium. S'il lui fallait remonter, il pouvait envoyer de l'hélium dans le ballon, ou, plus rapidement, en vidant de leur eau les deux ballasts arrimés aux flancs de la nacelle.

Avec grâce, presque avec majesté, le vaisseau mit le cap vers la maison du jardinier et arriva à destination aussi silencieusement que les étoiles croisent le ciel du crépuscule au matin. Avec une synchronisation de mouvements digne d'un danseur étoile et l'adresse d'un compétiteur de concours de châteaux de cartes, Jack Trotter positionna le dirigeable juste à l'endroit indiqué.

À la montre de Laputa – une Rolex, le modèle préféré des anarchistes exigeants –, le vol avait duré trois minutes et vingt secondes.

20 h 33. Tous les téléphones de la propriété, les postes fixes comme les cellulaires, étaient HS depuis trois minutes.

86.

— *Fric est né... un mercredi.*

Dans la chambre blanche, derrière la porte bleue, Ethan resta figé de stupeur en entendant la voix de sa femme défunte.

— *Fric est né... un mercredi.*

Une mélodie si douce à ses oreilles, si pure, si revigorante. L'effet d'un cantique sur le cœur d'un dévot, ou de l'hymne national sur le patriote, restait sans commune mesure avec l'émotion que provoquait cette voix au tréfonds de lui.

— Hannah? souffla-t-il, comme si un enregistrement pouvait lui répondre. Hannah?

Les larmes qui brouillèrent sa vue étaient des larmes de joie, versées non pas parce qu'elle lui avait cruellement manqué durant ces cinq longues années mais parce que ce message énigmatique lui prouvait que quelque chose d'Hannah avait survécu quelque part, que ce cancer honni avait remporté une bataille mais pas la guerre. Sa perte n'était pas moins douloureuse, mais désormais il savait que la séparation ne serait pas éternelle.

Elle avait répété ces mots à six reprises. Il passa l'appel 56 trois fois avant de pouvoir s'arracher à l'envoûtement délicieux de cette voix et s'intéresser au contenu du message.

« *Fric est né... un mercredi.* »

À l'évidence, Hannah jugeait cette information de première importance. Mais pour quelle raison?

Remontant d'un cran, il sélectionna l'appel 55. Comme précédemment, il choisit l'option audio.

Encore Hannah. Cette fois elle ne disait qu'un seul mot, vingt ou trente fois. Son nom : « *Ethan... Ethan... Ethan...* »

L'angoisse poignante dans son ton se mêla à la sienne. Ses dernières défenses s'écroulaient.

Au téléphone, par les haut-parleurs, peut-être par d'autres moyens encore, elle avait tenté de le contacter, mais il ne l'avait pas entendue... Par une sorte d'ironie du sort, c'est derrière cette porte aux couleurs des pâtes Lustucru, dans cette chambre blanche ridicule, avec l'aide de ces appareils perfectionnés, qu'elle était parvenue à le joindre.

Les voies de Dieu étaient impénétrables, en effet, quand Il empruntait celles de Ming du Lac.

Ethan était venu ici, mû par une sorte de pressentiment, un appel impérieux. Cette fois l'affolement le gagnait.

Il passa à l'appel 54. Hannah encore.

— *L'enfant du lundi est serein...*

Ethan retint son souffle. Il se redressa sur son siège.

— *L'enfant du mardi est coquin...*

Il connaissait cette chanson. C'était une comptine. Il articula le troisième vers avec elle.

— *L'enfant du mercredi est plein de chagrin...*

La boîte à gâteaux, en forme de chat, était emplie de pièces de Scrabble pouvant former le mot « chagrin » trente-neuf fois.

Le CHATON GOURMAND... un chaton était un petit chat... Un être pas encore adulte. Un enfant. Comme Fric.

Mais pourquoi trente-neuf? Peut-être cela n'avait-il aucune importance? Trente-neuf pièces de chaque lettre, deux cent soixante-treize au total. C'était le nombre qui remplissait la boîte – à ras bord. L'enfant du mercredi est *plein* de chagrin.

Appel 53. Hannah.

Malgré le filtrage et le traitement numérique, impossible de comprendre ses mots, comme si le Styx, le fleuve séparant le monde des morts de celui des vivants, s'était soudain élargi au point de devenir un océan infranchissable.

Appel 52. Tout aussi inaudible.

Appel 51. Hannah, chantant une autre chanson pour enfants.

— *Coccinelle, coccinelle, sauve-toi, sauve-toi...*

Ethan se leva d'un bond, renversa sa chaise.

— *Ta maison est en feu, et tes enfants vont mourir dans les flammes...*

Channing Manheim serait de retour à Bel Air le 24 décembre dans l'après-midi. La théorie était que la star ne risquait rien avant ce jour-là...

Mais ce n'était peut-être pas l'acteur qui était visé. La cible était peut-être Fric, depuis le début.

Vingt-deux coccinelles dans un petit bocal. Pourquoi pas vingt-trois ou vingt-quatre? À l'inverse de la boîte à gâteaux, le bocal contenant les coléoptères n'était qu'à moitié plein. Pourquoi pas cinquante bêtes à Bon Dieu pour le remplir jusqu'à ras bord?

Parce qu'on était mardi, *22* décembre.

87.

Au moment où Laputa voulut s'approcher du plat-bord, Trotter lança :

— Doucement ! doucement !

Le déplacement soudain des quatre-vingt-cinq kilos de Laputa fit osciller le petit dirigeable, ce qui était risqué, aussi près du toit.

Pendant que Laputa, lentement, passait une jambe par-dessus bord, Trotter fit contrepoids sur tribord, en continuant d'affiner l'altitude de l'aérostat.

Le dirigeable roula mais de façon modérée.

Au signal de Trotter, Laputa descendit de la nacelle, sans la lâcher pour autant. Les deux mains cramponnées au plat-bord, il resta suspendu tandis que Trotter stabilisa l'assiette. Lorsque le ballon s'immobilisa, Corky attrapa le collier du ballast, sous lui, et descendit d'un cran. Le métal était froid et mouillé, mais grâce à ses gants en cuir et nylon, il put s'assurer une bonne prise.

En baissant la tête, il vit qu'il se trouvait à cinquante centimètres du toit.

Il n'osait pas se laisser tomber d'aussi haut. Même s'il pourrait sans doute garder son équilibre, il risquait de faire trop de bruit en atterrissant, ce qui ne manquerait pas d'alerter les deux vigiles qui se trouvaient dans le poste de gardes, installé au premier étage de la maison.

À l'évidence, Trotter comprit le problème. Il laissa échapper un filet d'hélium, et l'aérostat descendit et Laputa put poser le pied sur le toit.

À cheval sur le faîte, un pied sur chaque pente, Laputa lâcha le collier du réservoir. Il avait atterri presque aussi discrètement que Peter Pan rendant visite à Wendy.

Soudain soulagé d'une partie du lest, le dirigeable remonta de trois ou quatre mètres. La queue commença à s'élever dangereusement, mais Trotter, en ajustant les gouvernes, rétablit l'assiette, tout en faisant demi-tour pour le trajet retour qu'il ferait seul.

Lorsque le garçon serait sous son contrôle, Laputa quitterait le Palazzo Rospo avec superbe, en empruntant l'une des belles voitures de collection de Manheim.

Une fois revenu au château en ruine, Trotter abattrait ses deux acolytes qui lui servaient d'assistant au sol. Le cœur en peine à l'idée de devoir abandonner son précieux dirigeable, Trotter rejoindrait, à pied, une voiture qu'il avait garée, dans l'après-midi, quelques pâtés de maisons plus loin.

Sitôt rentré à Malibu, il changerait de véhicule et prendrait la route, rompant définitivement les ponts avec Jack Trotter. Peut-être ne s'apercevrait-il jamais qu'il avait été dupé par un faux agent de la NSA, qui lui avait promis que son nom ne figurerait plus dans aucun fichier officiel et qu'il pourrait recommencer une nouvelle vie à zéro, dans l'anonymat et l'impunité complets. Puisque Trotter voulait, de toute façon, vivre comme un fantôme, peut-être parviendrait-il finalement à échapper à la scrutation des autorités par ses propres moyens ?

La police qui enquêterait sur le kidnapping d'Aelfric Manheim serait sans doute dans une impasse lorsqu'elle aurait remonté la piste du dirigeable jusqu'à Trotter. Les policiers n'auraient aucun moyen de savoir quelle nouvelle identité Trotter aurait choisie, ni où il était parti.

Si un jour, contre toute attente, ils attrapaient Trotter, il n'aurait aucun nom à donner à part celui de Robin Goodfellow, agent spécial – *très spécial*.

Toujours juché sur le faîte du toit, Laputa avança de deux pas avec précaution. Ses chaussures étaient conçues pour des conditions hivernales, pour la neige et la glace traîtresse. Une simple pluie sur des tuiles ne serait donc pas un obstacle.

Cependant, une glissade à cet instant serait une catastrophe, même s'il survivait à la chute. Avec les gardes juste sous ses pieds, la pluie ne masquerait pas le bruit. Il se devait d'être totalement silencieux.

La buse d'aération se trouvait à l'endroit indiqué sur les plans, à quarante centimètres sous le faîtage sur le versant Sud.

Comme un lutin s'apprêtant à jouer un mauvais tour, Laputa aurait aimé pouvoir chantonner une chanson de circonstance pour se donner du cœur à l'ouvrage, mais il devait réfréner son exubérance naturelle.

Vers l'est, le capitaine Queeg von Hindenbourg et son engin, tout droit sorti d'un roman de Jules Verne, s'enfonçaient dans le brouillard. Les nappes se refermaient dans sa traîne, le dissimulant aux regards comme la mer avait dissimulé Nemo et son *Nautilus*.

Laputa s'assit sur le faîte, face à la bouche d'aération. Le conduit, qui saillait du toit à une hauteur de trente centimètres, traversait les combles pour ventiler la salle de bains des gardes.

Passant un bras par-dessus son épaule, Laputa ouvrit la poche supérieure de son sac à dos. Il en sortit un sac-poubelle de cinquante litres et un rouleau de ruban adhésif.

Un chapeau de métal couvrait l'extrémité du tuyau, fixé à trois pattes métalliques longues de dix centimètres, pour éviter que la pluie et des débris soufflés par le vent ne tombent dans le conduit, tout en laissant la circulation d'air possible.

Laputa enfila le sac-poubelle sur le conduit et l'entortilla le plus serré possible au tuyau.

Si la ventilation de la salle de bains était en marche, le sac-poubelle se serait gonflé, et Laputa aurait dû attendre que l'appareil s'arrête. Mais le sac resta absolument inerte.

À l'aide du ruban adhésif, il fixa l'extrémité du sac au tuyau, créant une jonction relativement hermétique.

Il passa de nouveau le bras par-dessus son épaule et sortit cette fois, de son sac, une bombe aérosol. Ce n'était pas un produit que l'on trouvait dans le commerce, c'était un aérosol militaire, équipé d'un gaz propulseur à haute vélocité, conçu par l'un de ses collègues d'université grâce aux deniers de l'armée chinoise.

L'arme libérerait tout son principe actif en moins de six secondes. Les molécules seraient propulsées avec une telle rapidité que les deux niveaux de la maison du jardinier seraient contaminés en une minute.

La bombe était conçue pour diffuser une palette de produits allant du simple sédatif au neurotoxique mortel qui tuait à la première inhalation.

Laputa n'avait pu mettre la main sur un aérosol contenant un neurotoxique foudroyant. Il avait donc dû se satisfaire d'un gaz sédatif.

Endormir les deux gardes lui convenait. Même s'il était corps et âme engagé dans la destruction de la société, il n'était pas un tueur aveugle. Plus tard, bien sûr, de nombreuses morts seraient nécessaires pour faire avancer sa noble cause. Mais il aimait voir qu'il pouvait tout aussi facilement contenir la bête en lui que lui laisser libre cours.

Avec un doigt, il perça un trou dans le sac et y glissa la

partie supérieure de l'aérosol. À l'aide, encore une fois, du ruban adhésif, il créa une nouvelle jonction hermétique entre le corps de la bombe et la paroi de plastique.

Tenant la partie exposée de l'aérosol dans sa main gauche, il chercha de la main droite la gâchette du pulvérisateur, à travers la membrane du sac. Il trouva l'anneau, qui fonctionnait à la manière d'une goupille de grenade. Il l'arracha et le laissa tomber au fond du sac.

Il y avait dix secondes de délai avant la libération du gaz pour que la bombe puisse être jetée par une porte ouverte ou une fenêtre. Laputa la tint dans sa main et attendit.

Lorsque le gaz s'échappa de la bombe, il sentit le fût vibrer dans sa paume, et devenir, dans l'instant, glacé. Le changement brusque de température était perceptible, malgré ses gants. S'il avait tenu la bombe à mains nues, sa peau serait restée collée au cylindre d'aluminium.

Pschitt! Le sac-poubelle se gonfla d'un coup comme un airbag après une collision. Laputa eut peur que le sac n'explose et qu'il se retrouve baigné de gaz sédatif.

Mais le conduit offrait une voie d'expansion au gaz, de sorte qu'au lieu de distendre le sac-poubelle jusqu'au point de rupture, le produit descendit dans le tuyau et se fraya un chemin à travers les pales du ventilateur éteint. Une fois dans la salle de bains, le gaz allait se répandre dans toute la maison.

Les portes fermées n'opposeraient guère de résistance à la diffusion des molécules. Les vapeurs s'infiltreraient sous le battant, entre la porte et le chambranle, par le moindre interstice, la moindre fissure, par les conduits de chauffage, les tuyaux d'évacuation.

Avant leur ronde prévue pour vingt et une heures, les deux gardes se trouvaient dans le bureau juste sous les pieds de Laputa. Le sédatif agissait si vite qu'en dix secondes après expansion du gaz, les deux hommes seraient écroulés au sol, inconscients.

Laputa, par sécurité, attendit trente secondes avant de se relever et de se diriger vers la rive Nord du toit. La charpente n'était pas très pentue et il put descendre sans encombre.

Sur la façade de la maison, qui avait la taille d'un pavillon coquet de banlieue, se trouvait un balcon couvert d'une treille de vigne vierge. Laputa se jucha sur ce dais de verdure.

Puis il sauta sur la pelouse, se laissant rouler au sol comme les parachutistes de la dernière guerre. D'une roulade, il se retrouva debout sur ses jambes.

Parfois, il avait l'impression d'être Vin Diesel.

Il sortit un masque à gaz de son sac à dos et l'enfila.

L'entrée principale de la maison du jardinier n'était pas fermée à clé. Il pénétra dans le hall.

Exactement comme sur les plans…

Sur sa droite, une porte donnant dans une réserve où l'on rangeait les outils de jardin, les bulbes et les trois tondeuses autoportées ainsi que les deux voitures électriques avec lesquelles Yorn et ses ouvriers transportaient engrais, graines et autres matériaux aux quatre coins de la propriété.

Sur sa gauche, deux portes – l'une menant au grand bureau de Yorn, l'autre aux toilettes utilisées par les jardiniers.

Juste en face de Laputa, l'escalier conduisant au premier étage.

En haut, il trouva les deux gardes endormis dans la salle de contrôle, l'un gisant au sol, l'autre effondré dans son fauteuil devant ses rangées d'écrans.

Ils resteraient dans les vapes entre une heure et une heure vingt. Cela laissait à Laputa tout le temps d'accomplir sa mission.

Il approcha une chaise devant un ordinateur. Ni l'alimentation électrique de la maison, ni le fonctionnement des systèmes principaux n'avaient été affectés par la coupure brutale des lignes téléphoniques.

Dans son masque à gaz, sa respiration sonnait comme celle de Dark Vador.

Au début de leur garde, l'un des vigiles, comme d'habitude, avait entré son code personnel dans le système de sécurité. La fenêtre d'état, affichée sur l'écran, révélait, entre autres, que le système d'alarme périphérique de la maison avait été activé, ce qui l'empêchait d'entrer au Palazzo Rospo par une porte ou une fenêtre sans déclencher un concert de sirènes.

Selon Ned Hokenberry – le monstre aux trois yeux, maintenant mort et avec un œil de moins –, l'alarme périphérique n'était pas activée avant vingt-trois heures, voire minuit. Ce soir, elle avait été enclenchée plus tôt que de coutume.

Pourquoi ?

Peut-être avaient-ils été impressionnés par le contenu de certaines boîtes noires…

Ravis de les avoir ainsi déstabilisés et d'avoir pénétré aussi loin leurs lignes, Laputa se mit à chanter la chanson du film *Le Grinch*. Le masque à gaz donnait à sa voix des inflexions merveilleusement fantomatiques, et même bestiales.

Mick Sachatone, ce pauvre Mick dans son pyjama Bart Simpson, avait piraté le système de sécurité de Manheim via l'ordinateur de l'agence de surveillance qui maintenait une liaison avec ce poste de garde, vingt-quatre heures sur vingt-quatre, sept jours sur sept. Sachatone avait donné à Laputa quelques renseignements sur le fonctionnement du système.

D'abord, il vérifia l'état des deux *panic room* de la propriété. Aucune n'était activée.

À l'aide de l'ordinateur, il mit les deux *panic room* en mode siège, engageant leurs serrures à distance. Personne ne pouvait plus les ouvrir de l'extérieur. Ni s'y réfugier.

Le système d'alarme périphérique pouvait être activé ou désactivé, par un simple clic sur une fenêtre OUI/NON. Le Oui était surligné. Laputa cliqua sur le Non.

À présent, avec une simple clé, il pouvait entrer comme chez lui dans le Palazzo Rospo. Les clés pendaient, en trousseau, à la ceinture de chacun des gardes assoupis. Il en détacha un, le fit tinter entre ses doigts avec un sourire satisfait.

Il décrocha un téléphone. Pas de tonalité. Il fit un test avec le portable de l'un des vigiles. Rien non plus. Cher Mick...

Abandonnant les gardes aux bras de Morphée, Laputa descendit l'escalier, rejoignit le balcon sous la treille. Il ôta son masque à gaz et le jeta dans les fourrés.

Derrière les arbres et la pluie, la silhouette de la grande bâtisse se profilait au loin, à environ deux cents mètres au nord. Ethan Truman et le garçon étant seuls dans les murs, peu de fenêtres étaient éclairées, et pourtant la demeure avait des airs de paquebot légendaire fendant la nuit. Et il était l'iceberg.

Il ouvrit la poche intérieure de sa combinaison et sortit son Glock qu'il avait équipé d'un nouveau silencieux.

88.

Coccinelle, coccinelle, sauve-toi, sauve-toi... ta maison est en feu et tes enfants vont mourir dans les flammes...

Après avoir consulté l'appel 51, Ethan sut que nombre de communications parmi les cinquante précédentes lui étaient destinées, et renfermaient sans doute des messages d'une extrême importance, mais il n'avait pas le temps de les écouter; un point était d'ores et déjà avéré et c'était là le plus urgent : il connaissait la signification du rébus.

Vingt-deux coccinelles. Le 22 décembre.

Aujourd'hui ! Et il ne restait qu'un peu plus de trois petites heures avant que le calendrier ne passe au 23... Si quelque chose de terrible devait se passer, c'était pour maintenant.

Son pistolet était dans son appartement.

Fric devait l'y attendre, à présent.

Il abandonna la chambre blanche, laissant la porte bleue ouverte derrière lui.

Inutile de paniquer. Le système d'alarme extérieur se mettrait à hurler sitôt qu'une porte ou une fenêtre serait ouverte. Entre les vagissements des sirènes, une voix de synthèse annoncerait, avec un calme et une précision électroniques, la pièce où avait eu lieu l'effraction.

En outre, les gardes au poste de surveillance seraient forcément avertis si quelqu'un franchissait l'enceinte de la propriété. Avant même que l'intrus n'ait eu le temps d'atteindre la maison, ils auraient appelé le 911 et l'agence de sécurité avec ses vigiles armés.

Toutefois, Ethan ne prit pas le temps d'attendre l'ascenseur; il courut vers l'escalier de service, dévala les six volées de marches dans un enchaînement circulaire, accompagné par le bruit de tonnerre de ses pas précipités, et, sitôt arrivé au rez-de-chaussée, fonça vers son appartement dans l'aile Ouest.

Il ouvrit la porte de chez lui à la volée, appela Fric, mais n'obtint pas de réponse.

Apparemment, le garçon se trouvait encore dans la bibliothèque. Mauvaise idée! Il avait passé la majeure partie de ces dix années livré à lui-même, mais il ne passerait pas cette nuit tout seul.

Ethan se précipita à son bureau. Il avait laissé le pistolet dans le premier tiroir de droite.

Il était quasiment certain de le trouver vide. Mais non, l'arme était là. Le plus beau et précieux objet du monde, à cet instant « t ».

Tout en enfilant le holster, Ethan contempla les objets sur le bureau, disposés entre l'ordinateur et le téléphone.

Des vers de comptines...

Ta maison est en feu et tes enfants vont mourir dans les flammes...

Les enfants du mercredi sont pleins de chagrin...

Des comptines, rien que des comptines...

Des prépuces de dix hommes circoncis. *Dix* parce que Fric avait *dix* ans. Pourquoi des prépuces? Parce qu'un prépuce est un petit morceau de peau. Des prépuces : *des petits morceaux...*

Des escargots ne pouvaient être que *des escargots*. Rien d'autre.

Quant au livre avec les histoires de chiens, *Nos amies les bêtes*, avec la photo du petit chien, en couverture, se mordant la queue – *la queue du petit chien...*

Comme dans la comptine :

« De quoi sont faits les petits garçons?

De petits morceaux, d'escargots et de queues de petits chiens.

Voilà de quoi sont faits les petits garçons[1] ! »

Le mot qui accompagnait la pomme était étalé sur le bureau : L'ŒIL DANS LA POMME? LE VER DANS LE FRUIT? LE PÉCHÉ ORIGINEL? LES MOTS ONT-ILS D'AUTRE BUT QUE DE SEMER LA CONFUSION?

Dans ce cas, semer la confusion était bien leur seul but. Le sixième objet était le plus facile à interpréter, si bien que le « professeur » – ou Dieu savait quelle profession le quidam exerçait – avait brouillé les cartes avec cette série de fausses pistes.

1. « *What are little boys made of? / Snips and snails, and puppy dogs tails / That's what little boys are made of! / What are little girls made of? / Sugar and spice and all things nice / That's what little girls are made of!* » Comptine du début du XIXe siècle *(N.d.T.)*

L'œil dans la pomme était *bleu* – la couleur des yeux de la célèbre star. Le message n'était pas « l'œil dans la pomme », mais « la pomme de son œil[1] » !

Ce pauvre Fric n'était malheureusement pas la « prunelle des yeux » de son père, mais plutôt sa tâche aveugle, la partie insensible de sa rétine, là où se forme dans chaque œil une zone d'ombre qu'on ne regarde jamais en face et qu'on finit par ne plus voir... Cette fois, l'expéditeur de ces boîtes noires avait commis une erreur de jugement. Pour Channing Manheim, la prunelle de ses yeux c'était sa carrière de star – et non son fils.

Quand on connaissait la véritable nature de cette relation père/fils chez les Manheim, faire le rapprochement entre cet œil de poupée enchâssé dans une pomme suturée et le gentil garçon qu'était Fric n'était guère évident. Mais Ethan maudit, néanmoins, sa lenteur d'esprit.

Il enfonça la touche « interphone » sur le clavier du téléphone, puis composa le numéro de la ligne du poste de sécurité au fond de la propriété.

— Pete ? Ken ? On a un pépin qui se prépare...

Pas de réponse.

— Pete ? Ken ? Vous êtes là ?

Rien.

Ethan décrocha le téléphone. Pas de tonalité.

1. *The apple of his eye, « la prunelle de ses yeux »*, en anglais. *(N.d.T.)*

89.

La hyène dormait dans une tanière propre, immaculée, sans la moindre relique de ses crimes. Pas de vêtements tachés du sang des victimes pour s'y enfouir le visage et humer l'odeur enivrante de la mort. Pas de bijoux de femmes à caresser. Pas de photos polaroïd de Justine Laputa ou de Mina Reynerd après qu'il avait révélé leur nature mortelle à coups de tisonnier ou de pied de lampe en marbre. Rien. Aucun souvenir.

Yancy inspecta rapidement (mais méticuleusement) la chambre à coucher – armoire, table de nuit, tiroirs des commodes et autres endroits où Laputa aurait pu cacher une collection de pièces pornographiques ne pouvant exciter qu'un psychopathe. Mais il ne trouva rien de compromettant.

Comme au rez-de-chaussée, l'élément remarquable était l'ordre et la propreté (seul un laboratoire d'armes bactériologiques pouvait être aussi aseptisé !) ainsi que l'agencement d'une précision maniaque de tous les objets, des plus grands jusqu'aux plus petits. Pas seulement les objets à vue, mais aussi ceux rangés dans les tiroirs, comme si leurs places avaient été ajustées avec un micromètre et un rapporteur. Les chaussettes, les chemises, les pull-overs semblaient avoir été pliés avec une machine.

Encore une fois, cette maison paraissait être le refuge ultime contre le chaos qui régnait au-dehors.

Yancy sortit de la chambre pour rejoindre le couloir ; il resta immobile un moment, l'oreille aux aguets... mais seul le tapotis de la pluie sur le toit rompait le silence. Il consulta sa montre, se demandant s'il avait le temps de visiter les autres chambres.

Son intuition était d'ordinaire de bon conseil, mais cette fois, elle restait muette. Le professeur pouvait revenir d'un instant à l'autre comme dans plusieurs heures.

Yancy ouvrit la porte juste à côté de celle de la chambre à coucher et alluma la lumière.

Apparemment, c'était une sorte de débarras. Des cartons, avec des numéros au pochoir, par piles de trois.

Un frisson de curiosité lui fit passer le seuil. Mais il s'aperçut que les cartons étaient fermés avec du ruban adhésif. S'il en déchirait un, il ne pourrait pas dissimuler les traces de son passage illégal en ce lieu.

En s'approchant de la dernière porte sur la droite, il perçut une odeur déplaisante. Au moment de tourner la poignée, l'odeur se fit puanteur.

Au cœur de cette pestilence, Yancy reconnut l'odeur de la chair en putréfaction, à laquelle il avait eu plusieurs fois l'occasion d'être confronté au cours de sa carrière. Il sut qu'il allait trouver cette fois une relique des méfaits de Laputa et regretta aussitôt d'avoir avalé des cheeseburgers-frites un peu plus tôt.

La lueur des vasques du couloir ne parvenait pas à éclairer la pièce. Au début Yancy ne vit pas grand-chose.

Il passa le seuil et actionna l'interrupteur. Une lampe de chevet s'alluma sur la table de nuit. Pendant un moment, il crut que l'homme dans le lit, le corps à moitié couvert par les draps, était mort.

Puis les yeux injectés de sang, qui étaient fixés sur lui dans une supplique silencieuse, battirent des paupières.

Yancy n'avait jamais vu un être humain vivant dans un tel état de décrépitude. C'était à ça que devaient ressembler les prisonniers des camps de concentration nazis quand, morts à la tâche, ils étaient jetés dans les fosses communes.

Malgré la potence de perfusion et la jarre pour recueillir l'urine, Yancy sut aussitôt que le professeur Laputa ne jouait pas les bons docteurs envers un être cher. L'homme dans le lit n'était pas un patient recevant soin et tendresse mais un prisonnier subissant la brutalité d'un geôlier psychopathe.

Les deux fenêtres étaient bouchées par des planches et calfeutrées pour occulter la lumière et étouffer les sons.

Au sol, dans un coin, des chaînes, des menottes et des fers de cheville. Ces ustensiles avaient dû servir dans les premiers temps de l'incarcération, quand l'homme était encore vigoureux.

Yancy parlait tout seul à haute voix depuis un moment lorsqu'il s'en aperçut. Il marmonnait de vieilles prières que lui avait apprises mamie Rose dans son enfance.

Ici siégeait le mal à l'état pur, dont l'étendue dépasserait à jamais l'entendement du simple pécheur qu'il était. Une abomination était venue en ce lieu, puis repartie, et reviendrait encore... un démon en congé sabbatique venant des Enfers.

L'ordre qui régnait partout dans la maison n'était pas un refuge pour le propriétaire contre le chaos de l'extérieur... Mais juste une façon de cacher à quel point le chaos en lui était puissant et apocalyptique.

Le temps d'atteindre le bord du lit, la nausée avait envahi Yancy. Des semaines de sueur séchée, d'humeurs corporelles rances et d'escarres infectées formaient une pestilence à retourner l'estomac.

Malgré tout, Yancy prit doucement la main frêle de l'inconnu. L'homme n'avait pas la force de lever le bras et parvenait à peine à serrer la main de son sauveur.

— C'est fini. Je suis policier.

L'inconnu le regarda comme s'il était une apparition.

Bien que muette quelques instants plus tôt, cette fois son intuition retrouva son efficacité. Ce fut quasiment sans surprise qu'il s'entendit demander :

— Professeur Dalton ? Maxwell Dalton ?

Les yeux chassieux s'écarquillèrent en guise de réponse.

Lorsque le prisonnier voulut parler, sa voix était si frêle, si râpeuse que Yancy dût s'approcher pour entendre les mots.

— *Laputa... a tué ma femme... et ma fille...*

— Rachel ? Emily ? demanda Yancy.

Dalton ferma les yeux de douleur, se mordit la lèvre inférieure et hocha la tête.

— Je ne sais pas ce qu'il vous a dit, mais elles vont bien, le rassura Yancy.

Les yeux de Dalton s'ouvrirent avec la rapidité d'un obturateur d'appareil photo.

— Je les ai vues aujourd'hui même, chez vous, poursuivit Yancy. Il y a quelques heures. Elles sont mortes d'inquiétude, mais elles vont bien. Personne ne leur a fait de mal.

L'espace d'un moment, le prisonnier sembla réticent à accepter cette nouvelle miraculeuse, comme s'il était convaincu qu'il s'agissait d'un nouveau petit jeu cruel de son tortionnaire. Puis il discerna la vérité dans le regard de Yancy. Sa main osseuse serra faiblement celle de son sauveteur et, du tréfonds de son corps desséché, des larmes montèrent dans ses yeux.

Aussi ému que nauséeux, Yancy examina la poche à perfusion, le cathéter, la canule enfoncée dans la veine de Dalton. Il brûlait de tout arracher, car aucun bien ne pouvait provenir de cette potence. Mais il craignait de blesser Dalton. Il fallait faire appel à des infirmiers.

Initialement, Yancy était entré dans cette maison dans le but de procéder à une perquisition illégale et de repartir avec, sous le bras, les indices qu'il aurait trouvés, en laissant le moins de traces de son passage. Ce plan ne tenait plus. Il devait composer le 911, et vite.

Les juges existaient, toutefois, et ils seraient nombreux à relâcher Vladimir Laputa parce que Dalton aura été découvert durant une fouille clandestine, menée sans mandat. En outre, avec sa Sirène des égouts sur les épaules, Yancy ne pouvait se permettre d'écoper d'une mise à pied ou de quelque autre sanction disciplinaire.

— Je vais vous sortir d'ici, promit-il au prisonnier. Mais il me faut deux minutes.

Dalton hocha la tête.

— Je reviens tout de suite.

Avec regret, l'homme lâcha sa main.

Sur le seuil, au moment de quitter la chambre, Yancy marqua une pause et sortit son pistolet. Il s'aventura alors dans le couloir avec beaucoup de précautions.

Il resta aux aguets pendant toute la traversée de la maison; il descendit au rez-de-chaussée, rejoignit la cuisine et verrouilla la porte du jardin qu'il avait laissée ouverte pour s'assurer une voie de repli.

À côté de la cuisine, il y avait une petite buanderie. Les portes de la pièce donnaient dans le garage.

Aucune voiture ne s'y trouvait. Une pile d'affaires trempées gisaient sur le sol de ciment. Les habits que portait Laputa à son arrivée, quand il jouait les rouleurs de mécaniques.

Il y avait aussi des outils, dans le tiroir de l'établi ou accrochés au mur. Ils étaient aussi immaculés et bien rangés que la collection de Lalique dans le salon.

Yancy choisit un marteau de menuisier et remonta en courant au premier étage, se félicitant d'avoir laissé autant de lumières allumées à son premier passage.

Il vit avec satisfaction que le prisonnier était toujours en vie. Dalton semblait sur la frange incertaine entre les deux mondes, pouvant rendre à tout moment son dernier souffle.

Yancy posa son arme par terre et, avec le marteau, il arracha les clous qui maintenaient les panneaux occultant l'une des fenêtres. C'étaient des pointes de sept centimètres de longueur qui résistaient à la traction dans un concert de grincements sinistres. Il retira la planche et la posa debout contre le mur à côté de la fenêtre.

Le double rideau était pris entre les planches et les vitres. Bien que fripé et poussiéreux, c'était exactement ce qu'il lui fallait pour essuyer ses empreintes digitales du manche avant de laisser tomber le marteau au sol.

Bien qu'elles furent au bout de la maison, les fenêtres donnaient sur la façade, comme la chambre parentale. Par la vitre, il apercevait sa voiture garée, en face dans la rue.

Il revint vers le lit.

— Je suis venu ici par pressentiment, sans mandat, et maintenant je dois me débrouiller pour sauver mes miches et être sûr qu'on pourra coincer Laputa. Vous comprenez ?

— Oui, articula Dalton dans un souffle rauque.

— Alors voici ce que vous allez dire : Laputa était tellement sûr de votre incapacité à vous déplacer, et à appeler à l'aide, que ce salopard a retiré une planche cet après-midi juste pour vous tourmenter en vous montrant la liberté toute proche. Vous pourrez leur vendre ça ?

Dans un nouveau souffle aigre, des mots sortirent de la gorge de Dalton.

— Laputa a dit... qu'il me tuerait... ce soir.

— Parfait. Cela n'en sera alors que plus crédible.

Sur la table de nuit, Yancy prit une bombe de désodorisant, saveur pinède. L'aérosol paraissait encore à moitié plein.

— Ensuite, poursuivit Yancy, il faudra leur dire que vous êtes allé chercher en vous vos dernières forces et que vous avez trouvé la volonté et la colère nécessaires pour prendre cette bombe sur la table de nuit et la lancer dans la fenêtre.

— D'accord, promit Dalton en tremblant, bien qu'il semblât à peine avoir la force de battre des paupières.

— L'aérosol est passé à travers la vitre, a roulé sur le toit de l'auvent au moment où je passais devant la maison. Je vous ai entendu gémir faiblement, appeler à l'aide, alors je suis entré dans la maison pour vous secourir.

L'histoire était cousue de fil blanc. Les inspecteurs, en arrivant sur les lieux, sauraient aussitôt qu'il s'agissait de sornettes, mais à la lumière du supplice de Dalton, tout le monde serait prêt à fermer les yeux et à faire semblant d'y croire.

Lorsque Laputa se retrouverait devant un tribunal, Dalton aurait récupéré et les jurés ne sauraient pas à quel point il était affaibli le jour de sa délivrance. Le temps pouvait donner un beau glacis à cette histoire bancale.

En tournant les yeux vers la porte, Dalton articula avec angoisse :

— Vite...

Comme s'il craignait le retour imminent de Laputa.

Yancy jeta la bombe sur la fenêtre. La vitre se brisa dans un tintement agréable.

90.

Après avoir brûlé un peu plus les racines du palmier en pot avec son urine « pur jus Manheim » – qu'il aurait pu mettre en bouteille et vendre à prix d'or aux fans de son père –, Fric parcourut les rayonnages de la bibliothèque à la recherche d'un livre, en se souvenant que Mr. Truman lui avait dit de ne pas s'attarder.

Au cas où ils ne passaient pas la soirée, assis par terre, à griller des shamallow et se raconter des histoires d'épouvante, le garçon préférait se donner la peine de choisir un bon livre pour occuper son temps. Selon toute vraisemblance, il resterait éveillé une bonne partie de la nuit – et cela n'avait rien à voir, malheureusement, avec une excitation enfantine à l'approche de Noël. Si Fric n'avait pas un livre pour passer le temps, il allait devenir aussi dingue que le chat à deux têtes de Barbra Streisand.

Le garçon venait de trouver son bonheur dans les rayonnages lorsqu'il entendit un bruit au-dessus de sa tête : un tintement cristallin, comme des centaines de carillons agités par la brise.

Lorsqu'il releva la tête vers la coupole de verre, il vit que des milliers de morceaux se détachaient du plafond et tombaient vers lui.

Non. Ce n'était pas du verre. Les vitraux étaient toujours en place dans leur hémisphère d'acier de dix mètres de diamètre. Des échardes de couleur et des éclats sombres fugaces traversaient la coupole sans la briser, tombant de la nuit au-dessus ou d'un ailleurs beaucoup trop lointain et mystérieux pour être décrit.

Les éclats descendaient lentement, insensibles à la gravité et, au fil de leur chute, ils changeaient de couleurs et fusionnaient, s'imbriquant les uns aux autres pour donner une ébauche de forme de grande dimension.

Les éclats devinrent peu à peu le Mystérieux Inconnu, que Fric avait vu récemment en incrustation dans le *Los Angeles Times* cet après-midi dans la salle des roses et, en taille réelle, la veille, dans le dédale du musée à la gloire paternelle. L'ange gardien était alors descendu de la charpente, malgré son absence d'ailes, avec l'aisance d'un oiseau… Il se posa aujourd'hui avec la même grâce à côté de Fric.

— Vous avez le chic pour faire des entrées fracassantes, lâcha Fric avec une arrogance blasée de fils de star, mais un trémolo dans la voix trahissait son inquiétude.

— Moloch est ici ! déclara le gardien.

Fric sentit son cœur tressauter dans sa poitrine ; le ton était si sinistre que l'émoi du garçon n'aurait pas été moindre si le Mystérieux Inconnu lui avait simplement annoncé le temps qu'il allait faire demain.

— Cours dans ta cachette secrète, Fric. Sauve-toi. *Maintenant !*

Le garçon désigna la coupole en vitraux.

— Pourquoi ne m'emmenez-vous pas là-haut, avec vous ? Loin d'ici… Là où je serai en sécurité…

— Je t'ai dit, mon garçon, que c'est à toi de prendre les décisions, d'exercer ton libre-arbitre… tu dois te sauver toi-même.

— Mais je…

— En outre, tu ne peux aller là où je vais, ni voyager par les mêmes moyens de transport que moi, parce que tu n'es pas encore mort.

Le gardien fit un pas vers lui et se pencha, approchant son visage blanc à quelques centimètres du garçon.

— Tu ne voudrais pas connaître une mort horrible dans le seul but de pouvoir voyager comme moi ?

Le cœur du garçon battait trop fort pour qu'il puisse articuler un mot. Tandis que sa bouche s'ouvrait, incapable de sortir un son, Fric fut soulevé de terre par son étrange protecteur.

— Moloch est dans les murs. Cours te cacher, mon garçon. Cours ! Sauve-toi !

Sur ce, le Mystérieux Inconnu projeta Fric en l'air comme s'il s'agissait d'un vulgaire fétu de paille, mais par un coup de baguette magique, il ne heurta aucun meuble. Au contraire, il vola dans les airs au ralenti, passant au-dessus des fauteuils club et des tables de lecture.

Tandis qu'il tournait dans le vide, pieds par-dessus tête, Fric vit la photo de la jolie dame s'échapper de sa poche et flotter doucement à côté de lui. À la manière d'un astronaute cherchant à atteindre son tube de nourriture tournoyant en apesanteur dans l'environnement confiné d'une station orbitale, le garçon tendit le bras pour attraper la photo, mais elle resta hors de sa portée.

Soudain, ses pieds touchèrent le sol, à côté du sapin de Noël, décoré de ses dizaines d'angelots; il courait déjà, comme si ses jambes, mues par leur volonté propre, avaient décidé de l'emporter loin d'ici.

Il dépassa le sapin, franchit le seuil de la porte, regardant désespérément derrière lui.

Le gardien avait disparu.

La photographie aussi.

Moloch est dans les murs.

Fric s'enfuit de la bibliothèque, piquant un sprint vers la serre par le chemin le plus court.

91.

Laputa, grâce aux clés prises sur le garde, ouvrit l'une des portes-fenêtres qui donnaient sur le patio et pénétra dans le grand salon.

À l'aide des doubles rideaux, il se sécha du mieux qu'il put. Lorsqu'il emprunterait les couloirs, il ne fallait pas laisser des traces humides sur les dalles. Il devait trouver Truman le premier et non l'inverse.

Laputa alluma les lumières.

Il ne craignait pas d'être repéré. Ils n'étaient que trois personnes dans cette maison grande comme un centre commercial. Il avait peu de chance de tomber nez à nez avec les deux autres.

Un arbre de Noël magnifique décorait la pièce. Il eut envie de faire le tour du sapin pour trouver l'interrupteur commandant l'illumination des guirlandes et voir le conifère dans toute sa splendeur, mais le chaos imposait sa loi d'airain... Laputa devait rester concentré sur sa mission pour laquelle il était descendu du ciel... en dirigeable.

Tout en traversant la pièce gigantesque, il frotta ses semelles sur le tapis persan jusqu'à ce qu'elles soient parfaitement sèches.

Deux doubles portes menaient au couloir Nord. À côté de l'une d'entre elles, un écran tactile était encastré dans le mur.

Il toucha l'appareil qui sortit aussitôt de sa veille et afficha trois colonnes d'icônes.

Mick Sachatone lui avait expliqué sommairement le fonctionnement du système. Cela ne faisait pas de Laputa un expert, mais il en savait assez pour se débrouiller.

Il toucha l'icône des détecteurs intérieurs ; une liste de quatre-vingt-seize emplacements apparut. Conformément aux infos que lui avait fournies Ned Hokenberry, aucun radar n'était installé dans les chambres et les salles de bains, ni dans aucune des pièces de la suite du maître de maison.

Au bas de la liste se trouvait l'instruction DÉTECTION qu'il activa. Cela lui permettait de lancer une recherche de mouvements dans toute la maison du deuxième étage au deuxième sous-sol.

Plus tard, il se servirait de cet équipement pour localiser le garçon. Mais pour l'heure, il s'agissait de repérer Ethan Truman et de l'éliminer.

Il était sans doute possible d'enlever le rejeton au nez et à la barbe du chef de la sécurité, mais Laputa préférait s'occuper d'Aelfric une fois l'ex-flic refroidi – pour une question de tranquillité d'esprit.

La maison était trop vaste pour que le plan d'un niveau puisse s'afficher en entier tout en restant lisible. Par conséquent, ce fut d'abord la moitié Est du rez-de-chaussée qui apparut sur l'écran.

Un point clignotant indiquait la position de Laputa dans le salon. Il ne bougeait pas, mais les radars n'étaient pas uniquement volumétriques; ils réagissaient également au rayonnement infrarouge. Malgré sa combinaison isolante, il émettait suffisamment de chaleur pour activer les capteurs.

Il fit deux pas sur le côté.

Sur l'écran, le point « Corky Laputa » se déplaça légèrement, en temps réel.

Lorsqu'il revint devant l'écran de contrôle, son point bougea de conserve.

Le plan détaillé de l'aile Ouest du rez-de-chaussée s'afficha ensuite. Un seul point clignotant dans le dédale de chambres et de couloirs : Ethan Truman, sans doute, dans le salon de son appartement privé...

Exactement à l'endroit où Laputa comptait le trouver.

Il quitta le programme de détection de mouvement et sortit du grand salon.

Une vingtaine de mètres plus loin, Laputa découvrit la grande rotonde du hall d'entrée, décorée d'un autre sapin de Noël, tout aussi gigantesque. Décidément, songea-t-il, les résidents et le personnel du Palazzo Rospo baignaient dans l'esprit de la Nativité!

De quels délicieux gâteaux ces nantis se goinfraient-ils pendant les fêtes? Une fois qu'il aurait tué Truman et mis le garçon en lieu sûr, il irait faire un tour en cuisine pour inspecter les garde-manger... Peut-être pourrait-il rapporter un *doggy bag* à la maison?

Il tourna à droite et dépassa le salon de thé, la petite et la grande salle à manger, longea les cuisines, puis tourna enfin dans le couloir Ouest où Truman attendait patiemment sa mort dans son appartement.

92.

Sur le poste fixe du bureau d'Ethan, pas de tonalité. Lorsqu'il testa son portable, il le découvrit également hors service.

Les lignes téléphoniques pouvaient, éventuellement, être coupées après deux jours de pluie, mais pas les téléphones cellulaires.

Dans sa chambre, le téléphone de sa table de nuit était tout aussi muet. Ce qui ne l'étonna pas.

Il prit dans le tiroir de la table de nuit un deuxième chargeur pour son pistolet.

Il l'avait préparé le soir de son premier jour de travail au Palazzo Rospo, dix mois plus tôt. À l'époque, cela lui avait paru une précaution superflue. Il aurait fallu une bataille rangée pour avoir besoin de plus de dix balles dans son pistolet… et, à l'intérieur de cette enclave surprotégée, c'était une éventualité aux probabilités réellement infimes.

Ethan fourra le magasin dans la poche de son pantalon et retourna aussitôt dans son bureau.

La prunelle de ses yeux.

Fric !…

Le garçon devait être encore au premier étage, dans la bibliothèque, à choisir un livre pour la nuit…

Le programme était simple : D'abord, foncer à la bibliothèque. Mettre le garçon dans la *panic room* la plus proche. L'enfermer dans ce caveau cosy, blindé et autonome. Puis remonter à la source du mal, tenter de savoir enfin ce qui se passait…

Ethan sortit de chez lui, tourna à gauche dans le couloir Ouest et courut vers l'escalier de service qu'il avait emprunté plus tôt pour rejoindre la chambre blanche.

*

* *

Laputa profitait du moment. La clandestinité avait du bon… Tantôt jouant les commandos de cinéma s'infiltrant dans une forteresse ennemie, progressant en rasant les murs et l'œil aux aguets, tantôt se pavanant avec arrogance au milieu du couloir, à la manière de Vin Diesel quand il sait que le scénario a prévu qu'aucune balle rebelle ne l'atteindrait, Laputa remontait la travée Nord, dépassant la salle du petit déjeuner, l'office, les cuisines…

Il regrettait de ne pas avoir son ciré jaune et son chapeau de pluie. Il aurait adoré voir la tête de Truman lorsqu'il se serait planté devant lui dans cet accoutrement – l'assassin en jaune canari, semant la mort.

Dans le couloir Ouest, la porte de l'appartement du chef de la sécurité était ouverte.

À cette vue, Corky Laputa cessa aussitôt de fanfaronner. Il s'approcha avec précaution ; il se tint, dos au mur, à côté de la porte, tous les sens en éveil.

Lorsqu'il franchit le seuil, il le fit rapidement et en silence, brandissant le Glock à deux mains, balayant l'espace de droite à gauche.

Le bureau était désert.

Rapidement, mais avec prudence, il fouilla le reste de l'appartement. Aucune trace de sa proie.

En revenant dans le bureau, il aperçut les objets, contenus dans les six boîtes noires, étalés sur la table de travail. À l'évidence, Truman cherchait encore à résoudre l'énigme. Amusant.

Des lignes de textes sur l'écran de l'ordinateur attirèrent son attention. Truman semblait avoir été dérangé en pleine lecture d'un e-mail.

Écoutant sa curiosité qui, jusqu'à présent, avait été de bon conseil, Laputa chercha au bas du mail l'auteur du message : William Yorn. Le jardinier.

Il lut le message depuis le début : FRIC S'EST FAIT UNE CACHETTE DANS LA SERRE… La plupart des récriminations de Yorn le laissèrent de glace, mais le passage sur la cachette l'intéressa au plus haut point.

Maintenant que ses deux gibiers divaguaient dans la maison, Laputa avait besoin de trouver un nouvel écran de contrôle pour les repérer, et vite ! Il y en avait un dans la chambre à coucher de Truman, mais le chef de la sécurité risquait de revenir à tout moment. Trop risqué.

Laputa aperçut alors quelque chose par terre, près du

canapé. Un téléphone portable… Comme si on l'avait jeté au sol dans un mouvement d'humeur.

Avec précaution, Laputa retourna dans le couloir Ouest. Il le suivit jusqu'à la porte de l'appartement du couple McBee.

Les plans disaient qu'il y avait un terminal dans leur salon. Par un coup de chance, les McBee étaient à Santa Barbara…

Aux dires de Ned Hokenberry, pour faciliter l'entretien de la maison, le personnel à demeure fermait rarement à clé leurs parties privées, sauf lorsqu'ils étaient à résidence.

Ce bon vieux Trois-Yeux, mort pour la cause, était aussi fiable que les plans. Laputa entra chez les McBee et referma la porte derrière lui.

À côté de la porte, l'écran de contrôle s'éveilla à la première sollicitation. Il lui fut inutile d'allumer une lumière.

Un rapide scannage des détecteurs du rez-de-chaussée lui apprit qu'il était le seul être vivant à ce niveau.

Au premier étage, quelqu'un quittait le couloir Ouest pour gagner la grande aile Nord, se mouvant en direction de la bibliothèque. Truman ? Le jeune Manheim ? En tout cas, il avait l'air pressé.

Pas âme qui vive au deuxième étage.

Il inspecta les deux niveaux souterrains. Rien non plus.

Le point au premier étage avait rejoint la bibliothèque. Il devait s'agir de Truman. Il avait dû emprunter l'escalier de service de l'aile Ouest.

Où était le garçon ? Invisible pour les détecteurs. Immobile. Ne produisant pas assez de chaleur pour être repéré par les capteurs infrarouges.

Peut-être se trouvait-il dans sa chambre, ou aux toilettes ? Il n'y avait pas de détecteurs dans ces pièces…

Ou alors, il avait rejoint sa cachette secrète dans la serre.

Cette histoire de cachette était étrange. À en croire l'e-mail de Yorn, tout le personnel de maison trouvait cette idée bizarre.

Truman se précipitant à la bibliothèque, le gosse évanoui dans les couloirs, le téléphone portable abandonné par terre dans l'appartement de Truman…

Corky Laputa croyait aux vertus d'une préparation minutieuse et à l'exécution fidèle et zélée du plan prévu, mais à la fois il était un adorateur du Chaos.

La marque de son maître était là… Selon toute vraisemblance, Truman avait compris qu'il y avait un intrus dans la propriété.

Il fallait changer de stratégie, improviser... Son cœur battait à tout rompre devant la nouvelle tournure des événements. Mais Laputa avait confiance dans le Chaos. Ils étaient tous les deux dans le même camp... Il piqua un sprint vers la serre.

*
* *

Hazard Yancy abandonna Maxwell Dalton, après lui avoir promis de revenir dans une minute ; il descendit quatre à quatre l'escalier, alors que la bombe de désodorisant roulait encore sur le toit de l'auvent.

Une paire d'impostes en verre flanquait la porte d'entrée, mais aucune assez large pour laisser passer un homme, et encore moins de la corpulence de Yancy. Même en se penchant à l'intérieur au maximum et en tendant le bras, il lui aurait été impossible d'atteindre le verrou de la porte... Cela ne pouvait donc expliquer comment il était entré dans la maison.

Ayant remisé son arme dans son étui, Yancy ouvrit la porte, s'attendant à tomber nez à nez avec Laputa, ou Hector X, mais seule la nuit lui offrit son visage froid et mouillé.

Il sortit sur le perron. Pour autant qu'il puisse en juger, le bris de glace n'avait attiré l'attention d'aucun voisin curieux.

Quelqu'un pouvait regarder d'une fenêtre, certes... mais il avait pris des risques bien plus grands dans sa vie.

L'auvent était décoré de plusieurs pots de fleurs. Il en ramassa un.

Il attendit qu'une voiture ait fini de passer dans la rue pour lancer le pot, avec sa plante, dans l'une des fenêtres du salon. Le fracas fut assourdissant. Cette fois, tout le quartier allait être ameuté, même les voisins les plus respectueux de la vie privée d'autrui !

Il sortit son arme et, avec la crosse, acheva de faire tomber les éclats accrochés aux montants. Puis il enjamba l'appui, écarta les rideaux, renversa un socle avec son vase et se cogna contre les meubles, comme si c'était la première fois qu'il mettait les pieds dans la maison.

Il avait sa mise en scène, à présent. En réponse aux appels au secours qu'il avait entendus filtrer de la fenêtre brisée du premier étage, l'officier Hazard Yancy avait sonné, tambouriné à la porte.. N'obtenant aucune réponse, il avait brisé une fenêtre, était monté à l'étage et avait trouvé Maxwell Dalton dans l'état que l'on sait.

Cette fable n'avait pas le beau glacis bien lisse d'un gâteau d'un maître pâtissier, mais c'était son pudding à lui, et il allait le proposer avec enthousiasme.

Après être revenu sur le perron, par des voix plus conventionnelles, connaissant cette fois, officiellement, l'état de santé de Maxwell Dalton, Hazard Yancy appela le 911 sur son portable. Il donna à la standardiste son numéro de plaque et expliqua la situation.

— J'ai besoin d'une ambulance et de quelques guignols, et fissa ! – après un moment de réflexion, il précisa : des guignols, ce sont des flics en uniforme...

— Je sais ! répondit la femme.

— Pardon...

— Pas de problème.

— Il me faudra aussi une équipe de la police scientifique...

— Je sais !

— Une deuxième fois pardon...

— Vous êtes tout jeune ou quoi, inspecteur ?

— J'ai quarante et un ans, répliqua-t-il, en s'apercevant que cette réponse le faisait passer définitivement pour un idiot.

— Je voulais dire *dans le métier*.

— Non, m'dame. J'en ai tellement vu, d'ailleurs, que je serais plutôt usé jusqu'à la trame !

Mais c'était sa première affaire mettant en jeu un fantôme, ou Dieu savait ce qu'était ce Dunny Whistler qui voyageait par les miroirs et les flaques d'eau. C'était aussi la première fois qu'il avait eu une conversation téléphonique avec un tueur à gages depuis l'Au-Delà, et la première fois encore qu'il rencontrait un meurtrier qui torturait sa victime en le mettant sous perfusion pour le maintenir en vie.

Parfois, on pensait avoir tout vu, tout entendu. Et la vie s'empressait de remettre les pendules à l'heure.

Après avoir raccroché avec le standard du 911, Yancy traversa la rue au pas de course, et cacha son passe-partout sous le siège conducteur de sa voiture.

Le temps de reprendre sa place sur le perron, il entendit au loin mugir les sirènes.

*
* *

En traversant la bibliothèque, Ethan aperçut, par terre, la photo pliée et froissée. Hannah. Le même portrait qui trônait autrefois sur le bureau de Dunny, dans son cadre d'argent.

La disparition des clochettes posées sur le bureau d'Ethan laissait supposer que Dunny était venu au Palazzo Rospo. Les e-mails de Devonshire, de Yorn et du chef Hachette corroboraient cette hypothèse. Cette photo était la preuve irréfutable qui lui manquait.

Mort, raide mort, selon le Dr O'Brien du Notre-Dame-des-Anges, Dunny continuait pourtant à parcourir le monde, en faisant usage de pouvoirs qui défiaient la raison et qui prouvaient, *de facto*, son essence surnaturelle.

Dunny était venu au Palazzo Rospo.

Il y était encore, quelque part.

Ethan n'avait jamais cru aux revenants... mais il avait été tué à bout portant et ressuscité, puis fauché par une PT Cruiser, écrasé par un camion sans espoir aucun de survie, et de nouveau il s'était retrouvé debout sur ses jambes, indemne, ressuscité pour la deuxième fois de la journée... Il n'était peut-être pas lui-même un fantôme, mais après les événements de ces deux derniers jours, il était prêt à croire aux spectres, voilà... et aussi en bien des choses auxquelles il aurait été, en d'autres circonstances, totalement réfractaire.

Peut-être Dunny n'était-il pas un fantôme, non plus ? Peut-être était-il quelque chose pour lequel il n'existait pas de nom ?

Quoi qu'il puisse être, Dunny, en tout cas, n'était plus un homme. Ses motivations, par conséquent, ne pouvaient être cernées, que ce soit par la déduction ou l'intuition – les deux alliées du flic.

Toutefois, Ethan avait le pressentiment que son ami d'enfance ne représentait pas une menace pour Fric, que le rôle de Dunny dans ces événements extraordinaires n'était pas malintentionné. Un homme qui aimait à ce point Hannah, qui avait gardé si longtemps sa photo – pendant les cinq années qui avaient suivi sa mort –, devait avoir de la bonté en lui et n'avait guère le profil psychologique pour faire du mal à un enfant sans défense.

Ethan plia la photo et la rangea dans sa poche.

— Fric ! Fric ! appela-t-il. Où es-tu ?

N'obtenant aucune réponse, il parcourut la bibliothèque, longeant les rayonnages de livres, d'Ésope à Alexandre

Dumas, de Gustave Flaubert à Victor Hugo, de Somerset Maugham à Shakespeare, et ainsi de suite jusqu'à Émile Zola, de crainte de trouver le garçon mort et redoutant, presque autant, de ne pas le trouver du tout.

Nulle trace de Fric !

Le coin lecture le plus éloigné de l'entrée de la bibliothèque n'offrait pas seulement des fauteuils, mais aussi une table de travail avec un téléphone et un ordinateur.

Même si les lignes extérieures ne fonctionnaient plus, l'interphone utilisait un réseau totalement indépendant des lignes téléphoniques. Seule une coupure de courant pouvait le mettre hors service.

Ethan enfonça le bouton INTERPHONE, puis pressa le bouton MAISON, violant l'une des règles d'or édictées par Mrs. McBee. L'appel allait être entendu du deuxième sous-sol au deuxième étage, diffusé par tous les postes disséminés dans la demeure :

— Fric ? Où es-tu, Fric ? Où que tu sois, réponds-moi !

Il attendit. Cinq secondes peuvent paraître très longues. Quant à dix, c'était une éternité.

— Fric ! Réponds ! Réponds !

À côté du téléphone, l'ordinateur s'alluma soudain. Ethan n'y avait pas touché.

Le fantôme, qui avait allumé l'appareil, était entré dans le programme de sécurité de la maison. Au lieu de présenter les trois colonnes d'icônes habituelles, l'écran lui montra aussitôt le plan de l'aile Est du rez-de-chaussée.

Sous les yeux d'Ethan, sans qu'il ait levé le petit doigt, s'afficha le plan de répartition des détecteurs de mouvement. Un point clignotant signalait une présence dans la serre.

*
* *

Vingt-cinq mètres de diamètre, quinze mètres de hauteur du sol au plafond… la serre était une jungle miniature, éclairée par une grande verrière provenant d'un château français détruit pendant la Première Guerre mondiale.

C'était ici que Mr. Yorn et ses hommes bichonnaient une collection de palmiers exotiques, de tulipiers, de frangipaniers, de mimosas, ainsi que de nombreuses variétés de fougères, de spathes, de bégonias, d'orchidées, et tout un tas de plantes que Fric était incapable d'identifier. D'étroites allées de gravillons sinuaient sous les frondaisons.

Après quelques pas dans le labyrinthe végétal, on avait l'impression de se trouver dans une forêt tropicale. L'illusion était complète. On pouvait se croire perdu en Afrique équatoriale, sur la piste des derniers gorilles albinos ou à la recherche des mines du roi Salomon.

Fric avait surnommé l'endroit la Giungla Rospo, la « jungle du crapaud » en italien. Toute la beauté d'une forêt tropicale sans les inconvénients. Pas d'insectes gigantesques, pas de serpents, pas de singes dans les arbres, hurlant et déféquant sur vos têtes.

Au milieu de cette nature savamment orchestrée, la Giungla Rospo offrait une sorte de kiosque fait de bambous et de bois exotique. On pouvait y dîner ou se saouler si on en avait l'âge, et vivre heureux comme Tarzan avant que n'arrive cette casse-pieds de Jane.

La construction mesurait cinq mètres de diamètre et était perchée à un mètre cinquante au-dessus du sol ; on y accédait par un escalier de bois de huit marches. À l'intérieur, on trouvait une table ronde et quatre chaises. Une trappe secrète dans le plancher cachait une glacière remplie de Coca, de bière et d'eau de source, mais sans les germes de la dysenterie, du typhus, du choléra et autres parasites qui vous dévoraient vivant de l'intérieur.

Une autre trappe, secrète elle aussi, donnait accès à l'espace d'un mètre cinquante sous le kiosque. Cela permettait d'intervenir sur le réfrigérateur en cas de panne, et de donner accès aux équipes de désinsectisation qui venaient tous les mois s'assurer qu'aucune vilaine araignée ou souris porteuse de maladies n'avait établi son nid dans ce réduit obscur.

Car obscur, il l'était ! Dans la journée, pas le moindre rayon de soleil ne pénétrait dans cet espace, ce qui signifiait que lorsqu'il ferait nuit, la lueur des lampes de survie ne se verrait pas de l'extérieur.

Après avoir apporté au fil de la journée des beignets et autres denrées pouvant se manger sans bruit, des lingettes de toilette, et des Tupperware en guise de pots de chambre, l'endroit était devenu sa « cachette personnelle et secrète », comme il se plaisait à le dire. Maintenant que Moloch était dans les murs, Fric attendait, assis en tailleur comme un vieux chef Sioux, au tréfonds de son repère ; aux dires de son ange gardien, cette cache lui permettrait d'échapper à ce monstre dévoreur d'enfants.

Le garçon était installé dans sa cachette depuis deux minutes, alors que son cœur battait la chamade dans sa poitrine, quand il entendit d'autres bruits. Des bruits de pas! Quelqu'un montait l'escalier menant au kiosque.

Sans doute était-ce Mr. Truman qui le cherchait. Mr. Truman. Pas Moloch. Pas un monstre affamé de chair fraîche, avec des os de bébé coincés entre les dents. Juste ce gentil Mr. Truman.

Les pas, au-dessus de lui, décrivaient des cercles sur la plate-forme, s'approchant de la trappe, puis s'en éloignant.

Fric retint son souffle.

Les pas s'arrêtèrent. Les lattes chanfreinées du plancher grinçaient tandis que l'homme piaffait sur place.

Fric, lentement, expira l'air de ses poumons. Il prit une nouvelle inspiration, le plus silencieusement possible, et bloqua de nouveau sa respiration.

Les craquements cessèrent. De petits bruits se firent entendre : quelque chose que l'on frotte, puis un clic.

Ce n'était pas le moment d'avoir une crise d'asthme!

Fric étouffa un cri devant tant de stupidité. Quelle idée de penser à une chose pareille! Fallait-il vraiment être stupide! Il n'y avait qu'au cinéma que le petit asthmatique, le petit diabétique ou le petit épileptique de service avait une crise au pire moment qui soit. *Dans les films*, pas dans la vie réelle! Et c'était la vie réelle, ou du moins quelque chose prétendant l'être.

Cela ne le grattait pas entre les omoplates?... Et aussi dans sa nuque? Une démangeaison réelle serait le signe avant-coureur d'une crise d'asthme. Une fictive, fruit de son imagination, serait la preuve qu'il était vraiment une mauviette, une petite chose ridicule, vulnérable même à l'autosuggestion!

Brusquement, juste au-dessus de sa tête, la trappe secrète s'ouvrit.

Il se trouva nez à nez avec Moloch qui, à l'évidence, était beaucoup moins horrible que ne le décrivait l'ange de Fric : un type avec des taches de rousseur, des yeux pétillant de malice, un grand sourire. Pas de bouts d'os coincés entre les dents.

Fric brandit son couteau de quinze centimètres qu'il avait volé dans la cuisine du chef Hachette.

— Je vous préviens, je suis armé.

— Et moi, j'ai ça, répondit Moloch en sortant un petit aérosol de la taille d'un poivrier.

Il aspergea le visage de Fric. Un souffle froid qui avait le goût de la muscade et une odeur pestilentielle, c'était ça que devait sentir la civette non diluée !

93.

La nuit, la serre était un endroit magique. Halos dorés, papillotement des étoiles, voiles laiteux d'un clair de lune artificiel, tout était aussi splendide, digne de l'éclairage des plus grands directeurs photo de Hollywood. Après le coucher du soleil, d'un simple clic d'interrupteur, ce petit morceau de jungle devenait un jardin d'Éden tropical.

En entrant dans la serre, Ethan, son pistolet à la main, n'appela pas Fric. Le point clignotant qu'il avait vu sur l'écran dans la bibliothèque pouvait ne pas être le garçon.

Il ignorait comment quelqu'un avait pu pénétrer dans la propriété, et encore moins dans la maison, sans déclencher un concert d'alarmes. Mais qu'un intrus puisse s'introduire incognito dans le Palazzo Rospo l'étonnait moins que bien des choses dont il avait été témoin ces derniers temps.

Les gravillons crissaient sous ses pas, ruinant toute velléité de discrétion. Il fit de son mieux pour minimiser les bruits, mais le sol meuble rendait la progression difficile.

Il n'aimait pas non plus cet éclairage expressionniste. Un jeu de lumière savant pour obtenir un effet dramatique, des ombres pas toutes artificielles, donc doublement trompeuses.

Vers le centre de cette jungle, monta un bruit étrange. *Tchompf!* puis un autre *Tchompf!* il entendit les feuillages bruisser derrière lui, mais il ne comprit qu'on lui tirait dessus que lorsque le tronc d'un palmier arrêta une balle juste sous son nez, projetant sur son visage une gerbe de fibres.

Ethan plongea au sol, roula hors du sentier et se cacha dans les fougères, les pittosporums et les mimules croulant sous les fleurs pourpres. En silence, il se tapit dans les ombres – naturelles ou pas, elles étaient cette fois une bénédiction!

*
* *

Les guignols arrivèrent avant l'ambulance ; après que Yancy leur eut expliqué la situation et indiqué où envoyer les infirmiers, il monta au premier étage pour veiller sur Maxwell Dalton.

L'homme, qui paraissait encore plus décharné que précédemment, roula des yeux en grimaçant ; il paraissait très agité et luttait pour articuler des mots qui lui déchiraient la gorge comme des fils barbelés.

— Du calme, du calme, le rassura Yancy. Tout va bien. C'est fini. Vous êtes en sécurité, à présent.

Les arêtes tranchantes des mots lui arrachèrent un rictus de souffrance quand il voulut les prononcer, mais il se faisait un devoir de parler :

— Il... va... revenir...

— Tant mieux, répondit Yancy, entendant avec soulagement les sirènes de l'ambulance percer la nuit. Nous savons parfaitement comment recevoir ce salopard quand il montrera son nez.

D'un air chagrin, Dalton roula la tête de droite à gauche, en poussant une sorte de gémissement.

Pensant que Dalton s'inquiétait pour sa femme et sa fille, Yancy expliqua qu'il avait envoyé deux policiers chez lui, non seulement pour annoncer à Rachel que son mari était en vie, mais aussi pour protéger la mère et la fille de représailles éventuelles jusqu'à ce que Laputa soit sous les verrous.

Dans un souffle rocailleux, Dalton articula :

— Il va revenir... avec...

Il grimaça de douleur quand sa gorge trop irritée se contracta.

— Détendez-vous, conseilla Yancy. Vous êtes trop faible pour parler.

À cent mètres de là, l'ambulance, toutes sirènes hurlantes, tournait au coin de la rue. La pluie ruisselait sur les carreaux, noyant le dernier *pin-pon* que poussa le véhicule en s'arrêtant devant la maison.

— Il ramène... un garçon, annonça Dalton.

— Un garçon ? répéta Yancy. Qui ça ? Laputa ?

Dalton trouva la force de hocher la tête.

— C'est lui qui vous l'a dit ?

Un autre hochement.

— Il a dit qu'il ramenait un garçon *ce soir* ?

— Oui.

Alors que les pas des infirmiers résonnaient dans l'escalier, Yancy se pencha vers le squelette vivant :

— Quel garçon ?

*
* *

Tapi dans les fougères, les mimules et les spatiphyllum *Mauna Loa*, Ethan entendit une nouvelle salve – trois ou quatre déflagrations étouffées par un silencieux – puis, quelques minutes plus tard, une troisième série de coups de feu.

Aucune balle ne passa dans son secteur. Le tireur devait avoir perdu sa trace. Ou alors, le type n'avait jamais su où se trouvait Ethan et, dès le début, avait tiré à l'aveuglette dans la végétation. Ce n'était qu'un coup de chance si ses premiers tirs avaient failli faire mouche.

Un seul tireur. Un seul intrus.

Pour attaquer une propriété comme celle-ci, le bon sens exigeait d'agir en équipe. Un homme seul ne pouvait sauter par-dessus le mur, tromper les systèmes de sécurité, mettre les gardes hors d'état de nuire, et s'introduire dans la maison. C'était du Bruce Willis dans *Piège de cristal*. Du Tom Cruise avec doublure. Du Channing Manheim jouant un rôle de méchant. En tout cas, c'était hors de portée du simple mortel.

Si une équipe de kidnappeurs venait d'entrer au Palazzo Rospo, il n'y aurait pas eu qu'un seul tireur. Ils auraient pris Ethan sous les tirs croisés de trois ou quatre fusils automatiques. Des Uzis ou pis encore. Et à l'heure qu'il est, il serait mort, et danserait déjà la gigue au Paradis.

Voyant que le silence perdurait après la troisième salve, Ethan sortit de sa cachette et écarta avec précaution les feuilles des fougères pour s'approcher à l'orée de l'allée.

Dans n'importe quel film d'aventures se déroulant dans la jungle, un tel silence signifiait au héros qu'un terrible danger le menaçait, paralysant de terreur toute la faune, des criquets jusqu'aux crocodiles.

Une odeur de chlorophylle montait de la végétation écrasée sous ses semelles.

Il percevait le vrombissement ténu des ventilateurs du système de chauffage encastré dans les murs.

Une mouche, ou un moustique, bourdonnait devant lui, en vol stationnaire.

Le goût du sang dans sa bouche ; il s'était mordu la langue en se jetant au sol. Et maintenant la douleur venait.

Du feuillage bruissa soudain sur sa gauche. Il braqua aussitôt son arme dans cette direction.

Non, ce n'étaient pas des feuilles qui bougeaient, mais des ailes. Dans cette jungle miniature, dans les hautes frondaisons, un groupe de perroquets multicolores – bleu, rouge, jaune et vert, ce vert miraculeux que l'on surprenait parfois dans un ultime rayon du couchant.

Aucun oiseau ne nichait dans la serre. Ni des perroquets, ni même de simples moineaux.

Décrivant un looping devant Ethan, les oiseaux arc-en-ciel se métamorphosèrent, sans un cri ou un pépiement, en un vol de colombes.

Il y avait eu le fantôme dans le miroir embué de la salle de bains, les clochettes inconcevables dans sa main au sortir du *Forever Roses*, le parfum capiteux des roses Broadway dans son bureau où il n'y avait aucune rose et encore la voix chérie de sa défunte épouse parlant de coccinelles dans la chambre blanche. Une force surnaturelle lui tendait la main depuis le début, impatiente d'aider, de lui montrer le chemin.

Après avoir volé dans les hauteurs, le groupe piqua de nouveau, fendant l'air, et fit un nouveau passage au-dessus de sa tête, dans un souffle qui à la fois le remplit d'extase et de crainte ; au son de ses ailes battantes, son cœur fut tout autant transporté de joie que vibrant d'une terreur ancestrale.

Les oiseaux volaient devant lui. Il se mit à courir dans leur sillage. Ils lui ouvraient la voie.

*
* *

— Attendez ! lança Yancy à l'intention des infirmiers qui s'approchaient rapidement de la couche puante pour emporter Dalton, grimaçant de dégoût, les yeux écarquillés, horrifiés par ce spectacle malgré toutes les infamies auxquelles ils avaient déjà été confrontés au cours de leur travail.

— Un garçon..., croassa Dalton.

— Quel garçon ? insista Yancy en prenant la main du squelette dans les siennes.

— Dix...

— Dix garçons ?

— Dix... *ans*.

— Un garçon de dix ans, répéta Yancy, ne voyant pas pourquoi Laputa comptait revenir avec un enfant de dix ans.

Avait-il bien compris ce que le malheureux disait ?

Malgré sa gorge en feu, Dalton se força à parler encore, au bord de la syncope.

— Son père...

— Quoi, son père ?

— ... une star.

Et Yancy comprit.

*
* *

Dans l'ascenseur, Moloch lâcha Fric, qui s'effondra au sol, incapable de savoir ce qui lui arrivait. Il n'y avait pas que du poivre dans ce gaz. Il pouvait voir, mais ne pouvait bouger les yeux à une vitesse normale... même ses paupières battaient au ralenti. Il parvenait à remuer les bras et les jambes, mais comme s'il se trouvait sous une pression écrasante, au fond d'une fosse marine, tel un nageur imprudent emporté par une lame de fond. Il lui était impossible de fermer le poing pour frapper ; tout espoir de lutte était vain.

Tandis qu'ils descendaient au sous-sol, Moloch lui fit un sourire en lui montrant l'aérosol.

— C'est un gaz semi-paralysant à action rapide, un produit développé par un collègue pour le compte de la police secrète iranienne. Je te voulais docile, mais éveillé.

Fric s'entendit respirer. Cela ne sifflait pas. Pas de crise d'asthme en vue...

— Ce kiosque ne figurait pas sur mes plans, expliqua Moloch. Mais dès que je l'ai vu, j'ai compris. Je n'ai pas oublié l'enfant que j'étais. La part de sauvagerie qu'il y a en chacun de nous. J'ai su alors que tu étais là.

Le son de sa respiration n'était pas, pour autant, un souffle sain... La circulation était claire, mais très faible, juste une brise dans ses bronches.

Avec un jeu de mimiques effrayant, qui lui aurait fait faire pipi dans sa culotte si Fric ne s'était pas soulagé récemment dans le pot du palmier, Moloch déclara :

— Je veux que tu sois éveillé pour que tu puisses connaître la terreur d'être arraché de ton nid douillet et de savoir que ton héros de père ne débarquera pas en cape et en collants pour te sauver, pas plus d'ailleurs qu'en moto volante, comme tu le croyais quand tu étais petit. Aucune superstar bodybuildée au monde, encore moins ton bellâtre de père et ta top-model de mère, ni même les armées de gorilles de Bel Air, ne pourront sauver ton petit cul doré.

Fric sut alors qu'il allait mourir. Il n'habiterait jamais dans un trou perdu du Montana. Adieu le fol espoir de vivre un jour une vie normale. Mais peut-être, au bout du calvaire qui l'attendait, y aurait-il une sorte de paix.

*
* *

Comme le berger devant ses brebis, le chien de tête guidant la meute, l'éclaireur avant la cavalerie, les colombes montrèrent à Ethan le chemin, pas à pas, oiseau par oiseau, par-delà la serre, le couloir Est, la porte de la piscine intérieure, et puis au-delà encore vers la rotonde du hall d'entrée.

Quel spectacle! Trente ou quarante oiseaux d'un blanc aveuglant voletant dans les couloirs, une rivière d'ailes palpitantes fonçant dans les canyons contournés de ce décor grandiose, telle une armée d'âmes fondant vers le Walhalla.

Dans le grand hall d'entrée, les colombes se mirent à voler en cercle, comme si elles étaient prises dans le tourbillon d'un cyclone en formation, attendant qu'Ethan les rejoigne. Les oiseaux alors se rapprochèrent les uns des autres jusqu'à former une masse blanche et compacte. Ils descendirent les dix mètres qui les séparaient du sol, en changeant de couleur et de forme, jusqu'à se métamorphoser en l'ami d'enfance d'Ethan, celui qui s'était écarté du droit chemin.

Dunny Whistler, du moins son apparition, s'immobilisa à trois mètres d'Ethan et déclara :

— Si tu meurs cette fois, je ne pourrai pas te ramener. J'ai atteint les limites de mes pouvoirs. Il a emporté Fric dans le parking. Il est presque parti.

Avant qu'Ethan ait pu articuler un mot, Dunny avait disparu pour redevenir un essaim de colombes qui, dans un tonnerre d'ailes, fondit vers le sapin de Noël. Les oiseaux s'enfoncèrent non pas dans les branches, mais dans les décorations argentées. Dans l'instant, il n'y eut plus de volatiles, mais juste leurs ombres, se dissolvant dans les scintillements des guirlandes. Puis plus rien.

*
* *

Moloch traînait Fric, par le col de sa chemise, sur le sol du garage. Le garçon, groggy, regarda les portes de l'ascenseur s'éloigner de lui.

Moloch avait pris un trousseau sur l'armoire à clés, où chaque voiture était répertoriée, avec l'année, le modèle, la marque. Le kidnappeur semblait connaître parfaitement les lieux, comme s'il avait toujours vécu au Palazzo Rospo.

Son flacon de Ventoline aussi s'éloignait de Fric, son précieux antidote contre les crises d'asthme. L'inhalateur était tombé de sa ceinture. Il avait voulu le rattraper, mais ses doigts étaient comme de la gelée.

Moloch était soit un dément, soit un démon, d'accord. Mais la police secrète iranienne... Fric se demandait pourquoi elle en avait après lui...

En ses dix années d'existence, il avait connu la peur. En fait, l'angoisse était une donnée omniprésente dans sa vie. Cette peur, qui ne le quittait pas depuis des années, était davantage un mal sourd, une irritation plutôt qu'une menace, des petits coups de bec de moineaux inlassables plutôt que la hargne tonitruante d'un ptérodactyle. Une inquiétude qui avait grandi au fil des absences répétées de son père et de sa mère, la peur de voir ces périodes de solitude se prolonger de plus en plus, durer des mois, puis des années entières. La crainte d'être à jamais un petit être fragile, de ne jamais savoir quoi faire de sa vie et de vieillir en restant *in æternam* le « fils de Channing Manheim ». Mais durant chaque instant de son périple entre la serre et le garage, une nouvelle terreur, noire celle-là, avait déployé ses ailes de cuir dans la cage de son cœur et avait enveloppé tout son être, jusqu'à la moindre cellule, tournant chaque goutte de son sang en glace.

Pour sa fuite, Moloch avait le choix entre une vingtaine de voitures anciennes de collection, valant chacune plusieurs centaines de milliers de dollars. Mais il opta pour un modèle plus récent, la voiture favorite de Fric : la Buick Super 8 de 1951, avec ses ailerons chromés et ses ailes arrière couvrant les roues.

Il déposa Fric sur le siège côté passager, fit le tour de la voiture et s'installa derrière le volant. Le moteur démarra à la première sollicitation. Rien d'étonnant, puisque tous les véhicules étaient parfaitement entretenus.

Les anges gardiens, apparemment, n'étaient pas fiables pour deux sous. De toute façon, son Mystérieux Inconnu ne ressemblait en rien à un ange – trop inquiétant, trop menaçant, et trop de regrets dans ses yeux.

Lorsque Moloch passa la marche arrière pour sortir de sa place de parking, Fric se demanda ce qui avait pu arriver à Mr. Truman. Il devait être mort... À cette pensée, Fric découvrit que le produit paralysant ne l'empêchait pas de pleurer.

*
* *

En arrivant au premier sous-sol par l'escalier, Ethan entendit le grondement d'un moteur et sentit l'odeur de gaz d'échappement.

La Buick était prête à partir, au pied de la rampe de sortie, tandis que la porte du parking achevait de se relever.

Un homme au volant. Un seul. Pas de complices à l'arrière. Pas de tireurs en soutien.

Ethan se mit à courir vers la voiture. La portière côté passager était à vue. Contre la vitre, il reconnut le visage de Fric. Mais la tête pendait sur la poitrine, comme si Fric était inconscient.

Ethan faillit atteindre la Buick par le côté droit avant que la porte nc libère le passage. La voiture fit alors un bond en avant et grimpa la rampe avec une belle accélération, empêchant tout être humain à pied de la rattraper.

Ethan cessa de courir et se plaça en position de tir, jambe droite en appui arrière, jambe gauche fléchie, les deux mains refermées sur la crosse. Ethan tira trois balles, visant bas pour ne pas risquer de toucher Fric par ricochet ; son objectif : le pneu arrière droit.

L'aile recouvrait presque la moitié de la roue, ce qui réduisait drastiquement la taille de sa cible. Une balle toucha la carrosserie, une autre manqua la roue, mais la troisième fit mouche.

La voiture s'affaissa sur l'essieu. Mais continua à rouler. Elle allait encore bien trop vite pour espérer pouvoir la rattraper à pied. Le *flap ! flap !* du pneu éclaté ponctuait l'ascension du véhicule sur la rampe.

Le revêtement de quartzite offrait une adhérence excellente, par temps sec comme humide, mais le train arrière se mit à patiner, projetant une gerbe d'eau sale et de fumée bleue, peut-être à cause du dévers de la voiture.

Mais, encore une fois, alors qu'Ethan était en passe de rejoindre la Buick, l'engin retrouva des appuis et s'élança dans la côte. Les débris du pneu claquèrent au sol plus violemment et la jante désormais à nu creusa le quartzite avec un bruit de meuleuse découpant des pavés.

Lorsque Ethan atteignit le sommet de la rampe, il vit le véhicule s'éloigner dans l'allée qui longeait la maison, fonçant vers la sortie. Elle avait quinze mètres d'avance sur lui. Mais malgré le pneu crevé, elle ne cessait de creuser l'écart. Rien ne pouvait l'empêcher de rouler jusqu'au portail, qui s'ouvrirait automatiquement dès que les capteurs enchâssés dans le sol percevraient la présence de l'auto.

Ethan courut quand même. Il ne pouvait pas la rattraper. C'était sans espoir.

Mais il continua à courir, parce qu'il n'y avait rien d'autre à faire. Trop tard pour faire demi-tour, prendre d'autres clés, monter dans une autre voiture... Le temps qu'il sorte du parking souterrain, la Buick se serait évanouie dans le dédale des rues. Alors Ethan courait, courait, pataugeant dans les flaques d'eau, coudes repliés, battant des bras, faisant de son mieux pour compenser le poids du pistolet dans sa main droite, car la vélocité était avant tout une question d'équilibre, courir et courir encore, parce que si Fric était tué, Ethan mourrait aussi, il serait mort à l'intérieur, détruit, et passerait le reste de sa vie à chercher une tombe, comme un cadavre ambulant, un mort vivant, à l'instar de ce qu'était devenu ce pauvre Dunny.

94.

Corky Laputa, trop heureux de montrer que Robin Goodfellow était aussi téméraire et extraordinaire qu'un véritable agent de la NSA, avait toujours prévu de quitter le Palazzo Rospo à bord d'une des voitures de collection de la star. L'événement « pneu crevé » ne le contraignait nullement à changer de plan ; c'était juste un petit désagrément.

La conduite était plus ardue, le volant tirait obstinément sur la droite mais en spécialiste du Chaos et maître ès désordres, Laputa releva le défi avec ce ravissement particulier d'un enfant tentant de garder le contrôle d'une voiture tamponneuse dans une fête foraine. Chaque embardée, chaque louvoiement, lui donnait un frisson d'excitation.

Passé le portail, il lui suffisait de tenir la Buick pendant trois cents ou quatre cents mètres, jusqu'à l'endroit où il avait garé l'Acura. Une fois l'échange de véhicule effectué, il pourrait regagner son logis en un rien de temps. Une demi-heure plus tard, le garçon serait présenté à Vieux Fromage Qui Pue et comprendrait soudain l'horreur qui l'attendait... alors commencerait son long supplice qui ferait de lui une star des médias à l'égal de son père.

Si, d'aventure, il survenait un problème, si, pour la première fois, le Chaos se liguait contre Laputa, il tuerait le garçon plutôt que de le rendre vivant. Il ne se servirait même pas du jeune Manheim en monnaie d'échange pour assurer sa survie. La couardise n'avait pas droit de cité dans le cœur du pur qui œuvrait pour la chute de cette société et l'avènement d'un nouvel ordre sur les décombres de l'ancien !

— Personne ne peut m'arrêter, promit-il au gamin. Je te ferai sauter la tête – *bang ! bang ! bang !* – et je ferai de toi le plus grand sujet de lamentation depuis la mort de Lady Di.

Il tourna au coin de la maison. Au loin, sur la gauche, les étoiles se miraient dans le bassin trônant au milieu de l'esplanade faisant face à la maison. Il était encore dans l'allée de service. Encore une cinquantaine de mètres, et il rejoindrait l'allée principale.

Juste à la lisière de la portée des phares, quelque chose d'étrange se produisit, un événement si inattendu que Laputa en lâcha un cri de surprise ; et quand le double faisceau des optiques révéla la nature de l'obstacle, la terreur l'étreignit. Il écrasa la pédale de frein si fort que la Buick partit en tête-à-queue…

*
* *

Moloch disait qu'il allait lui faire sauter la tête, mais pour l'heure, Fric avait des inquiétudes plus urgentes, parce que la démangeaison entre ses omoplates, cette fois, était bien réelle et qu'elle gagnait désormais toute sa nuque.

Il s'attendait à avoir une crise d'asthme au moment où Moloch l'avait aspergé avec son aérosol, mais peut-être, par un effet secondaire de la drogue, son déclenchement avait été retardé. Mais maintenant la crise arrivait, et elle était sévère.

Son souffle se fit sifflant. Sa poitrine se comprima ; il n'arrivait pas à inhaler assez d'air.

Et il n'avait plus sa Ventoline.

Il était à moitié paralysé – ce qui n'arrangeait rien –, incapable de quitter sa position avachie pour se redresser. Il fallait pourtant se relever, libérer les muscles de sa cage thoracique et de son cou, afin de pouvoir expulser l'air piégé dans ses poumons…

Pis encore. Ses vaines tentatives pour se redresser sur le siège le firent glisser davantage sur le côté. Il était sur le point de tomber du siège. Ses jambes se replièrent, s'enfoncèrent dans le dégagement sous le tableau de bord, et ses fesses se retrouvèrent hors de l'assise du siège. De la taille au cou, il était étendu sur le dos, la tête relevée contre le dossier.

Il sentait ses voies respiratoires se rétrécir d'instant en instant.

Il hoquetait, suffoquait, ne parvenant à inhaler que de toutes petites goulées d'air et à en expirer encore moins. Ce bouchon collant, qu'il ne connaissait que trop bien, revint obstruer sa trachée, comme un œuf dur coincé dans sa gorge, une pierre, un tampon d'ouate.

Il ne pouvait pas respirer, étendu sur le dos.

Il ne pouvait pas respirer. Plus du tout…

Moloch écrasa soudain les freins. Et la voiture partit en vrille.

*
* *

Dans l'allée, courant à la rencontre de Laputa, il y avait Roman Castevet, qu'il avait tué et caché sous un drap dans la chambre froide de la morgue, et aussi Ned Hokenberry venant récupérer le médaillon contenant son troisième œil, et Brittina Dowd, l'anorexique, nue et tout en os, telle qu'il l'avait abandonnée dans sa maison – mais pas brûlée –, et aussi Mick Sachatone, ce cher Mick dans son pyjama Bart Simpson...

Laputa aurait dû se dire qu'il s'agissait de mirages, foncer droit sur eux, mais il n'avait jamais rien vu de pareil, pas même dans ses rêves les plus échevelés. Ces apparitions n'étaient pas diaphanes et transparentes, mais aussi tangibles que le tisonnier ou le socle de lampe en marbre.

Peut-être, en écrasant la pédale des freins, avait-il donné un coup de volant involontaire ?... Toujours est-il que la Buick fit une telle embardée que le pistolet, posé sur ses genoux, fut projeté à ses pieds et que sa tête vint violemment heurter, dans la giration, la vitre de sa portière qui se brisa sous le choc.

À la fin du trois cent soixante degrés, les quatre fantômes ne s'étaient pas évanouis ; ils étaient toujours là, fondant sur la voiture... Laputa poussa un cri de terreur, bien trop aigu et enfantin pour un vrai dur comme Robin Goodfellow. Un, deux, trois, quatre morts en colère explosant contre le pare-brise, les fenêtres, cherchant à l'attraper, mais *explosant* néanmoins, donc des illusions, de simples figures d'eau et d'ombres, disparaissant dans des gerbes argentées.

Après un tour complet, la Buick avait encore des réserves d'énergie cinétique et elle décrivit encore une rotation de quatre-vingt-dix degrés, avant de heurter un arbre au bord de l'allée qui arrêta net la voiture. Sous le choc, la portière côté passager s'ouvrit et le pare-brise éclata.

Riant au nez du Chaos, Laputa plongea sous le volant à la recherche de son Glock tombé à ses pieds. Il sentit sous ses doigts le revêtement antidérapant de la crosse. Il referma ses mains sur l'arme et leva le pistolet pour tuer le garçon.

Mais la porte côté conducteur s'ouvrit dans un grincement de métal rétif... Les mains de Ethan Truman jaillirent dans l'habitacle pour attraper Laputa. Alors, au lieu de tirer sur le garçon, il tira sur l'homme.

*
* *

Arrivant à la hauteur de la Buick juste au moment où elle terminait sa course dans un arbre, Ethan posa son arme sur le toit de l'auto, parce qu'il ne voulait pas tirer dans l'habitacle, pas avec Fric dans la ligne de mire.

Malgré les risques, il ouvrit la portière tordue et plongea à l'intérieur. Le chauffeur tourna son pistolet vers lui – *tchomp!* –, il ne vit pas seulement l'éclair, mais distingua l'odeur de la poudre aussi.

Il ne ressentit aucune douleur, trop obnubilé qu'il était par le désir de s'emparer de cette arme pour se rendre compte s'il était blessé ou non. Il perçut le souffle d'une deuxième balle lui frôler les cheveux et enfin, il eut le pistolet.

Il jeta l'arme au loin; il comptait traîner le chauffeur hors de la Buick, mais le type, au lieu de résister, fonça sur lui tête baissée. Les deux hommes tombèrent au sol plus lourdement que la simple gravité ne l'exigeait, Ethan en dessous, son crâne heurtant violemment les dalles de quartzite.

*
* *

Sous le choc, lorsque la porte s'ouvrit, Fric fut éjecté de la Buick, et se retrouva dehors, sur le sol détrempé, étendu sur le dos – la pire position qui soit pour un asthmatique en pleine crise.

La pluie tombait dans ses yeux, brouillait sa vue, mais il se souciait moins de l'acuité de sa vision que de la couleur pourpre qui envahissait la nuit, transformant en rubis chaque goutte d'eau.

Ses pensées se brouillèrent comme sa vision – manque d'oxygène dans le cerveau – mais il lui restait encore assez de lucidité pour s'apercevoir que la drogue que lui avait inoculée Moloch commençait à ne plus faire effet. Il tenta de bouger et il y parvint, pas avec grâce, mais plutôt comme un gardon se débattant au bout d'un hameçon tiré sur la berge.

Sur le flanc, il pouvait mieux détendre les muscles de son cou, de son torse et de son abdomen – une manœuvre essentielle, s'il voulait pouvoir expulser le gaz carbonique de ses poumons qui avaient la consistance du sirop d'érable. C'était mieux, mais pas suffisant. L'air s'échappait dans un sifflement aigu, quasiment inaudible, comme s'il se frayait un chemin à travers un orifice minuscule, plus fin qu'un cheveu humain, plus ténu qu'un grain de poussière.

Il fallait s'asseoir, dégager les voies – mais impossible.

Il lui fallait sa Ventoline – envolée.

Même si le monde, tout autour de lui, paraissait pourpre, aux yeux de ce même monde, c'était lui qui avait viré au bleu... c'était vraiment une vilaine crise, la pire qu'il ait connue, le cas d'école où il faut appeler les secours d'urgence, et rameuter tous ces médecins et infirmières qui, sitôt leur arrivée, n'auraient plus que le nom de Channing Manheim à la bouche.

Pas d'air. Pas d'air. Trente-cinq mille dollars pour redécorer sa chambre, mais pas d'air pour respirer !

De drôles de pensées lui traversaient l'esprit. Pas drôles au sens comique. Drôles-bizarres, drôles-terrifiantes. Des pensées écarlates. Si rouges, si sombres que, sur les bords, c'étaient déjà les ténèbres.

*
* *

N'étant nullement d'humeur à enseigner le déconstructionnisme, mais plutôt à l'appliquer, au pied de la lettre, à tout ce qui se mettait en travers de son chemin, Corky Laputa, excité par le hurlement de loup sauvage qui retentissait sous son crâne, voulait arracher les yeux de Truman, dévorer son visage, le lacérer à coups de dents, le déchiqueter jusqu'aux os.

Ouvrant ses mâchoires pour la première bouchée du festin, Laputa s'aperçut que Truman était sonné par le choc et que sa résistance était moindre que ce qu'il prévoyait. Malgré le tourbillon de sa furie bestiale, Laputa entrevit un point de non-retour : s'il se laissait aller à achever sa proie à coups de dents et d'ongles, quelque chose allait céder en lui, une ultime barrière morale ; on allait le retrouver des heures plus tard, toujours penché sur le cadavre, le groin et les bajoues dégoulinant de chair fraîche, fouillant les entrailles de sa victime à la recherche de morceaux de choix à la manière d'un porc retournant la terre dans sa quête d'une truffe miraculeuse.

Ce bon vieux Robin Goodfellow, qui n'avait pas suivi réellement de stage intensif de close-combat, mais qui avait lu comme tout mortel son lot de romans d'espionnage, savait qu'un coup de la base de la main sur le nez de son ennemi briserait les os de la fosse nasale et les enfoncerait dans le cerveau, causant une mort instantanée ; c'est donc ce qu'il fit, et poussa un cri de ravissement en voyant le sang de Truman gicler.

Laputa repoussa le corps inerte du policier, se releva et se tourna vers la Buick, cherchant le garçon du regard. Il se pencha à la portière côté conducteur pour scruter l'habitacle, mais apparemment le gamin était sorti de la voiture.

Les effets du gaz semi-paralysant ne s'étaient pas encore totalement dissipés. Le garçon ne pouvait avoir rampé très loin.

En se redressant, Laputa vit un pistolet sur le toit, juste sous ses yeux.

La pluie luisait comme des milliers de diamants sur la crosse.

L'arme de Truman.

Trouver le garçon. Lui tirer dessus – mais dans la jambe. Pour l'empêcher de bouger. Puis retourner au parking prendre une autre voiture.

Son plan n'était pas encore à l'eau ; car si Fric était le fils de la plus grande star de cinéma de la planète, lui, il était le fils du Chaos et le Chaos n'abandonnait pas ses enfants, à l'inverse des acteurs de cinéma !

Il fit le tour de la voiture et vit le garçon couché sur le flanc, battant des pieds, rampant de guingois comme un crabe mutilé.

Laputa s'approcha.

Même si Fric se déplaçait d'une manière peu conventionnelle, en émettant de petits bruits plaintifs, comme un jouet brisé, il était parvenu à quitter l'allée et rampait à présent sur l'herbe. Il semblait vouloir atteindre un banc du parc, d'inspiration hellénique.

Laputa s'approcha encore, leva l'arme.

*
* *

William Yorn, en jardinier consciencieux, surveillait chaque arbre, chaque buisson, pour traquer le moindre signe de maladie et traitait les pelouses dès qu'apparaissait une trace de rouille, de brunissure ou de dégénérescence. De temps en temps, toutefois, une plante ne pouvait être sauvée, et un remplacement était alors organisé.

Les arbres condamnés cédaient leur place à des congénères, livrés dans les plus gros conteneurs disponibles sur le marché. Le nouvel arbre arrivait soit en camion et était déchargé à la grue, soit par hélicoptère et était déposé dans son logement depuis les airs.

La plantation de spécimens plus petits faisait appel à une logistique moins lourde. Dans le cas des jeunes pousses, un peu d'huile de coude suffisait à faire le travail. Parfois, un arbre était trop fragile et nécessitait l'installation d'un tuteur, pour guider sa croissance durant un an ou deux et pour résister au vent.

Alors que d'autres jardiniers utilisaient des poteaux de bois pour maintenir les jeunes troncs, Mr. Yorn préférait se servir de tubes d'acier de cinq centimètres de diamètre, qui offraient un bon maintien, ne pourrissaient pas et pouvaient être réutilisés.

Après avoir arraché de terre l'un de ces tubes et coupé les liens de plastique qui l'arrimaient à l'arbre, Ethan courut, en titubant, derrière le dingue en combinaison et lui assena un coup sur le crâne avec toute l'ardeur qu'il put rassembler.

En tombant au sol, le kidnappeur fit feu par réflexe. La balle ricocha sur le blanc de granit et partit se perdre dans la pluie et l'obscurité.

Le type roula sur le dos. Il aurait dû être mort ou inconscient, mais il n'était qu'étourdi ! Et il avait toujours l'arme en main.

Ethan sauta sur son assaillant, les deux genoux sur sa poitrine, pour lui couper le souffle et, avec un peu de chance, lui briser quelques côtes et lui éclater la rate. Il saisit la main gantée qui tenait le pistolet, lui arracha l'arme mais, dans sa précipitation, le pistolet lui échappa et tomba au sol, hors de sa portée.

Même si, sous son crâne, cela devait sonner comme les cloches de Notre-Dame, le type se débattait comme un beau diable ; il attrapa Ethan par les cheveux et tira son visage vers ses dents qui claquaient dans l'air pour mordre.

Malgré la crainte de la morsure, Ethan referma une main sur la gorge de l'homme et frappa à coups de poing son œil droit, mais son agresseur avait une poigne d'acier et continuait de lui arracher le cuir chevelu. Il sentit une chaîne ceignant son cou. Ethan la crocheta entre ses doigts et commença à la vriller, tout en rouant de coups de poing le maniaque.

Il la vrilla encore et encore, les maillons lui entamaient les phalanges, mais il continuait à serrer, à cogner… sa main gauche était en feu, ses doigts de la main droite étaient en sang… mais il ne lâcha pas prise et finalement ce fut la chaîne qui se rompit.

Les dents cessèrent de mordre l'air. Les yeux fous se fixèrent sur quelque chose au-delà d'Ethan, au-delà de la nuit même. Les doigts relâchèrent les cheveux.

Haletant, Ethan se releva, contemplant l'homme mort. Il prit conscience de la chaîne qu'il avait à la main. Un pendentif. Une bille de verre dans laquelle flottait un œil.

*
* *

Moloch semblait mort, mais ce pouvait être une illusion… Fric regarda le combat depuis un angle de caméra improbable et dans un halo pourpre ; pourquoi le directeur de la photographie avait-il choisi de filmer cette scène avec un objectif déformant *et* un filtre rouge ?

Il avait l'impression de vivre un rêve, comme s'il dormait et qu'il endurait deux cauchemars simultanément, l'un mettant en scène un combat entre deux hommes jusqu'à ce que mort s'ensuive, l'autre celui de sa propre asphyxie. Il était de retour au suffocatorium, le souffle sifflant comme le mineur silicosé du mélo que papa-fantôme avait eu la sagesse de refuser… et la mère de l'ancien propriétaire du Palazzo Rospo achevait de l'étouffer avec l'un de ses manteaux de fourrure…

Mr. Truman le souleva et le porta jusqu'au banc de pierre. Il savait que durant une crise d'asthme, Fric devait se tenir en position assise, pour libérer les muscles du cou, de la poitrine et de l'abdomen, afin d'expulser l'air de ses poumons. On lui avait appris l'astuce.

Mr. Truman le déposa sur le banc et, tout en le tenant assis à la verticale, il tâta sa ceinture à la recherche de l'inhalateur.

Il lâcha une série de jurons tous plus vilains les uns que les autres ; un vocabulaire fleuri que Fric avait entendu maintes fois dans la bouche des gens du spectacle, mais pas dans celle du chef de la sécurité.

Tout devenait de plus en plus rouge, de plus en plus noir aussi… Si peu d'air passait à travers les poils du vison, de la zibeline, du renard, ou Dieu savait quelle fourrure on avait plaqué sur son visage.

*
* *

Respirant par la bouche parce que son nez était bouché par le sang et les débris de cartilage, Ethan ne savait pas s'il aurait la force d'emporter le garçon jusqu'à la maison, jusqu'au bureau de Mrs. McBee où se trouvaient les inhalateurs de rechange.

Une balle avait touché son oreille gauche; même si la blessure était superficielle, le sang s'engouffrait dans les méandres de son conduit auditif, le rendant sourd, mais descendait aussi dans la trompe d'Eustache et encombrait sa gorge, déclenchant de violentes quintes de toux.

Après quelques hésitations, comprenant que Fric était victime d'une crise d'asthme hors norme, que sa vie était réellement en jeu, il souleva le garçon, le prit dans ses bras et se tourna pour rejoindre la maison. C'est alors qu'il tomba nez à nez avec Dunny.

— Reste assis avec lui, déclara Dunny.

— *Écarte-toi de mon chemin!*

— Ça va aller. Assieds-toi, Ethan.

— Il va très mal. Je ne l'ai jamais vu dans cet état...

Ethan entendait sa voix vibrer. Une émotion, plus ample et plus profonde que la peur ou la colère, l'étreignait : l'amour, brut et déchirant, pour un autre être – un sentiment qu'il ne pensait plus pouvoir éprouver.

— Il est trop faible cette fois pour se battre.

— C'est à cause du gaz paralysant, mais les effets se dissipent.

— Un gaz? De quoi parles-tu?

D'une main sur l'épaule, posée à la fois avec douceur et avec une fermeté dépassant l'entendement, Dunny Whistler fit rasseoir Ethan sur le banc.

Debout devant Ethan et le garçon, avec son visage pâle, quelque peu livide, et son costume élégant, Dunny semblait parfaitement normal, et pourtant cet homme-là traversait les miroirs, se transformait en perroquets qui eux-mêmes se métamorphosaient en colombes, pour s'évanouir dans les guirlandes d'un sapin de Noël.

Ethan s'aperçut que son ami d'enfance restait sec malgré

la pluie. Les gouttes tombaient sur lui sans effet. Ethan avait beau cligner des yeux, il ne parvenait pas à distinguer ce qui survenait aux gouttes après avoir rencontré le corps ou le visage de Dunny. Encore un mystère.

Lorsque Dunny posa une main sur la tête de Fric, l'air confiné dans ses poumons s'échappa d'un coup. Fric frissonna dans les bras d'Ethan, renversa sa tête en arrière et inspira une goulée d'air frais. Puis il expira un nuage blanc d'haleine, sans plus aucune trace d'asthme.

Ethan regarda Dunny – amaigri par les jours de coma, la peau couleur de cendre –, aussi stupéfait que lorsque, après avoir été écrasé par le camion, il s'était retrouvé, en vie, devant la porte du *Forever Roses*.

— Comment fais-tu ça ?

— Tu crois aux anges, Ethan ?

— Aux anges ?

— La nuit de ma mort, expliqua Dunny, alors que j'étais dans le coma, j'ai été *visité*. Par un esprit qui se fait appeler Typhon.

Ethan songea à sa rencontre avec le Dr O'Brien, au Notre-Dame-des-Anges, plus tôt dans la journée, au relevé de l'électroencéphalogramme ; il revit en pensée ces ondes bêta inexplicables, typiques d'une personne éveillée et alerte, qui avaient tracé un ballet endiablé sur l'écran de l'ordinateur, alors que Dunny était en coma profond.

— Quelques heures avant ma mort, poursuivit Dunny, Typhon est venu me révéler le triste destin qui attendait mon meilleur ami. Toi, Ethan. Malgré les années perdues, et tous mes égarements, tu es toujours resté mon ami. Toi, le mari d'Hannah. Typhon m'a montré où et comment Rolf Reynerd allait te tuer, dans cette pièce en noir et blanc, avec tous ces oiseaux. J'ai eu tellement peur pour toi, tellement de chagrin aussi...

À différents endroits, l'électroencéphalogramme avait enregistré des pics d'ondes bêta, signes, selon le Dr O'Brien, d'une grande terreur chez le sujet. Le reste du diagramme était quant à lui symptomatique d'une conversation animée.

— Il m'a fait une offre... m'a donné une chance... celle d'être ton gardien pendant ces deux derniers jours. Parmi les pouvoirs qui m'ont été accordés pour cette courte mission, il y avait celui de replier le temps pour revenir en arrière.

Quand un type annonce qu'il peut revenir dans le temps et qu'on le croit sans sourciller, que l'on accepte avec un étonnement rapidement décroissant que la pluie puisse tomber sur lui sans le mouiller, c'est que quelque chose a changé irrémédiablement en soi – sans doute dans le bon sens, même si on a l'impression qu'un vide sans fond vient de s'ouvrir sous ses pieds –, qu'à l'instar d'Alice, on est tombé dans le terrier du lapin.

— J'ai décidé de te laisser vivre ta mort dans l'appartement de Reynerd, pour te montrer ce que t'avait réservé le destin, et puis je t'ai ramené juste avant l'instant fatidique. Je me suis dit que ça allait te fiche une peur bleue et que cela te rendrait plus prudent à l'avenir. Il fallait que tous tes sens soient aux aguets si je voulais que tu aies une chance de sortir victorieux de la bataille qui approchait, et de sauver l'enfant.

Dunny sourit en regardant Fric. Il leva un sourcil, comme s'il sentait que le garçon voulait dire quelque chose.

Encore faible de corps, mais ayant recouvré sa vivacité d'esprit, Fric dit à Ethan :

— Vous serez surpris d'apprendre que les anges peuvent dire « merde », monsieur Truman. Moi aussi, ça m'a causé un choc. Mais bon, c'est dans le dictionnaire, alors...

Ethan se souvint du moment qu'il avait passé avec Fric dans la bibliothèque ce soir, quand il avait dit au garçon que tout le monde l'aimait bien. Stupéfait, troublé, Fric n'avait su que répondre.

Dans l'arbre de Noël, derrière Fric, les angelots s'étaient mis à tourner et à se balancer alors qu'aucun courant d'air n'était passé. Un étrange sentiment avait gagné Ethan à cet instant, celui qu'une porte s'était entrouverte dans son cœur, pour lui révéler la vérité cachée. Cette fois, la porte venait de s'ouvrir toute grande.

*
* *

Dunny voit son ami serrer le garçon dans ses bras, et il voit le garçon se blottir de toutes ses forces contre Ethan, mais il voit bien davantage que le simple émerveillement devant sa présence surnaturelle, et plus encore que le soulagement d'être en vie. Il voit un père de substitution et le fils qu'il a officieusement adopté, il voit deux existences s'arrachant du désespoir, transcendées par leur désir de s'aider mutuellement, il voit les années qui les attendent, emplies par l'allégresse d'un amour naissant mais aussi marquées par les blessures de la vie que seul cet amour saura panser. Et Dunny sait que c'est la meilleure action qu'il ait faite de sa vie et, ironie du sort, sa dernière.

— La PT Cruiser, le camion..., s'étonne Ethan.

— Oui, tu es mort une seconde fois, répond Dunny, parce que le destin cherche toujours à coller au schéma qu'il a prévu. Ta mort dans l'appartement de Reynerd est un effet de ton libre-arbitre, des choix que tu as faits. En repliant le temps, j'ai contrarié la destinée que tu t'étais tracée. Ne cherche pas à comprendre... Cela dépasse ton entendement de mortel. Sache simplement qu'à présent, le destin a abandonné son dessein. Par tes choix, tes actes, tu t'es ouvert un nouveau chemin.

— Les clochettes dans l'ambulance ? demande Ethan, les clochettes baladeuses, c'était toi... ?

Dunny regarde Fric en souriant.

— Quelles sont les règles ? Comment nous autres, les anges, devons-nous agir ?

— Avec discrétion et de façon indirecte, récite le garçon. Par l'encouragement, l'incitation, l'intimidation, la cajolerie, le conseil. Il ne peut influencer le cours des événements que par des moyens détournés, furtifs et subliminaux.

— Voilà encore une chose que tu sais aujourd'hui et que le commun des mortels ignore, Fric ! Une de plus ! lance Dunny. Et c'est sans doute plus essentiel que de savoir que la civette provient des glandes anales de la petite bête du même nom.

Le garçon esquisse un sourire, bien plus charmant que celui de sa top-model de mère ; et toute sa personne rayonne d'une lumière intérieure sans qu'il ait eu besoin, pour la révéler, du concours d'un bataillon de conseillers spirituels et autres gourous.

— Ces gens... qui sont apparus dans l'allée... et qui se sont rués sur la voiture, c'était toi aussi ? articule Ethan avec émerveillement.

— Des images des victimes de Moloch, que j'ai fait apparaître dans l'eau et se jeter sur sa voiture pour l'effrayer.

— Mince, j'ai raté ça ! lâche Fric.

— Si tu veux tout savoir, Ethan, nous autres, anges gardiens, on ne se balade pas en toge blanche, avec nos petites ailes et notre harpe sur le dos, comme dans les films. Comment voyageons-nous, Fric ?

Le garçon commence à répondre, mais ne peut terminer, ayant un trou de mémoire :

— Vous voyagez par les miroirs, par le brouillard, par la fumée, par... par...

— ... par les portes d'eau, par les escaliers d'ombre, les routes de clair de lune, lui souffle Dunny.

Et Fric poursuit :

— Par l'espoir, le souhait et le souffle d'un désir.

— Vous voulez voir une dernière fois comment vole un véritable ange ? lance Dunny

— Cool ! répond le garçon.

— Attends, lance Ethan.

— Non, je ne peux attendre, répond Dunny qui a entendu l'appel et doit y répondre. J'en ai fini ici, à jamais.

— Adieu, mon ami, articule Ethan.

Heureux d'entendre ces mots, plus heureux que ne le montre son visage, Dunny transforme son corps grâce aux pouvoirs qui lui ont été conférés ; il devient des centaines de papillons dorés qui s'élèvent avec grâce sous la pluie, puis, un par un, d'un battement d'ailes, ils se dissolvent dans la nuit, et disparaissent loin de la vue des mortels.

95.

Lorsque Dunny se matérialise au deuxième étage de la grande maison, en réponse à l'appel impérieux, Typhon l'attend sur le seuil des doubles portes menant à la suite de Channing Manheim.

— C'est incroyable ! lance-t-il en secouant la tête d'incrédulité. Tu as visité ces pièces, mon garçon ?

— Non, monsieur.

— Même moi, je n'ai jamais vécu dans un tel luxe ! C'est vrai qu'à l'époque, je voyageais beaucoup et que je séjournais surtout dans des grands hôtels... mais même les plus chics d'entre eux n'offraient pas des suites comparables à celle-là.

Des sirènes se firent entendre au loin.

— Mr. Hazard Yancy, annonce Typhon, a envoyé la cavalerie avec un métro de retard, mais je suis sûr que son arrivée sera la bienvenue.

Les deux hommes se dirigent alors vers l'ascenseur, dont les portes s'ouvrent à leur approche.

Avec sa courtoisie habituelle, Typhon fait signe à Dunny de passer le premier.

Sitôt que les portes se referment et qu'ils commencent à descendre, Typhon annonce :

— Beau travail. Magnifique, vraiment. Je crois que le résultat dépasse encore tes espérances.

— De beaucoup, reconnaît Dunny, car entre les deux hommes, seule la vérité a droit de cité.

Avec une lueur taquine, Typhon ajoute :

— Tu dois reconnaître que j'ai honoré de mon côté tous les termes de notre marché, et que j'ai fait preuve d'une souplesse hors pair.

— Je vous suis infiniment reconnaissant de la chance que vous m'avez donnée.

Typhon tapote l'épaule de Dunny avec affection.

— Ces dernières années, mon garçon, nous pensions t'avoir perdu.

— Loin s'en faut.

— Détrompe-toi. Tu étais parti bien plus loin que tu ne le penses, lui assure Typhon. Nous avions quasiment tiré un trait sur toi. Je suis bien content que cela se termine comme ça.

Typhon lui tape de nouveau sur l'épaule et le corps de Dunny s'effondre sur le plancher de la cabine, tandis que son esprit reste dans le costume – copie conforme du cadavre à ses pieds, mais beaucoup moins tangible et solide que la masse de chair par terre.

Au bout de quelques instants, le corps disparaît.

— Où l'envoyez-vous ? demande Dunny.

Avec un petit gloussement malicieux, Typhon répond :

— Il va y avoir des gens surpris dans le parc derrière l'hôpital Notre-Dame-des-Anges. Le cadavre nu qu'ils ont perdu va être retrouvé en costume cravate, avec des billets plein les poches !

Les deux êtres dépassent le rez-de-chaussée. Les sous-sols s'ouvrent sous leurs pieds.

Avec cette note de sollicitude qui lui est coutumière, Typhon demande :

— Tu as peur, mon garçon ?

— Oui.

De la peur mais pas de la terreur. À cet instant, dans son cœur d'immortel, un autre mal règne ne laissant aucune place pour la terreur.

Quelques minutes plus tôt, en regardant Ethan et le garçon enlacés sur le banc de jardin, sachant que désormais ils sont père et fils, en amour sinon en nom, Dunny a été pris d'un regret incommensurable, un éperon qui lui a traversé la poitrine de part en part. La nuit où Hannah est morte, le regret aussi l'a envahi, et presque emporté dans la folie – le regret non seulement de l'avoir perdue, elle, Hannah, mais aussi de ce qu'il a fait de sa vie, de ce gâchis… Ce regret l'a changé, mais pas assez, car il n'a entrevu aucune lumière par-delà la douleur.

Cette chose qui, à présent, l'étreint tout entier alors qu'il descend sous terre n'est pas cette fois du regret mais du remords, un remords si puissant qu'un sentiment de culpabilité lui déchire les entrailles, une bête acharnée qui le ronge jusqu'à l'âme. Il tremble, de violents spasmes le traversent, maintenant qu'il mesure, pour la première fois, combien les autres ont souffert de ses égarements.

Des visages remontent à sa mémoire, des visages d'hommes qu'il a brisés, de femmes qu'il a traitées avec une cruauté sans pareille, d'enfants qu'il a menés sur le chemin de la drogue, du crime et de la déchéance ; et même si ces visages lui sont douloureusement familiers, il a l'impression de les découvrir, parce qu'il discerne, en chacun d'eux, pour la première fois, un individu avec des rêves, des aspirations et un potentiel pour faire le bien. Dans sa vie, tous ces gens ont été, à ses yeux, non pas des êtres humains, mais des instruments, des outils pour parvenir à ses fins et assouvir ses désirs, des sources de plaisir, de simples pions dans sa quête de pouvoir.

Le changement en lui, qui lui a paru fondamental après la mort d'Hannah, était davantage de l'ordre de l'apitoiement. Il a éprouvé du chagrin, oui, et du regret aussi, dans une certaine mesure, mais c'est sans comparaison avec ce remords indicible et cette honte qui lui brûlent les entrailles à présent.

— Mon cher enfant, je sais les tourments que tu traverses, lui dit Typhon alors qu'ils franchissent le premier sous-sol.

Il fait allusion à la peur, mais la peur, aux yeux de Dunny, est le moindre de ses maux.

Le remords est un mot encore trop faible pour décrire ce qu'il éprouve ; c'est si douloureux, si profond que rien ne peut traduire ce qu'il ressent. Tandis que ces visages défilent devant lui, en un ballet macabre, Dunny présente ses excuses à chacun de ces êtres détruits, il *implore* leur pardon avec une humilité sans fin – encore une nouveauté pour lui. Il pleure pour le mal qu'il leur a fait, même s'il est mort et qu'il ne peut racheter ses fautes, même si nombre de ses victimes sont mortes depuis longtemps et ne peuvent entendre ses remords ni connaître son désespoir de ne pouvoir réécrire le passé.

L'ascenseur a dépassé le dernier sous-sol et continue sa descente. Ils ne sont plus dans l'ascenseur, en fait, mais dans son *idée*, l'idée d'un ascenseur d'un genre particulier. Les parois de la cabine sont tapissées de moisissures. L'air est vicié. Le sol semble fait d'os compactés.

Dunny sent que le visage de Typhon se métamorphose, que ses traits androgynes et ses yeux rieurs ont laissé place à un visage plus proche en esprit du rôle du grand-père protecteur que son guide a incarné jusqu'ici. Il le sent à la périphérie de son champ de vision, car il ne regarde pas Typhon directement. Il n'ose pas.

Étage après étage, ils descendent toujours, bien que l'indicateur au-dessus de la porte ne prévoie que cinq niveaux.

— J'ai une faim de loup, déclare Typhon. Autant que je m'en souvienne – et j'ai une mémoire sans faille ! – je n'ai jamais été aussi affamé de ma vie. J'ai vraiment l'estomac dans les talons.

Dunny refuse de penser à ce que signifient ces paroles, et c'est d'ailleurs le cadet de ses soucis.

— Je mérite ce qui va m'arriver, articule-t-il tandis que la farandole de visages continue de danser devant ses yeux.

— C'est pour bientôt..., répond Typhon.

Dunny, en esprit, se tient tête basse; il regarde le sol où son enveloppe corporelle a disparu, prêt à accepter les souffrances à venir si elles signifient la fin de ce mal qui le ronge, de ce remords insupportable.

— Aussi terrible que cela va être, annonce Typhon, c'est encore préférable à ce que tu aurais enduré, si tu avais rejeté mon offre et choisi de passer mille ans au purgatoire avant de... monter. Tu n'étais pas prêt à aller directement vers la Lumière. Le marché que je t'ai proposé t'a évité une longue et pénible attente.

La cabine ralentit et s'arrête. Un *ping!* annonce leur arrivée à destination, comme s'ils étaient deux cadres se rendant à leur bureau le matin.

Lorsque les portes s'ouvrent, quelqu'un entre, mais Dunny garde la tête baissée. Il y a de la place, maintenant, pour la terreur, mais il reste encore maître de lui.

En voyant la personne pénétrer dans la cabine, Typhon se met à crier, avec une rage inhumaine; sa voix est reconnaissable, mais il n'y a plus nulle trace d'humour ou de douceur. Il se plante devant Dunny et lance avec colère :

— On avait un accord! Tu m'as vendu ton âme, mon garçon, et je t'ai offert plus que ce que tu pouvais espérer!

Par la force de sa volonté, par son pouvoir omnipotent; Typhon force Dunny à relever la tête.

Ce visage...

Oh, ce visage. Celui qui a hanté, en filigrane, dix mille cauchemars. Ce visage qu'aucun esprit mortel ne peut concevoir. Si Dunny était en vie, la vue de cette face l'aurait tué sur le coup... Dans l'instant, il sent son esprit se ratatiner.

— Tu as voulu sauver Truman et tu l'as fait! lui rappela Typhon, d'une voix chargée de haine qui se fit gutturale et vibrante. Son ange gardien, tu lui as dit. Un « ange noir » aurait été plus proche de la vérité. C'est Truman que tu voulais sauver, et je t'ai donné aussi le gosse et Yancy. Tu es comme ces requins de Hollywood dans le bar de l'hôtel, comme l'autre politicien et ses sbires que j'ai coincés à San Francisco. Vous pensez tous pouvoir échapper à vos promesses, ne pas remplir votre part du marché, mais tout se paie à la fin, tout. *Personne ne rompt sa parole, ici !*

— Va-t'en, ordonne la personne qui venait d'arriver.

Dunny a choisi de ne pas relever la tête. Si la vue que cet être lui réserve est pis que celle de Typhon – et c'est sans doute le cas, puisqu'il ne peut y avoir qu'une progression dans l'horreur –, alors il ne veut pas les regarder, ni l'un ni l'autre, du moins tant qu'on ne l'y contraindra pas ostensiblement, comme vient de le faire Typhon.

L'ordre revient, plus impérieux : *Va-t'en !*

Typhon sort de l'ascenseur ; alors que Dunny s'apprête à le suivre, pour vivre le sort qu'il a mérité et accepté, les portes se referment, lui barrant le passage. Et Dunny se retrouve seul avec l'être.

La cabine recommence son périple ; Dunny se met à trembler en songeant qu'il existe peut-être des territoires plus sombres et profonds encore que l'abysse où Typhon a disparu.

— Je sais tes tourments, annonce la personne, en écho à ce qu'a dit Typhon quand, dans l'ascenseur, ils quittaient le Palazzo Rospo pour d'autres royaumes.

Quand l'être a dit à Typhon *va-t'en*, Dunny n'a pas reconnu la voix. Mais maintenant, c'est chose faite. Il doit s'agir d'un leurre, d'une nouvelle torture… il ne veut toujours pas relever les yeux.

La voix poursuit :

— Tu as raison. Le mot *remords* ne peut décrire la souffrance qui te submerge, qui déchire ton esprit. Pas plus que le *regret* ou le *chagrin*. Mais tu te trompes quand tu dis que tu ne connais pas le mot, Dunny. Tu le connaissais autrefois, et tu ne l'as pas oublié, même si cela fait longtemps que tu n'as pas éprouvé ce sentiment.

Il aime cette voix, il l'aime tant qu'il ne peut se retenir. Il faut qu'il regarde la personne qui lui parle… Se préparant à découvrir que cette voix chérie émane d'une face aussi hideuse que celle de Typhon, Dunny relève la tête… Et, miracle ! Hannah est aussi belle que du temps de son vivant.

Cette surprise est suivie immédiatement par un autre étonnement : il a mal interprété le mouvement de l'ascenseur. Ils ne descendent pas vers les abîmes. Ils montent !

Les parois de la cabine ne sont plus tapissées de moisissures. L'air n'est plus vicié.

Avec émerveillement, mais n'osant encore y croire, Dunny articule :

— Comment est-ce possible ?

— Les mots font le monde, Dunny. Ils ont un sens, et par le sens qu'ils portent, ils ont un pouvoir. Quand tu ouvres ton cœur au chagrin, quand après le chagrin vient le regret, et puis qu'encore après vient le remords, alors derrière, juste derrière, il y a la *contrition*, qui est le mot qui décrit ton état. C'est un mot d'une puissance redoutable, Dunny. Quand ce mot emplit tout un cœur, il n'est jamais trop tard - aucun séjour dans les ténèbres, aucun marché de dupe enchaînant l'âme d'un homme n'aurait pu opérer une telle métamorphose.

Elle sourit. Un sourire irradiant de lumière.

Ce visage...

Le visage d'Hannah est charmant, adorable, mais derrière, en filigrane, Dunny distingue un autre visage, comme c'était le cas chez Typhon... mais ce deuxième visage n'est pas issu d'une distillation de cauchemars. La chose est inconcevable. Indescriptible. Ce visage derrière celui d'Hannah est encore plus beau, plus magnifique ; il est la source de son aura, d'une beauté si profonde, si immémoriale que Dunny serait mort aussi dans l'instant, foudroyé d'extase, s'il n'avait été un esprit.

Ce Visage d'une complexité infinie et transcendantale est aussi le Visage de la miséricorde - une miséricorde que, même maintenant, durant son élévation, Dunny ne peut appréhender dans son entier. Et cependant tout son être est empli d'une reconnaissance inexprimable.

Mais un autre émerveillement l'attend encore : il s'aperçoit, en découvrant l'expression d'Hannah, qu'elle aussi voit derrière ses traits, le même Visage irradiant... que lui aussi, Dunny Whistler, apparaît à Hannah rayonnant de lumière.

— La vie est un long chemin, Dunny, même quand il tourne court. Un long chemin, tortueux et souvent douloureux. Mais tout cela est derrière toi, à présent. Maintenant prépare-toi pour la grande ligne droite. Car, je te le dis, tu n'as encore rien vu.

Ping !

96.

Ethan et Fric se tenaient côte à côte, derrière une fenêtre dans le salon du premier étage, qu'on appelait la chambre verte pour des raisons évidentes de couleur.

Ming du Lac croyait qu'aucune maison de cette taille ne pouvait être un lieu d'harmonie spirituelle si elle n'offrait, à ses occupants, une pièce exclusivement décorée dans un camaïeu de verts. Leur conseiller feng shui était d'accord avec cette assertion d'ordre chromatique, peut-être parce que sa philosophie professait le même genre de précepte, peut-être aussi, et c'était l'explication la plus vraisemblable, parce qu'il préférait ne pas contredire du Lac.

Toutes les nuances de verts – peintures des murs, tissus d'ameublement, tapis, patines – avaient été vues en rêve par Ming du Lac. C'était à se demander ce qu'il mangeait avant d'aller se coucher.

Mrs. McBee avait baptisé cette pièce « la pustule », à l'insu, évidemment, de du Lac.

Derrière la fenêtre, le parc offrait une autre palette de verts, autrement agréable ; au-dessus, un ciel pur et azur, sans le moindre nuage.

De l'endroit où Ethan et le garçon se tenaient, ils apercevaient le portail d'entrée, et la foule des journalistes dans la rue. Les rayons du soleil se reflétaient sur les voitures, les vans des chaînes locales et les cars-régies des télévisions nationales, avec leurs grandes antennes satellites sur le toit.

— Ça promet d'être un beau cirque ! lâcha Fric.

— Un musée des horreurs, renchérit Ethan.

— Une parade de monstres de foire.

— Un zoo des bêtes curieuses.

— Halloween à Noël ! lâcha Fric. Je n'ose imaginer ce qu'ils vont raconter au JT.

— Tu n'auras qu'à pas regarder, suggéra Ethan. Au diable les journaux télévisés. De toute façon, tout ça va se tasser très vite.

— Ça m'étonnerait, répliqua le garçon. Ça va durer des semaines, au contraire. C'est la grosse affaire pour eux ; le petit prince d'Hollywood et le déséquilibré qui voulait lui faire la peau.

— Ainsi, tu te vois comme le petit prince d'Hollywood ?

Fric fit une grimace.

— C'est comme ça qu'ils vont m'appeler. Je les entends déjà. Je ne pourrais plus mettre le nez dehors avant cinquante ans, et encore, ils viendront me pincer les joues et me dire comme ils se sont inquiétés pour moi.

— Tu crois ? À mon avis, tu surestimes grandement l'intérêt que tu suscites chez le public.

Une lueur d'espoir brilla dans les yeux du garçon.

— Vous dites ça pour me faire plaisir...

— Pas du tout. Tu n'es pas comme ces fils de stars qui veulent faire comme papa ou maman.

— Plutôt bouffer des vers de terre !

— Tu n'apparais pas dans les films de ton père. Tu ne veux faire carrière ni dans la chanson, ni dans la danse. Et tu n'as aucun don d'imitateur, à ce que je sache ?

— Aucun.

— Tu sais jongler ou faire tourner dix assiettes au bout de cannes de bambou ?

— Non... enfin, pas dix en même temps.

— Tu connais des tours de magie ?

— Non.

— Tu fais le ventriloque ?

— Lamentablement.

— Tu vois, tu m'ennuies déjà. Tu sais ce qui les excite vraiment dans cette histoire, ce qui les fait rêver ?

— Non. Quoi donc ?

— Le dirigeable.

— Le dirigeable..., répéta Fric. Oui, ça, c'est quelque chose.

— Ne le prends pas mal, mais un gamin de ton âge, avec ton manque d'expérience... désolé, tu ne fais pas le poids face à un dirigeable survolant Bel Air.

À la pointe Nord de la propriété, les portes commencèrent à s'ouvrir.

— Voilà la fine équipe ! annonça le garçon tandis que la première limousine noire s'engageait dans l'allée. Vous croyez qu'il va s'arrêter pour faire une déclaration ?

— Je lui ai demandé de s'en abstenir, répondit Ethan.

Nous n'avons pas les effectifs pour contenir une telle foule de journalistes, sans compter que les interdits, ça les excite toujours... Ça va être, dans la seconde, la foire d'empoigne.

— Il va s'arrêter, prédit Fric. Je vous parie un million de dollars contre un tas de crottin qu'il va s'arrêter. Il est dans quelle limo ?

— La cinquième sur les sept du convoi.

La deuxième limousine franchit les portes.

— Il va avoir une nouvelle petite amie, s'inquiéta Fric.

— Tout ira bien avec elle.

— Possible.

— Tu as le brise-glace tout trouvé.

— Lequel ?

— Le dirigeable.

Le visage du garçon s'éclaire.

— C'est vrai, ça.

La troisième voiture apparut.

— Souviens-toi de ce dont nous étions convenu. Nous ne devons raconter à personne le côté... *étrange* de l'affaire.

— Bien sûr, répondit Fric. Je ne veux pas me retrouver en camisole !

La quatrième limousine fit son entrée, mais la cinquième s'arrêta devant les portes. De loin, sans jumelles, Ethan ne pouvait voir si Channing Manheim était descendu de voiture pour rencontrer les journalistes et faire son numéro de charme, mais il savait, en son for intérieur, qu'il devait à Fric un gros tas de crottin.

— Pour Noël, c'est râpé..., déclara Fric.

— Tu auras le tien, lui promit Ethan.

*
* *

Le matin de Noël, dans son bureau, Ethan réécouta les cinquante-six messages qu'avait reçus la ligne 24.

Avant le retour de Manheim et de Ming du Lac au Palazzo Rospo, Ethan avait enregistré les appels sur CD. Puis il les avait effacés de l'ordinateur de la chambre blanche ; ils n'apparaissaient même plus sur les registres du standard. Ethan serait le seul à connaître leur existence.

Ces messages lui étaient destinés, et à lui seul, un cœur parlant à un autre à travers le gouffre de l'éternité.

Dans certains d'entre eux, Hannah résolvait certains éléments du rébus de Laputa. Dans d'autres, elle se contentait de répéter le nom d'Ethan, parfois avec désir, parfois avec affection.

Il repassa en boucle l'appel 31, un nombre incalculable de fois. Dans cet appel, elle lui rappelait qu'elle l'aimait, et quand Ethan écoutait ces mots, il avait l'impression que ces cinq années avaient duré le temps d'un soupir, que ni le cancer ni même la tombe ne les avaient séparés.

Il ouvrait une boîte de cookies laissée par Mrs. McBee lorsque son téléphone sonna…

*
* *

Fric mettait toujours son réveil tôt à sonner le jour de Noël, non par impatience de découvrir ce qu'on avait déposé pour lui au pied du sapin, mais pour mettre fin au plus vite à cette mascarade stupide.

Il *savait* ce que renfermaient ces papiers dorés et ces rubans : exactement tout ce qu'il avait noté sur la liste qu'il avait dûment remise à Mrs. McBee le 5 décembre. On n'avait jamais omis le moindre de ses souhaits, et à chaque fois qu'il avait voulu réviser à la baisse ses exigences, on lui avait demandé de rallonger sa liste pour qu'elle ne fasse pas pâle figure par rapport à celle de l'année passée. Au rez-de-chaussée, au pied de l'arbre du salon, il y aurait une montagne de cadeaux fabuleux et aucune surprise.

Ce matin de Noël, toutefois, Fric, en ouvrant les yeux, eut droit à une nouveauté. Pendant qu'il dormait, quelqu'un s'était faufilé dans sa chambre et avait laissé un cadeau sur sa table de nuit, à côté du réveil.

Une petite boîte enveloppée de blanc, papier comme ruban.

La carte était plus grande que le cadeau. Personne ne l'avait signée, mais l'auteur avait écrit ces mots : *Ceci est un talisman magique. S'il ne bat des paupières, tu vivras de grandes aventures. S'il ne verse de larmes, tu vivras une longue vie heureuse. Si toujours il te regarde, tu deviendras l'homme que tu veux être.*

C'était un mot si déroutant, si mystérieux, si riche de promesses, que Fric le lut plusieurs fois, s'interrogeant sur son sens profond.

Il hésitait à ouvrir la boîte blanche, car il craignait que rien ne puisse égaler l'espoir et l'émotion que lui avaient apportés ces mots.

Quand, enfin, il arracha le papier et souleva le couvercle et déplia le tulle protecteur, il découvrit – *Ô joie !* – que le contenu dépassait ses espérances.

Sur une chaînette en or toute neuve, une sphère de verre était montée en pendentif et, dans cette sphère, flottait un œil ! Il n'avait jamais rien vu de pareil de toute sa vie et ne le reverrait sans doute jamais. Une relique du continent perdu de l'Atlantide ? Peut-être le joyau d'un sorcier ? L'amulette protégeant les chevaliers de la Table Ronde, luttant pour la justice sous la protection de Merlin ?

S'il ne bat des paupières, tu vivras de grandes aventures.

Aucun battement possible, car cet œil n'avait pas de paupières.

S'il ne verse de larmes, tu vivras une longue vie heureuse.

Pas de larmes, aucune depuis des temps immémoriaux, car cet œil ne pouvait plus pleurer.

Si toujours il te regarde, tu deviendras l'homme que tu veux être.

Jamais cet œil ne se fermerait, pas même le plus infime instant ; il resterait grand ouvert, fixé sur lui, vigilant et magique.

Fric observa le pendentif à la lumière du soleil, puis à celle de sa lampe de chevet, puis encore à la lumière d'une lampe électrique dans l'obscurité artificielle de sa penderie.

Il examina le globe à la loupe, et aussi sous tous les angles simultanément, par le truchement d'un jeu de miroirs.

Il le glissa dans la poche de son pyjama, et il sut que, malgré le tissu, l'œil continuait à le regarder, que rien ne pouvait l'aveugler.

Il le tint ensuite dans son poing fermé et il sentit la chaleur de son regard sur les replis de ses doigts ; s'il gardait son cœur pur et son esprit tourné vers le bien, comme tout chevalier était censé le faire, alors, un jour, cet œil lui montrerait le futur s'il souhaitait le voir et le guiderait sur les traces de Camelot.

Après avoir échafaudé, en pensée, mille paroles de remerciements pour en rejeter neuf cent quatre-vingt-dix-neuf, le garçon rangea le pendentif dans sa boîte, et, sans quitter des yeux cet œil de cyclope miraculeux, il prit le téléphone.

Le garçon sourit, en imaginant retentir, à l'autre bout du fil, les premières notes du thème de *LA Dragnet*.

Quand on décrocha, Fric se contenta de dire :

— Joyeux Noël, monsieur Truman.
— Joyeux Noël, Fric.
Sur ces simples mots, l'homme et le garçon raccrochèrent, sachant qu'ils s'étaient compris. À cet instant, en ce point de la trame du temps, tout était dit.

Note

Dans le chapitre 32, Typhon conseille à Dunny Whistler de prendre exemple sur saint Duncan, le saint d'où provient son nom. Aucun Duncan n'a jamais été canonisé. On ne se lassera pas de s'interroger sur les raisons qui ont incité Typhon à prononcer ce petit mensonge apparemment sans conséquence.

D.K.

Photocomposition
Asiatype

Impression réalisée sur CAMERON
par BRODARD ET TAUPIN
La Flèche
en mai 2006

Imprimé en France
Dépôt légal : juin 2006
N° d'édition : 80372/01 – N° d'impression : 35793